KB133158

신편

국역 산림경제

1

KSI 한국학술정보[주]

해 제

서언(緖言)

조선(朝鮮)시대에 저술된 자연과학 분야의 도서는 별로 많지 않은데, 그중에서 『산림경제(山林經濟)』는 비교적 일찍부터 널리 알려진 책이다.[1] 본서(本書)가 금년도 민족문화추진회 고전 국역 대상서로 선정되면서 필자가 이의 국역 대본(臺本) 선정을 위한 서지 조사를 맡게 되었다. 이것이 필자가 이 글을 쓰게 된 동기이다. 주지(周知)하는 바와 같이 『산림경제』에 대해서는 저자가 누구냐는 문제에 대해서까지 서계(西溪) 박세당(朴世堂) · 유암(流巖) 홍만선(洪萬選) · 다산(茶山) 정약용(丁若鏞) · 도융(屠隆) 등 이설(異說)이 분분하다. 게다가 간본(刊本)이 없이 필사본(筆寫本)만 전하고 있으므로, 이를 번역하는 입장에서는 어느 본을 대본으로 할 것인가 하는 점이 큰 문제가 된다. 필자는 이러한 문제를 검토하기 위해서 2개월여에 걸쳐 국내 각 도서관에 소장된 본

---

1) 알려진 책이다 : 『산림경제』에 관한 종래의 논고에는 다음과 같은 것이 있다.

부견직차랑(富樫直次郞)·삼목 영(三木榮), 「산림경제고(山林經濟考)」(朝鮮 262호, 朝鮮總督府, 1937)

박종화(朴鍾和), 「산림경제해제(山林經濟解題)」(국립도서관보 통권 70호, 국립중앙도서관, 1959)

이춘녕(李春寧), 「산림경제(山林經濟)」 해제(韓國의 名著, 서울, 玄岩寺, 1969)

유원동(柳元東), 「산림경제(山林經濟)」 해제(韓國의 古典百選, 서울, 東亞日報社, 1969)

이영협(李英俠), 「유암(流巖) 홍만선(洪萬選)의 산림경제고(山林經濟考)」 (劉昶錫博士紀念論叢, 서울, 建國大學校, 1970)

홍이섭(洪以燮), 「홍만선(洪萬選)의 산림경제(山林經濟)에 대하여」 (서울, 景仁文化社, 1973)

(本)들을 직접 조사하고, 일본(日本)에 있는 것은 일인(日人) 삼목영(三木榮)이 일찍이 본서의 판하본(板下本)으로서 유일한 원본이라고 한 『산림경제』를 복사해서 조사하였다.

본고에서는 이러한 조사 과정에서 얻어진 몇몇 사실을 중심으로 저자에 대한 종래의 제설(諸說)을 검토하고, 홍만선(洪萬選)의 생애를 알아본 후 『산림경제』의 성립(成立) 과정과 전본(傳本)·내용 등의 순으로 정리하여 해제에 대신하고자 한다.

1. 저자(著者)

앞에서도 말한 바와 같이 『산림경제』만큼 저자에 대한 이설이 분분한 책도 드물다. 이제 지금까지 거론되고 있는 본서의 저자에 대한 이설을 들고 그 근거를 알아본 후, 필자의 조사에서 나타난 내용을 기술하려 한다.

1) 서계(西溪) 박세당(朴世堂) 설: 이 설은 『증보문헌비고(增補文獻備考)』에 근거를 두고 있다. 즉 동서(同書)의 예문고(藝文考) 농가류(農家類)에 '『색경(穡經)』 1권, 문절공(文節公) 박세당(朴世堂) 찬(撰)'이라 하고, 다음 줄에서 '『산림경제(山林經濟)』 4권 상동(上同)'이라 한 것이다.[2] 이 설은 조선총독부에서 간행한 『조선도서해제(朝鮮圖書解題)』에서 이를 따른 이래,[3] 각 도서관의 고서목록과 고 방은(放隱) 성낙훈(成樂薰) 선생 등 많은 분들이 이를 따르고 있다.[4] 이에 대해 『고선책보(古

---

2) 『산림경제(山林經濟)』…… 것이다 : 홍문관찬집(弘文館纂輯), 『증보문헌비고(增補文獻備考)』 제246권 예문고(藝文考) 5 농가류(農家類).

3) 『조선도서해제(朝鮮圖書解題)』…… 이래 : 조선총독부(朝鮮總督府), 『조선도서해제(朝鮮圖書解題)』(京畿, 1932) p.578 참조.

4) 따르고 있다 : 성낙훈(成樂熏), 『實生活의 革新—徐有榘』(朝鮮實學의 開拓

鮮冊譜)』의 저자 전간 공작(前簡恭作)은 예문고(藝文考)의 최초 편자인 이만운(李萬運)의 원본에는 '上同'이라는 2자가 없다고 하여 이를 부정하였다.5) 이외에 구체적인 이유는 밝히지 않았지만 삼목영(三木榮)·이춘녕(李春寧) 박사 등도 이를 부정한 바 있다.6)

필자가 조사한 바로는 서계(西溪)의 연보나 문집(文集) 어느 곳에서도 서계가 『산림경제』를 지었다는 기록은 찾을 수 없었다. 그러면 『증보문헌비고』에는 어째서 원본에 없던 '上同'이라는 2자를 추가하였을까. 필자가 조사 중에 접한 『산림경제(山林經濟)』에는 다른 본과는 달리 각 조(條)의 출전 중에 서계의 저서인 『색경(穡經)』을 들고 있는 것이 있었다.7) 이로 보아 『문헌비고』를 증보할 때에 이 『산림경제』에 서계의 『색경』이 많이 이용된 것을 보고 서계가 『색경』을 증보하여 다시 『산림경제』를 지은 것으로 추측하여 서계(西溪)의 저서로 기록한 것이 아닐까 생각된다.

2) 다산(茶山) 정약용(丁若鏞) 설: 이의 최초 발설자는 일인(日人) 청류남명(青柳南冥)이다. 그는 조선연구회(朝鮮硏究會)에서 번역한 『산림경제』의 서문에서,

> 本書의 原本은 陳古寫冊으로 著者의 何人됨을 不明히 ᄒᆞ얏스나 世의 識者는 丁若鏞의 著라 云홈에 一致ᄒᆞ니라8)

者 10人, 서울, 新丘文化社, 1974) p.200 참조.

5) 부정하였다 : 전간 공작(前簡恭作), 『고선책보(古鮮冊譜)』(東京, 東洋文庫) p.717 참조.

6) 삼목영(三木榮)·이춘녕(李春寧) …… 바 있다 : 삼목영(三木榮), 전게서(前揭書). 이춘녕(李春寧), 전게서(前揭書).

7) 『색경(穡經)』 …… 있었다 : 장서각 소장 『산림경제(山林經濟)』(No.3~315)로, 『장서각도서한국판총목록』이나 본서의 표제(表題)에는 모두 『산림경제(山林經濟)』로만 되어 있다. 그러나 목차를 보면 모두 『산림경제보(山林經濟補)』로 되어 있다. 한편 서유구(徐有榘)의 『임원십육지(林園十六志)』의 인용 서목에 『산림경제』는 보이지 않고 『증보산림경제(增補山林經濟)』와 『산림경제보(山林經濟補)』만 보이는데, 장서각 소장 『산림경제』가 이에 해당하는 것으로 보인다. 이에 대하여는 고(稿)를 달리하여 소개하려 한다.

한 것이다. 이 설은 다산(茶山)이 실학자로서 많은 저술이 있으므로 이를 끌어다 댄 것으로 보인다. 이는 제설(諸說) 중에서 가장 근거가 없는 것으로 이미 여러 학자들에 의하여 도외시된 것이다.[9] 그러나 아직까지도 이 설을 따라 다산의 저서로 알고 있는 학자도 있다.[10]

3) 도융(屠隆) 설: 『산림경제』의 저자를 한국인이 아닌 명(明)나라 때의 학자 도융으로 본 것이 이 설의 특징이다. 이를 주장한 사람은 조선 후기의 실학자인 오주(五洲) 이규경(李圭景)이다. 그는 『오주연문장전산고(五洲衍文長箋散稿)』에서,

> 『산림경제(山林經濟)』라는 책이 두 본(本)이 있다. 하나는 중국 사람 도융(屠隆)이 지었는데, 나무 심고, 짐승 기르는 방법 등 시골 사람들이 일에 따라 상고할 만한 것으로 모두 4책이고, 하나는 『증보산림경제』라 표제한 11권으로서 유중림(柳重臨)이 편찬한 것이다. ……[11]

한 것이다. 그러나 중국 측 사료(史料)를 조사해 보아도 도융이 『산림경제』를 지었다는 기록은 보이지 않는다. 다만 동시대인인 도본준(屠本畯)의 저서에 『산림경제적(山林經濟籍)』 24권이 있다고 하나,[12] 『사고제요(四庫提要)』나 『사고대사전(四庫大辭典)』·『총서대사전(叢書大辭典)』

---

8) 本書의 …… 一致ᄒᆞ니라: 조선연구회(朝鮮硏究會), 『朝鮮博物志 — 原名山林經濟』(京城, 朝鮮硏究會, 1916) pp.1~3. 이보다 앞서 1913年에 동회(同會)에서는 『산림경제(山林經濟)』라 제(題)한 일역본(日譯本)을 낸 것이 있는데 동일인(同一人)이 이에 쓴 서(敍)에는 정약용(鄭若鏞)으로 되어 있다. 본서는 『산림경제』라고 제(題)하였으나 내용은 모두 『증보산림경제』들이다.

9) 도외시된 것이다: 삼목영(三木榮)·박종화(朴鍾和)·이춘녕(李春寧)의 전게서(前揭書) 참조.

10) 학자도 있다: 전규태, 『국문학의 방법론연구』(서울, 평민사, 1981) p.123 참조.

11) 『산림경제(山林經濟)』라는 …… 것이다: 이규경(李圭景), 『오주연문장전산고(五洲衍文長箋散稿)』 제32권, 증보산림경제변증설(增補山林經濟辨證說) (東國文化社 影印本 上冊) p.935 참조.

12) 도본준(屠本畯)의 …… 하나: 『명사(明史)』 제98권, 예문지(藝文志) 3 자부(子部) 소설가류(小說家類) (景仁文化社 影印本 明史 上) p.715 참조.

등 어느 곳에도 이 책에 대한 기록이 없어 이 책이 어떠한 내용의 책인지 알 길이 없다.

그러나 이를 보지 않더라도 현재 전하고 있는 『산림경제』에 허균(許筠)의 『한정록(閒靜錄)』, 정초(鄭招)의 『농사직설(農事直說)』, 강희안(姜希顔)의 『양화소록(養花小錄)』 등 조선조 학자들의 저서가 수 없이 인용되고 있는 점으로 보아[13] 중국인 도융의 저서일 가능성은 거의 없다.

4) 유암(流巖) 홍만선(洪萬選) 설: 이 설은 조선 숙종(肅宗) 때 사람인 귀록(歸鹿) 조현명(趙顯命)이 쓴 홍만선의 묘갈(墓碣)과 본(本) 『산림경제』 제1권 복거(卜居) 편의 끝에 보이는 이국미(李國美)의 글에 바탕을 둔 것이다. 즉 그의 묘갈에,

> …… 공(公)이 지은 『산림경제』 4권이 세상에 돌아다니고 있다 ……[14]

한 것과 복거 편 끝에,

> …… 홍사중(洪士中) 선생이 『산림경제』를 저술하고 있을 때에 이 도(圖)를 보고서 ……[15]

한 구절이 이것이다. 제설(諸說)과는 달리 이 설은 본인의 묘갈에 분명히 명시되어 있고, 『산림경제』의 내용 중에 그의 저술임을 밝히는 구절이 나온다는 점에서 가장 확실한 근거를 갖고 있다.

5) 기타: 이상에서 열거한 제설(諸說)은 한결같이 저자를 구체적으로 들고 있는데 이들 외에 저자를 미상으로 보거나 서명을 들면서도 저

---

13) 『산림경제』에 …… 보아 : 산림경제전거서목(山林經濟典據書目) 참조.

14) 공(公)이 …… 있다…… : 조현명(趙顯命), 『귀록집(歸鹿集)』(奎章閣圖書 No.3741) 제14권, 장악정홍공묘갈(掌樂正洪公墓碣) 참조.

15) 홍사중(洪士中) 선생이 …… 보고서 …… : 『산림경제(山林經濟)』(서울, 亞細亞文化社 影印本, 1981) p.27 참조. 인용문 중의 '洪士中先生'은 삼목영본(三木榮本)과 경북대본(慶北大本)에는 모두 '洪□□先生'이라고만 되어 있고 '士中' 2자가 없다.

자는 아예 언급하지 않은 학자들이 있다. 즉 1766년(영조 42)에 『증보산림경제』의 서문을 쓴 임희성(任希聖)은,

…… 이 책은 작자가 누구인지 어느 때부터 전해오는 것인지 자세하지 않다 ……[16]

하였는데, 이때는 저자 홍만선이 타계한 지 51년밖에 안 되는 시기였음에도 이런 말을 하고 있는 것이다. 이로 보면 『산림경제』는 초기부터 저자를 알고 있는 사람이 드물었던 것 같다. 또 서유구(徐有榘)는 『임원십육지(林園十六志)』의 예언(例言)[17]에서, 윤희구(尹希求)는 『증정현토산림경제(增正懸吐山林經濟)』[18]의 서문에서 다같이 『산림경제』에 대해 언급하면서도 저자에 대해서는 언급이 없다.

이상에서 열거한 제설과는 달리 아예 『산림경제』가 박세당(朴世堂)의 것과 홍만선(洪萬選)의 것 두 가지가 있는 것으로 보는 설도 있다. 즉 유원동(柳元東) 교수는 산림경제 해제에서,

…… 계통적으로 보면 朴世堂의 山林經濟는 洪萬選의 山林經濟에 영향을 끼쳤으며 ……[19]

하여 두 가지가 따로 있는 듯한 느낌을 준다. 이는 아마도 각기 상반되게 기록하고 있는 고서목록과 『한국인명대사전』의 영향이 아닌가 생각된다.[20]

필자가 조사한 바에 의하면, 목록(目錄) 상 『산림경제』의 원저자를

---

16) 이 책은 …… 않다 …… : 『증보산림경제(增補山林經濟)』 서문(序文)에 "…… 此書 不詳作者 何人傳之自何時 ……"라 되어 있다.

17) 『임원십육지(林園十六志)』의 예언(例言) : 서유구(徐有榘), 『임원십육지(林園十六志)』(서울大學校出版部 影印本) 제1권 p.1 참조.

18) 『증정현토산림경제(增正懸吐山林經濟)』 : 『증정현토산림경제(增正懸吐山林經濟)』는 유경종(劉敬宗)이 1914년에 회동서관(滙東 書館)에서 『증보산림경제』에 현토를 달아 간행한 책이다.

19) 계통적으로 …… 끼쳤으며 …… : 유원동(柳元東), 전게서 참조.

20) 각기 …… 생각된다 : 신구문화사(新丘文化社) 간행 『한국인명대사전』의 박세당(朴世堂)과 홍만선(洪萬選) 조에는 두 사람 다 『산림경제』를 지은 것으로 되어 있다.

박세당으로 적고 있는 것은 모두 『증보산림경제』인데, 이를 열람해보면 홍만선을 저자로 삼고 있는 여타 『산림경제』와 같이 복거(卜居) 편에 '용도서소식십장청(龍圖墅所植十長靑)'과 '귀문원소식화목(龜文園所植花木)'을 싣고 있었다. 홍만선을 저자로 기록하고 있는 『산림경제』의 복거 편 말미에 있는 이국미(李國美)의 글에 의하면, 이 용도서(龍圖墅)와 귀문원(龜文園)은 이국미가 그의 친구 박사원(朴士元)의 문집에서 힌트를 얻어 하도(河圖)와 낙서(洛書)의 수(數)에 따라 만든 집의 설계도이다. 앞에서 언급한 바와 같이 이 글에서 이국미 자신이 '홍만선이 『산림경제』를 지었다'고 말하고 있으나, 이 용도서와 귀문원에 심을 십장청과 화목을 싣고 있는 이상, 홍만선이 지은 『산림경제』를 이어받은 것이라고는 볼 수 있지만 이를 홍만선이 이어받은 것이라고는 보기 어려울 것이다. 이상과 같은 점으로 보아 『산림경제』의 저자는 홍만선(洪萬選)임을 다시 확인할 수 있다.

2. 홍만선(洪萬選)의 생애와 사상

홍만선은 1643년(인조 21, 계미)에 예조 참의(禮曹參議)를 지낸 주국(柱國)과 이조 판서(吏曹判書)를 지낸 경증(景曾)의 딸인 덕수 이씨(德水李氏)의 맏아들로 태어났다.[21]

그의 집안은 당대의 명문(名門)인 풍산 홍씨(豐山洪氏)로서 증조(曾祖) 이상(履祥)은 대사헌(大司憲)을 지냈고 후에 영의정(領議政)

21) 태어났다 : 조현명(趙顯命), 전게서 참조. 삼목영(三木榮)은 전게 '산림경제고'에서, 전간공작(前簡 恭作)은 전게서 『고선책보(古鮮冊譜)』에서 각각 홍만선의 생몰 연대를 현종(顯宗) 갑진년(1664)~숙종(肅宗) 을미년(1715) 52세라고 하였는데, 어디에 근거한 것인지 분명치 않다. 그러나 그의 묘갈(墓碣)과 『풍산홍씨족보(豊山洪氏族譜)』에는 모두 인조(仁祖) 계미년(1643)~숙종(肅宗) 을미년(1715) 73세로 되어 있다. 본고에서는 후자를 따른다.

에 증직되었으며, 조부(祖父) 영(霙)은 예조 참판(禮曹參判)을 지내고 후일 영의정에 증직되었다. 조모(祖母)는 좌의정을 지낸 월사(月沙) 이정귀(李廷龜)의 딸이다.

아버지 주국(柱國)은 사계(沙溪) 김장생(金長生)의 문인인 정홍명(鄭弘溟)의 문하에서 수학(修學)하였다. 시문에 능하여 월과(月課)에서 세 차례나 장원하여 전적(典籍)이 된 후, 지평(持平)·수찬(修撰)·응교(應校)·장령(掌令) 등 청직(淸職)을 두루 역임하고, 1674년(숙종 즉위년)에는 예조 참의가 되었으나 예송(禮訟)에 관련되어 파직되었다.

홍만선은 이러한 명문에서 태어났으나 그의 문집(文集)이나 연보(年譜)·행장 등이 전하지 않아서 자세한 생애는 알 수가 없다. 다만 귀록(歸鹿) 조현명(趙顯命)이 지은 짧은 묘갈(墓碣) 하나가 전하는데, 이것이 유일한 전기 자료이다. 그나마도 간본(刊本)이 아닌 필사본으로서 서울대학교 규장각 도서로 유일하게 전하기 때문에, 그의 저서인 『산림경제(山林經濟)』에 대한 글은 수편이 있지만 그의 생애에 대해 자세하게 기술하고 있는 글은 없다.

이제 조현명이 지은 묘갈과 조선왕조실록·『지촌집(芝村集)』·『청선고(淸選考)』·『송자대전(宋子大全)』·『범옹집(泛翁集)』 등 관계 자료를 통해서 우선 그의 이력을 연대별로 정리해보면 대개 다음과 같다.

1세: 인조(仁祖) 21년 계미(1643) 홍만선(洪萬選) 출생.

3세: 인조 23년 을유(1645) 조부 홍영(洪霙) 졸(卒).[22]

24세: 현종(顯宗) 7년 병오(1666) 진사시(進仕試)에 합격.[23]

27세: 현종 10년 기유(1669) 세자(世子)의 입학(入學)에 집사(執事)로 선임되어 수안(修案)을 맡음.[24]

---

22) 3세 …… 졸(卒) : 『국조인물고(國朝人物考)』(서울大學校出版部 影印本) 下冊 p.939 참조.

23) 24세 …… 합격 : 조현명(趙顯命), 전게서.

24) 27세 …… 맡음 : 『청선고(淸選考)』(探求堂 影印本) 제6권 입학집사(入學執事) 조 참조.

33세: 숙종(肅宗) 즉위년 갑인(1674) 아버지 주국(柱國)이 제2차 예송(禮訟)에 연루되어 탄핵을 받아 파직됨.[25)]

34세: 숙종 1년 병진(1675) 박세당(朴世堂) 『색경(穡經)』을 지음.[26)]

38세: 숙종 6년 경신(1680) 3월에 아버지 주국(柱國) 졸(卒).[27)]

40세: 숙종 8년 임술(1682) 처음으로 벼슬길에 나섬.[28)] 묘갈(墓碣)에는 연대의 구별 없이 역임한 관직을 일괄하여 들고 있으나 품계로 보아 그중의 사옹원 봉사(司饔院奉事)로 시작한 듯함.

44세: 숙종 12년 병인(1686) 노론(老論)의 영수(領袖) 우암(尤庵) 송시열(宋時烈)을 찾아가 아버지 홍주국의 문집인 『범옹집(泛翁集)』의 서문을 받음. 우암과 홍주국은 사계(沙溪) 문하에서 수업한 동문으로서 예송(禮訟)이 일어났을 때 같은 입장을 취함.[29)]

47세: 숙종 15년 기사(1689) 송시열(宋時烈) 졸(卒).

54세: 숙종 22년 병자(1696) 2월에 대흥군수(大興郡守)로서 선치수령(善治守令)에 피선됨. 전국에서 19인을 선발하는 데 뽑힌 것임.[30)]

60세: 숙종 28년 임오(1702) 지촌(芝村) 이희조(李喜朝)에게 편지를 보내 상례(喪禮)를 물음. 지촌과 유암(流巖)은 외재종간임.[31)]

66세: 숙종 34년 무진(1708) 아우 만적(萬廸) 죽음.

67세: 숙종 35년 기축(1709) 아버지의 문집인 『법옹집』과 아우

---

25) 숙종(肅宗) …… 파직됨 : 송시열(宋時烈), 『송자대전(宋子大全)』 제180권. 예조참의홍공묘갈명(禮曹參議洪公墓碣銘) 참조.
26) 34세 …… 지음 : 박세당(朴世堂), 『서계전서(西溪全書)』 하권 색경 서(穡經序) 참조.
27) 38세 …… 졸(卒) : 송시열(宋時烈), 전게서.
28) 40세 …… 나섬 : 조현명(趙顯命), 전게서.
29) 44세 …… 취함 : 송시열(宋時烈), 『송자대전』 제139권, 범옹집 서(泛翁集序) 참조.
30) 54세 …… 것임 : 『숙종실록(肅宗實錄)』 제30권, 숙종 22년 2월 병오 조.
31) 60세 …… 외재종간임 : 이희조(李喜朝), 『지촌선생문집(芝村先生文集)』 제13권 답홍사중(答洪士中) 참조.

의 문집인 『임호유고(臨湖遺稿)』를 합간(合刊)함.32)

68세: 숙종 36년 경인(1710) 음직(陰職)으로 군자감 정(軍資監正)이 됨. 음직으로 정(正)이 되는 것은 학문이나 덕행이 뛰어난 경우가 대부분으로 성혼(成渾)·김장생·송시열·윤선거(尹宣擧)·허목(許穆) 등이 다 이 경우임.33)

69세: 숙종 37년 신묘(1711) 지촌(芝村) 이희조에게 편지를 보내어 상례를 물음.34)

70세: 숙종 38년 임자(1712) 이희조에게 편지를 보내 상례를 물음.35)

73세: 숙종 41년 을미(1715) 홍만선 졸(卒).36)

사후(死後) 3년: 숙종 44년 무술(1718) 종형(從兄) 홍만종(洪萬宗)이 『산림경제(山林經濟)』의 서문을 씀.37)

이상에서 열거한 것은 연대가 분명한 경우만을 들었으나, 묘갈(墓碣)에 의하면 이외에도 내직(內職)으로는 한성부 참군(漢城府參軍)·의금부 도사·공조 좌랑·공조 정랑·사옹원 첨정(司饔院僉正)·장악원 정(掌樂院正)을 역임하였고, 외직(外職)으로는 연원찰방(連源察訪)·함흥판관(咸興判官)·합천군수(陜川郡守)·고양군수(高陽郡守)·단양군수(丹陽郡守)·인천도호부사·상주목사(尙州牧使) 등을 역임하였다.

그는 정금미옥(精金美玉) 같은 자질에 방란냉매(芳蘭冷梅)와도 같은 풍격을 지녔으며 집에서는 효우(孝友)를 실천하였고 관리가 되어서

32) 67세 …… 합간(合刊)함: 김창흡(金昌翕), 『임호유고 서(臨湖遺稿序)』 참조.
33) 68세 …… 경우임: 『승정원일기(承政院日記)』 제455책 숙종 36년 7월 1일·『청선고(淸選考)』 제6권 음정(陰正) 참조.
34) 69세 …… 물음: 이희조, 전게서.
35) 70세 …… 물음: 이희조, 전게서.
36) 73세 …… 졸(卒): 조현명, 전게서.
37) 사후(死後) …… 씀: 홍만종(洪萬宗), 산림경제서문 참조.

는 치적이 높았다.[38] 그가 살다 간 시기는 조선조에서 당쟁이 가장 극심하던 시기였으나 그는 어느 편에도 가담하지 않았다. 이는 아버지 주국(柱國)이 노론(老論)의 일원으로 예송에 연루되어 파직되는 등의 사건을 겪으면서 몸에 익힌, 그의 난세를 살아가는 철학이었던 듯하다. 이 때문인지 그는 별로 높은 벼슬에 오르지 못하였고 중앙 조정보다는 주로 지방관으로 전전하였다. 『산림경제』는 이러한 생활에서 준비되고 집필된 것으로 보인다.

그는 앞에서 말한 대로 『산림경제』 이외에 문집(文集)이나 기타 저술이 전하지 않으므로 그의 사상이 어떠하였는지를 말하기는 매우 어렵다. 종래의 해제 중에 홍만선이 '주자학에 반기를 들고 실용 후생의 학풍을 일으켜 실학 발전에 선구자적 역할을 한 것'으로 기술한 이가 있는데,[39] 이의 후반은 『산림경제』를 지적한 것으로 수긍이 가나 주자학에 반기를 들었다는 말은 어디에 근거한 것인지 잘 알 수 없다.

그러나 그의 아버지 홍주국이 사계(沙溪)의 제자인 정홍명(鄭弘溟)에게 수학하였고 예송(禮訟) 때에는 우암 송시열과 보조를 함께한 점 등과 주자학에 반기를 들 경우 철저하게 비판하는 우암이 부친의 문집 서문과 비문(碑文)을 받으러 간 그에 대하여 아무런 이의 없이 수락한 점 등을 보아 주자학에 반기를 들었는지의 여부는 재고되어야 할 것이다.

3. 산림경제의 성립 및 전본(傳本)

사람이 어느 저서를 낼 때에는 반드시 이를 짓게 된 동기나 목적이 있게 마련이다. 그러나 『산림경제』의 경우 당초 무슨 동기에서 이를 저술한 것인지 서문이나 이를 나타낸 글이 전하지 않아서 자세히 알 수

38) 정금미옥(精金美玉) …… 높았다 : 조현명, 전게서.
39) 홍만선이 …… 있는데 : 유원동(柳元東), 전게서.

가 없다. 그러나 본서의 내용과 저자 홍만선의 처지 등을 중심으로 자세히 검토해보면 몇 가지 주목되는 점이 있다. 즉 당쟁이 극도에 달하고 있던 당시의 세태를 보면서 유달리 시비(是非)의 판단에 엄격했던 홍만선은 벼슬을 버리고 은둔하려는 생각을 품었고, 이러한 생각은 그가 23세 되던 해 아버지 주국(柱國)이 제2차 예송(禮訟)에 연루되어 파직당하고서 몇 년 후에 작고(作故)하게 되면서부터 더욱 굳어졌던 것으로 보인다. '벼슬길에 있으면서도 마음은 항상 물외(物外)에 있는 것 같았다.'[40]는 말은 이러한 심경에 있었던 그를 상상하기에 충분하다.

은둔을 생각하고 있던 시기에 그는 허균(許筠)이, 은둔한 사람들을 부러워하며 한거(閒居)한 사람들의 쇄사(瑣事)·구문(舊聞)이나 그들이 행할 일 등을 중국의 여러 전적에서 발췌하여 집록(集錄)한 『한정록(閒情錄)』을 탐독하였던 것 같다.[41] 이러한 사정은 본서(本書)의 각 편에 『한정록』에서 채록한 것이 수없이 많이 보일 뿐 아니라, 서명 '산림경제(山林經濟)'까지도 이에서 따온 것으로 보이기 때문이다. 즉 삼목영본(三木榮本)과 경북대학본 등의 1권의 앞부분에,

> 옛사람이 '알맞게 화죽(花竹)을 심고 적성(適性)대로 금어(禽魚)를 기르는 것, 이것이 산림의 경제이다.' 하였는데, 나는 일찍부터 이 말을 좋아하였으므로 이로써 내 저서의 서명을 삼는다.

한 말이 실려 있는데, 이 말은 바로 허균의 『한정록』 제10권 유사(幽事)에 있는 말이다.[42] 그러다보니 자연히 편찬 방식과 편명까지도 많은 영향을 받았다. 다만 『한정록』이 전적으로 중국의 전적만을 대상으로 하여 분문채록(分門採錄)한 데 비해 국내인의 저술까지를 포함하

---

40) 벼슬길에 …… 같았다 : 조현명, 전게서.

41) 것 같다 : 졸고(拙稿), 한정록 해제(『국역성소부부고』 Ⅳ에 수록, 민족문화추진회, 1981) 참조.

42) 이 말은 …… 말이다 : 이 말은 허균(許筠)이 『암서유사(巖棲幽事)』에서 인용한 것이나 『산림경제』에 『암서유사』가 이용되지 않은 것으로 보아 『한정록』을 이용한 것으로 보인다.

고, 경우에 따라서는 직접 견문(見聞)한 것까지 확대한 점이 특색이다.[43] 편명도 섭생(攝生)을 그대로 따른 외에 『한정록』 치농(治農)편의 각 소목(小目)을 확대시켜서 택지(擇地)는 복거(卜居), 종곡(種穀)은 치농(治農), 종소(種蔬)는 치포(治圃), 수식(樹植)은 종수(種樹)와 양화(養花)로, 양잠과 목양(牧養)은 그대로 사용하고 있는 점 등 여러 점에서 영향을 받고 있는 것을 알 수 있다. 이런 과정은 단시일이 아니라 오랜 시일을 두고 준비되고 편집된 것으로 보인다.

오랜 기간을 각 지방의 수령(守令)으로 재직하는 동안 각 지방에서 채록된 각가지의 속방(俗方)이나 문견방(聞見方) 등은 이 책의 내용을 더욱 값지게 만들었다. 이러한 작업 결과로 얻어진 것이 4권 4책에 총 16지(志)로 구성된 『산림경제』[44]이다.

그러나 지금 전하는 본(本)이 홍만선이 저술한 원본으로는 보기 어렵다. 왜냐하면 1권 복거(卜居)의 말미에 있는 용도서(龍圖墅)와 귀문원(龜文園)의 유래를 설명하는 이국미(李國美)의 글 가운데,

> …… 우연히 고우(故友) 박사원(朴士元)의 문집을 읽다가 그 가운데 용문정사도기(龍文精舍圖記)를 보니 축실(築室)과 봉수(封樹)를 하도(河圖)를 모방한 것이었다 ……[45]

한 구절이 있는데, 이 글에서 말하는 사원(士元)은 박광일(朴光一)의 자(字)이다. 박광일의 생몰년(生歿年)은 『한국인명대사전』에 미상으로 되어 있고, 그의 문집인 『손재선생문집(遜齋先生文集)』의 해제에서도 미상으로 되어 있다.[46] 그러나 그의 문집 뒤에 실린 도암(陶

---

43) 특색이다 : 산림경제 전거서목 참조.

44) 『산림경제』 : 『산림경제』의 저자에 대해서는 이설이 분분하나 권수에 대해서는 『문헌비고』·『오주연문장전산고』·산림경제서문·저자의 묘갈(墓碣) 등이 모두 일치한다. 특히 홍만종(洪萬宗)이 저자 사후 3년 만에 쓴 서문을 통해서 본서가 처음부터 4권 16지(志)였음을 알 수 있다.

45) 우연히 …… 것이었다 : 이 글은 『산림경제』의 모든 이본(異本)에 다 보인다.

46) 『한국인명대사전』에 …… 있다 : 『한국인명대사전』 박광일(朴光一) 조와 『규장각도서한국본해제(奎章閣圖書韓國本解題)』 집부(集部) (서울, 서울大學校

庵) 이재(李縡)의 손재박공묘갈(遜齋朴公墓碣)에 의하면, 그는 효종(孝宗) 6년 을미(1655)에 나서 경종(景宗) 3년 계묘(1723)에 졸(卒)한 것으로 되어 있다.47) 그러니 이 글은 이국미(李國美)가 '고우(故友)'라고 쓰고 있는 것으로 보아 빨라도 홍만선이 타계한 지 8년 후인 1723년에 쓴 것이 분명하기 때문이다. 이국미는 홍만선과는 밀접한 관계에 있었던 사람으로 보이나 그가 성주 이씨(星州李氏)라는 사실 외에는 아무것도 알 수가 없다. 홍만선의 처가가 성주 이씨이니 혹 처족의 한 사람인가도 싶으나 확인할 길이 없다.

앞에 인용한 글이 현존의 모든 본에 보이는 것으로 미루어 원본은 전하지 않는 것으로 짐작된다.48)

현존하는 『산림경제』에는 다음 표와 같이 16지(志)로 된 것과 14지로 된 본이 있다.49)

出版部, 1979), p.472 참조.

47) 효종(孝宗) …… 있다 : 박광일(朴光一), 『손재선생문집(遜齋先生文集)』 부록 손재박공묘갈(遜齋朴公墓碣)에 '公之生崇禎乙未(1655) 卒癸卯(1723) 十二月 壬申'이라고 보인다.

48) 짐작된다 : 삼목영(三木榮)은 그의 논문 『산림경제고(山林經濟考)』에서 자신의 소장본에만 홍만종(洪萬宗)이 1718년에 쓴 서문이 있는 점 등으로 보아 조판(雕板)을 위한 판하본(板下本)으로 씌어진 유일한 원본이라고 주장한 바 있다. 이는 앞에 제시한 이국미(李國美)의 글이 빨라도 1723년 이후에 씌어진 것이라는 것을 살피지 못한 데서 착오를 일으킨 것으로 보인다. 또, 경북대학 소장본(No. 古 631 · 산 2392)에도 같은 서문이 실려 있다.

49) 본이 있다 : 본 이본 조사에는 일본(日本) 천리대학(天理大學) 교수 이원식(李元植) 선생이 삼목영구장본(三木榮舊藏本)을 복사해 보내 주었고, 한독의학박물관 소장본은 전 소장자인 일산(一山) 김두종(金斗鍾) 박사가 이를 복사할 수 있도록 주선해 주었다. 이 자리를 빌려 위 두 분과 현 소장 기관에 감사를 표한다.

調査內容/異本別	三木榮舊藏本 慶北大學藏本	韓獨醫學博物館 一山文庫本 農村振興廳本	吳漢根藏本	藏書閣本	淑明女大・澗松美術館・鍾路市立圖書館藏本
卷冊	4卷 4冊 (16志)	4卷 4冊 (16志)	4卷 4冊 (16志)	4卷 4冊 (16志)	4卷 4冊(14志)
序文	有	無	無	無	無
字行	10行×22字	11行×24字	11行×24字	10行×24字	11行×20字
筆寫狀態	良好	良好	良好	良好	良好
其他	慶北大本은 第二冊 缺		名志의 편차 번호가 他本과 다르다	卷4의 辟瘟과 辟蟲이 목차만 있고 내용이 없다	○卜居志의 龍圖墅와 象文圖의 圖面없이 글만 있다 ○分卷의 편차가 일정치 않다 ○雜方에는 他本의 選擇과 治藥志의 약간 조가 부수되어 있다

이를 다시 홍만종(洪萬宗)의 서문에 보이는 목차와 대비해 보면 서문의 비선(備膳)・이약(理藥)・연길(涓吉)이 현전본에는 각각 치선(治膳)・치약(治藥)・선택(選擇)으로 되어 있는 점이 다르다.

이상에서 『산림경제』 4권 4책에 16지(志)로 된 본이 원형이며 그중에서도 서문에 제시된 목차의 순서와 일치되고 있는 삼목영 장본・경북대학교 장본・한독박물관 장본 등이 원형을 유지하고 있는 것임을 알 수 있다.

그러나 이러한 본들도 소목(小目)을 비교해 보면 많은 차이를 보이고 있는데 그중 주요한 것만을 정리해 보면 다음 표와 같다.

部分 / 異本	① 三木榮舊藏本(日) 慶北大學藏本	② 吳漢根藏本(影印本)	③ 韓獨博物館本	④ 藏書閣本
序文	有	無	無	無
攝生		神枕法	神枕法	神枕法
治圃		罌粟穀귀비화	罌粟穀 양귀비화	罌粟穀
種樹			林檎	林檎柰
養花			紅蕉	
牧養			納猫吉日	
選擇	他本에 비해 항목수가 적고 순서가 다르다			

이상의 표에서 보는 바와 같이 ①에 비하여 ②가 더 보충되었고 ③은 다시 더 증보되었으며 ④는 ②와 ③의 중간에 해당함을 알 수 있다. 증보에 이용된 서적은 『묵장만록(墨莊漫錄)』·『치부(致富)』 등으로 이들은 ①에서는 한 번도 이용되지 않은 책들이다. 물론 이 밖에도 각 조목별로 출입(出入)이 있기는 하지만 ①이 가장 원본에 가까운 본임을 알 수 있다. 그리고 오자(誤字)·탈자(脫字)도 이 본이 가장 적다. 본서의 국역에서 ① 중 삼목영 장본을 대본으로 한 것은 이 때문이다.

4. 산림경제(山林經濟)의 내용

본서(本書)가 전4권 4책에 총 16지(志)로 구성되어 있다는 것은 앞에서 말한 대로이다. 각지는 앞에 해당 지(志)를 짓는 목적이나 편찬 방법을 밝힌 소서(小序)에 해당하는 글이 나온 다음 본문(本文)을 싣는 형식으로 되어 있다. 이제 각지의 소목(小目)을 중심으로 내용을 살펴보면 다음과 같다.

서문(序文): 저자 홍만선이 타계한 지 3년 되는 1718년에 저자의 재종손(再從孫)인 석보(錫輔)가 전라감사로 있으면서 조판(雕板)하기 위하여 저자의 종형인 홍만종(洪萬宗)에게 부탁해서 쓴 것이다. 이에는 저술 동기와 목차가 실려 있는데 현전본과 비교해보면 치선(治膳)이 비선(備膳)으로, 치약(治藥)이 이약(理藥)으로, 선택(選擇)이 연길(涓吉)로 되어 있는 것이 다르나 어의(語意)는 대동소이하다. 이 서문은 본서의 원본의 규모나 이본을 조사하는 데 도움을 준다.

1) 복거(卜居): 주택·거옥(居屋)·청당(廳堂)·방실(房室)·조(竈)·정(井)·문로(門路)·측간(厠間)·장리(墻籬) 등을 세울 경우 터의 선정 및 길일·흉일 등에 대하여 논한 것이다. 끝에는 하도(河圖)와 낙서(洛書)의 수(數)를 본떠서 만든 집의 설계도인 용도서(龍圖墅)와 귀문원(龜文園)의 도면과 이에 대한 해설이 있다. 이 편은 『미공비급(眉公秘笈)』·『한정록(閒情錄)』·『고사촬요(故事撮要)』·『거가필용(居家必用)』·『산거사요(山居四要)』·『농가집성(農家集成)』 등에서 해당 자료를 채록하고 있다.

2) 섭생(攝生): 병을 물리치고 수명을 연장할 수 있는 보양(保養)·복식(服食)의 방법을 다루고 있다. 앞에는 전반적인 것을 다룬 총론(總論)이 있고 그다음에 양심지(養心志)·생기욕(省嗜慾)·절음식(節飮食)·보신체(保身體)·신기거(愼起居)·도인(導引)·구선도인결(臞仙導引訣)·복식(服食)·신침법(神枕法) 등으로 나누어 과격한 감정의 억제, 과욕의 절제, 폭식의 근절, 신체의 단련과 보호법, 약물의 복용 등에 관한 내용을 수록하고 있다.

본편은 『수양총서(壽養叢書)』·『수진비록(修眞秘錄)』·『금단정리서(金丹正理書)』·『후생훈찬(厚生訓纂)』·『도서전집(道書全集)』·『신은지(新隱志)』·『한정록(閒情錄)』 등에서 양생(養生)과 선술(仙術)에 관한 부분을 발췌한 것이 주를 이룬다. 그러나 일상의 산림 생활에서 쉽게 행할 수 있는 방법에 중점을 두고 현실성이 희박한 것은 거의 채록되어 있지 않다.

3) 치농(治農): 농사의 풍흉을 점치는 방법을 기록한 험세(驗歲), 풍년을 기원하는 방법을 적은 기곡(祈穀), 종자의 선택법을 적은 택종(擇種), 밭 갈고 씨 뿌리는 방법과 길일을 다룬 경파(耕播) 등의 총론에 해당하는 부분과 각종 작물의 재배법을 다룬 부분으로 구성되어 있다. 수록된 작물은 벼·기장·조·수수·콩·팥·삼[麻]·메밀·대소맥·목화·잇꽃·쪽 등 각종 곡식류와 의류 또는 염료에 관련되는 작물들이다. 본편은 『신은지(新隱志)』·『농사직설(農事直說)』·『금양잡록(衿陽雜錄)』·『사시찬요(四時纂要)』·『한정록(閒情錄)』 등에서 농사에 관한 내용을 채록하고 있다.

4) 치포(治圃): 각종 원예 작물의 재배법을 다룬 것이다. 총론에 해당되는 부분에는 규종법(畦種法)·구종법(區種法)·아종법(芽種法) 등 원예 작물을 심는 법이 소개되고 있다. 수록된 작물은 수박·참외·오이·동아·박·호박·생강·파·마늘·부추·염교·토란·가지·미나리·무우·순무우·겨자·배추·상치·승검초·아욱·쑥갓 등 채소류와 양귀비·맨드라미 등의 화초와 담배 등의 약초류이다. 끝에는 버섯 재배에 관한 것이 실려 있다.

본편은 『거가필용』·『고사촬요』·『한정록』·『신은지』·『산거사요(山居四要)』·『구황촬요(救荒撮要)』·『사시찬요(四時纂要)』 등에서 발췌한 것이다.

5) 종수(種樹): 과수(果樹)와 임목(林木)의 재배법을 다룬 편이다. 총론에서는 핵종법(核種法)·지종법(枝種法)·각종 접법(接法)·병충해 방지법과 과일 따는 법 등을 설명하고 있다. 각론에서는 뽕·닥나무·송백(松栢)·옻나무·측백나무·홰나무·버드나무 등의 임목(林木)과 밤·대추·호두·은행·배·복숭아·앵두·모과·포도·사과 등의 재배법을 수록하고 있다.

본편은 『거가필용』·『양화소록(養花小錄)』·『사시찬요』·『산거사요』·『동의보감(東醫寶鑑)』 등에서 발췌한 것이다.

6) 양화(養花): 각종 화목(花木)과 화초 및 정원수의 재배법을 다룬 편이다. 이 편에서는 노송(老松)·만년송(萬年松)·대·매화·국화·난초·연화(蓮花)·산다화·치자화·석류·해당화·정향(丁香)·모란·작약·파초 등의 양화법을 수록하고 있다. 이 편은 대부분이 선초(鮮初)의 학자 강희안(姜希顔)의 『양화소록(養花小錄)』에서 채록한 것이다.

7) 양잠(養蠶): 양잠의 길일(吉日) 기일(忌日)·잠구(蠶具)·택종(擇種)·출잠(出蠶)·하의(下蟻) 및 각종 잡기(雜忌)·소사(繅絲) 등 양잠에 관한 제반 사항을 수록한 편이다. 본편은 주로 『거가필용』·『사시찬요』·『한정록』·『신은지(神隱志)』 등에서 해당 사항을 채록하고 있다.

8) 목양(牧養): 가축을 기르는 방법에 관한 내용을 다룬 편이다. 소·말·양·돼지의 사육법과 그에 수반되는 제반 사항과 양계·양봉·양어·양학(養鶴)·양록(養鹿)·양야금(養野禽) 등에 대하여 설명하고 있다. 농경 사회에서 가축은 노동력과 고기를 제공하는 원천이므로 본편에는 종자의 선택법과 사육법, 온갖 병의 퇴치법 등이 자세하게 수록되어 있다.

이 편은 『거가필용』·『고사촬요』·『신은지』·『한정록』·『산거사요』·『우마의방(牛馬醫方)』 등 각종의 서적에서 채록한 것이다.

9) 치선(治膳): 과실의 수장법(收藏法), 채소와 어육(魚肉)의 요리법 및 각종 장·술 등의 양조법을 다룬 편이다. 『신은지』·『한정록』·『미공비급(眉公秘笈)』·『거가필용』·『산거사요』·『고사촬요』·『구황촬요』·『지봉유설』 등에서 채록한 것이 주를 이루고 있다.

10) 구급(救急): 의사(縊死)·익사(溺死)·동사(凍死)·상한(傷寒) 등 130여 종의 돌발적인 사고를 들고 이에 대한 구급방을 다룬 편이다. 본편은 『동의보감』·『의학입문』·『만병회춘』 등의 의서에서 채록한 것이다.

11) 구황(救荒): 수해(水害)나 한재(旱災)를 만나 흉년이 들었을

때 기한(飢寒)을 면하기 위한 방법으로 산야(山野)의 초근목피(草根木皮)를 이용하는 방법을 설명하고 있다. 이에는 솔잎·잣잎·느릅나무 껍질·도토리·삽주뿌리·마 등을 들고 있다. 본편은 『구황촬요』·『고사촬요』·『거가필용』·『의학입문』·『동의보감』 등에서 발췌하여 수록한 것이다. 끝에 추위를 피하는 방법이 부록으로 실려 있다.

12) 벽온(辟瘟): 전염병을 물리치는 방법을 수록한 편이다. 당시에는 국가에서도 의학상으로 전염병을 어찌할 수 없어 중앙과 각 지방에 전염병을 옮기는 귀신인 여귀(厲鬼)에게 제사를 지내는 여제단(厲祭壇)을 두는 정도였으니 이 편에서 이를 물리치는 여러 미신법이 수록된 것은 당연하다고 하겠다. 『동의보감』·『고사촬요』 등에서 발췌 수록하고 있다.

13) 벽충(辟蟲): 뱀·쥐·모기·이·파리·벼룩·좀 등 사람에게 해로운 것들을 물리치는 방법을 기록한 편이다. 자료는 『신은지』·『산거사요』·『거가필용』 등이다.

14) 치약(治藥): 일상 치병(治病)에 필요한 각종 약재 176종의 소개와 태을자금단방(太乙紫金丹方)·채약법(採藥法)·건약법(乾藥法)·복약법 등으로 구성되어 있다.

15) 선택(選擇): 일상생활에서 생기는 여러 일에 있어서 길일·흉일과 길흉방(吉凶方)을 가려내는 방법을 기술하고 있다. 본서의 모든 편이 다 각 조별로 출전을 명시하고 있는 데 반하여 이 편은 어느 한 곳도 출전을 명시한 것이 없다. 『고사촬요』의 증보본에 보이는 선택제방(選擇諸方)에서 선별하여 수록한 것으로 보이나 개중에는 약간의 출입이 있어 자세히 알 수 없다.

16) 잡방(雜方): 먹 만드는 방법, 서화의 보관법 등에서 옷에 묻은 기름 빼는 법 등에 이르기까지 일상생활에서 흔히 다루는 물건을 손질하거나 만드는 방법 등을 싣고 있다. 본편은 『신은지』·『거가필용』·『고사촬요』 등에서 해당 사항을 채록한 것이다.

결어(結語)

이상에서 『산림경제(山林經濟)』의 저자에 대한 제설(諸說)을 검토하여 홍만선(洪萬選 1643~1715)이 본서의 저자임을 다시 확인하고, 저자 홍만선의 생애를 연대순으로 살펴보았으며, 본 『산림경제』의 성립 과정과 전본(傳本), 내용 등에 대하여 알아보았다. 조선조의 당쟁(黨爭)이 절정기에 달하고 있던 숙종조(肅宗朝)에 40세의 나이로 늦게 벼슬길에 나선 저자는 당시의 어지러운 세태를 보면서 벼슬에 뜻을 버리고 산림(山林)에 은둔하려는 생각을 품었고, 이러한 생각이 그로 하여금 본 『산림경제』를 만들게 한 것으로 보인다. 따라서 본서의 내용도 위에서 살펴본 바와 같이 산림(山林)에서의 생활에 따르는 제반 사항이 망라되어 있다. 말하자면 농촌 생활에 필요한 가정보감(家庭寶鑑)인 셈이다.

그러나 본서는 간본(刊本)이 없이 일찍부터 이를 필요로 하는 이들에 의해 전사(轉寫) 이용되면서 착오로 오탈(誤脫)이 생기기도 하고 의도적으로 필요한 부분이 증보되기도 하였던 것으로 보인다. 이러한 결과 현전(現傳)의 제본(諸本)들 간에는 내용의 출입이 심하다.

본서는 조선 후기 실학자(實學者)의 대표적 저술의 하나로 일찍부터 학자들의 주목을 받아왔으나 본격적인 연구는 이루어지지 않았다. 본서의 국역을 계기로 각 전문 분야별로 다시 검토되고 더욱 깊이 있게 연구되어야 할 것이다.

山林經濟典據書目 *

No	書名	卷數	時代	著者	略稱	備考
1	居家必用	10集	明	田汝成	必用	「童蒙須知」·「文房備用」·「種花果法」·「牧養良法」 등 55종의 서적을 甲~癸의 10집으로 나누어 彙集한 類書
2	攷事撮要	3	朝鮮	魚叔權	攷事	事大交鄰에 관한 여러 사항과 일상생활에 필요한 제반사항을 모아 엮은 책. 山林經濟에 이용된 것은 選擇諸方·雜用俗方이 첨가된 증보본
3	公餘日錄	1	明	湯沐		<明史 藝文志 子部 雜家類>
4	救荒撮要	1	朝鮮	明宗命編	救荒	「救荒辟穀方」 중에서 중요한 것만을 뽑아 번역한 책
5	金丹正理大全	2	元	趙友欽		金丹術에 관한 책
6	衿陽雜錄	1	朝鮮	姜希孟		저자가 경기도 衿陽縣에 退耕하면서 그곳의 사정을 중심으로 농사 전반에 대하여 서술한 책 <子部 農家類>
7	洛陽牧丹記	1	宋	歐陽脩	歐陽記	牧丹의 花品·釋名·風俗 등을 적은 책
8	農家集成	1	朝鮮	申洬	農集	「農事直說」·「衿陽雜錄」·「四時纂要」를 한곳에 모으고 朱熹의 勸農文을 앞에 실어 간행한 농서 <子部 農家類>
9	農事直說	1	〃	鄭招 等	直說	농사의 기술을 備穀·地耕·種稻·種豆 등의 항목으로 나누어 해설해 놓은 농법서 <子部 農家類>
10	農事直說補		〃	未詳	直說補	「農事直說」을 增補한 책
11	農桑輯要	7	元	司農司撰		「齊民要術」을 본떠서 만든 농서. 典訓·耕墾·播種·栽桑·養蠶 등 十門으로 구성 <子部 農家類>
12	丹溪心法	5	〃	朱震亨	丹心	저자의 死後에 門弟子들이 그의 醫說을 外感·內傷·外證·婦科·幼科 등 전반적으로 정리 集錄한 의학서
13	道書全集	10	明	閻鶴州輯	道書	道家의 양생술을 虛無·上藥·須知·積功 등 10권으로 類集
14	東垣十書	16	元	李杲	東垣	金·元代의 溫補·養陰派 들에 속한 醫說을 종합한 책. 脈訣·脾胃論 등 10종을 合刻한 것이다. 東垣은 저자의 호
15	東醫寶鑑	25	朝鮮	許浚	寶鑑	中國의 醫書와 韓國의 의서를 합하여 편찬한 의학서
16	東坡集	84	宋	蘇軾		宋代의 大文豪인 저자의 문집 <集部 別集類>
17	萬病回春	8	明	龔廷賢	回春	臟腑·經絡·藥性을 논한 다음 各病의 원인·치료법·方藥 등에 대하여 자세히 기술한 醫書

18	明野史彙	100	明	王世貞	明野彙	明代의 야사의 집록 <史部 雜家類>
19	夢溪忘懷錄	1	宋	沈括		<京都大漢籍目錄 子部 藝術類>
20	墨莊漫錄	10	宋	張邦基		고금의 軼事를 集錄하고 辨定한 책 <子部 雜家類>
21	眉公秘笈	130		陳繼儒		正・續・廣・普・彙・秘의 6集으로 나누어 총 225종의 서적을 集錄. 여기에는 자기의 저서도 들어 있다. <子部 雜家類>
22	博物志	10	晋	張華		奇聞異談을 群書에서 輯錄한 책. 物産・外國・異人・異俗 등 30여 항으로 구성 <子部 小說家類>
23	白沙先生北遷日錄	1	朝鮮	鄭忠臣	白沙日記	白沙 李恒福이 廢母論을 반대하여 北靑으로 귀양갈 때 鄭忠臣이 수행하며 적은 일기
24	福壽全書		明	陳繼儒		前賢의 格言・遺事 중에서 懲戒가 될 만한 말을 골라 惜福 등 20류로 구성한 책 <子部 雜家類>
25	事林廣記				廣記	朝鮮王朝實錄과 「攷事撮要」의 序文에 의하면 明代에 간행된 類書로 보이나 내용은 未詳
26	事文類聚	236	宋	祝穆 等	事文	편자가 여러 책을 읽으면서 초록한 것을 群書要語・古今事實・詩文 등의 항목으로 기술하여 類別로 배열한 책 <子部 類書類>
27	四時纂要	1	朝鮮	姜希孟	纂要	4계절의 농사와 농작물에 관한 주의사항을 月別로 기술한 책 <子部 農家類>
28	四時纂要補			未詳	纂要補	「四時纂要」를 증보한 책
29	四友齋叢說	38	明	何良俊		舊事・軼聞을 分門採錄하고 論評을 加한 책. 총 16門 <子部 雜家類>
30	山居四要	5	〃	汪汝懋	四要	延壽방법에 관한 사항을 기록한 의학서
31	小窓淸記	5	〃	吳從先		「世說新語」를 모방하여 軼事・瑣語를 채록한 책. 淸事・淸語・淸韻・淸學의 4門으로 구성되어 있다. <子部 小說家類>
32	壽世保元	10	〃	龔廷賢		그의 저서인 「古今寶鑑」・「萬病回春」・「種杏仙方」・「魯府禁方」등에 빠진 것을 보충한 醫書
33	壽養叢書類輯	2	朝鮮	李昌庭		中國의 古今 修養家들의 養生要法인 三元延壽書・食物本草 등을 類集한 책.
34	修眞秘錄	1		符道人		道家의 修養法을 기록한 책. 道藏洞神部方法類에 수록되어 있다. <子部 道家類>

35	神隱志	4	明	朱權	神隱	神仙・隱遁・攝生 등에 관한 것을 내용으로 하는 道家書. 저자의 호가 臞仙이므로 臞仙神隱이라고도 한다.
36	養花小錄	1	朝鮮	姜希顔	養花錄	老松・萬年松・菊花・梅花 등의 재배와 관리에 대하여 기록한 園藝書
37	列朝詩選	81	清	錢謙益		明代의 歷朝의 詩를 選錄한 책. 列朝詩集
38	倪雲林集	1	元	倪瓚	倪雲林	元나라 때의 隱士인 저자의 문집. 일명 清秘閣集. 雲林은 저자의 호
39	醫學入門	7	明	李梴	入門	의학의 入門書를 위하여 저작된 책. 쉬운 것에서 어려운 것의 순서로 편찬. <子部 醫家類>
40	醫學正傳	8		虞摶	正傳	저자가 朱震亨의 학설을 위주로 하고 張機・孫思邈・李杲 등의 설을 참고하여 저술한 의학서 <子部 醫家類>
41	爾雅	19		未詳		天文・地理・音樂・器材・草木・鳥獸 등에 관한 古今의 文字를 풀이한 字書. 十三經의 하나 <經部 小學類>
42	自警編	9	宋	趙善璙		「名臣錄」의 體例를 본떠서 宋代의 名臣・大儒의 嘉言・善行을 채록하고 出處를 注記한 책 <子部 雜家類>
43	楮記室	15	明	潘塤		委巷 瑣語를 3부로 分門채록한 책 <子部 雜家類>
44	周禮	42	周	周公		周의 官制인 天・地・春・夏・秋・冬의 六官을 분류 설명한 책. 국가제도를 기록한 최고의 책이다. 十三經의 하나 <經部 正經>
45	證類本草	30	宋	唐愼微	本草	漢醫인 저자가 經史에 나오는 藥名이나 方論을 集錄한 本草學의 연구서 <子部 醫家類>
46	芝峯類說	20	朝鮮	李睟光	類說	群書에서 故實・奇事・逸聞 등 3,400여 항목을 뽑아 부문에 따라 나누고 자기의 의견을 첨부한 類書
47	知非錄	2	明	黃時燿		「近思錄」・「自警編」・「擊壤集」 등에서 閒適・攝養 등에 관한 내용을 초록한 책 <子部 雜家類>
48	鍼灸經驗方	1	朝鮮	許任		宣祖~光海 年間의 針醫인 저자가 평소의 聞見과 經驗을 토대로 지은 針醫書
49	湯液本草	3	元	王好古	湯液	저자의 스승인 東垣・潔古 등의 用藥法을 주로 하여 諸家의 설을 彙集한 의학서 <子部 醫家類>
50	抱朴子	8	晋	葛洪		神仙術을 설명하고 道德과 政治를 論한 道家書. 총 72편 <子部 道家類>

山林經濟典據書目 *

51	河南師說	1	宋	程顥		程顥의 言行을 제자들이 기록한 책
52	許筬文集		朝鮮	許筬	許集	「山林經濟」에는 許集으로만 되어 있는데 「林園十六志」의 引用書目의 주에 의하여 許筬의 文集임을 알 수 있다. 岳麓集
53	閒情錄	20		許筠	閒情	閒居한 사람들의 瑣事·舊聞이나 그들의 행할 일을 群書에서 輯錄한 책
54	閒情錄補				閒情補	「閒情錄」을 증보한 책
55	厚生訓纂	6	明	周臣		延壽에 관한 내용을 다룬 의학서
56 其他諸方 經驗方·得效方·聞見方·文生方·白醫方·潘方·西原方·俗方·水閣方·安家方·礪山方·牛馬醫方·李醫方·李慵齋經驗方·全方·智異山僧方·治療方·許方·許任方						

* 本表는 다음과 같은 요령으로 작성하였다.

1. 서명·권수·저자 사항은 주로 『四庫全書總目提要』·『二十四史藝文志』·『四庫大辭典』·『叢書大辭典』·『京都大漢籍分類目錄』·『韓國古書綜合目錄』·『韓國圖書解題』·『古鮮冊譜』 및 各大學圖書館古書目錄 등을 참고하였다.

2. 각 도서의 내용을 조사 가능한 범위 내에서 비고란에 간단히 기술하고, 도서 분류상의 部類를 < > 내에 표시하였다.

3. 확인이 곤란한 名醫들의 處方이나 俗方 등은 일괄하여 뒤에 모았다.

4. 배열은 서명의 가나다순이다.

5. 약칭은 『山林經濟』에서 사용된 것을 옮긴 것이다.

신승운(辛承云) 씀

일 러 두 기

이 책은 아래와 같은 요령으로 엮었다.

1. 이 책은 홍만선의 『산림경제』를 전 2책으로 분책 국역하고, 2권 끝에 색인을 첨부하였다.
2. 이 책의 국역 대본은 삼목영 구장본(三木榮 舊藏本 －현 일본 무전과학진흥재단<武田科學振興財團> 소장)－을 대본으로 하고, 한독의학박물관(韓獨醫學博物館) 일산문고본(一山文庫本) 및 오한근(吳漢根) 씨 장본(影印本)과 대교 교감하고, 국역 대본에 누락된 부분은 위 두 이본에서 찾아 해당 위치에 전재 삽입하여 국역하고, 그 근거를 주기(註記)하였다.
3. 원문은 교감 내용을 오두에 기록하고 구두를 찍어 영인 첨부하였다. 다만 여백의 부족으로 오두에 기입이 곤란한 경우에는 위치를 표시하고 별면으로 조판하여 말미에 붙였다.
4. 본서의 전거가 된 전적이나 글(작품)에서 약칭이거나 잘못된 것은 조사하여 바로잡고, 해제 말미에 일람표로 붙여 이용에 편리하게 하였다.
5. 번역은 원의에 충실을 기하였다.
6. 주석은 간단한 것은 (　)나 [　] 안에 간주(間註)하고 그 밖의 경우 각주(脚註)하였다.
7. 맞춤법과 띄어쓰기는 한글 맞춤법 통일안을 따르는 것을 원칙으로 하였다.
8. 한자(漢字)는 이해를 돕기 위하여 넣었으며, 시(詩)에서는 원문을 병기하였다.
9. 이 책에 사용되는 부호는 다음과 같다.

   (　): 음과 뜻이 같은 한자를 묶는다.

   [　]: 음은 다르나 뜻이 같은 한자를 묶는다.

   <　>: 보충역을 묶는다.

   “　”: 대화 등의 인용문을 묶는다.

   ‘　’: 재인용이나 강조 부분을 묶는다.

   『　』: 서명(書名)을 표시하거나 각주에서 출전을 밝힌다.

차　례

산림경제 서

산림경제 제1권

서 序

복거 卜居

섭생 攝生

치농 治農

치포 治圃

산림경제 제2권

종수 種樹

양화 養花

양잠 養蠶

목양 牧養

치선 治膳

산림경제 서　山林經濟序[1)]

산림(山林)과 경제(經濟)는 길을 달리한다. 즉 산림은 벼슬하지 않고 초야에서 자신의 한 몸만을 잘 지니려는 자가 즐겨하는 것이고 경제는 당세에 득의(得意)하여 벼슬하는 자가 행하는 것이다. 산림과 경제가 이같이 다르지만 공통된 점도 있다. 경(經)이란 서무(庶務)를 처리하는 것이고, 제(濟)란 널리 중생(衆生)을 구제하는 것이다. 조정에는 조정의 사업이 있으니 이것이 곧 조정의 경제이고, 산림에는 산림의 사업이 있으니 이것이 곧 산림의 경제이다. 그러니 처지는 비록 다르지만 경제인 점에서는 같은 것이다.

나의 종제(宗弟) 홍만선 사중보(洪萬選士中甫)[2)]는 박식하고 아결(雅潔)한 군자이다. 세상에서 모두들 공보(公輔 삼공과 사보(四輔), 즉 높은 관직)로 기대하였으나 끝내 공거(公居 과거)에 실패하였다. 이에 음직(蔭職)으로 여러 번 주군(州郡)을 맡아 다스렸는데, 그때마다 명성과 업적이 높았다. 그러나 이는 그가 본래 즐겨하는 바가 아니었으므로 마침내 스스로 산림(山林)에 묻혀 살 생각에서 이에 필요한 하나의 책을 집성(輯成)하여 이제 4권의 큰 책이 되었다.

---

1) 산림경제서 山林經濟序 : 이 서문이 다른 본(경북대학교 소장본 제외)에는 없다.
2) 홍만선 사중보(洪萬選士中甫) : 원문에는 '만선 사중' 4자가 없다. '산림경제고(山林 經濟考)'에서 삼목영(三木榮)은 그 이유를 문중(門中)에 보관하였던 본(本)이므로 이름과 자를 쓰지 않은 것이라 하였는데 이 의견에 따라서 우선 보충해 둔다. 이하에 보이는 '사중'도 같다.

그 목차를 보면 복거(卜居)·섭생(攝生)·치농(治農)·치포(治圃)·종수(種樹)·양화(養花)·양잠(養蠶)·목양(牧養)·비선(備膳)·구급(救急)·벽온(辟瘟)·벽충(辟蟲)·이약(理藥)·연길(涓吉)·잡방(雜方)의 총 16조(條)[3]인데 이를 묶어 『산림경제(山林經濟)』라 명명하였다. 이 책은 고거(考據)가 정밀하고 정확하며 인증이 자세하고도 광범위하다. 이는 대개 사중(士中)이 국가를 살리고 백성을 다스릴 경륜을 화목(花木)을 기르는 것으로 표현한 것이며, 나라를 다스리고 세도(世道)를 맡을 경륜을 원포(園圃)를 가꾸는 것으로 나타낸 것이니, 사중은 산림에 있으면서도 마음은 경제에 두었다고 이를 만하다.

만일 사중(士中)이 조정에 들어가 이러한 경륜을 당세에 펴게 되었더라면, 이 나라 수천 리에 농사는 병들지 않고 누에는 말라 죽지 않으며 나무는 무성히 잘 자라고 곡식은 잘 되었을 것이다. 사람은 장수하고 약으로 해서 요사(夭死)를 면하며 가축은 번식하여 만물이 각기 마땅함을 얻게 되고, 사람의 음식과 기거가 어느 하나 마땅하지 않은 것이 없게 되어, 백성을 이롭게 하는 정치와 백성에게 유익한 길이라면 모두 다하여 조금도 유감이 없게 되었을 것이다.

이제 그가 이러한 경륜을 묶어서 산림에 나타내었으니 비록 궁달(窮達)과 대소의 차이는 있지만 이를 '경제'라 해서 지나친 말은 아닐 것이다. 벼슬하여 큰 부귀를 누리는 자라고 해서 반드시 모두 경제의 경륜을 지닌 것이 아닌데, 사중(士中)은 산림에서 홀로 경제를 자기의 임무로 삼아 노심초사하여 이러한 책을 지었으니 아무런 공도 없이 녹이나 타먹는 자들과 비교할 때 어떻다 하랴.

소요부(邵堯夫 요부는 소옹(邵雍)의 자)의 시에,

---

3) 그 목차를…… 총 16조(條): 이 목차 중에서 비선(備膳)·이약(理藥)·연길(涓吉)이 다른 본에는 각각 치선(治膳)·치약(治藥)·선택(選擇)으로 되어 있다.

초야(草野)라고 사업이 없다 말게나 莫道野外無事業
내 몸 내 집 다스림도 사업이라오 也能康濟自家身

하였는데, 사중의 뜻도 아마 이러한 데서 나온 것이리라.

이 책은 사람의 일상생활에 관계되어 실로 집집마다 간직해 마땅하다. 그러므로 지금 호남 관찰사로 있는 종인(宗人) 홍석보(洪錫輔)가 장차 이를 간행하여 널리 유포(流布)시키려 한다. 그 뜻이 매우 훌륭하므로 내 이에 간단히 서문을 써서 보낸다.

무술년(숙종 44, 1718) 10월 상순에 종인(宗人) 풍산 후인(豐山后人) 홍만종 우해(洪萬宗于海 우해는 자)는 쓴다.

산림경제 제1권

서 序

산림경제 서

옛사람이 말하기를, "의향에 따라 꽃과 대를 심고 적성에 맞추어 새와 물고기를 기르는 것, 이것이 곧 산림경제(山林經濟)이다." 했는데, 내가 그 말을 음미하고 뜻을 취해서 책 이름으로 삼는다.

복거 卜居

[복거 서]

대개 선비는 조정에 벼슬하지 아니하면 산림(山林)에 은퇴하는 것이다. 그러니 진실로 마련해 둔 한 뙈기의 땅과 몇 칸의 집이 없다면 어떻게 그 몸을 의지하여 생업(生業)을 편히 할 수 있겠는가. 그러나 복축(卜築 터를 가려 집을 지음)을 계획하고 있는 사람은 경솔하게 살 곳을 결정할 수는 없는 것이다. 그것은 만약 전지를 다듬고 원포(園圃)를 만들어 꽃과 나무를 심어 놓은 뒤에 거기를 살 곳으로 정하지 않고, 버리고 다른 곳으로 간다면 많은 공력만 헛되게 허비한 결과이니, 어찌 아깝지 않겠는가. 그러니 반드시 그 풍기(風氣 지세(地勢)의 기운)가 모이고 전면(前面)과 배후(背後)가 안온(安穩)하게 생긴 곳을 가려서 영구한 계획을 삼아야 할 것이다. 그래서 복거(卜居)에 대한 방법을 기록하여 제1편(篇)을 삼는다.

복거(卜居)

진미공(陳眉公)[1]은 이렇게 말하였다.

"명산(名山)에 복거할 수 없으면 곧 산등성이가 겹으로 감싸고 수목이 울창하게 우거진 곳에다 몇 묘(畝)의 땅을 개간하여 삼간집을 짓고, 무궁화를 심어 울을 만들고 띠를 엮어 정자를 지어서, 1묘(畝)에는 대와 나무를 심고, 1묘에는 꽃과 과일을 심고, 1묘에는

1) 진미공(陳眉公) : 미공(眉公)은 명(明)나라 진계유(陳繼儒)의 호. 시문(詩文)에 능하였으며, 만년에는 동여산(東佘山)에 은거하였다. 『明史 卷二百九十八』

오이와 채소를 심으면 또한 노년을 즐길 수 있을 것이다." -『미공비급』-

왕면(王冕)[2]이 구리산(九里山)에 은거하며 초가삼간을 지어놓고 스스로 명제(命題)하기를 매화당(梅花堂)이라 하고, 매화 1천 그루를 심었는데, 복숭아와 살구가 반을 차지하였다. 토란 한 뙈기와 파·부추 각각 1백 포기를 심었으며, 물을 끌어다 못을 만들어 물고기 1천여 마리를 길렀다. -『명야사휘』-

치생(治生 생활의 방도를 세움)을 함에 있어서는 반드시 먼저 지리(地理)를 가려야 하는데, 지리는 물과 땅이 아울러 탁 트인 곳을 최고로 삼는다. 그래서 뒤에는 산이고 앞에 물이 있으면 곧 훌륭한 곳이 된다. 그러나 또한 널찍하면서도 긴속(緊束)해야 한다. 대체로 널찍하면 재리(財利)가 생산될 수 있고, 긴속하면 재리가 모일 수 있는 것이다. -『한정록』-

양거(陽居 주택지)는 다만 좌하(坐下 집터의 판국)가 평탄하고 좌우가 긴박(緊迫)하지 아니하며, 명당(明堂)이 넓고 앞이 트였으며, 흙은 기름지고 물맛은 감미(甘味)로워야 한다. 『택경(宅經)』에 이렇게 되어 있다.

"산 하나 물 한 줄기가 다정하게 생긴 데는 소인(小人)이 머물 곳이고, 큰 산과 큰 물이 국소(局所)로 들어오는 데는 군자(君子)가 살 곳이다." -『고사촬요』-

무릇 주택에 있어서, 왼편에 물이 있는 것을 청룡(靑龍)이라 하고, 오른편에 긴 길이 있는 것을 백호(白虎)라 하며, 앞에 못이 있는 것을 주작(朱雀)이라 하고, 뒤에 언덕이 있는 것을 현무(玄武)라고 하는데, 이렇게 생긴 것이 가장 좋은 터이다. -『거가필용』,『고사촬요』-

2) 왕면(王冕) : 명(明)나라 때 사람. 매화를 잘 그렸으며, 호(號)는 매화옥주(梅花屋主)이다.『明史 卷二百八十五』

무릇 주택에 있어서, 동쪽이 높고 서쪽이 낮으면 생기(生氣)가 높은 터이고, -『거가필용』에는 이 부분은 없다. - 서쪽이 높고 동쪽이 낮으면 부(富)하지는 않으나 호귀(豪貴)하며, -『거가필용』에는 "부귀(富貴)하고 웅호(雄豪)하다." 하였다. - 앞이 높고 뒤가 낮으면 문호(門戶)가 끊기고, -『거가필용』에는 "장유(長幼)가 혼미(昏迷)해진다." 하였다. - 뒤가 높고 앞이 낮으면 우마(牛馬)가 번식한다. -『거가필용』에는 "대대로 영웅호걸이 난다." 하였다.『거가필용』,『고사촬요』 -

무릇 주택지(住宅地)에 있어서, 평탄한 데 사는 것이 가장 좋고, 4면이 높고 중앙이 낮은 데에 살면 처음에는 부(富)하고 뒤에는 가난해진다. -『거가필용』,『고사촬요』 -

무릇 주택지에 있어서, 묘(卯 동쪽)·유(酉 서쪽)가 부족(不足)한 데는 살아도 괜찮지만 자(子 북쪽)·오(午 남쪽)가 부족한 데에 살면 크게 흉(凶)하며, -『거가필용』에는 "자(子: 북<北>)·축(丑: 동북<東北>)이 부족한 데에 살면 구설수(口舌數)가 있다." 하였다. - 남·북은 길고 동·서가 좁은 데에는 처음은 흉하나 나중은 길하다. -『거가필용』,『고사촬요』 -

무릇 주택에 있어서, 동쪽에 흐르는 물이 강과 바다로 들어가는 것이 있으면 길하고, 동쪽에 큰 길이 있으면 가난하고, 북쪽에 큰 길이 있으면 흉하며, 남쪽에 큰 길이 있으면 부귀하게 된다. -『거가필용』,『고사촬요』 -

무릇 사람의 주거지는 땅이 윤기가 있고 기름지며 양명(陽明)한 곳은 길하고, 건조하여 윤택하지 아니한 곳은 흉하다. -『거가필용』,『고사촬요』 -

무릇 주택에 있어서, 탑이나 무덤, 절이나 사당, 그리고 신사(神祠)·사단(祀壇), 또는 대장간과 옛 군영(軍營)터나 전쟁터에는 살 곳이 못 되고, 큰 성문 입구와 옥문(獄門)을 마주보고 있는 곳은 살 곳이 못 되며, 네거리의 입구라든가 산등성이가 곧바로 다가오는 곳, 그리고 흐르는 물과 맞닿은 곳, 백천(百川)이 모여서 나가는 곳과 초목(草木)

이 나지 않는 곳은 살 곳이 못 된다. -『거가필용』,『고사촬요』-

옛길[古路]·영단(靈壇)과 신사 앞, 불당 뒤라든가 논이나 불을 땠던 곳은 모두 살 곳이 못된다. -『거가필용』,『고사촬요』-

무릇 인가(人家)의 문전에 곡(哭)자의 머리 부분처럼 생긴 쌍못[雙池]이 있는 것은 좋지 않다. 서편에 못이 있는 것을 백호(白虎)라 하며, 문 앞에 있는 것은 모두 꺼리는 것이다. -『고사촬요』-

집 안에 깊은 물을 모아두면 양잠(養蠶)을 하기 어렵다. -『거가필용』-

무릇 물을 방류(放流)함에 있어서, 양국(陽局)으로 생긴 터에는 양방(陽方)으로 내보내고 음국(陰局)으로 생긴 터에는 음방(陰方)으로 내보내야지 음·양이 섞이게 해서는 안 된다.[3] -『고사촬요』-

무릇 주택에 있어서, 모름지기 황천살(黃泉煞)은 피해야 한다. 그 방법에 있어서는, 경향(庚向)·정향(丁向)은 곤방(坤方)의 물, 곤향(坤向)은 경방(庚方)·정방(丁方)의 물, 을향(乙向)·병향(丙向)은 손방(巽方)의 물, 손향(巽向)은 을방(乙方)·병방(丙方)의 물, 갑향(甲向)·계향(癸向)은 간방(艮方)의 물, 간향(艮向)은 갑방(甲方)·계방(癸方)의 물, 신향(辛向)·임향(壬向)은 건방(乾方)의 물, 건향(乾向)은 신방(辛方)·임방(壬方)의 물을 황천살이라 하는데, 이것이 이른바 사로황천(四路黃泉)·팔로황천(八路黃泉)이라는 것이다. 다만 이 12향(向)에 대해서 물을 내보내는 것만 논의되는 것이고 나머지 향은 꺼리지 않는다. -『고사촬요』-

---

3) 양국(陽局)으로 …… 안 된다 : 여기서 말한 양국(陽局)·양방(陽方)이니, 음국(陰局)·음방(陰方)이니 하는 것은,『주역』팔괘에 있어서, 건(乾)·감(坎)·간(艮)·진(震)은 양괘(陽卦), 곤(坤)·태(兌)·이(離)·손(巽)은 음괘(陰卦)라 한다. 따라서 지형의 국세(局勢)가 건좌(乾坐)·감좌(坎坐)·간좌(艮坐)·진좌(震坐)로 된 데는 양국, 곤좌(坤坐)·태좌(兌坐)·이좌(離坐)·손좌(巽坐)로 된 데는 음국이라 한다. 그리고 좌(坐)는 구성된 형국의 위치를 말하며, 이 좌를 중심으로 방향을 정한다. 이 팔괘에 의한 좌(坐)와 향(向)의 방위는 간좌(艮坐)일 경우 건·감·진은 양방이고, 손·이·곤·태는 음방이며, 곤좌(坤坐)일 경우 손·이·태는 음방이고, 건·감·간·진은 양방이 된다.

무릇 집을 지음에 있어서, 도리[架]와 간수를 짝수로 하지 말고 홀수로 해야만 크게 길하다. - 『거가필용』 -

지붕을 덮고 서까래를 걸침에 있어서 기둥머리와 들보 위에 닿게 해서는 안 되며 모름지기 양변(兩邊)이 들보에 걸터앉는 것처럼 해야 한다. - 『거가필용』 -

뽕나무를 집 재목으로 쓰는 것은 좋지 않으며 죽은 나무로 마룻대[棟]나 들보를 해서는 안 된다. - 『산거사요』, 『거가필용』 -

낙숫물이 서로 마주 쏘는 듯이 흐르면 살상(殺傷)이 주로 일어나며, 옥상(屋上) 머리에 하(厦 지붕의 도리 밖으로 내민 부분)가 있으면 허약한 병이 이것으로 말미암아 생긴다. - 『산거사요』, 『거가필용』 -

무릇 새 집을 지음에 있어서 거꾸로 된 나무로 기둥을 만들거나 목수가 목필(木筆)을 기둥 밑에 버려두면 사람이 불길하게 된다. - 『거가필용』 -

집을 헐 때 지붕을 남겨두면 마침내 곡(哭)소리가 끊이지 않고, 마룻대[棟]를 연속하여 집을 지으면 3년에 한 번씩 통곡할 일이 생기게 된다. - 『거가필용』 -

지붕을 너무 높게 하지 말아야 한다. 높으면 약기가 성하여 너무 밝다. 지붕을 너무 낮게 하지 말아야 한다. 낮으면 음기가 성하여 너무 어둡다. 그래서 너무 밝으면 백(魄)이 손상되고 너무 어두우면 혼(魂)이 손상된다. 거실 사면에 모두 창호(窓戶)를 설치하여 바람이 불 때는 닫고 바람이 멎으면 열어 놓으며, 앞에는 발을 드리우고 뒤에는 병풍을 쳐서 너무 밝으면 발을 늘어뜨려 실내의 빛을 조화시키고 너무 어두우면 발을 걷어 외부의 빛을 통하게 하여, 음기와 양기가 적중(適中)해야 하고 밝음과 어두움이 상반(相半)되어야 한다. 그리고 남향으로 앉고 머리를 동으로 두고 자면 몸이 편안하다. - 『거가필용』 -

청당(廳堂)

대청 뒤에 부엌을 내서는 안 된다. -『산거사요』,『거가필용』-

화당(畫堂 그림으로 장식된 방)의 응간(應干)은 모름지기 짝수를 쓰면 집안이 대체로 화목하다. -『거가필용』-

청(廳)만 있고 당(堂)이 없으면 고아와 과부가 많이 나온다. -『거가필용』-

안방을 나누어 청(廳)을 만들면 끝내 불리하고 청을 나누어 안방을 만드는 것은 무방하다. -『거가필용』-

방실(房室)

사람이 자는 방은 마땅히 깨끗하게 해야 한다. 깨끗하면 영기(靈氣 신성한 기운)를 받지만 깨끗하지 못하면 고기(故氣 혼탁한 기운)를 받게 되는데, 고기가 사람의 집안을 어지럽히면 무엇이든 하는 것들이 이루어지지 않는다. 일신도 그러한 것이니, 마땅히 자주 목욕하여 깨끗이 해야 한다. -『거가필용』-

방의 머리맡에는 궤(櫃)를 두지 말고 방 양쪽 벽에는 창(窓)을 만들지 말아야 한다. -『거가필용』-

틈이 생긴 구멍에 창을 만들면 즉시 재해(災害)가 생긴다. -『거가필용』-

부엌[竈]

부엌 만드는 법은, 길이는 7척 9촌인데, 이는 위로 북두칠성(北斗七星)을 상징하고 아래로 구주(九州)에 응한 것이고, 너비는 4척인데 이는 사시(四時)를 상징한 것이며, 높이는 3척인데 삼재(三才 천(

天)·지(地)·인(人))를 상징한 것이다. 그리고 부엌 아궁이의 크기는 1척 2촌인데 이는 12시(時)를 상징함이고, 솥은 두 개를 안치(安置)하는데 이는 일(日)·월(月)을 상징함이며, 부엌 고래의 크기는 8촌인데 이는 8풍(風)[4]을 상징한 것이다. 모름지기 새 벽돌을 준비하여 깨끗이 씻어서 깨끗한 흙으로 향수(香水)를 섞을 것이며, 흙을 이기는데 있어서는 벽에 쓰는 흙을 사용해서는 안 된다. 이를 서로 섞는 것은 크게 꺼리는 것이다. 돼지의 간(肝)을 섞어 흙을 이겨 쓰면 부인(婦人)이 효순(孝順)하게 된다. -『거가필용』-

무릇 부엌을 만들 때 쓰는 흙은 먼저 땅 표면의 흙은 5촌(寸)쯤 제거하고 곧 그 아래의 깨끗한 흙을 취하여 정화수(井華水 이른 새벽에 기른 우물물)로써 향수(香水)를 섞어서 흙을 이겨 쓰면 대길(大吉)하다. -『거가필용』-

무릇 청(廳)과 당(堂)에 부엌을 만들어 놓고 두 곳에서 불이 활활 타게 하면 주인이 재앙을 입게 된다. -『거가필용』-

무너진 부엌 위를 밟으면 사람이 부스럼을 앓게 된다. -『거가필용』-

여자가 부엌에 제사를 지내면 상서롭지 못하다. -『산거사요』,『거가필용』-

부인(婦人)이 부엌에 발돋움하고 앉는 것은 크게 꺼린다. -『산거사요』,『거가필용』-

부엌을 향해서 꾸짖으면 상서롭지 못하다. -『산거사요』,『거가필용』-

부엌을 마주보며 시를 읊거나 노래를 하고 울어서는 안 된다. -『산거사요』,『거가필용』-

칼이나 도끼를 부엌 위에 두어서는 안 된다. -『산거사요』,『거가필용』-

키질을 하여 부엌으로 까불어 넣으면 집안이 불안하게 된다.

---

4) 8풍(風): 8방의 바람. 동북풍은 염풍(炎風), 동풍은 도풍(滔風), 동남풍은 훈풍(熏風), 남풍은 거풍(巨風), 서남풍은 처풍(凄風), 서풍은 유풍(飂風), 서북풍은 여풍(厲風), 북풍은 한풍(寒風)을 말한다.『呂氏春秋 有始覽』

-『산거사요』,『거가필용』-

더러운 흙[糞土]으로 부엌 앞을 막아서는 안 된다. -『거가필용』-

부엌의 불로 향(香)을 피워서는 안 된다. -『산거사요』,『거가필용』-

무릇 인가(人家) 부엌의 솥은, 밤이 되면 모름지기 깨끗하게 씻어서 물을 가득 담아두어야지 건조하게 해서는 안 된다. 만약 비워두면 주인의 마음이 초조하게 된다. -『거가필용』-

솥이 우는 것은, 시루[甑]가 비어 있어 기운이 차면 우는데 괴이할 것은 없으나 덮개를 열어놓으면 즉시 그친다. -『거가필용』-

솥이 우는 것이 재앙이 되지는 않으나, 모름지기 남자가 여자절을 하거나 부인이 남자절을 하면 즉시 그친다. 또는 귀신의 이름인 파녀(婆女)만을 불러도 재앙은 되지 않고 문득 길리(吉利)를 초래하게 된다. -『거가필용』-

우물[井]

본산(本山)의 생왕방(生旺方)[5]에 우물을 파면 길하다. -『고사촬요』-

당(堂)의 전후와 방(房) 앞 청(廳) 안에는 모두 우물을 파서는 안 된다. -『산거사요』,『거가필용』-

부엌 가에 우물을 파면 해마다 허모(虛耗 심신이 허약해짐을 뜻함)해진다. -『거가필용』-

우물과 부엌이 서로 마주보고 있으면 남녀(男女)가 문란해진다. -『거가필용』-

옛 법에 우물을 파는 자는 먼저 수십 개의 동이에 물을 담아서 우물을 팔 장소에다 두고, 밤에 이를 관찰하여 동이 가운데 다른 별보다 특이하게 큰 별이 나타난 곳을 파면 반드시 감천(甘泉)을 얻는다. 근

5) 본산(本山)의 생왕방(生旺方) : 본산은 산의 원 줄기를 말하고, 생왕방은 오행(五行)으로 따져 보아서 길한 방위를 말한다.

래에 신생(愼生)은 이렇게 말하였다.

"먼저 몇 개의 구리로 동이를 땅 위에 엎어놓고, 하룻밤이 지난 다음 이를 관찰하여 그 가운데 이슬이 많이 맺힌 곳을 파면 반드시 우물이 난다."[6] - 『농가집성』 -

강이나 바다가 가까운 곳에 우물을 팔 때는 모름지기 바람이 순한 날을 택해야 한다. - 이것은 만약 강이 우물의 서남쪽에 있는데, 우물을 파는 날 서남풍이 불면 강물이 바람을 타고 들어와 우물이 반드시 감미로울 것이고, 만약 바닷바람이 순한 날은 바닷물이 바람을 타고 들어와 우물이 반드시 짜게 되기 때문이다. 『거가필용』 -

납[鉛] 10여 근을 우물에 넣어두면 물이 맑고 감미롭다. - 『거가필용』 -

세속에서는 청명일(淸明日)에 우물을 치는 것을 신선하게 여긴다. - 『거가필용』 -

옛 우물은 메우지 말아야 한다. 이를 메우면 사람이 눈멀고 귀먹게 된다. - 『산거사요』, 『거가필용』 -

우물물이 용솟음치는 것을 그치게 하기 위해서는 동쪽으로 360보(步) 안에서 청석(靑石) 하나를 찾아내어 술에 삶아서 우물에 넣으면 즉시 그친다. - 『산거사요』, 『거가필용』 -

우물에서 발돋움해서는 안 된다. 이는 고금을 통해서 크게 꺼리는 것이다. - 『산거사요』, 『거가필용』 -

6) 근래에 …… 난다 : 이 부분은 한독본(韓獨本)과 오씨본(吳氏本)에는 없다.

문로(門路)

건좌(乾坐 동남향(東南向))로 된 집에, 간방(艮方 동북방(東北方))으로 문을 내면 부귀하고 자손이 많으며, 태방(兌方 서방(西方))으로 문을 내면 인구(人口)가 흥성(興盛)하고, 곤방(坤方 서남방(西南方))으로 문을 내면 재물이 왕성하며, 손방(巽方 동남방)과 감방(坎方 북방(北方))으로 문을 내면 남녀가 전염병을 앓게 되고, 이방(離方 남방(南方))으로 문을 내면 늙은이는 해수(咳嗽)로 죽고 젊은 부인이 보존하지 못한다.

곤좌(坤坐 동남향(東南向))로 된 집에, 건방(乾方 서북방(西北方))으로 문을 내면 금은보화가 한이 없고, 간방으로 문을 내면 부귀하고, 태방으로 문을 내면 전장(田庄)이 풍족하며, 손방으로 문을 내면 택모(宅母 주부(主婦))를 잃고, 진방(震方 동방(東方))으로 문을 내면 인연(人煙)이 끊기며, 이방으로 문을 내면 젊은 부인이 재앙을 입고, 감방으로 문을 내면 손님이 돌아가지 못한다.

간좌(艮坐 남서향(南西向))로 된 집에, 태방으로 문을 내면 집안에 보패(寶貝)가 많고, 곤방으로 문을 내면 부(富)하여 금은이 많으며, 건방으로 문을 내면 이롭기도 하고 해도 있으며, 진방으로 문을 내면 자손과 상극이 되고, 감방으로 문을 내면 물에 투신하는 일이 생기며, 이방으로 문을 내면 자손이 끊기고, 손방으로 문을 내면 어머니를 잃는다.

손좌(巽坐 서북향(西北向))로 된 집에, 이방과 진방으로 문을 내면 부(富)하고 백 년의 수명을 누리며, 감방으로 문을 내면 횡재가 생기고, 간방으로 문을 내면 풍화(風火)의 재앙을 만나며, 곤방으로 문을 내면 어머니가 재액을 당하고, 태방과 건방으로 문을 내면 남녀가 손상을 입는다.

감좌(坎坐 정남향(正南向))로 된 집에, 진방으로 문을 내면 가업(家業)이 날로 떨치고, 손방으로 문을 내면 사람과 재물이 왕성하며, 이방으로 문을 내면 부인이 손상을 입고, 곤방으로 문을 내면 소랑(小郞)과 상극이 되며, 태방으로 문을 내면 조윤(祚胤 장손(長孫))이 끊기며, 건방으로 문을 내면 늙은이가 절름발이가 되고, 간방으로 문을 내면 어린이가 물에 빠지거나 우물에 빠지게 된다.

이좌(離坐 정북향(正北向))로 된 집에, 손방으로 문을 내면 재물이 풍부하고 사람은 겸손하며, 진방으로 문을 내면 영화를 누리고, 감방으로 문을 내면 수(壽)하고 건강하며, 곤방으로 문을 내면 화재가 생기고 부녀들은 잘 넘어지며, 건방으로 문을 내면 귀신이 떠나지 않고, 간방으로 문을 내면 풍질(風疾)과 농아(聾啞)가 생긴다.

진좌(震坐 정서향(正西向))로 된 집에, 손방으로 문을 내면 수복(壽福)이 더욱 두터워지고, 이방으로 문을 내면 사람과 재물이 왕성해지며, 감방으로 문을 내면 곡식이 번창해지고, 간방으로 문을 내면 장자(長子)가 먹을 것이 없다.

태좌(兌坐 정동향(正東向))로 된 집에, 간방으로 문을 내면 부귀를 마음껏 누릴 수 있고, 곤방으로 문을 내면 재물이 왕성하며, 건방으로 문을 내면 늙은이와 건장한 이가 없으며, 진방으로 문을 내면 장남이 화(禍)를 입고, 감방으로 문을 내면 형해(形骸 형벌과 상해)를 범하며, 이방으로 문을 내면 노상(癆傷 폐결핵)에 걸리고, 손방으로 문을 내면 적송(賊訟)이 생긴다.

무릇 문(門)을 세우고 길을 낼 때는 반드시 길(吉)한 것을 가려야 한다. 그 방법은 대문이나 문루(門樓)의 경계선에 목성윤도(木星輪圖)를 놓고 다섯 가지 길한 것은 택하고 네 가지 흉한 것은 피해야 한다. 목성윤도의 법은 내외선(內外線)의 2중으로 된 원선(圓線)을 그려 놓고, 내원선(內圓線)에는, 자(子)에서부터 왼쪽으로 돌며, 계(癸)·축(丑)·간(艮)·인(寅)·갑(甲)·묘(卯)·을(乙)·진(辰)·손(巽)·사(巳)·병(丙)·오(午)·정(丁)·미(未)·곤(坤)·신(申)·경(庚)·유(酉)·신(辛)·술(戌)·건(乾)·해(亥)·임(壬)의 24위(位)를 배정하고, 외원선(外圓線)에는, 자(子)의 위치로부터 목성(木星)을 시작하여 역시 왼쪽으로 돌며, 조화(燥火)·태양(太陽)·고요(孤曜)·소탕(掃蕩)·천강(天罡)·목성·조화·태음(太陰)·고요·소탕·천강·목성·조화·천재(天財)·고요·소탕·천강·목성·조화·금수(金水)·고요·소탕·천강의 24위를 배정하는데, 대체로 목성이, 자·오·묘·유의 주(主)가 되므로 목성윤도라고 한 것이다. 9성(星) 가운데 목성·태양·금수·태음·천재는 다섯 가지 길(吉)한 것이고, 천강·조화·고요·소탕은 네 가지 흉(凶)한 것이다. 이 윤도(輪圖)를 중당(中堂)에 놓고, 본산(本山)의 좌향(坐向)을 먼저 살핀 다음에 문(門)과 길[路]을 정하여 길한 것은 취하고 흉한 것은 피한다. - 자(子)·오(五)·묘(卯)·유(酉)는 목성(木星)이 되고, 축(丑)은 태양(太陽), 진(辰)은 태음(太陰), 미(未)는 천재(天財), 술(戌)은 금수(金水)가 되며, 나머지는 불길(不吉)하다.[7] 『고사촬요』-

경일(庚日)과 인일(寅日)에 문을 세워서는 안 된다. 그날은 문대부(門大夫)가 죽은 날이다. -『거가필용』-

무릇 대문의 문짝과 양쪽의 장벽(墻壁)은 모름지기 크기를 똑같게 해야 한다. 왼쪽이 크면 아내를 바꾸고 오른쪽이 크면 고아와 과부가 생긴다. -『거가필용』, 『고사촬요』-

문짝이 장벽보다 높으면 울 일이 많게 된다. -『거가필용』, 『고사촬요』-

문 입구에 물구덩이가 있으면 집이 파산(破産)되고 외롭게 되며, 문으로 물이 쏟아지면 집안이 흩어지고 사람이 벙어리가 되며, 물길이 대문과 상충(相衝)되면 패역(悖逆)한 자손이 나며, 문 가운데로 물이 나가면 재물이 모이지 않는다. -『거가필용』에는 "물이 문으로 나가면 재물이 흩어져서 가난하게 된다." 하였다. - 문에 우물물이 이르면 집안에 귀신을 불러들이며, 신사(神社)가 문을 대하고 있으면 늘 전염병을 앓게 되고, 뒷간이 문을 대하고 있으면 종기·부스럼이 끊이지 않으며, 창

---

7) 자(子)·오(午) …… 불길하다 : 이 부분은 한독본(韓獨本)과 오씨본(吳氏本)에는 없다.

고 문이 대문을 향하고 있으면 집안이 쇠하고 전염병을 만나며, 담장머리가 대문과 상충(相衝)되면 두고두고 남의 말을 듣게 되며, 교차된 길이 문을 끼고 있으면 인구(人口)가 부지하지 못하고, 곧은길이 곧바로 상충되면 집안에 늙은이가 없고 문 앞에 바로 집이 있으면 곡식이 남지 아니한다. -『거가필용』, 『고사촬요』-

동북으로 문을 내면 괴이한 일이 많고, 택호(宅戶)에 두 문 -『거가필용』에는 "세 문이다." 하였다. - 이 서로 대하게 해서는 안 된다. -『거가필용』, 『고사촬요』-

문의 좌우에 신당(神堂)을 지어서는 안 된다. 신당을 지으면 집주인이 3년에 한 차례씩 상을 당하게 된다. -『거가필용』-

쓰레기를 쓸어서 문 밑에 두게 되면 사람이 역골풍(歷骨風 골수염)을 앓게 된다. 이를 치료하는 방법은 계란으로 환자의 아픈 곳을 문지르고 주원(呪願 주문을 외며 기원하는 일)하면서 쓰레기를 제거하며 머리를 돌려 돌아보지 말아야 한다. -『거가필용』-

당면(當面)하여 곧바로 오는 길을 충파(衝破)라 하는데, 반드시 빙 돌아서 굽어져야 한다. 만약 집안의 물이 왼쪽으로 거슬러 흐르면 오른쪽으로 들어오고, 집안의 물이 오른쪽으로 거슬러 흐르면 왼쪽으로 들어와야 하며 곧바로 상충(相衝)이 되는 것은 절대로 꺼린다. -『고사촬요』-

길이 청룡(靑龍)을 감싸면 길하고, 백호(白虎)를 감싸면 흉하다. 4수(獸)[8]의 등성이에 십(十)자 모양의 길이 있거나 명당(明堂) 중심에 정(井)자 모양의 길이 있는 것은 모두 꺼린다. 둘은 가로 나고 하나는 곧게 난 길을 강시(扛屍)라고 하는데 흉하다. -『고사촬요』-

네 길[四路]이 집을 감싸고 있으면 흉한데, 그 증험이 가장 잘 나타난다. -『고사촬요』-

---

8) 4수(獸) : 청룡(靑龍)·백호(白虎)·주작(朱雀)·현무(玄武)를 말한다.

측간[厠]

측간을 짓는 방향에 있어서 자방(子方)·축방(丑方)은 모두 흉하고, 인방(寅方)·묘방(卯方)·미방(未方)은 크게 길하다. 진방(辰方)은 전잠(田蠶 밭농사와 양잠)에 길하고, 사방(巳方)은 자손에게 길하며, 오방(午方)은 귀인이 나고, 신방(申方)은 구설수가 끊이지 않으며, 유방(酉方)은 자손이 불효하고, 술방(戌方)은 처음은 가난하고 뒤에는 부하며, 해방(亥方)은 크게 흉하다.

무릇 새 측간을 지으면 즉시 옛 측간은 없애야 하며 옛 측간에 있던 인분도 모두 제거해야 한다. 제거할 당시에는 측간 가득히 물을 채워서, 인분을 제거한다고 하지 말고 다만 물을 제거한다고만 말한다. -『거가필용』-

부엌의 재를 측간 가운데 버리면 집이 가난하게 되고 크게 흉해진다. -『산거사요』,『거가필용』-

측간 속에 구더기가 생길 때는 순채(蓴菜 연못 등에 나는 풀이름) 한 줌을 측간 속에 넣으면 즉시 없어진다. -『거가필용』-

측간에 올라가서, 측간 가운데와 사면(四面)의 벽에 침을 뱉어서는 안 된다. -『산거사요』,『거가필용』-

측간에 갈 때는 측간과 3~5보(步) 떨어진 거리에서 두서너 번 기침소리를 내면 측간 귀신이 자연 회피한다. -『산거사요』,『거가필용』-

담장과 울[墻籬]

무릇 집을 지을 때에 먼저 담장부터 쌓거나 외문(外門)부터 만드는 것을 매우 꺼리는데, 그렇게 하면 완성하기가 어렵다. -『산거사요』,『거가필용』-

울[籬]을 만듦에 있어서는 먼저 사방의 경계선에 2척(尺) 너비와 깊이로 구덩이를 파놓고 산조(酸棗 멧대추)가 익을 때를 기다려 열매를 많이 따서 구덩이에 심어 놓고 싹이 돋은 다음에 손상되지 않게 보호하면 1년 뒤에는 3척의 높이가 된다. 그리고 이듬해 봄에 가로 자란 가지는 잘라버리고 가시는 남겨둔다. 겨울에 가서 이 줄기를 엮어 울을 만들되 편의에 따라 엮는다. 명년에 다시 높이 자라면 충분히 도적을 막을 수 있다. -『신은지』-

탱자나무를 많이 심어서 울을 만들면 또한 도둑을 막을 수 있다. - 심는 법은 아래 치약(治藥) 편의 지실(枳實) 조에 있다.『속방(俗方)』-

방앗간[安碓]

마땅히 본명(本命 출생한 해의 간지)의 생왕방(生旺方)과 인방(寅方)·간방(艮方)·해방(亥方)이어야 한다.

인방(寅方)은 크게 길하고, 묘방(卯方)은 부귀하며, - 동향은 길하다. - 진방(辰方)은 전잠(田蠶)이 잘 되고, - 서남향은 흉하다. - 사방(巳方)은 자손이 많으며, - 동향은 길하다. - 오방(午方)은 크게 흉하고, - 동향하면 장자(長子)가 죽는다. - 미방(未方)은 재앙(災殃)이 있으며, - 동향은 며느리가 죽는다. - 신방(申方)은 구설수가 있고, - 남향은 길하고, 동북향은 흉하다. - 유방(酉方)은 불효가 나며, - 서향은 길하고 동북향은 흉하다. - 술방(戌方)은 처음은 부(富)하고 뒤에는 가난하며, 해방(亥方)은 여자가 음란해진다. - 동향은 길하다. -

방아머리[碓頭]가 있는 곳에 집이 있으면 집이 반드시 불안하다. 방아머리는 안으로 거슬러서는 안 되며 밖으로 향해서도 안 되고, 가로 곧게 설치해야만 길하다.

무릇 주택에 있어서, 왼쪽에 흐르는 물과 오른편에 긴 길과 앞에 못, 뒤에 언덕이 없으면, 동쪽에는 복숭아나무와 버드나무를 심고, 남쪽에는 매화와 대추나무를 심으며, 서쪽에는 치자와 느릅나무를 심고, 북쪽에는 벚나무와 살구나무를 심으면, 또한 청룡(青龍)·백호(白虎)·주작(朱雀)·현무(玄武)를 대신할 수 있다. -『거가필용』-

주택 동쪽에 버드나무를 심으면 말에게 유익하고, 주택 서쪽에 대추나무를 심으면 소에게 유익하며, 중문(中門)에 홰나무를 심으면 삼대가 부귀하고, 주택 뒤에 느릅나무가 있으면 백귀(百鬼)가 감히 접근을 못한다. -『거가필용』-

주택 동쪽에 살구나무가 있고 주택 서쪽에 버드나무가 있으면 흉하며, 주택 서쪽에 복숭아나무가 있고 주택 북쪽에 오얏나무가 있으면 음사(淫邪)하다. -『거가필용』-

주택 서쪽 언덕에 대나무가 푸르면 재물이 불어난다. -『거가필용』-

무릇 수목(樹木)이 집으로 향하면 길하고 집을 등지고 있으면 흉하다. -『거가필용』-

문정(門庭)에 대추나무 두 그루가 있고 당(堂) 앞에 석류나무가 있으면 길하다. -『거가필용』-

큰 나무가 마루 앞에 있으면 질병이 끊이지 않는다.

큰 나무는 마루에 가까우면 좋지 않다. -『산거사요』-

뜰 가운데에 나무를 심는 것은 좋지 않다. -『산거사요』-

집 뜰 가운데 나무를 심으면 한 달에 천금의 재물이 흩어진다. -『거가필용』-

뜰 가운데 있는 나무를 한곤(閑困)이라 하는데, 뜰 가운데 오래 심어 놓으면 재앙이 생긴다. -『거가필용』-

사람의 집에 파초는 많이 심을 것이 못 된다. 오래되면 빌미[祟]를 초래한다. 방문 앞에 파초를 많이 심으면 부인이 혈질(血疾)을 얻는다. -『거가필용』-

집 뒤에 파초를 심는 것은 좋지 않다. -『산거사요』-

우물 두둑에 복숭아나무를 심어서는 안 된다. -『산거사요』-

문밖에 버드나무가 늘어져 있는 것은 좋은 상서가 아니며, 큰 나

무가 문 앞을 막고 있으면 집주인이 전염병에 걸린다. -『거가필용』-

용도(龍圖)란 하도(河圖)[9]를 말함이고, 귀문(龜文)이란 낙서(洛書)[10]를 말함이다. 용도서(龍圖墅)와 귀문원(龜文園)을 경영함에 있어서는 하도와 낙서의 위치(位置)와 수(數)를 상징하여 경영하되 모름지기 물이 있는 곳에 평평하고 넓은 땅 두 곳을 마련하여, 한군데는 복판에 둥근 단(壇)을 쌓되 높이는 3척(尺), 사방은 5보(步)쯤 되게 하며, 그 위에는 십자각(十子閣)을 지어 5칸을 만들고 중간에는 방, 4면(面)에는 누(樓)를 만드는데, 이는 천오(天五)의 수(數)를 상징한 것이다. 그리고 단의 가 8면에는 3층의 계단을 만들어 연결되게 하기도 하고 끊기게도 하는데, 이는 선천팔괘(先天八卦)를 상징한 것이다. 아래에는 뜰을 만들고 뜰 경계에는 10개의 돈대(墩臺)를 벌여 쌓아서 주위를 만드는데, 이는 지십(地十)의 수를 상징한 것이다. 돈대의 바로 북쪽에는 우물이나 못을 파는데, 이는 천일(天一)의 수를 상징한 것이고, 돈대의 남쪽에는 쌍 돈대가 있는데, 이는 지이(地二)의 수를 상징한 것이며, 동쪽에는 3, 서쪽에 4는 천삼(天三)·지사(地四)의 수를 상징한 것이다. 또 그 바깥으로 북쪽에 6, 남쪽에 7, 동쪽에 8, 서쪽에 9를 둘러 마치 둥근 진(陣)의 형상같이 하는데, 이는 곧 지육(地六)·천칠(天七)·지팔(地八)·천구(天九)의 수를 상징한 것이다. 이렇게 하면 하도의 55수대로 충족이 된다.

그리고는 그 위에다 십장청(十長靑)을 심는데, 십자각 모퉁이에는

---

9) 하도(河圖): 복희씨(伏羲氏) 때 황하에서 용마(龍馬)가 나왔는데, 그 등에 있는 점으로 된 무늬를 말한다. 복희씨는 이 무늬로 된 점을 근거로 선천팔괘(先天八卦)를 그렸다고 한다. 그 점의 전체는 55개이고, 1에서 10까지 수가 짝지어져 있는데, 홀수로 한 짝을 이룬 것은 천수(天數)라 하고 짝수로 한 짝을 이룬 것은 지수(地數)라 한다.『周易 本義圖』

10) 낙서(洛書): 우(禹)임금 때 낙수(洛水)에서 신귀(神龜)가 나왔는데, 그 등에 있는 점으로 된 무늬를 말한다. 문왕(文王)은 이 법을 적용하여 후천팔괘(後天八卦)를 그렸다고 한다. 그 점의 전체는 49이고, 1에서 9까지 수가 짝지어져 있다.『周易 本義圖』

모두 대나무를 심고, 안쪽 둘레에 있는 10개의 돈대에는 측백(側柏)을 벌여 심어 병풍을 삼는다. 북쪽 우물가에는 맥문동(麥門冬)을 심고,

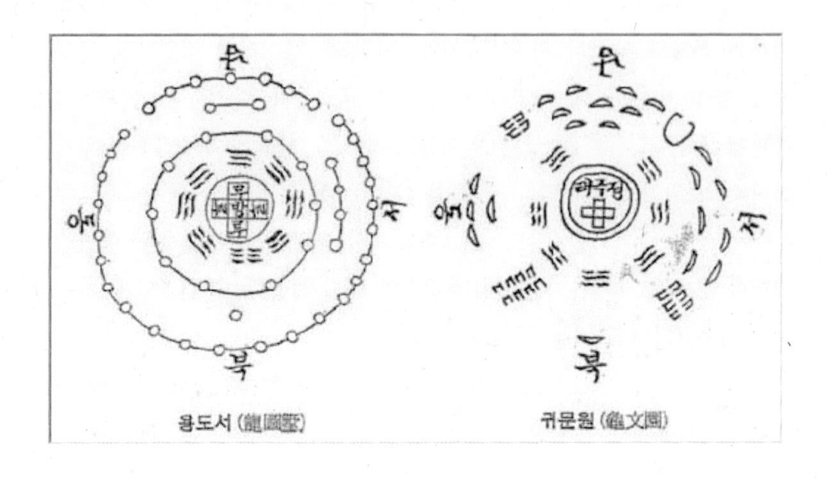

용도서 (龍圖墅) 귀문원 (龜文園)

남쪽 두 돈대에는 적목(赤木)을 심어 문을 만들며, 동쪽 세 돈대에는 황양목(黃楊木), 서쪽 네 돈대에는 진송(眞松)을 심는다. 그리고 그 바깥으로, 북쪽에 해송(海松) 6주(株), 동쪽에 회목(檜木) 8주, 서쪽에 솔[松] 9주, 남쪽에 자단(紫檀) 7주를 심는데, 이것이 용도서이다.

그 둘째 것은 복판에 둥근 섬을 만들되 사방은 5보쯤 되게 하고, 가운데에 태극정(太極亭)을 지어 방 한 칸에 사방의 퇴(退)는 반 칸으로 한다. 그리고 물길을 둘러서 간방(間方 네 방위의 사이의 방위)에 격축(隔築)하여 네 개의 못을 만드는데, 복판에 있는 섬과 합하여 중오(中五)의 수가 되게 한다. 그리고 8면(面)에 각각 3층의 사계(莎階 잔디로 만든 계단)를 만드는데, 이는 후천팔괘(後天八卦)가 되게 한 것이다. 바깥으로 북쪽에 반달[半月] 같은 모양을 만들어 중간을 비게 하는데, 이는 이일(履一)이고, 동쪽에 이런 식으로 안쪽에 하나 바깥쪽에 둘을 쌓되 약간 작게 하는데 이는 좌삼(左三)이며, 서쪽에도 안쪽에 셋, 바깥쪽에 넷을 쌓되 더 작게 하는데 이는 우칠(右七)이고,

남쪽의 안쪽에는 둘, 중간에 셋, 바깥쪽에 넷을 쌓되 더 작게 하는데 이는 대구(戴九)이며, 서남간(西南間)에는 두 개의 만형(彎形)으로 된 것을 서로 향하게 하되 등성이를 충만하게 하며, 동남(東南)에는 네 개가 있는데 이는 이사위견(二四爲肩)을 상징한 것이며, 서북(西北)에는 여섯, 동북(東北)에는 여덟인데 이는 육팔위족(六八爲足)을 상징한 것이다. 이것이 낙서 45의 수인데, 못에는 각색의 연꽃과 원추리·부들·마름·순채의 종류를 심고 팔괘(八卦)의 계단과 4정방(正方)·4우방(隅方)에는 꽃나무와 과일나무를 의향에 따라 심는데, 이것이 귀문원이다.

예부터 하도(河圖)와 낙서(洛書)에 대한 학설(學說)은 지극히 오묘하고, 원유(園囿)의 성대(盛大)함은 더할 수 없이 규모가 크고 사치스러웠으나, 하도와 낙서의 위치와 수로써 원유의 제도(制度)를 배정하여 만들었다는 말은 듣지 못하였다. 그런데 우연히 고우(故友)인 박사원(朴士元 사원은 박광일(朴光一)의 자)의 문집(文集)을 보게 되었는데, 거기에 용문정사도기(龍文精舍圖記)가 있었다. 그 집을 짓고 나무를 심는 방법이 하도를 모방한 것이었으나 아깝게도 뜻만 두고 성취하지는 못하였다. 또 그 안배를 함에 있어서는 완벽하지 못했는데, 이는 아마 젊을 때의 작품이었을 것이다. 그러나 자세히 보니 나도 모르는 사이에 마음속으로 확연히 깨닫게 되었다.

그래서 그 의의를 추연(推衍 미루어 넓힘)하여 보충해서 완성시키고 아울러 낙서에까지 손을 대서 대(對)가 되게 하였다. 하도는 주로 청상(淸爽)하게 하였고 낙서는 아주 화려하게 하였는데, 하도와 낙서의 제도는 또 모두 저속하지 않게 했다.

대개 하도는 용마(龍馬)의 선모(旋毛 소용돌이 모양으로 난 털)로서 둥근 형태로 된 것이고, 낙서는 신귀(神龜)의 탁문(坼文 갈라진 무늬)으로서 모난 형태로 된 것인데, 세속에 전하는 하도와 낙서는 모두 별의 점 모양으로 해서 모난 형태로 만들었으며, 하도의 중간의 10개의 점은 반을 나누어 남·북으로 갈라놓았고, 낙서의 3·7·9의 점은 겹으로 배치하지 않고 가로 배열하였으니, 이는 매우 의의가 없으므로 이제 모두 바로잡았다.

또 선천(先天)·후천(後天)의 체용(體用)[11] 관계를 나누어 앞으로 늘그막에 완상(翫賞)하면서 여유 있는 생활을 하는 장소로 삼고 싶기는 하지만 돌아보면 나는 가난하고 또 늙었으니, 그 꿈이 이루어질 것인지 기필할 수가 없다. 그래서 이 세상의 동호자(同好者)들로 하여금 천고(千古)에 아무도 발명하지 못한 이 훌륭한 일을 이루기를 바라는 한편, 박사원의 뛰어난 재주를 추상(追想)해 보니 구원(九原)[12]에 간 사람이라 살아오기도 어려우므로, 서로 상의하면서 함께 유쾌함을 갖지 못하는 것이 유감스럽다.

홍사중(洪士中 사중은 홍만선(洪萬選)의 자) 선생의 『산림경제』를 저술하면서 이 도(圖)를 보고 옳게 여겨 복거 편에 편입시켰으니, 이는 이른바 '조모(朝暮 가까운 시일) 간에 만난다.'라는 것이 아닌가. 성주(星州) 이국미(李國美)는 쓴다.[13]

용도서(龍圖墅)에 심은 십장청(十長靑)은 대나무·소나무·해송(海松)·측백(側柏)·자단(紫檀)·진송(眞松)·적목(赤木)·황양목(黃楊木)·맥문동(麥門冬)이다.

---

11) 선천(先天) …… 체용(體用): 여기서 말한 선천(先天)·후천(後天)은 복희(伏羲)의 선천팔괘(先天八卦)와 문왕(文王)의 후천팔괘(後天八卦)를 말한 것이다. 그 체용(體用)에 있어서는, 복희의 선천팔괘는 우주의 기본의 체(體)를 상징한 것이고 문왕의 후천팔괘는 우주의 변화의 용(用)을 상징한 것이다. 『周易 本義圖說』

12) 구원(九原): 전국시대(戰國時代) 진(晉)나라 경대부(卿大夫)의 묘지(墓地)의 이름이었는데, 후세에는 황천(黃泉)의 뜻으로 쓰인다. 『禮記 檀弓下』

13) 성주(星州) 이국미(李國美)는 쓴다: '용도(龍圖)란 하도(河圖)를 말함이고'에서 '성주(星州) 이국미(李國美)는 쓴다.'까지의 글은 홍만선(洪萬選) 사후에 이국미가 쓴 것이다. 본서 해제 참조.

귀문원(龜文園)에 심은 화목(花木)은 매화 · 소도(小桃) · 산수유(山茱萸) · 신이(辛夷) · 두견(杜鵑) · 정향(丁香) · 해당화 · 산단(山丹) · 장미 · 목부용(木芙蓉) · 철쭉 · 자미(紫薇) - 백일홍(百日紅)이다. - · 목근(木槿) - 무궁화(舞宮花)이다. - · 불정화(佛頂花) · 행(杏) - 단행(丹杏) · 유행(流杏) - · 벚나무 · 복숭아나무 - 홍(紅) · 벽(碧) · 분(粉) 삼색(三色) - · 배나무 · 임금(林禽) - 사과(査果) - · 앵두나무 · 탱자나무 · 동백나무 - 춘백(春柏) - · 영산홍 · 왜철쭉[倭躑躅] · 치자화(梔子花) · 석류 · 월계(月桂) - 동백꽃 이하는 북쪽 지역에는 마땅치 않다. - 와연꽃 · 국화 · 난초 · 원추리 · 해바라기 · 목단(牧丹) · 작약 · 금등(金藤) · 석죽(石竹) · 석창포(石菖蒲) · 파초 · 포도 · 오동(梧桐) · 두충(杜沖) · 단풍 · 버드나무이다.

섭생 攝生

[섭생 서]

복거(卜居)의 계획이 이미 성취되고 서신(棲身)할 장소가 대략 완성되었는데도 보양(保養)과 복식(服食)의 방법으로써 병을 물리치고 수명을 연장시킬 줄을 알지 못한다면 이는 바로 '가죽[皮]이 보존되지 못하는데, 털[毛]이 어떻게 부지하겠는가.' 하는 경우와 같은 것이다. 그러니 어떻게 여유 있게 즐기면서 청복(淸福)을 누릴 수 있겠는가. 그래서 섭생(攝生)의 방법을 기록하여 제2편을 삼는다.

총론(總論)[14]

구화징심노인(九華澄心老人)[15]이 한 도인(道人)을 만났는데, 나이 90여 세였으나 검은 머리에 얼굴은 동자(童子) 같았고 성은 궁씨(宮氏)였다. 10년 후에 그 노인을 다시 만났는데, 얼굴이 조금도 더 늙지 않았다. 그래서 그 수(壽)하는 방법을 물었더니, 그 노인이 다음과 같이 말하였다.

"사람의 수명은 천원(天元) 60, 지원(地元) 60, 인원(人元) 60으로 합하면 모두 180세이나, 계신(戒愼 경계하고 삼감)할 줄 모르면 날로 손실이 된다. 정기(精氣)가 굳지 못하면 천원의 수명이 감

14) 총론(總論) : 이 소제목은 한독본(韓獨本)과 오씨본(吳氏本)에는 없다.
15) 구화징심노인(九華澄心老人) : 원(元)나라 이붕비(李鵬飛)의 호(號). 『元史 卷一百 九十七』

퇴되고, 정도에 지나치게 마음을 쓰면 지원의 수명이 감퇴되며, 음식을 조절하지 못하면 인원의 수명이 감퇴된다. 그에 대한 학설이, 황제(黃帝)·기백(岐伯)[16]의 글과 명의(名醫)들의 글 가운데 모두 실려 있으니, 그대는 돌아가서 나의 말에 따라 찾아보라. 다른 방법은 없다." -『수양총서』-

손상(損傷)되는 것은 알기 쉽고 빠르며, 보익(補益)되는 것은 알기 어렵고 더디다. 손상되는 것은 마치 등잔불에 기름이 주는 것과 같아서 줄어드는 것은 보이지 아니하여도 홀연히 다하게 되고, 보익되는 것은 마치 싹이 자람과 같아서 자라는 것은 느낄 수 없어도 홀연히 무성하게 된다. 그래서 몸을 다스리고 성품을 수양함에 있어서는 그 섬세한 것에 힘써 노력해야지, 조금 보익됨이 도움이 없다 하여 수양하지 않아서는 안 되며, 조금 손상됨이 해될 것이 없다 하여 방비하지 않아서는 안 된다. -『지비록』-

무릇 온갖 형체 가운데, 원기(元氣)보다 더 먼저 보존해야 할 것은 없다. 이 원기를 조화시키고 보호하는 방법에 있어서는 모름지기 한가로울 때에 마음을 기울여서 편안할 때 위태로움을 잊지 말아야 하며, 노인은 더욱 삼가지 않을 수 없다. 약(藥)에 있어서도 진기(眞氣)를 배양하는 약은 적고, 화기(和氣)를 해치는 약은 많다. 그래서 좋은 약을 먹는 것도 보양(保養)을 잘하는 것만 못하다. -『수진비록』-

천화(天和 본연의 화기(和氣))를 해치면서 세상의 일을 성취시킴은 마치 자기의 살을 베어서 도마를 장식하고 피를 뽑아서 의상(衣裳)을 물들이는 것과 같다. 그러니 마침내 세상일을 성취했더라도 역시 허망하게 되는 것이고 다만 스스로 그 천화만을 해치게 했을 뿐이다. 옛말에,

---

16) 황제(黃帝)·기백(岐伯) : 황제(黃帝)는 황제 헌원씨(黃帝軒轅氏)이고 기백(岐伯)은 그의 신하로서 이들은 동양 의학의 원조(元祖)라 한다. 『帝王世紀』

"차라리 거칠고 용렬하여 물의(物議)에 어긋날지언정 성명(性命 타고난 생명)을 가지고 인정(人情)에 빠지지 말라."

하였는데, 이 말은 좌우명(座右銘)을 삼을 만하다. -『복수전서』-

사람은 너무 한가하면 엉뚱한 생각이 생기고, 너무 바쁘면 참다운 성품이 나타나지 않는다. 그러므로 사군자(士君子)는 헛되게 사는 것이나 아닌가 하는 근심을 품지 않아서는 안 되며, 또한 생(生)에 대한 즐거움을 몰라서도 안 된다. 그러니 시비(是非)의 장소에도 자연스럽게 출입하고 순역(順逆)의 환경에서도 여유 있게 종횡해야 한다. 대나무가 아무리 빽빽해도 물이 지나가는 데는 방해되지 않으며, 산이 아무리 높아도 나는 구름은 걸리지는 않는다. -『복수전서』-

팽조(彭祖)[17]가 이렇게 말하였다.

"도(道)는 번거로운 데에 있는 것이 아니다. 다만 의식을 생각지 않고, 성색(聲色 음악과 여색)을 생각지 않고, 승부를 생각지 않고, 득실(得失)을 생각지 않고, 영욕(榮辱)을 생각지 않을 수 있으면 마음은 괴롭지 않고, 정신은 다하지 않는다." -『수양총서』-

섭생(攝生)을 하려면 마땅히 육해(六害)를 먼저 제거해야 한다. 첫째 명리(名利)에 담박하고, 둘째 음악과 여색을 금하며, 셋째 화재(貨財)에 대하여 청렴하고, 넷째 맛있는 음식을 줄이며, 다섯째 허망된 생각을 버리고, 여섯째 질투하는 마음을 없애야 하는데, 이 여섯 가지가 존재한다면 양생하는 방법은 헛것으로 설치한 결과이니, 유익함을 볼 수 없다. -『수양총서』-

은총이나 치욕에 대하여 놀라지 않으면 간목(肝木)이 스스로 편안해지고, 동정(動靜)에 경(敬)을 하면 심화(心火)가 스스로 안정되고, 음식을 조절하면 비토(脾土)가 손상되지 않으며, 호흡을 조절하고 말

---

17) 팽조(彭祖): 신선(神仙) 이름. 요(堯)임금 때 사람으로 은(殷)나라 말기(末期)까지 700세를 살았다 한다.『列仙傳』

을 적게 하면 폐금(肺金)이 스스로 온전해지며, 마음을 가라앉히고 욕심을 없애면 신수(腎水)가 자족(自足)해지는데,[18] 잡념이 일어나는 것이 두려운 것이 아니고 오직 깨달음에 더딜까 걱정이다. 잡념이 일어나면 이것은 병이지만 그것이 계속되지 않게 하면 이것은 곧 약이다. -『금단정리서』-

양생(養生)을 하는 자는 손상(損傷)시키지 않는 것을 근본으로 삼는다. 재능이 미치지 못하는 것을 골똘히 생각하는 것이 손상되는 것이고, 힘으로 감당할 수 없는 것을 억지로 드는 것이 손상되는 것이며, 너무 슬퍼하여 파리하게 되는 것이 손상되는 것이고, 기뻐하고 즐거워함이 정도에 넘치는 것이 손상되는 것이다. 그리고 하고 싶은 것에 대하여 너무 급급하는 것이 손상되는 것이고, 근심되는 것에 대하여 너무 괴로워하는 것이 손상되는 것이며, 너무 오래도록 이야기하고 웃는 것이 손상되는 것이고, 침식(寢食)을 제때에 안 하는 것이 손상되는 것이다. 또 억지로 활[弓弩]을 당기는 것이 손상되는 것이고, 숨이 차서 헐떡일 정도로 뛰는 것이 손상되는 것이며, 배불리 먹고 즉시 눕는 것이 손상되는 것이고, 술에 너무 취하여 구토(嘔吐)를 하는 것이 손상되는 것이다. -『수양총서』-

질병을 물리치는 열 가지 방법은 다음과 같다.

1. 정좌(靜坐)하여 허공(虛空 자연의 원리)을 관찰하며 사대(四大)[19]가 본래 가합(假合 임시로 합침)임을 생각한다.

2. 번뇌가 앞에 나타나면 죽음과 이를 비교한다.

3. 늘 나보다 못한 자를 생각하며 스스로 너그러운 마음을 갖도록

---

18) 간목(肝木)이 스스로 …… 자족(自足)해지는데 : 이는 목(木)·화(火)·토(土)·금(金)·수(水)의 오행을 오장에 배속시킨 것으로, 그 관능(官能)에 있어서는 놀람은 간장, 울화는 심장, 음식은 비장(脾臟), 소리는 폐장(肺臟), 욕심은 신장(腎臟)에 속함을 말한 것이다.『醫學入門』

19) 사대(四大) : 불교에서 말하는 만유(萬有)의 구성 요소로서 지(地)·수(水)·화(火)·풍(風)을 말한다.『圓覺經』

노력한다.

4. 조물주(造物主)가 본래 우리의 생활을 수고롭게 하였는데, 병을 만나 조금 한가하게 되었으니 도리어 다행스럽게 생각한다.

5. 숙세(宿世)[20]의 업보(業報)를 현세(現世)에 만났더라도 이를 회피하지 말고 기꺼이 받아들인다.

6. 집안이 화목하려면 서로 꾸짖는 말을 하지 말아야 한다.

7. 중생(衆生)은 각각 병근(病根)을 보유하고 있는 것이니, 늘 스스로 관찰하여 이를 극복해 다스려야 한다.

8. 바람과 이슬을 맞는 것은 조심해서 막고, 기욕(嗜慾)은 담박하게 한다.

9. 음식은 차라리 조절할지언정 많이 먹지는 말아야 하며, 기거(起居)는 되도록 알맞게 하고 억지로 하지 않는다.

10. 고명(高明)한 친우(親友)를 찾아 마음을 터놓고 세상을 초월한 말을 강론(講論)한다. -『복수전서』

정(精)·기(氣)·신(神)은 내삼보(內三寶)이고 이(耳)·목(目)·구(口)는 외삼보(外三寶)가 되는데, 내삼보는 외물(外物)에 끌려서 유출되지 말아야 하고 외삼보는 내부[中]에 유혹되어 흔들려서는 안 된다. -『금단정리서』-

눈은 정신의 창이고, 코는 기운의 문이며, 미려(尾閭 생리 배설기)는 정액의 길이다. 사람이 오래 보면 정신이 흐트러지고, 숨을 많이 쉬면 기운이 허해지고, 기욕(嗜慾)을 많이 부리면 정력이 고갈된다. 모름지기 눈을 감고서 정신을 기르고 숨을 조절하여 기운을 기르며, 하원(下元)[21]을 굳게 가두어 정력을 기르도록 힘써야 한다. 정력이 충만하면 기운이 넉넉해지고 기운이 넉넉해지면 정신이 완전해지는데, 이것을 도

---

20) 숙세(宿世) : 불교(佛敎) 용어. 과거의 세상, 즉 전생을 말한다. 『法華經授記品』

21) 하원(下元) : 의학 용어로 신장(腎臟)을 말한다. 사람에게 상·중·하 삼원(三元)이 있는데, 상원은 뇌, 중원은 가슴, 하원은 정문(精門), 즉 신(腎)이다. 『雲笈七籤』

가(道家)에서 '삼보(三寶)'라고 이른다. -『도서전집』-

정력은 정신의 근본이며, 기운은 정신의 주인이고, 형체는 정신의 집이다. 정신을 너무 쓰면 기운이 소모되고, 기운을 너무 쓰면 정력이 고갈되고, 형체가 너무 수고로우면 목숨이 끊어진다. -『수양총서』-

원기(元氣)가 충실하면 먹고 싶은 생각이 없고, 원신(元神)이 집중되면 잠이 오지 않고, 원정(元精)이 충족하면 정욕이 생기지 않는데, 이 삼원(三元)이 완전하면 육지(陸地)의 신선(神仙)이다. -『수양총서』-

오래 보면 심장이 손상되고, - 어떤 데는 "혈(血)이 손상된다." 하였다. - 오래 들으면 신장(腎臟)이 손상되고, 오래 걸으면 근력이 손상되고, 오래 서 있으면 뼈가 손상되고, 오래 앉아 있으면 근육이 손상되고, 오래 누워 있으면 기운이 손상되고, 말을 많이 하면 폐장(肺臟)이 손상되고, 많이 웃으면 창자가 손상된다. -『후생훈찬』-

눈은 시력을 다하지 말며, 귀는 청력(聽力)을 다하지 말며, 다닐 때에 빨리 걷지 말고, 오래 앉아 있지 말고, 피로하도록 눕지 말며, 침을 멀리 가게 뱉지 말라. 춥기 전에 옷을 입고 덥기 전에 옷을 벗으며, 겨울에 너무 덥게 하지 않고, 여름에 너무 시원하게 하지 않아야 한다. 그리고 너무 배가 고픈 다음에 먹지 말며 먹되 너무 배부르게 먹지 말아야 하고, 너무 목이 마른 다음에 마시지 말며 마시되 너무 많이 마시지 말아야 한다. 날것과 찬 것을 많이 먹지 말며, 지나치게 노력하거나 지나치게 편하려고 말고, 늦게 일어나려고 말며, 많이 자려고 하지 말고, 너무 자주 목욕하려고 하지 말고, 대한(大寒)·대풍(大風)·대무(大霧)에는 모두 무릅쓰고 나다니지 말아야 한다. -『수양총서』-

앉아 있을 때가 다니는 시간보다 많고 말을 안 할 때가 말하는 때보다 많으며, 질박함이 화려함보다 많고 은혜가 위엄보다 많으며, 사양함이 다툼보다 많고 개결(介潔)함이 평범함보다 많아야 한다. 그리고 문을 닫고 들어앉았음이 문밖에 나다님보다 많고 즐거워함이 노여워함보

다 많아야 한다. 이러한 것을 항상 좋아하면 자연 한량없이 많은 복을 받게 될 것이다. - 『복수전서』 -

말을 적게 하여 내부의 기운을 기르고, 색욕(色慾)을 경계하여 정기를 기르고, 진액(津液 침)을 삼켜서 장기(臟氣)를 길러야 한다. 성을 내지 말아서 간기(肝氣)를 기르고 음식을 담박하게 하여 위기(胃氣)를 기르며, 생각을 적게 하여 심기(心氣)를 길러야 한다. 사람은 기운으로 말미암아 생존하고 기운은 정신으로 말미암아 보존되는 것이니, 기운을 기르고 정신을 온전히 하면 진도(眞道)를 얻을 수 있다. - 『수양총서』 -

뱃속에는 밥이 적고, 입 안에는 말이 적고, 마음에는 일이 적고, 밤에는 잠이 적어야 한다. 이 네 가지를 줄이면 신선(神仙)이 될 수 있다. - 『수진신록』 -

옛날 길 가던 어떤 사람이 밭두둑 길에서 세 노인을 보았는데, 나이는 모두 100세가 넘었는데도 곡식밭에서 김을 매고 있었다. 앞으로 가서 절을 하고 어떻게 해서 이렇게 수(壽)할 수 있었느냐고 두세 번 물으니, 가장 나이 많은 노인이 앞에 와서 말하기를,

"우리 집 사람이 아주 못생겼소."

하고, 두 번째 노인은 앞에 와서 말하기를,

"밤에 잘 때 머리를 덮지 않는다."

하고, 세 번째 노인은 앞에 와서 말하기를,

"위의 양을 헤아려서 먹는 것을 조절한다."

하였다. 이 세 노인의 말은 깊은 의미가 있는 것으로 이 때문에 장수할 수 있게 된 것이다. - 위 응거(魏應璩)의 시(詩) -

5경(更 오전 4시경)쯤 하여 잠자리에서 심체(心體)를 점검해 보면 기운이 아직 움직이지 않고 감정이 아직 싹트지 않아 본래의 면목(面

目)을 다소 볼 수 있을 것이다. 세 끼니의 음식 중에서 세상맛을 단련시켜 맛이 짙어도 기뻐하지 않고 맛이 담박해도 싫어하지 않아야 바야흐로 절실한 공부가 된다. -『복수전서』-

하루에 금기해야 할 것은 저녁에 배불리 먹지 말아야 하고, 한 달에 금기해야 할 것은 저녁에 크게 취하지 말아야 하고, 한 해 동안 금기해야 할 것은 저녁에 먼 길을 가지 말아야 하며, 종신(終身)토록 금기해야 할 것은 저녁에는 항상 기를 보호해야 한다. -『수양총서』-

심지(心志)를 기름

구선(臞仙)[22]은 말하기를,

"옛날 신성(神聖)한 의원(醫員)은 사람의 마음을 치료할 수 있었다."

하였다. 모든 질병이 발생되는 원인은 모두 마음에서 비롯된다. 그래서 이제 사람이 쉽게 알 수 있는 것으로 논(論)하겠다.

사람이 마음으로 불을 오래 생각하면 몸이 더워지고, 사람이 마음으로 얼음을 오래 생각하면 몸이 차가워진다. 겁이 나면 머리털이 치솟고 놀라면 땀이 나며, 두려우면 근육이 떨리고 부끄러우면 얼굴이 붉어지며, 슬프면 눈물이 나고 당황하면 가슴이 뛴다. 그리고 기가 질리면 마비(痲痹)가 오고 신 것을 말하면 침을 흘리며, 냄새나는 것을 말하면 침을 뱉고 즐거움을 말하면 웃으며, 슬픔을 말하면 눈물을 흘리는데, 이 모든 것이 마음으로 인해 생기는 것이다. 태백진인(太白眞人)[23]은 '그 질병을 다스리고자 하는 자는 먼저 그 마음을 다스려야

---

22) 구선(臞仙) : 명(明)나라 주권(朱權)의 호. 명 태조(明太祖)의 제16자(子)로서, 함허자(涵虛子)·단구 선생(丹丘先生)이라고도 한다. 『明史 卷一百七十三』

23) 태백진인(太白眞人) : 명(明)나라 손일원(孫一元)의 별호. 태백산에 은거하

한다.'고 하였으니, 병자(病者)로 하여금 마음속의 일체의 생각들을 모두 버리게 한다면, 자연히 심군(心君)이 태연하고 성지(性地)가 화평해져서 약이 입에 이르기 전에 병을 이미 잊을 것이다. -『수양총서』-

심장(心臟)은 신명(神明)의 집으로서 속은 비었고 지름이 한 치에 불과하나 신명이 들어 있다. 사물의 복잡함은 마치 엉클어진 실을 정리하는 것과도 같고 거센 물을 건너는 것과도 같다. 그래서 일에 따라 두렵기도 하고 징계되기도 하며, 기뻐하고 성내기도 하고 생각하고 염려하기도 하므로 하루와 한 시간의 사이라도 한 치 정도밖에 안 되는 곳이 불처럼 뜨겁다. 그러므로 '마음이 고요하면 신명(神明)을 통할 수 있고 원기(元氣)를 굳힐 수 있어서 만병이 생기지 않지만, 만약 한 가닥 생각의 싹이 일어나면 신명은 외부로 달려가고 기운은 안에서 흩어지는데, 피는 기운을 따라 운행하므로 영위(榮衛)[24]가 혼란해져서 백병(百病)이 서로 침공하게 된다.' 하는 것이다. 대개 천군(天君) 마음을 수양하면 질병이 생기지 않는 것이다. -『수양총서』-

사람의 정신은 맑음을 좋아하는데 마음이 이를 뒤흔들고, 사람의 마음은 고요함을 좋아하는데 물욕이 이를 끌어낸다. 그러니 항상 물욕을 몰아내면 마음은 절로 고요해지고, 마음을 맑게 하면 정신은 절로 맑아진다. -『도서전집』-

물욕은 마음 때문에 일어나고 마음은 호흡으로 안정되는 것이다. 마음과 호흡이 서로 의지하면 호흡이 조절되고 마음이 고요해진다. -『도서전집』-

도은거(陶隱居)[25]는 이렇게 말하였다.

였으므로 그렇게 불렀다. 그는 스스로 진(秦)나라 사람이라 하였다.『明史 卷二百九十八』

24) 영위(榮衛) : 몸을 보양(保養)하는 혈기. 영(榮)은 혈(血)을 뜻하고 위(衛)는 기(氣)를 가리킨 것이다.『黃帝內經』

25) 도은거(陶隱居) : 은거는 양(梁)나라 도홍경(陶弘景)의 자호. 갈홍(葛洪)의『신선전(神仙傳)』을 읽고 양생(養生)을 전공하였다.『梁書 卷五十一』

"도가(道家)에서 제일의(第一義)로 삼는 것은 사람으로 하여금 성을 적게 내게 하는 것이다." -『수양총서』-

명도 선생(明道先生)[26]은 이렇게 말하였다.

"대체로 사람의 감정 중에서 발생하기는 쉽고 억제하기 어려운 것은 오직 성내는 것이 가장 심하다. 다만 성이 날 때에 빨리 그 노여움을 잊고 이치의 옳고 그름을 관찰할 수 있으면 또한 외부의 유혹도 미워할 것이 못 됨을 발견할 수 있게 되어 도(道)에 대해서 반 이상은 이해하게 될 것이다." -『하남사설』-

분노했을 경우 기가 역상(逆上)하면 피를 토하고 기운이 격동되면 간장(肝臟)이 손상된다. -『수양총서』-

아침에는 성내지 말아야 한다. -『수양총서』-

음식을 대하고 사납게 꾸짖으면 사람으로 하여금 정신을 놀라게 한다. -『수양총서』-

생각하는 것이 많으면 정신이 흐트러지고 - 또 말하기를 "심장이 허약해지면 외사(外邪)가 따른다." 하였다. - 염려가 많으면 마음이 피로해지며, 기쁜 일이 많으면 마음이 손상되고 즐거운 일이 많으면 심신(心神)이 방탕해지며, 근심이 많으면 마음이 떨린다. - 또 말하기를 "머리와 얼굴이 야윈다." 하였다. - 그리고 좋아함이 많으면 지기(志氣)가 넘치고 미워함이 많으면 정상(精爽 영혼)이 분등(奔騰)하며, 기지(機智)가 많으면 사려(思慮)가 침체되어 혼미해지는데, 이것은 곧 사람의 생명을 해치는 것으로서 칼이나 도끼보다 더 심한 것이다. -『수양총서』-

일을 당했을 때 걱정이 그치지 아니하면 폐로(肺癆 폐결핵)가 생긴다. -『수양총서』-

음식을 대하고 걱정을 하면 정신이 그로 말미암아 놀라서 꿈도 편하

---

26) 명도 선생(明道先生) : 북송(北宋)의 대유(大儒)인 정호(程顥)이다. 『宋史 卷四百 二十七』

지 않다. -『수양총서』-

계획을 세운 것이 해결되지 않으면 담(膽)의 기능이 저하되고 기(氣)가 벅차올라 입이 쓰게 된다. -『수양총서』-

크게 두려워하면 신장(腎臟)이 손상되고 두려움이 풀리지 아니하면 오장이 제 기능을 잃는다. -『수양총서』-

너무 슬퍼하면 포락(包絡)[27]이 끊긴다. 슬픔은 뼈를 썩히는 병이다. -『수양총서』-

사랑하거나 미워함은 성품을 손상시키고 정신을 해롭게 한다. 또 좋아하거나 미워함은 사람으로 하여금 마음을 괴롭게 하여 지기(志氣)가 날로 소모된다. -『수양총서』-

무릇 마음에 좋아함이 있더라도 너무 깊이 좋아하지 말고 마음에 미워함이 있더라도 너무 깊이 미워하지 말며, 기쁨이 이르더라도 마음이 방탕해지지 않고 노여움이 지나간 후에는 감정에 머물러 두지 않으면, 이 모두가 정신을 기르고 수명을 연장하게 할 수 있게 된다. -『수양총서』-

얽매임이 없는 것이 곧 해탈(解脫 속박에서 벗어남)이고, 번뇌를 제거하면 문득 청량(淸涼)함을 얻게 된다. -『복수전서』-

무릇 뜻대로 되지 않는 일이 있을 때, 시험 삼아 그보다 더 심한 것을 취하여 비교하면 마음이 자연 상쾌해지니, 이것이 심화(心火)를 끄는 가장 빠른 약이다. -『복수전서』-

지나간 일은 다시 생각하지 말고 오지 아니한 일은 미리 상상하지 말며, 현재의 일은 유념(留念)하지 말고 생각나는 대로 이를 저지시켜서 늘 그렇게 할 수 있도록 습관을 들이면, 오래될수록 확고해지므로 번거롭게 많이 배울 필요가 없다. -『복수전서』-

망상(妄想)으로 진심을 해치지 말고, 객기(客氣)로 원기(元氣)를 손상시키지 말아야 한다. -『복수전서』-

---

27) 포락(包絡) : 심장(心臟)을 싸고 있는 얇은 막, 즉 심장막(心臟膜)이다.『素問 厥論』

광자원(鄺子元)이 한림(翰林)으로 있다가 외직으로 보임된 지 10여 년에 항상 실망을 안고 무료하게 지내다가 드디어 마음 병이 생겼는데, 병이 발작할 때마다 문득 꿈속처럼 혼몽하기도 하고 헛소리를 하기도 하였다. 어떤 노승(老僧)이 말하기를,

"상공(相公)의 병은 번뇌에서 비롯된 것인데, 번뇌는 망상에서 생깁니다. 대체로 망상이 생기는 데는 세 가지 계기가 있습니다. 즉 수십 년 전의 영욕(榮辱)·은수(恩讐)·비환(悲歡)·이합(離合)과 여러 가지 한정(閑情)을 추억하여 생기는 경우가 있는데 이는 과거에 대한 망상입니다. 눈앞에 닥친 일은 순리로 응해야 합니다. 그런데 수미(首尾)가 위축되어 이럴까 저럴까 망설이며 결정을 짓지 못하여 생기는 경우가 있는데 이는 현재의 망상입니다. 또 후일의 부귀와 영화를 모두 소원대로 이루어지기를 희망하거나 자손들이 출세하여 서향(書香 학문을 하는 기풍)을 계승하기를 희망하고, 또는 일체의 꼭 이룩할 수가 없고 될 수도 없는 일을 기대하여 생기는 경우가 있는데 이는 미래에 대한 망상입니다. 이 세 가지 망상은 홀연히 생겼다가 홀연히 없어지므로 선가(禪家)에서는 이를 '환심(幻心)'이라고 하며, 그 망상을 환히 볼 수 있게 되어 아예 마음에서 끊어버릴 수 있게 되면 선가에서는 이를 '각심(覺心)'이라고 합니다. 그래서 '잡념이 생기는 것을 근심할 것이 아니라 오직 깨달음이 더딤을 걱정해야 한다.'고 하는 것입니다. 이 마음이 만약 허공과 같다면 번뇌가 어디에 발붙일 수 있겠습니까."

하고, 또 말하기를,

"상공의 병은 또한 신수(腎水)와 심화(心火)가 서로 조화되지 않은 것이 원인이 된 것입니다. 무릇 야용(冶容 여색(女色))에 빠져서 색황(色荒 여색(女色)을 탐함)이 되는 것을 선가에서는 이를 '외감(外感)의 욕구'라 하고, 깊은 밤 잠자리에서 야용을 그리워하여 혹 밤새

껏 꿈을 꾸는 변화가 생기기도 하는데 선가에서는 이를 '내생(內生)의 욕구'라고 합니다. 이 두 가지 욕구에 얽매여 빠지게 되면 원정(元情)이 소모되는데, 만약 이를 떨쳐 버릴 수 있으면 신수(腎水)가 자연히 불어나서 위로 심화(心火)와 조화될 수 있을 것입니다. 그밖에 문자(文字)를 사색(思索)하느라 침식(寢食)까지 잊는 것을 선가에서는 '이장(理障)'이라 하고, 직업(職業)을 경륜하느라 수고로움도 마다하지 않는 것을 선가에서는 '사장(事障)'이라 하는데, 이러한 것은 비록 인욕(人欲)은 아니라 하더라도 성령(性靈)을 손상시키는 것이니, 만약 이를 제거할 수 있다면 심화(心火)가 위로 타오르지 않고 아래로 신수(腎水)와 조화될 것입니다. 그래서 '진사(塵事 세속의 일)와 서로 인연이 없으면 병근(病根)이 발붙일 데가 없다.' 하였고, 또 '고해(苦海 괴로운 세상 즉 인간 세상)는 가없고 머리를 돌리면 이것이 곧 피안(彼岸)이다.' 하였습니다."

하였다. 광자원이 그의 말대로 하여, 한 칸 방에 홀로 거처하면서 온갖 인연을 씻어버리고 한 달 남짓 동안 조용히 앉아 수양하였더니, 마음 병이 씻은 듯이 나았다. -『사우재총설』-

의혹(疑惑)은 마음의 병을 만든다. -『수양총서』-

광주(廣州) 사람이 술을 마시다가 벽에 있던 조궁(雕弓)이 술잔에 비치는 것을 뱀인가 의심하여, 돌아와서 병이 되었는데, 뒤에 그곳에서 다시 술을 마시면서 비로소 활임을 알고 그 병이 곧 나았다. -『수양총서』-

어떤 중이 어두운 방에 들어갔다가 생가지[茄]를 밟아서 터뜨리고는 생명을 가진 동물로 착각하고 그 생각이 풀리지 아니한 채 잠이 들었다. 꿈에 어떤 이가 문을 두드리고 들어와서 '내 목숨 내놓아라.' 하므로 내일 명복을 빌어주겠다 약속하고 날이 밝은 다음에 보니, 그것은 곧 가지였다 한다. 의심이 해가 됨이 이와 같다. -『수양총서』-

기욕(嗜慾)을 줄임

병은 죽음으로 가는 길이고 욕심은 병으로 가는 길이며, 성색(聲色 음악과 여색)을 가까이함은 욕심으로 가는 길이다. 이 세 가지 길을 막으면 생명을 연장시킬 수 있다. -『복수전서』-

사람의 수명은 주로 정기(精氣)에 달려 있는데, 이는 마치 등불의 기름이나 물고기에 있어서 물과 같다. 기름이 마르면 등불이 꺼지고 물이 마르면 고기가 죽는다. 세상에 기욕(嗜慾)에 빠짐은 마치 작은 티끌이 물에 빠지고 한 조각 눈이 끓는 물에 떨어지는 것과 같다. -『자경편』-

좌신(左腎)은 수(水)에 속하고 우신(右腎)은 명문(命門)이며 화(火)에 속한다. 방광은 좌신의 부(腑)가 되고, 삼초(三焦)는 우신의 부가 된다. - 삼초 중에, 상초(上焦)는 전중(膻中)에 있는데 안으로 심장에 응하고, 중초(中焦)는 중완(中脘)에 있는데 안으로 비(脾)에 응하고, 하초(下焦)는 배꼽 밑[臍下]에 있는데 곧 신간동기(腎肝動氣)이다. - 두 줄기의 흰 맥(脈)이 내장(內臟)에서 나와 등을 끼고 위로 뇌(腦)에 관통하였다. 바야흐로 담담하게 고요히 있으며 정욕(情慾)이 일어나지 아니하였을 때는 정기(精氣)가 삼초에 분포되어 모든 맥을 왕성하게 하다가, 정욕에 대한 생각이 한 번 일어나면 욕화(慾火)가 치열해져서 삼초의 정기를 휘몰아 넘치게 하며 아울러 명문으로 해서 사출(瀉出)되어 나가니, 어찌 두려워하지 않을 수 있겠는가. -『수양총서』-

타고난 체질이 후(厚)하면 음식을 많이 먹고 정력(精力)도 건장하므로 어쩌다 조금 정도에 지나치더라도, 이를 우물에 비교하면 원류(源流)가 깊어서 퍼 쓰는 대로 채워지는 것과 같다. 그래도 오히려 바닥이 날까 걱정을 하는데, 만약 타고난 체질이 박(薄)하면 원기가 본래 약하여 음식이 감소되고 정력도 모산된다. 그런데도 억지로 기욕을 하려고 하면 이는 겁쟁이가 풍부(馮婦 춘추 때 진(晉)나라의 장사(壯士))를 본받

으려는 것이니, 이는 호랑이 이빨을 긁는 격이다. -『수양총서』-

정기(精氣)가 통(通)하기 전에 여자를 거느리고 통정(通情)을 하면 오체(五體 눈·코·입·귀·생식기)가 충만하지 못하게 되며 훗날 형용하기 어려운 병을 갖게 된다. -『수양총서』-

남자가 너무 일찍 파양(破陽)을 하면 정기(精氣)가 손상되고, 여자가 너무 일찍 파음(破陰)을 하면 혈맥(血脈)이 손상된다. -『수양총서』-

정욕(情慾)이 많으면 정기가 손상되고, 간정(肝精)이 굳지 못하면 눈이 침침하고 광채가 없으며, 폐정(肺精)이 조화되지 않으면 기육(肌肉)이 야위고, 신정(腎精)이 굳지 못하면 신기(神氣)가 감소되며, 비정(脾精)이 굳지 못하면 이빨이 솟고 머리털이 빠진다. -『수양총서』-

신음(腎陰 생식 기능)은 귀 속에 속해 있고, 방광맥(膀胱脈)은 목자(目眥 눈의 귀 쪽으로 째진 구석)에서 나왔는데, 귀가 먹먹해지고 눈이 침침해짐은 방사(房事 성생활)로 생긴 증세이다. -『수양총서』-

성생활에 금기해야 할 대상의 사람이 아홉 종류인데, 나이 많거나, 고질이 있거나, 입술은 얇으면서 코는 크거나, 이가 엉성하고 머리털이 노랗거나, 또는 사묘(莎苗 음모(陰毛))가 너무 억세거나, 소리가 웅장하거나, 살갗이 거칠고 기름기가 없거나, 성정(性情)이 온화(溫和)하지 못하거나, 성품이 사납고 투기를 하는 자는 모두 사람을 손상시킬 가능성이 있으니, 이런 사람을 범(犯)해서는 안 된다. -『수양총서』-

부인(婦人)이 봉두구면(蓬頭垢面 흐트러진 머리와 때 묻은 얼굴, 즉 단정치 아니함)에 추항(搥項 목의 길이가 짧은 것)·결후(結喉 턱 아래 목에 약간 튀어나온 후골(喉骨))로서 이가 드러나고 입이 크며, 눈정기가 혼탁하고 턱에 털이 있으며, 뼈마디가 크게 생긴 사람은 모두 수명(壽命)을 손상시키는 자이니, 남자에게 마땅치 않다. -『수양총서』-

부인은 굳이 예쁠 필요는 없다. 다만 나이 적고 아직 젖을 먹이지 않았으며, 살이 오동포동하면 유익하다. 만약 머리털이 가늘고 눈동자의 흑백(黑白)이 분명하며, 몸놀림이 부드럽고 뼈대가 연약하여 크지 않으며, 살갗이 매끄럽고 말소리가 온화하면 또한 유익하다. -『수양총서』-

성교를 함에 있어서 금기하는 때가 11가지인데, 추위와 더위를 무릅쓰고 한다든가, 배부를 때, 취했을 때, 기쁨과 노여움이 가라앉지 않았을 때, 질병이 회복되지 않았을 때, 먼 길을 걸어 피로에 지쳤을 때, 범필(犯蹕 임금이 행차하는 길을 범함)하고 출행(出行)했을 때, 대소변을 금방 보았을 때, 새로 목욕을 한 뒤와 여인의 월조(月潮 생리기간) 중, 그리고 정이 없으면서 억지로 하는 것은 모두 사람으로 하여금 신기(神氣)가 혼몽해지고 심력(心力)이 부족해지며, 사체가 파리해져서 온갖 병이 생기게 하는 것이니, 특히 그러한 점에 삼가야 한다. -『수양총서』-

대한(大寒)·대열(大熱)·대무(大霧)·대우(大雨)·뇌전(雷電)·벽력·일식·월식·홍예(虹霓 무지개)·지동(地動)할 때와 천지가 침침할 때에 이를 범하고 성교를 하면 병을 얻게 되고 혹 임신이 되더라도 자녀의 형성이 반드시 완전하지 못하며 비록 낳더라도 기르지 못한다. -『수양총서』-

일월·성신의 아래서와, 신우(神宇)·사관(寺觀)의 가운데나, 정조(井竈 부엌)·청측(圊厠 뒷간)의 곁이라든가, 무덤·시체의 곁에서 성교를 하면 사람의 정신이 손상되고 아들을 낳아도 어질지 못하다. -『수양총서』-

배불리 먹고 방사(房事)를 하면 혈기(血氣)가 대장(大腸)으로 새어들어가 장벽(腸癖 이질(痢疾))이 된다. -『수양총서』-

크게 취했을 때에 방사를 하면 정액이 쇠약해지고 음경(陰莖)이 위축되어 발기되지 않는다. -『수양총서』-

분노했을 때 방사를 하면 정력이 허해지고 기(氣)가 떨어져서 종기가 생긴다. -『수양총서』-

두려울 때 방사를 하면 음양(陰陽)이 치우치게 허해져서 자한증(自

汗症 식은땀을 흘리는 증세)과 도한증(盜汗症 잠잘 때 땀을 흘리는 증세)이 생긴다. -『수양총서』-

크게 기쁘거나 크게 슬플 때는 음양(陰陽 남녀)이 결합해서는 안 된다. -『수양총서』-

유행병[時病]이 회복되기 전에 방사를 하면 혀가 두 치쯤 빠져나온 채 죽는다. -『수양총서』-

눈병을 앓을 때 방사를 하면 내장(內障)이 될 염려가 있다. -『수양총서』-

금창(金瘡)이 아물기 전에 교회(交會 성교)를 하면 혈기가 동요되어 금창이 터지게 된다. -『수양총서』-

소변을 참으며 방사(房事)를 하면 임질(淋疾)을 얻게 되며, 혹은 배가 뒤틀려 배꼽 아래가 몹시 아프며 죽는다. -『수양총서』-

월사(月事 월경)가 끝나기 전에 교접(交接)을 하면 흰 얼룩이 생기며, 몸과 얼굴이 야위며 누렇게 되고 자식을 갖지 못한다. -『수양총서』-

땀이 났을 때 방사를 하면 반드시 노풍증(勞風症)을 얻게 된다. -『수양총서』-

촛불을 밝혀 놓고 방사를 하는 것은 종신토록 금기해야 하며, 또 낮에 교합하는 것도 피해야 한다. -『수양총서』-

용뇌(龍腦)·사향(麝香)을 먹고 방사를 하면 관절(關節)의 구멍이 열려서 진기(眞氣)가 빠져나간다. -『수양총서』-

음경(陰莖)이 위축되었는데, 억지로 단석(丹石 보양제)을 먹고 양기를 돕게 되면 신수(腎水)가 고갈되고, 심화(心火)가 불타는 듯하고 오장이 건조(乾燥)되어 소갈증(消渴症 당뇨병)이 즉시 오게 된다. 그리고 얼굴이 검어지고 귀가 먹는다. 또 파리해지고 경계증(驚悸症 가슴이 두근거리고 잘 놀라는 병)이 생기며, 몽설(夢泄 자는 도중 정액이 자연 유출됨)이 되고 소변이 탁해진다. -『수양총서』-

『소문경(素問經)』에 이런 말이 있다.

"억지로 방사(房事)를 치르면 정력이 소모되고 신장(腎臟)이 손상되며, 수기(髓氣 골수)가 마르고 허리가 아파서 구부렸다 폈다 할 수가 없다." -『수양총서』-

『포박자(抱朴子)』[28]에 이런 말이 있다.

"'억지로'라는 말은 삶을 해치고 수명을 해치는 근본이다. 취했을 때 억지로 술을 마시고 배부를 때 억지로 먹는 것도 당연히 그 몸을 해치는데, 더구나 정욕이겠는가. 정욕을 억지로 채우면, 원정(元精)이 제거되고 원신(元神)이 떠나며, 원기(元氣)가 흩어진다." -『수양총서』-

무릇 양사(陽事 정력)가 점점 왕성함을 느끼면 반드시 근신해서 억제해야 한다. 만약 한 차례 억제하면 한 차례 불이 꺼짐으로써 한 차례의 기름이 증가되지만, 만약 억제하지 못하고 정력을 낭비하여 배설하면 이는 곧 불이 꺼지려 하는데 또다시 기름을 제거하는 격이니, 깊이 스스로 방지하지 않을 수 있겠는가. -『수양총서』-

정욕이 솟구칠 때에 이를 풀지 못하면 음·양이 서로 다투어 추웠다 더웠다 하는데, 오래되면 노증(勞症 폐결핵)이 생기게 된다. 옛날 당정(唐靖)이 음경(陰莖)에 부스럼이 나서 문드러지게 되었는데, 주수진(周守眞)이 보고 이렇게 말했다.

"방사(房事)를 하려 하다가 뜻을 이루지 못한 데서 얻은 병이다." -『수양총서』-

사람의 욕심 중에 색욕(色慾)보다 더 간절한 것은 없다. 오직 도(道)를 아는 선비는 아무리 아름다운 여색(女色)이 앞에 있어도 눈으로 즐기는 정도에 불과할 뿐 정욕이 내키는 대로 자행하여 성명(性命)

---

28) 『포박자(抱朴子)』: 진(晉)나라 갈홍(葛洪)의 저서로 도가 신선술을 논하였다. 포박자는 그의 호이다.『四庫提要 子部道家類』

을 해치려고 하지 않는다. 그래서 옛사람은 여기에 대해서 항상 절도가 있었다. 20세 이후에는 3일에 한 번, - 또는 "4일에 한 번 배설한다." 하였다. - 30세 이후에는 10일에 한 번, - 또는 "8일에 한 번 배설한다." 하였다. - 40세 이후에는 한 달에 한 번, - 또는 "16일에 한 번 배설한다." 하였다. - 50세 이후에는 석 달에 한 번, - 또는 "30일에 한 번 배설한다." 하였다. - 60세 이후에는 일곱 달에 한 번씩 - 또는 "정기(精氣)를 가두고 배설하지 않는다." 하였다. - 대체로 때에 따라 존절(撙節)해서 진원(眞元)을 아껴 일신의 주명(主命)을 삼아야지 그렇지 아니하면 아무리 토납(吐納 단전호흡(丹田呼吸)) · 도인(導引) · 복이(服餌 약물(藥物) 복용)의 방법을 열심히 하더라도 근본이 확고하지 못하게 되어 마침내 유익함이 없는 것이다. -『수양총서』-

팽조(彭祖)가 말하기를,

"한 달에 두 번 방사를 하면 이는 절신(節愼)하는 방법이다."

하고, 소녀(素女)[29]는 말하기를,

"60세 된 자는 마땅히 정기를 가두고 배설하지 말아야 한다."

하였는데, 이는 위태함을 유지하는 방법이다. 사상채(謝上蔡)[30]는 말하기를,

"사람이 자식을 둔 뒤에는 한 방울의 정액도 배설하지 말아야 한다."

하였는데, 이는 생리(生理)에 통달하고 성명(性命)을 기르는 도리이다. 그래서 말하기를,

---

29) 소녀(素女) : 옛날 신녀(神女)의 이름. 황제(黃帝) 때 사람으로 방중술(房中術)에 능하였다 한다.『張衡 思玄賦注』

30) 사상채(謝上蔡) : 상채는 송(宋)나라 사양좌(謝良佐)의 호. 정자(程子)의 제자이다.『宋史 卷四百二十八』

"1천 첩의 보약을 먹음이 독신 생활하는 것만 못하다."

하였다. -『지비록』-

관중(關中)의 은사(隱士) 낙경도(酪耕道)는 이렇게 말하였다.

"하지에는 마땅히 기욕(嗜慾)을 조절해야 하고, 동지에는 마땅히 기욕을 금해야 한다. 대체로 1양(陽)이 처음 발생[31]했을 때는 그 기운이 미약하므로, 마치 처음 돋아난 초목의 싹이 쉽게 피해를 입는 것과 같다. 그래서 마땅히 기욕을 금해야지 조절만 해서는 안 된다. 또 기욕은 사시에 모두 사람을 해치지만 겨울과 여름에는 더욱 사람을 손상시킨다." -『지비록』-

본궁일(本宮日)[32]·경신일(庚申日)·갑자일·춘분일·추분일·하지일·동지일·상현일(上弦日)·하현일·초하루[朔日]·보름[望日]·그믐·상원일(上元日 1월 15일)·중원일(7월 15일)·하원일(10월 15일)·사일(社日 제사지내는 날)·입춘일·입하일·입동일·삼복에 방사를 하면 수명이 손상된다. -『수양총서』-

정월 초3일·14일·16일, 2월 초2일, 3월 초1일·초9일, 4월 초8일, 5월 초5일·초6일·초7일·15일·16일·17일·25일·26일·27일, 10월 초10일, 11월 25일, 12월 초7일·20일은 모두 방사를 하면 수명이 손상된다. -『수양총서』-

4월은 순 음월(純陰月)이고 10월은 순 양월(純陽月)인데, 이때는 방사를 해서는 안 된다. -『수양총서』-

매월 28일은 방사를 피해야 한다. -『수양총서』-

또 하지 후의 병일(丙日)·정일(丁日)이나 동지 후의 경신일(庚

31) 1양(陽)이 처음 발생 : 동지는 한 해가 시작되는 시점으로, 지난해의 음기(陰氣)는 끝이 나고 새로운 양기(陽氣)가 싹트는 절후이므로 "1양(陽)이 처음 발생한다." 한 것이다.『周易 復卦 本義』

32) 본궁일(本宮日) : 태어난 해의 간지(干支)와 같은 날. 즉 갑자생(甲子生)일 경우 갑자일(甲子日)을 말한다. 본명일(本命日).『福惠全書 筮仕部』

申日)과 큰 달의 17일, 작은 달의 16일도 방사를 피해야 한다. -『수양총서』-

동지를 전후하여 각 5일 사이에는 동침하지 말아야 한다. -『사시찬요』-

어느 달이거나 2일·3일·5일·9일·20일은 생기일(生氣日)이니, 교회(交會)하면 무병하게 된다. 또 매월 상순의 실수(室宿)·삼수(參宿)·정수(井宿)·귀수(鬼宿)·유수(柳宿)·장수(張宿)·방수(房宿)·심수(心宿)가 드는 날 밤중에 교합하면 아들을 낳는데 현명하고 수하고 부귀하며, 또 자신에도 이롭다. -『사시찬요』-

음식을 조절함

진원방(陳元方)[33]은 이렇게 말하였다.

"백 가지 병에 걸려서 비명에 죽는 것은 대다수가 음식으로 말미암은 것인데, 음식의 해는 성색(聲色 음악과 여색)보다 더하다. 성색은 1년 이상 끊을 수 있으나 음식은 하루도 끊을 수 없는 것인데, 유익함도 많지만 해로움도 매우 많다." -『지비록』-

옥화자(玉華子)[34]는 이렇게 말하였다.

"음식은 사람의 성명(性命)에 관계된 것이니, 어찌 끊을 수야 있겠는가. 요는 자미(滋味)를 담박하게 하고, 비농(肥濃 살지고 기름진 것)을 취하지 않으며, 구박(炙煿 불에 굽거나 말린 것)을 끊고 살생(殺生)을 경계하며, 훈채(葷菜 마늘·파 종류)를 멀리 하고 나서 음식을 조절하여 장부(臟腑)로 하여금 맑고 화통하게 하면 충기(沖氣 원기(元氣))가 조화된다." -『수양총서』-

---

33) 진원방(陳元方) : 원방은 후한(後漢) 진기(陳紀)의 자(字). 『後漢書 卷九十二』

34) 옥화자(玉華子) : 명(明)나라 성단명(盛端明)의 호. 『明史 卷三百』

어떤 노인이 90여 세가 되었는데도 식성이나 기운이 소년(少年) 같았다. 음식을 먹는 방법을 물었더니, 대답하기를,

"음식을 먹을 때는 모름지기 잘게 씹어서 조금씩 삼키며 진액(津液)과 함께 넘겨 보내야 영양분이 비장(脾腸)에 흩어져 화색이 살결에 충만하게 된다. 만약 거칠게 먹으며 쾌락만 일삼으면 찌꺼기로 장위(腸胃)만 채울 뿐이다."

하였다. 또 한 노인이 말하기를,

"한평생 음식을 대할 때 그 반만 먹고 늘 '부족하구나.' 하는 마음이 들도록 먹는 것도 섭양(攝養)하는 요법이다."

하였다. -『공여일록』-

음식은 조금씩 자주 먹어야지 한꺼번에 많이 먹어서는 안 된다. 항상 배부른 가운데 주리고, 주린 가운데 배부른 것이 좋다. -『수양총서』-

너무 배고픈 다음에 먹어서는 안 되며 먹더라도 너무 배부르게 먹지 말아야 하고, 너무 목마른 다음에 물을 마셔서는 안 되며 마시더라도 너무 많이 마시지 말아야 한다. 너무 배고프거나 목마를 때 먹거나 마시면 혈기(血氣)가 정상을 잃어서 갑자기 구제하지 못하게 된다. 흉년에 주려서 지친 사람이 배불리 먹게 되면 즉시 죽는데 이것이 바로 그에 대한 본보기이다.[35] -『수양총서』-

배고프다가 음식을 먹을 때는 충분히 씹어서 먹어야 하고, 목마르다가 물을 마실 때는 조금씩 마셔야 한다. 음식은 정세(精細)하고 물은 따뜻한 것이 좋다. -『수양총서』-

노자(老子)는 이렇게 말하였다.

"배고프지 않은데 억지로 먹으면 비(脾)가 피로해지고, 목마르지

---

35) 너무 배고픈 다음에 …… 대한 본보기이다 : 이 부분은 한독본(韓獨本)과 오씨본(吳氏本)에서 보충하여 번역하였다.

않은데 물을 마시면 위(胃)가 늘어난다." - 『수양총서』 -

음식을 먹고 배가 너무 부르면 아무리 피로하더라도 바로 잠자리에 들지 말고 천천히 운동을 하면서 약 100보(步)쯤 거닌 다음에 띠를 풀고 옷을 헤치고서 허리를 펴고 단정히 앉아 두 손으로 가슴과 배를 문지르며 이리 문지르고 저리 문지르기를 약 20번 하고, 다시 가슴과 옆구리 사이를 문지르며 아래로 훑어 내리기를 약 10여 번 하여 가슴과 배에 기운이 통하여 막히지 않게 하면 지나치게 배부르던 음식이 손길을 따라 소화된다. - 『수양총서』 -

양생(養生)하는 방법은 밥 먹은 다음에 즉시 눕거나 종일 가만히 앉아서는 안 된다. 이는 모두 기혈(氣血)을 막히게 하므로 오래되면 수명을 손상시킨다. 음식을 먹은 다음에는 항상 손으로 배를 수백 번 문지르고, 고개를 뒤로 젖히고서 기운을 수백 번 내뿜으며, 느릿느릿 수백 보를 거닐어야 한다. 이를 음식을 소화시키는 동작이라 한다. - 『수양총서』 -

언제고 음식을 먹고 나서는 즉시 입 안의 독기를 뿜어내면 영구히 병이 없다. - 『수양총서』 -

음식을 먹은 다음에 작은 종이로 코를 간질러서 재채기를 몇 차례 하여 기운이 소통하게 하면 눈이 밝아지고 담(痰)이 절로 삭는다. - 『수양총서』 -

배부를 때는 빨리 걷거나 말을 달리거나 높은 곳에 오르거나 험한 데에 올라가지 말아야 한다. 그렇게 되면 기운이 꽉 차고 격동되어서 장부(臟腑)가 손상을 입게 된다. - 『수양총서』 -

노자(老子)는 이렇게 말하였다.

> "겨울에는 아침에 허기지게 말아야 하고, 여름에는 밤에 배불리 먹지 말아야 한다." - 『수양총서』 -

밤에는 음식을 먹지 말아야 한다. 비(脾)는 음성을 좋아하여 소리를 들으면 움직이며 음식을 소화시키지만 해가 진 다음에는 온갖 음향이 모두 끊기므로 비가 운동을 하지 않기 때문에 먹은 음식을 쉽게 소화시키지 못한다. 소화시키지 못하면 위가 손상되고 위가 손상되면 뒤집히게 되며, 뒤집히게 되면 곡기(穀氣)를 받아들이지 못한다. -『수양총서』-

뜨거운 것을 먹으면 뼈가 손상되고 찬 것을 먹으면 폐가 손상된다. 더운 것은 입술이 뜨거울 정도가 아니어야 하고 찬 것은 이가 시릴 정도가 아니어야 한다. -『수양총서』-

뜨거운 것을 먹은 다음에 다시 찬 것을 먹지 말아야 하며, 찬 것을 먹은 다음에는 다시 뜨거운 것을 먹어서는 안 된다. 찬 것과 더운 것이 서로 뒤섞이면 반드시 이를 앓게 된다. -『수양총서』-

모든 음식은 사시를 막론하고 항상 따뜻해야 한다. 여름에는 음기(陰氣)가 안에 잠복하고 있으므로 더욱 따뜻한 음식이 알맞다. 왕개(王介)가 일찍이 길옆에서 음식을 먹고 있었는데 어떤 노인이 보고서 말하기를,

"음식은 될 수 있으면 따뜻해야 한다."

하였다. 이는 대개 비(脾)는 따뜻한 것을 좋아하여 차거나 뜨거운 것으로 범해서는 안 되기 때문이다. 오직 따습게만 하면 차거나 뜨거운 음식물이 비에 이르러 모두 따뜻해진다. -『수양총서』-

노인의 음식은 마땅히 따뜻하고 푹 익고 연해야지 차지고 딱딱하거나 날것과 찬 것은 좋지 않다. -『수양총서』-

여름이 되면 음식의 소화가 차츰 더디게 된다. 또 과일과 채소를 오랫동안 날것을 먹고 수장(水漿 음료수)은 오직 찬 것만 마시고자 하는데, 날것과 찬 것이 서로 섞이면 소화시키기가 더욱 어려워진다. 그래서 약간만 상해도 설사가 나고 많이 상하면 곧 토사곽란(吐瀉霍亂)이 일어나게 된다. 그러므로 여름철의 음식물은 더욱 절감(節減)을 해야 하며, 날것과 찬 것을 조심해야 한다. -『수양총서』-

하지(夏至) 이후 가을까지는 떡이나 지방질·기름기 있는 음식물과 술이나 음료 및 과일 등은 삼가야 한다. 이들은 서로 방해가 되므로 반드시 병을 얻게 된다. -『수양총서』-

단 것을 자주 먹으면 사람으로 하여금 속이 더워지고 가슴을 그들먹하게 만든다. 그래서 그 기운이 위로 넘쳐서 입맛이 달아지며, 이것이 변하여 소갈병(消渴病 당뇨병)이 된다. -『수양총서』-

오미(五味)[36]가 농후(濃厚)한 음식을 감하여 정기의 손상을 막아야 하고, 지지고 구운 음식물을 줄여서 혈기의 손상을 막아야 한다. -『수양총서』-

오미(五味)를 먹을 때에 치우치게 많아서는 안 된다. 치우치게 많으면 장부(臟腑)에 따라 각각 손상되는 바가 있다. 즉 신 것을 치우치게 많이 먹으면 비장(脾臟)을 손상시킨다. 그래서 봄 72일에는 신 것은 줄이고 단 것을 늘려서 비기(脾氣)를 기른다. 쓴 것을 치우치게 많이 먹으면 폐장(肺臟)을 손상시킨다. 그래서 여름 72일에는 쓴 것은 줄이고 매운 것을 늘려서 폐기(肺氣)를 기른다. 매운 것을 치우치게 많이 먹으면 간장(肝臟)을 손상시킨다. 그래서 가을 72일에는 짠 것을 줄이고 신 것을 늘려서 간기(肝氣)를 기른다. 짠 것을 치우치게 많이 먹으면 심장(心臟)을 손상시킨다. 그래서 겨울 72일에는 짠 것을 줄이고 쓴 것을 늘려서 심기(心氣)를 기른다. 단 것을 치우치게 많이 먹으면 신장(腎臟)을 손상시킨다. 그래서 4계월(季月) 각 18일은 단 것을 줄이고 짠 것을 늘려서 신기(腎氣)를 길러준다.[37] -『수양총서』-

---

36) 오미(五味) : 다섯 종류의 맛, 즉 짜고 쓰고 시고 맵고 단 것을 말한다.『禮記 禮運』

37) 오미(五味)를 먹을 때에 …… 길러준다 : 이는 오행의 법칙에 의하여, 오미를 오장(五臟)에 배속하고 계절과 연관시켜 상극(相克) 관계를 말한 것이다. 즉 신 것은 오행에는 목(木)이고 오장에는 간(肝)에 속하며 계절에는 봄에 해당하고, 쓴 것은 오행에는 화(火)이고 오장에는 심(心)에 속하며 계절에는 여름에 해당하고, 매운 것은 오행에는 금(金)이고 오장에는 폐(肺)에 속하며 계절에는 가을에 해당하고, 짠 것은 오행에는 수(水)이고 오장에는 신(腎)에 속하

제철이 아닌 과일, 저절로 죽은 새나 짐승, 생초(生酢)를 쳐 불에 구운 고기, 그리고 지방질이 많은 것과 소화되기 어려운 가루 죽이나 냉한 음식은 모두 담(痰)·부스럼·징벽(癥癖 속병)이 생기니, 모두 먹지 않는 것이 좋다. -『수양총서』-

어느 음식이고 익지 않은 것은 먹지 말아야 한다. -『수양총서』-

부패되어서 기를 막히게 하는 음식물은 먹지 말아야 한다. -『수양총서』-

구멍이 나 있는 물건은 함부로 입에 넣어서는 안 된다. 이는 지네[蜈蚣]가 들어 있을까 염려되어서이다. -『수양총서』-

음식물을 밤새도록 노천(露天)에 그냥 두었다가 거미줄이 그 가운데 떨어진 것을 먹으면 해롭다. -『수양총서』-

음식물을 그릇에 담아두고 잘 덮지 아니하여 곤충이나 쥐가 이를 먹고자 하여 그릇 둘레에다 침을 흘려놓은 것을 먹은 자는 황달병(黃疸病)을 얻어 온몸이 밀[蠟]과 같이 된다. -『수양총서』-

땀이 음식에 들어간 것을 먹으면 악성 부스럼과 내저(內疽 내부의 종기)가 생긴다. -『수양총서』-

머리털이 음식물에 들어간 것을 먹으면 하병(瘕病 음식물로 인해 생기는 기생충 병)이 생긴다. 어떤 사람이 허리가 아프면서 심장까지 당기는 증세가 있었는데, 이 증세가 발작하면 기절하곤 하였다. 서문백(徐文伯)이 말하기를,

"이는 발하(髮瘕)이다."

하였다. 기름을 먹였더니 2척(尺)이나 되는 물건을 토해냈는데, 벌써

며 계절에는 겨울에 해당하고, 단 것은 오행에는 토(土)이고 오장에는 비(脾)에 속하며 계절에는 4계월(季月)의 18일에 해당한다. 4계월의 18일이란 즉 3·6·9·12월의 마지막 18일을 가리킨 것이다. 그 상극 관계에 있어서는 목극토(木克土)이므로 신 것이 많으면 비장이 손상되고, 토극수(土克水)이므로 단 것이 많으면 신장이 손상된다.

뱀과 같은 머리가 생겨 있었다. 이를 기둥에 매달아 놓고 물로 씻어내니 머리털만 하나 남았다. -『수양총서』-

울고 나서 즉시 음식을 먹어서는 안 된다. -『수양총서』-

사람이 음식을 먹을 때는 모름지기 번뇌(煩惱)를 버려야 한다. -『수양총서』-

음식을 먹고 나서 양치질을 하면 입이 향기롭고 이가 상하지 않는다.[38] -『수양총서』-

음식물을 먹을 때에 상아(象牙)와 금동(金銅)으로 된 숟가락과 젓가락을 쓰면 독(毒)을 시험할 수 있다.[39] -『수양총서』-

취하였을 때에는 억지로 먹지 말고, 배불리 먹은 뒤에는 더욱 술을 피해야 한다. -『수양총서』-

노인은 겨울에는 늦게 일어나고 순주(醇酒)를 조금 마신 다음에 죽을 먹는 것이 좋다. -『수양총서』-

술은 적게 마시면 사람에게 유익하고 과다하게 마시면 곧 사람을 손상시킨다. 그러니 기분이 상쾌할 정도로 마시는 것이 좋다. 조금 마시면 막힌 기운을 트이게 하고 약 기운을 이끌어 살결을 윤택하게 하고 안색(顔色)을 환하게 하며, 영위(榮衛 혈기)를 소통시키고 예악(穢惡 오염물질)을 물리치지만, 과다하게 마셔서 취하게 되면 간(肝)이 붓고 담(膽)은 기능이 순조롭지 못하여 모든 맥(脈)의 충격이 그로 말미암아 생기므로, 신(腎)의 기능이 마비되고 힘줄이 약화되며, 뼈가 손상되고 위의 기능이 저하되는데, 오래되면 다른 음식은 먹을 수 없고 오직 술만 마시게 된다. 그렇게 되면 죽을 날이 임박한 것이다. -『수양총서』-

술을 너무 많이 마셨다고 느껴지면 토하는 것이 좋다. -『수양총서』-

술을 마신 뒤에 냉수나 냉차를 마셔서는 안 된다. 이를 마시면 술을

---

38) 음식을 먹고 ……상하지 않는다 : 한독본(韓獨本)에는 이 부분이 없다.
39) 음식물을 먹을 ……시험할 수 있다 : 한독본에는 이 부분이 없다.

끌고 신장(腎臟)으로 들어가 냉독(冷毒)이 된다. -『수양총서』-

한 노인이 나이 73세였는데도 모습과 기력이 40~50세 된 사람과 같았다. 그렇게 된 원인을 물었더니, 애당초 특별한 방법이 있는 것이 아니라면서 이렇게 말하였다.

"평생에 물을 마시지 않고 입술만 적실 정도로 습관을 들였을 뿐이다." -『수양총서』-

물을 마실 때 급하게 삼키지 말아야 한다. 급하게 삼키면 오랜 뒤에 기병(氣病 신경통 종류)이 생긴다. -『수양총서』-

여름철의 얼음은 약간 시원할 정도로 끝나야지 음식에다 만약 부수어 넣어 먹으면 오랜 뒤에 꼭 병이 생긴다. -『수양총서』-

신체(身體)를 보전함

손 진인(孫眞人)[40]은 이렇게 말하였다.

"머리는 많이 빗어야 하고 손은 얼굴을 많이 문질러야 하고 이는 자주 마주쳐야 하며, 침은 늘 삼켜야 한다." -『수양총서』-

도가(道家)에서 머리를 빗질함은 언제나 120번을 정한 수로 삼는다. -『수양총서』-

머리털은 피의 끝 부분이다. 1천 번 머리에 빗질을 하면 머리털이 희지 않는다. -『수양총서』-

새로 머리를 감고서는 바람에 말리지 말고, 젖은 머리로 상투를 틀지 말고 젖은 머리 그대로 눕지 말아야 한다. 그렇게 하지 않으면 두풍(頭風)을 앓는다. -『수양총서』-

---

40) 손 진인(孫眞人) : 진인(眞人)은 도교(道敎)의 깊은 진리를 깨달은 선인(仙人)을 일컫는 말로, 여기서는 당(唐)나라의 손사막(孫思邈)을 가리킨 듯하다. 『唐書 卷一百九十六』

배부를 때 머리를 감거나 냉수로 머리를 씻거나 뜨거운 쌀뜨물로 머리를 감고서 냉수로 헹구면 모두 두풍을 앓게 된다. -『수양총서』-

배부를 때는 머리 감는 것을 피해야 하며, 배고플 때는 목욕하는 것을 피해야 한다. 목욕을 마치고서는 약간의 음식을 먹고 나와야 한다. -『수양총서』-

오후가 되면 음기(陰氣)가 일어나므로 머리를 감는 것이 좋지 않다. 오후에 머리를 감으면 심장이 허하게 된다. -『수양총서』-

여인이 월사(月事 월경(月經))가 있을 때는 머리를 감아서는 안 된다. 혹 그로 인해 감기에 걸리면 잘 낫지 않는다. -『수양총서』-

얼굴은 정신의 뜰과 같은 것이므로 마음이 슬프면 얼굴이 초췌해진다. -『수양총서』-

매우 더울 때에 냉수로 얼굴을 씻으면 안질(眼疾)이 생긴다. -『수양총서』-

아침에 일어나서 눈을 감은 채 얼굴을 씻으면 눈이 껄끄럽게 된다. -『수양총서』-

이는 신(腎)의 끝 부분이다. 아침저녁으로 이를 마주치면 이가 단단해진다. -『수양총서』-

뜨거운 물로 양치질을 해서는 안 된다. 뜨거운 물로 양치질을 하면 이가 상한다. -『수양총서』-

잠자리에 들기 전에 따뜻한 소금물로 양치질을 하면 이가 튼튼해지고 신장에도 유익하다. -『수양총서』-

자려고 할 때에 이를 마주치면 이가 튼튼해진다. -『수양총서』-

어떤 사람이 풍질(風疾)을 얻었는데, 위아래의 이를 서로 갈고 소리가 나게 서로 마주치고 하여 120세의 수명을 누렸는데, 이로써 이를 마주치는 것이 최상의 수양(修養) 방법임을 알 수 있다. -『포박자』-

칫솔[刷牙子]을 아침에 일찍 일어나서 사용하는 것은 좋지 않다. 칫솔은 말꼬리로 많이 만드는데, 말꼬리는 치근(齒根)을 썩게 한다.

-『수양총서』-

진인(眞人)은 이렇게 말하였다.

"입 속의 진액(津液)을 금장(金漿)·옥례(玉禮)라 하는데, 종일 뱉지 아니하면 정기가 늘 머물러 있어 면목에 광채가 있다." -『수양총서』-

어떤 사람이 침 뱉기를 좋아했는데, 진액이 건조해지고 몸도 말랐다. 그러다가 지인(至人)을 만나 회진(回津)하는 법을 배웠는데, 이를 오래 행하자 몸이 다시 윤택해졌다. 대개 사람의 몸은 자액(滋液 진액)으로 근본을 삼는데, 피부에서는 땀이 되고 기육(肌肉)에서는 피가 되고 신장(腎臟)에서는 정액(精液)이 되고 눈에서는 눈물이 되며, 입에서는 침이 된다. 땀과 피와 정액과 눈물은 한 번 나오면 모두 돌이킬 수 없지만 침만은 다시 삼킬 수가 있다. 다시 삼키면 생의(生意 생명력)가 오래도록 지속된다. -『수양총서』-

침을 멀리 뱉는 것이 가깝게 뱉는 것만 못하고 침을 가깝게 뱉는 것이 침을 뱉지 않는 것만 못하다. -『수양총서』-

섭생(攝生)을 하는 사람은 항상 대추씨를 물고 있다. 대추씨는 침을 생기게 할 수 있어 침을 삼키기에 편리하기 때문이다. -『지봉유설』-

많이 웃으면 정신이 손상되고 신장이 뒤집힌다. 또는 장부(臟腑)가 위로 뒤집힌다고도 한다. -『수양총서』-

말을 많이 하면 기운이 손상된다. 또는 기해(氣海)[41]가 허탈해진다고도 한다.[42] -『수양총서』-

걸어가면서 말을 하면 기운을 잃게 된다. 만약 말을 하고자 하면 모름지기 앉아서 말을 해야 한다. -『수양총서』-

심장의 정기는 눈에 발산되므로 오래 보면 심장이 손상되고, 신장의

---

41) 신체의 정기가 모이는 곳으로 배꼽 아래 1치 5푼쯤에 위치한다.『瘡瘍全書』
42) 말을…… 한다 : 이 부분은 한독본과 오씨본에서 보충하여 번역하였다.

정기는 귀에 발산되므로 오래 들으면 신장이 손상된다. -『수양총서』-

눈은 몸의 거울이고 귀는 몸의 창문이다. 많이 보면 거울이 흐려지고 많이 들으면 창문이 막힌다. -『수양총서』-

청력(聽力)을 기르는 자는 항상 배부르게 먹고, 시력(視力)을 기르는 자는 항상 눈을 감는다. -『수양총서』-

한 가지만을 오래 보지 않으면 눈이 어두워지지 않고 동시에 여러 가지를 듣지 않으면 귀먹지 않는다.[43] -『수양총서』-

손 진인(孫眞人)은 이렇게 말하였다.

> "시력을 다하여 멀리 보거나 밤에 주소(註疏 잔글씨를 뜻함)를 읽거나 달빛에 책을 보는 것, 그리고 별을 보거나 연기 속에 오래 있다거나 장기와 바둑을 오래 두고 초사(抄寫 잔글씨를 쓰는 것)를 여러 해 하는 것과 세밀한 조각을 하거나 머리를 찔러 피를 내고, 바람을 맞으며 짐승을 쫓는 것은 모두 눈이 어둡게 되는 이유가 된다." -『수양총서』-

해와 달을 오래 바라보면 눈을 손상하게 된다. 또는 성낸 눈으로 해와 달을 쳐다보면 눈이 어둡게 된다. -『수양총서』-

무릇 5색(色)이 모두 눈을 손상하게 하는데, 오직 검은 병풍만이 시력을 기를 수 있다. -『수양총서』-

안질(眼疾)이 있을 때는 머리를 감아서는 안 된다. 머리를 감으면 병이 심해져서 심지어는 눈이 어둡게 된다. 백언량(白彦良)이 해마다 눈이 붉어지는 병을 앓았는데, 어떤 도인이 머리를 감지 말도록 권하였다. 그래서 백언량이 머리를 감지 않았는데, 70여 세가 되도록 다시는 안질이 없었다. -『수양총서』-

팔과 손가락의 힘을 기르는 자는 항상 구부렸다 폈다 하고 다리와 발꿈치의 힘을 기르는 자는 항상 거닌다. -『수양총서』-

---

43) 한 가지만을…… 않는다 : 한독본과 오씨본에는 이 부분이 없다.

매우 덥더라도 부채질을 말아야 한다. 부채질을 하면 수심(手心)과 오체(五體)가 모두 서늘해진다. -『수양총서』-

손톱은 힘줄의 끝 부분이니, 자주 깎지 말아야 힘줄이 쇠약해지지 않는다. -『수양총서』-

손톱이나 털은 모두 땅에 묻고 물이나 불에 넣지 말아야 한다. -『수양총서』-

발은 사람의 밑 부분인데 하룻밤에 한 차례 씻어야 한다. 또는 발을 씻고 누우면 사지의 냉병(冷病)이 없다고 한다. -『수양총서』-

발이 동상(凍傷)을 입었을 때는 더운물로 씻어서는 안 된다. 더운물에 씻으면 발가락이 빠진다. -『수양총서』-

한 손으로는 한 발을 들고 한 손으로는 발의 중심인 용천혈(湧泉穴)을 120번씩 교대하여 문지르면 풍습(風濕)이 제거되고 다리의 힘이 튼튼해진다. -『수양총서』-

소동파(蘇東坡)는 이렇게 말하였다.

> "어떤 무관(武官)이 이광(二廣 광동(廣東)·광서(廣西))에 근무한 것이 10여 년이 되었는데도, 장기(瘴氣)[44]에 전염되지 않고 얼굴빛이 붉고 윤택하며 허리와 발이 경쾌하였다. 이는 애당초 약을 먹은 것이 아니고 오직 매일 아침 5경(更)에 일어나 앉아서 두 발을 맞대고 더워질 때까지 용천혈을 땀이 날 때까지 무수히 문지른 효과이다." -『저기실』-

유궤(劉几)는 낙양(洛陽) 사람이다. 나이 70여 세가 되었는데도 정신이 흐리지 않고 체력이 건장하였다. 어떤 이가 그 방법을 물었더니, 대답하기를,

> "외신(外腎 불알)을 따뜻하게 했을 뿐이다."

---

44) 장기(瘴氣) : 열병(熱病)을 일으키는 산천(山川)의 나쁜 기운. 주로 열대 지역에 많이 생긴다.『後漢書 馬援傳』

하였다. 그 방법은 두 손으로 움켜쥐고 따뜻하게 하는 것이다. 묵묵히 앉아서 호흡을 조절하여 천 번에 이르면 양신(兩腎)의 융액(融液)이 진흙처럼 되어 허리로 들어가는데, 이 방법이 가장 좋은 것이다. -『저기실』-

회회교(回回敎 이슬람교)에서 보양(保養)을 잘하는 것은 특별한 방법이 없고 외신(外腎)을 따뜻하게 해서 찬 기운이 스며들지 않게 하는 것이다. 남쪽 사람들이 여름에도 베 바지를 입는 것을 보고 매우 그르다고 하지만 이는 서늘함이 외신을 손상시킬까 염려한 때문으로 그들은,

"밤에 누울 때는 마땅히 손으로 움켜쥐고서 따뜻하게 해야 한다. 이것은 성명(性命)의 근본이 되는 것이니, 보호하지 않을 수 없다."

하는데, 이 말이 가장 사리에 맞는다. -『사우재총설』-

무릇 대변이나 소변이 보고 싶을 때는 참지 말고 즉시 보아야 한다. 소변을 참으면 다섯 가지 임질(淋疾)이 생기고 - 또는 무릎이 차가워져서 마비된다고 한다. - 대변을 참으면 다섯 가지 치질이 생긴다. -『수양총서』-

소변을 힘주어 누지 말아야 한다. 오래도록 힘주어 누면 양쪽 무릎에 냉통(冷痛)이 생긴다. 대변을 힘주어 누지 말아야 한다. 오래도록 힘주어 누면 요통(腰痛)이 생기고 눈이 어둡게 된다. 그러니 모두 자연히 나오는 대로 내버려 두어야 한다. -『수양총서』-

대변이나 소변을 볼 때에는 입과 이를 꼭 다물고 눈은 위로 보면서 기가 배설되지 않게 해야 한다. -『수양총서』-

『쇄록(瑣錄)』에 이런 말이 있다.

"밤에 소변을 볼 때 얼굴을 치켜들고 눈을 뜨면 눈이 어두워지지 않는다." -『수양총서』-

배고플 때는 앉아서 소변을 보고 배부를 때는 서서 소변을 보는 것이 좋다. -『수양총서』-

기거(起居)를 조심함

습기 때문에 와하(洼下 낮고 습한 곳)한 곳에 거처할 수 없고 그 풍기(風氣) 때문에 소루(疏漏 막힌 것이 없는 곳)한 곳에 거처할 수 없고, 토기(土氣)의 악(惡)함 때문에 오래 쓰지 않던 집에 거처할 수 없고, 음울(陰鬱)한 독(毒) 때문에 음침한 구렁에 거처할 수 없다. 이 네 가지 모두가 사람을 병들게 하는 것이니 피해야 한다. -『수양총서』-

천은자(天隱子 명(明)나라 엄과(嚴果)의 호)는 이렇게 말하였다.

> "남향을 하고 앉으며 동으로 머리를 두고 자며, 음양(陰陽)이 적중하고 명암이 상반(相半)되어야 한다. 그래서 집은 너무 높지 말아야 하는데 너무 높으면 양(陽)이 성하여 너무 밝고, 너무 낮지 말아야 하는데 너무 낮으면 음이 성하여 너무 어둡다. 그러므로 너무 밝으면 백(魄)이 손상되고 너무 어두우면 혼(魂)이 손상된다."[45] -『후생훈찬』-

앉고 눕는 곳은 반드시 밀폐(密閉)되어야 한다. 만약 틈으로 바람이 들어오면 사람을 침노함이 더욱 심하여 반신불수(半身不遂)나 혹은 각궁반장(角弓反張),[46] 혹은 언어가 건삽(蹇澁 말을 더듬거림)하게 되는데 이는 몸이 허약한 사람이나 노인에게는 더욱 마땅치 않다. -『수양총서』-

옛날 삼대(三代)를 내리 수(壽)하지 못하는 집안이 있었다. 팽조(彭祖)가 침실을 관찰해보니, 과연 뇌호(腦戶 대뇌(大腦))가 닿는 곳에 한 구멍이 있었다. 그것을 막게 했더니, 드디어 수를 누리게 되었다. -『수양총서』-

귀가 닿는 곳에 구멍이 있어서는 안 된다. 바람이 들어가면 즉시 귀먹게 된다. -『수양총서』-

---

45) 천은자(天隱子)는 …… 혼이 손상된다 : 이 부분은 한독본과 오씨본에서 보충하여 번역했다.

46) 각궁반장(角弓反張) : 활이 풀려서 뒤집어지듯이, 몸과 팔다리가 뒤틀리는 증세를 말한다.

술이 취했을 때 바람을 대하고 누우면 벙어리 증상이 생긴다. -『수양총서』-

눕는 곳 머리맡에 화로를 두어서는 안 된다. 오래도록 불기운을 쐬면 머리가 무겁고 눈이 붉어지고 뇌옹(腦癰 뇌종양)이 생긴다. -『수양총서』-

촛불을 켜놓고 자면 정신이 편안치 못하다. -『수양총서』-

입으로 등불을 불어서 끄지 말아야 한다. 불어서 끄면 기(氣)가 손상된다. -『수양총서』-

천둥할 때에 반듯이 눕거나 별빛이나 달빛 아래에서 나체로 눕는 것은 모두 좋지 않다. -『수양총서』-

누워서는 높은 곳에 다리를 들어 올려놓지 말아야 한다. 오래되면 정신이 손상된다. -『수양총서』-

잠자리에 누워서 말을 하는 것은 좋지 않다. 잠자리에서 말하면 오장(五臟)이 경쇠[磬]를 매어단 것처럼 되는데, 이는 경쇠를 매어 달지 않으면 소리가 나지 않는 것과 같다. -『수양총서』-

누워서 희롱삼아 필묵(筆墨)으로 자기의 얼굴에 그림을 그리는 것은 좋지 않다. 그렇게 하면 혼(魂)이 자기 몸으로 돌아오지 않는다. -『수양총서』-

누울 때는 마땅히 몸을 옆으로 하고 무릎을 구부렸다가 깬 다음에 펴야 한다. 대개 무릎을 굽히고 다리를 오그리고서 좌우 갈비 쪽으로 옆으로 눕는 것은 수양가(修養家)에서 이른바 '사자잠[獅子眠]'이라는 것이다. 그렇게 하면 기해(氣海)가 꽉 차고 단전(丹田)이 항상 따뜻해서 신수(腎水)가 쉽게 생산되지만 몸을 쭉 펴고 누우면 기운이 곧아져서 축적됨이 적고 정신이 흩어져서 안정되지 못한다. 그래서 누워서는 오직 잠이 깨었을 때만 몸을 펴는 것이 좋다. -『수양총서』-

밤에 누울 때, 옆으로 눕기도 하고 반듯이 눕기도 하되 두 다리를 함께 오그렸다 폈다 하지 아니하면 몽설(夢泄)이 없다. -『수양총서』-

누울 때 입 다무는 습관을 들여야 하는데, 그렇게 하면 기가 손실되지 않고 사기(邪氣)가 침입하지 않는다. 만약 입을 벌리게 되면 오랜 뒤에 소갈증(消渴症)이 생기고 혈색이 없어지며 치아가 일찍 빠진다. -『수양총서』-

잠에서 깨자마자 물을 마시고 다시 자면 수벽증(水癖症 물이 흡수되지 않고 적체(積滯)된 증상)이 생긴다. -『수양총서』-

밤에 누울 때 머리를 덮지 말아야 장수할 수 있다. 그것은 천지의 맑은 기운이 뱃속으로 들어가기 때문이다. -『수양총서』-

봄과 여름에는 마땅히 일찍 일어나야 하고 가을과 겨울에는 늦게 일어나야 하는데, 늦게 일어나더라도 해 뜬 뒤에 일어나는 것은 피해야 하고 일찍 일어나도 닭이 울기 전에 일어나는 것은 피해야 한다. -『수양총서』-

늦게 일어나면 정신이 맑지 않다. -『수양총서』-

깨었을 때는 양과 합하고 잘 때는 음과 어울리는데, 깨어 있을 때가 많으면 혼(魂)이 강해지고 잘 때가 많으면 백(魄)이 장(壯)해진다. 혼이 강해진 자는 사는 사람이고 백이 강해진 자는 죽은 무리이다. 그래서 양생(養生)을 잘하는 자는 반드시 정신이 맑고 기운을 상쾌하게 하여 항상 깨어 있는데, 이것이 곧 장생(長生)하는 방법이다. -『도서전집』-

어두운 밤에는 귀신을 말하지 말아야 한다. 귀신을 말하면 괴이한 일이 생긴다. -『지봉유설』-

밤에 누울 때에 눕는 곳에다 세 치 정도의 풀줄기를 뽑아 꽂아 놓으면 도깨비가 감히 와서 가위눌리게 하지 못한다. -『수양총서』-

낮잠을 자는 것은 좋지 않다. 낮잠은 사람의 기를 잃게 한다. -『수양총서』-

오래 누워 있으면 기가 손상되고 오래 앉아 있으면 혈액(血液)이 손상된다. -『수양총서』-

오래 서 있으면 뼈가 상하는데, 이는 신장(腎臟)에 손상이 오는 것이며, 오래 걸으면 힘줄이 상하는데 이는 간장에 피로가 오기 때문이다. -『수양총서』-

걷되 빨리 걷지 말고, 서 있되 피로하기까지 이르지 않아야 한다. -『수양총서』-

장정로(張廷老)가 70여 세가 되었는데도, 걷고 달리고 굽히고 일어남이 매우 건장하였다. 스스로 말하기를,

"일찍 일어나서 반드시 수십 번 절을 한다."

하였는데, 노인은 기혈(氣血)이 많이 적체(積滯)되므로 절을 하게 되면 지체를 굴신(屈伸)하여 기혈(氣血)이 유창하게 되어 종신토록 수족의 병이 없게 될 수 있다. -『수양총서』-

땀이 날 때는 벗고 눕거나 목욕을 해서는 안 되며, 또 사람을 시켜서 부채질을 하게 해서도 안 된다. -『수양총서』-

땀이 날 때에 평상에 다리를 올려놓아서는 안 된다. 그렇게 오래 하면 혈비(血痺 혈액으로 인한 마비증세)가 생긴다. -『수양총서』-

말라 죽은 나무 밑에서 휴식하는 것은 좋지 않다. 이는 음기(陰氣)가 정신을 손상시킬까 염려되기 때문이다. -『수양총서』-

무덤 곁에 앉거나 눕거나 하면 정신이 저절로 흐트러진다. -『수양총서』-

취했을 때 기장 짚[黍穰]에 누우면 부스럼이 생기며 대풍창(大風瘡 나병(癩病))으로 눈썹이 빠진다. -『수양총서』-

일찍 일어나 공복일 때에는 시체를 보는 것이 좋지 않다. 꼭 보려면 술을 조금 마시는 것이 좋다. -『수양총서』-

죽이는 것을 구경하고 싸움하는 것을 보면 기가 응결된다. -『수양총서』-

말을 타고 달리면 기가 크게 움직인다. -『수양총서』-

해가 뜨면 나가고 해가 지면 들어와야 한다. -『수양총서』-

몸이 매우 얼었을 때 열탕(熱湯)에 들어가지 말며, 극도로 더울 때

에 갑자기 냉수를 찾지 말아야 한다. 이는 모두 해가 적지 않다. -『수양총서』-

여름에 매우 차거나 겨울에 뜨거운 것은 모두 갑자기 받아들이지 말아야 한다. 유행병을 앓게 됨은 모두 이로 인한 것이다. -『수양총서』-

갑작스런 큰바람과 사나운 비, 천둥·번개 그리고 어두운 안개는 모두 용이나 귀신이 지나가는 것이니, 마땅히 방에 들어가서 향을 피우고 조용히 앉아서 피해야 한다. -『수양총서』-

팽조(彭祖)는 이렇게 말하였다.

> "사람은 마땅히 대한(大寒)·대풍(大風)·대열(大熱)·대우(大雨)·대설(大雪)과 일식·월식·지동(地動)·뇌진(雷震)은 피해야 하는데 이는 천기(天忌)이고, 산천의 신기(神祇)와 사직(社稷), 그리고 부엌이 있던 곳을 피해야 하는데 이는 지기(地忌)이며, 취포(醉飽)·희로(喜怒)·우수(憂愁)·비애(悲哀)·공구(恐懼)를 피해야 하는데 이는 인기(人忌)이다." -『지비록』-

안개가 많이 끼었을 때에 원행(遠行)함은 좋지 않다. 원행을 하려면 마땅히 술을 조금 마셔서 안개로 인한 장기(瘴氣 열병의 원인이 되는 나쁜 기운)를 막아야 한다. 옛날에 세 사람이 안개를 무릅쓰고 원행을 하였는데, 한 사람은 공복이어서 죽었고, 한 사람은 죽을 먹었는데 병이 들었고, 한 사람은 술을 마시고서 무사하였다. 술은 능히 기운을 왕성하게 하고 장기를 물리친다. -『수양총서』-

일찍 나갈 때는 생강을 불에 구워서 조금 물고 가면 장기(瘴氣)를 물리치고 위기(胃氣)를 열어준다. -『수양총서』-

안개가 많이 낀 날은 반드시 큰비가 온다. 비가 오지 않으면 안개를 무릅쓰고 가는 것은 좋지 않다. -『수양총서』-

여행할 때는 벽 모퉁이를 향하여 발을 오그리고 자면 이튿날 발이 피곤하지 않다. -『수양총서』-

신묘(神廟) 앞을 지날 때에는 함부로 들어가지 말 것이며, 들어갈 경우는 반드시 삼가야지 방자하게 둘러보아서는 안 된다. -『수양총서』-

창졸간에 흉악(凶惡)하고 상서롭지 못한 것을 만날 때 왼쪽 이를 36번 마주치고, 흉악한 곳을 지나면서 사기(邪氣)를 물리치고 신(神)에게 위엄을 보이며 큰소리로 주문을 욀 때는 오른쪽 이를 36번 마주치며, 생각을 집중시키고 도(道)를 생각하며 진성(眞性)과 영기(靈氣)를 초치(招致)할 때는 한복판의 네 이를 마주치되 입은 다물고 볼[頰]을 느슨하게 하여 허(虛)한 소리로서 음향이 깊게 해야 한다. -『수양총서』-

도인(導引)

섭생조기편(攝生調氣篇)에 이런 말이 있다.

"천지의 공허한 가운데는 모두 기(氣)이며, 인신(人身)의 공허한 곳도 모두 기이다. 그래서 탁기(濁氣)를 호출(呼出 숨을 밖으로 내쉼)함은 몸 가운데의 기운이고 청기(淸氣)를 흡입(吸入)함은 천지의 기운이다. 조기(調氣 호흡조절(呼吸調節))하는 기술을 수련하고자 하는 자는 항상 밀실(密室)에서 문을 닫고 평상을 안치(安置)하여 자리를 따뜻하게 하고 두 치 높이의 베개를 베고 몸은 똑바로 반듯하게 누워 눈을 감고 악고(握固 악고(握固)라 함은 두 손 각기 네 손가락으로 엄지손가락을 움켜잡는 것이다.)한다. 그리고 양쪽 발 사이의 거리를 5치, 양팔과 몸과의 거리도 각각 5치로 하고, 먼저 기운 가두는 것[閉氣]을 연습하는데, 코로 공기를 점차적으로 흡입하여 배에 가득 채운 다음 숨을 가둔다. 그리고 참을 수 없을 정도로 오래 있다가 입으로 조금씩 약하게 토해내되, 한번에 다 토해내서는 안 되며 기운이 안정되면 앞서의 방법으로 다시 가둔다. 이렇게 처음에는 10식(息 호흡의 단위), 혹은 24식까지 가두어서 참을 수 없을 때까지 하여 차츰 익숙해지면 점점 많이 할 수 있는데, 이렇게 70~80식 이상까지 숨을 가두게 되면 장부(臟腑)와 흉격(胸膈)에 모두 맑은 기운이 가득 퍼질 것이다. 그렇게 해서 익숙하게 되면 기운을 가두었을 때는 코에는 오직 한 치 남짓한 숨기운만 있고, 갇혀 있는 기운은 속에서 불과 같이 폐궁(肺宮)을 찌는데, 그 기운이 차츰 소멸되면 멍하게 전과 같이 된다. 이 방법은 많이 할수록 좋으며, 오래 해야 성과가 있는 것이다. 그러나 밤낮으로 한두 차례만 할 수 있어도 오래 되면 이목(耳目)이 총명(聰明)해지고 정신이 완고(完固)해지며 신체가 건강하고 가벼워져서 온갖 질병이 소멸된다."

무릇 조기(調氣)를 시작할 때는 몸을 편안히 하고 기(氣)는 화(和)하게 하여, 자세와 마음먹은 것이 어긋남이 없게 해야 한다. 만약 몸이 편안치 않다든가 기가 화하지 못하면 우선 중지하였다가 기가 화하기를 기다려서 다시 시도해야 한다. -『섭생조기편』-

기를 가둠에 있어서는 마치 용(龍)이나 범[虎]을 항복받듯이 하여 흉격(胸膈)을 항상 공허하게 해야지 포만(飽滿)하게 해서는 안 된다. 만약 기가 결체(結滯)되어 유통되지 않을 경우 이를 깨닫게 되면 즉시 토법(吐法)을 써서 제거해야 하는데, 취허(吹噓 숨을 내쉼)·가희(呵嘻 입김을 내는 것)·희호(呬呼 숨을 내쉼)와 같은 따위가 그것이다. 그렇게 하지 아니하고 천원(泉源)이 막히면 반드시 물이 역류하는 것처럼 되어 부스럼이나 중만증(中滿症 가슴이 답답한 증세)이 생긴다. -『수양총서』-

사람이 공기 속에 있음은 마치 물고기가 물속에 있는 것과 같다. 물은 고기를 살게 해 주는데도 고기는 그것을 알지 못하고, 공기는 사람을 살게 해 주는데도 사람은 그것을 깨닫지 못한다. 기를 기르는 것은 모름지기 호흡을 조절하는 데서 비롯한다. 호흡을 조절하는 방법은 먼저 고요하게 앉아서 마치 참선하듯이 마음을 맑게 하여 눈은 코를 보고 코는 배꼽을 대하여 호흡을 조절하되 헐떡거리게 하지 말아야 한다. 내쉴 때는 기가 위에서부터 내려오고, 들이쉴 때는 기가 아래서부터 올라가게 하여, 한 번 올라가고 한 번 내려오는 것이 마치 동작이 있는 듯 없는 듯이 하고 끊임이 있게 해서는 안 되며 또한 억지로 견제하려 하지 말고 다만 그 호흡의 출입에 따라 약간 조정만 가할 뿐이다.
-『수진신록』-

섭생안마편(攝生按摩篇)에 이런 말이 있다.

"생각을 집중시키는 것은 마음으로 기를 조절하는 방법이니, 이는 안[內 장부(臟腑)]으로부터 밖[外 근육(筋肉)]에 이르는 것이고, 안마(按摩)를 하는 것은 관절을 열어주고 기운을 이롭게 해 주는 방법이니, 이는 밖에서부터 안으로 이르게 하는 것이다. 자시(子時 오전 1시) 이후, 오시(午時 오후 1시) 이전에 평좌(平坐)하고 동향(東向)하여, 양손의 엄지손가락으로 두 눈을 비비고 이문(耳門)[47]을 지나서는 목 뒤로 가서 양손으로 깍지를 낀다. 이렇게 하기를 27(3×9)번 한다.

다음에는 눈 속에 자색(紫色)·청색(靑色)·강색(絳色)의 3색의 기운이 마치 운하(雲霞)처럼 뭉실뭉실 면전에 떠오른다고 생각을 집중시키면서 다시 전과 같이 27번을 문지른다.

이어 면전의 훤하게 번쩍이는 구름 같은 기운이 동자(瞳子) 안으로 흘러 들어간다고 생각을 집중시킨 다음, 화지액(華池液 혀[舌] 밑에 솟아나는 맑은 침)을 24차례 삼킨다. 이 방법은 앉았을 때나 일어섰을 때나 모두 다 할 수 있고 굳이 시간에 구애될 필요가 없으며 1년 이상 계속하면 이목(耳目)이 문득 총명(聰明)해진다.

면상(面上)은 항상 두 손으로 비벼서 뜨겁게 하면 기가 항상 유행

47) 이문(耳門) : 경혈(經穴)의 이름.

(流行)한다. 시작할 때는 먼저 양쪽 손바닥을 비벼서 열이 나게 한 다음 그 손바닥으로 얼굴과 눈을 비비는데, 위아래를 생김새에 따라 모두 끝까지 하며, 15(3×5) 차례를 한다. 그리고는 목 뒤와 양쪽 살쩍[鬢]이 있는 곳으로 도수(度手 손을 자로 재듯이 옮김)하여 번갈아가며 마치 머리를 빗는 것처럼 머리털을 수십 번 빗으면 면목(面目)에 광택이 나고 주름살이 생기지 않으며 오랫동안 계속하여 5년이 되면 얼굴빛이 소녀와 같이 된다.

귀는 자주 문질러야 한다. 양쪽 귀를 자주 추켜올리면 사람의 청각이 좋아진다.

또 항상 양손으로 코의 좌우와 두 눈의 가장자리를 비비되 위아래로 무수히 비비며, 기를 가두고 하되 기가 통(通)하면 즉시 토해내고, 멈추었다가 다시 시작하는데, 이렇게 27번을 한다. 늘 하게 되면 코로는 100보 밖의 것도 냄새를 맡을 수가 있고 눈은 환하게 내다볼 수 있다.

무릇 사람은 조금이라도 불쾌함이 있으면 안마를 하며 문질러서 온갖 관절을 소통시켜 그 사기(邪氣)를 배설시켜야 한다.

사람은 모름지기 하루 한 차례씩 사람을 시켜 머리에서 발까지 안마를 하되 관절(關節)에 관계된 곳은 수십 번씩 손으로 문지르게 한다. 맨 먼저 백회혈(百會穴)[48]에서 시작하여 머리의 사방 둘레, 양쪽 눈썹의 밖, 눈의 구석, 콧등, 양쪽 귀의 구멍과 귀의 뒷부분의 순서로 모두 문지른다. 그리고 다음은 풍지혈(風池穴),[49] 다음은 목의 좌우를 모두 주무른다. 다음은 견갑(肩甲)·비골봉(臂骨縫)·주골봉

48) 백회혈(百會穴) : 머리 꼭대기에 있는 경혈(經穴) 이름.
49) 풍지혈(風池穴) : 귀 뒤의 발제(髮際)의 천주혈(天柱穴)과 완골혈(腕骨穴)의 중간 부위에 있는 경혈 이름.

(肘骨縫)・완골(腕骨)[50]·열 손가락의 순서로 모두 주무르고 나서 척추와 등을 문지르기도 하고 두드리기도 한다. 다음은 허리・신당(腎堂)[51]을 모두 비비고, 다음은 가슴・배를 모두 무수히 주무른다. 다음은 비골(髀骨 넓적다리 뼈)을 두드리고, 다음은 양쪽 무릎・소퇴(小腿 장딴지)・족과(足踝 복사뼈)・열 손가락・족심(足心)의 순서로 모두 양손으로 문지르게 한다. 이 방법을 항상 시행하면 풍기(風氣)가 제거되어 주리(湊理)[52]에 남아 있지 않는다.

또 신당(腎堂)과 양쪽 족심(足心)을 향하여 잠자리에 누울 때에 동자(童子)로 하여금 손으로 비비게 하되 각각 열(熱)이 속까지 침투될 때까지 하면 정력이 쉽게 생산되고 피가 아래에 막히지 않는다."

하였다. -『수양총서』-

수향인(壽鄕人) 장성지(張誠之)는 이렇게 말하였다.

"잠자리에 누울 때에는 평상에 앉아서 발을 늘어뜨리고 옷을 벗고서, 기(氣)를 가두고 혀로는 윗잇몸을 받치고 눈으로는 목을 본다. 그리고서는 곡도(穀道)를 움츠리고 손으로 양쪽 신유혈(腎腧穴)[53]을 비비는데, 각각 120번씩 하되 많이 할수록 좋으며, 끝마치고는 즉시 눕는다. 이렇게 30년을 계속하면 매우 힘을 얻게 되어 겨울이나 여름을 막론하고 대변이나 소변은 아침・저녁 두 차례밖에 누지 않는다." -『저기실』-

섭생도인편(攝生導引篇)에 이런 말이 있다.

---

50) 견갑(肩甲) …… 완골(腕骨) : 여기서 말한 견갑(肩甲)・비골봉(臂骨縫)・주골봉(肘骨縫)・완골(腕骨)은 모두 팔을 중심으로 한 급소의 이름이다.
51) 신당(腎堂) : 허리 뒤의 움푹 들어간 곳이다.
52) 주리(湊理) : 가죽과 살과의 사이를 말한다.『素問 刺要論』
53) 신유혈(腎腧穴) : 제2・제3 요추(腰椎)의 중간에 있는 명문혈(命門穴)의 양방(兩傍) 각 1촌(寸) 5푼(分)에 있다.

"도인(導引)하는 요법(要法)에는 16조항이 있다. 항상 밤중이나 평조(平朝)에 일어나려고 할 때에 먼저 눈을 감고 악고(握固)를 하며, 마음에 잡념을 버리고 단정하게 앉아서 이를 36번 마주친다.

그리고는 양쪽 손으로 목을 감싸고서 좌우로 24번을 돌린다.

다음은 두 손을 깍지 끼고 허공으로 하늘을 치며, 손을 올려서 목을 24번 주무른다.

다음은 양쪽 손 한복판으로 양쪽 귀를 막고 둘째손가락으로 셋째손가락을 누르면서 뇌(腦)의 뒷부분을 24번 퉁긴다.

다음은 양손을 서로 잡고서 왼쪽 무릎을 주무를 때는 왼쪽으로 몸을 비틀고 오른쪽 무릎을 주무를 때는 오른쪽으로 몸을 비트는데 24번을 반복한다.

다음은 양손으로 하나는 앞으로 향하고 하나는 뒤로 향하기를 마치 5석궁(石弓)을 당기는 시늉을 하는데 24번을 반복한다.

다음은 큰 대자[大]로 앉아 양쪽 손을 펴서 목의 좌우를 꼬면서 어깨와 팔을 돌아보는데 24번을 반복한다.

다음은 양손을 악고(握固)하고 아울러 양쪽 늑골(肋骨)을 받치고서 양쪽 어깨를 24번 흔든다.

다음은 양쪽 손으로 교대하며 팔과 어깨를 두드리고, 다시 등에서 허리와 다리까지 24번 두드린다.

다음은 큰 대자로 앉아서 몸을 비스듬히 기대고 양쪽 손을 함께 위로 향하여 마치 하늘을 물리치는 듯한 시늉을 24번 한다.[54]

다음은 큰 대자로 앉아서 다리를 뻗고 양쪽 손을 앞으로 향하여 머리를 숙이며 발을 12번 더위잡는다. 그리고 뻗었던 다리를 오그려서 무릎 위에 구부려 놓고 24번 문지른다.

다음은 양쪽 손으로 땅을 짚고서 몸을 움츠리고 등을 굽혀 13번을 위로 향해 든다.

다음은 일어서서 천천히 걸으며 양쪽 손은 악고(握固)를 하고, 왼발을 앞으로 내디딜 때는 왼손은 흔들면서 앞으로 향하고 오른손은 흔들면서 뒤로 향하며, 오른발을 앞으로 내디딜 때는 오른손은 흔들면서 앞으로 향하고 왼손은 흔들면서 뒤로 향하는데, 24번 반복한다.

다음은 손을 등 위로 마주 잡고서 천천히 돌리기를 24번 반복(反復)한다.

다음은 발을 서로 꼬면서 앞으로 10여 보 나간다.

다음은 높게 앉아 넓적다리를 펴고 두 발을 꼬면서 안으로 향했다가 다시 꼬면서 밖으로 향하기를 24번 반복한다.

이 16절(節)을 다 끝마치고는 다시 단정하게 앉아 눈을 감고 악고(握固)를 한다. 그리고 잡념을 버리고 혀로는 윗잇몸을 받치고 이를 놀려서 입 가득히 침이 생기게 하여 36번을 꿀꺽꿀꺽 소리가 나게 입안을 가신 다음 삼키고, 다시 기(氣)를 가두고 정신을 집중시켜 단전(丹田)의 화기(火氣)가 아래에서 올라가 온몸을 태워 안과 밖이 훈훈하게 더워진 다음에 그친다. 하루에 한두 차례씩 이렇게 하여 오래하면 신체가 건강해지고 몸이 가벼워지며, 온갖 사기(邪氣)가 물러가고, 달리거나 말을 타도 다시는 피로해지지 않는다." -『수양총서』-

54) 다음은 큰 ……24번 한다 : 한독본에는 이 부분이 없다.

구선도인결(臞仙導引訣) 이를 마주치고 정신을 집중시키는 등 의 여덟 가지 방법을 덧붙여 주(註)를 삼는다.

눈 감고 잡념을 버리고 앉아 閉目冥心坐

악고 - 주는 위에 보인다. - 하고 조용히 정신을 집중한다 握固靜思神

이를 서른여섯 번 마주치고 叩齒三十六

두 손으로 곤륜 - 머리이다. - 을 감싼다 兩手抱崑崙

좌우의 천고[55]를 울리게 하여 左右鳴天鼓

스물네 번 들리게 한다 二十四度聞

이는 곧 이를 마주치고 정신을 집중시키는 방법이다. 먼저 모름지기 눈을 감고 잡념을 버리고서 책상다리를 하고 편히 앉아 악고를 하고, 조용히 생각을 집중시킨다. 그러고 나서 이를 36번 마주친다. 다음은 두 손을 목 뒤로 돌리고 귀에 들리지 않을 정도로 9번 숨을 쉰 다음 손을 옮겨서 각각 귀를 막고 둘째손가락으로 가운뎃손가락을 누르면서 뇌(腦)의 뒷부분을 퉁기는데 좌우 각기 24회씩 반복한다.

약간 흔들어 천주[56]가 움직이게 하고 微擺撼天柱

이는 곧 천주를 흔들리게 하는 방법이다. 먼저 모름지기 악고를 한 다음 머리를 좌우로 흔들며 어깨와 팔을 돌아보는데, 24차례 반복한다.

적룡 - 혀이다. - 을 놀려서 물이 솟게 한다 赤龍攪水渾

서른여섯 번 입 안을 씻으면서 漱津三十六

신수를 입 가득히 모은다 神水滿口勻

한 입을 세 번에 나누어 삼키면 一口分三嚥

용 - 용은 침이다. 또는 신수(腎水)라고도 한다. - 이 가고 범 - 범은 기이

55) 천고(天鼓) : 뇌(腦)의 뒷부분, 즉 뒤통수를 말한다.

56) 천주(天柱) : 풍지혈(風池穴)의 옆에 있는 경혈 이름.

다. 또는 심화(心火)라고도 한다. - 이 달린다 龍行虎自奔

이는 곧 혀를 놀려서 입 안을 씻으며 침을 삼키는 방법이다. 혀도 윗잇몸과 이의 좌우로 36번 놀려서 침이 생기기를 기다려 입 안을 36번 씻으며 입 안에 침이 가득해지면 3번으로 나누어 꿀꺽꿀꺽 소리가 나게 삼켜 바야흐로 화기(火氣)가 온몸에 돌게 된다.

기를 가두고 손을 뜨겁도록 비벼 閉氣搓手熱

등 뒤의 정문 - 허리 뒤의 외신(外腎)이다. - 을 문지른다 摩背後精門

이 방법을 한차례 하고 나면 盡此一口氣

불로 배꼽을 태우는 듯해진다 想火燒臍輪

이는 곧 신당법(腎堂法)이다. 기를 가두고 손을 비벼 뜨겁게 한 다음 신당(腎堂)을 36번 문지른다. 이를 끝마치고 나서는 손을 늘어뜨려 악고(握固)를 하고 다시 기를 가두면 심화(心火)가 아래로 단전(丹田)을 태우는 듯해지는데, 열(熱)이 다한 것을 느끼면 즉시 다음 방법을 쓴다. 신당은 즉 요척(腰脊)의 좌우이다.

좌우로 녹로처럼 굴리고 左右轆轤轉

두 다리를 쭉 뻗는다 兩脚放舒伸

이는 곧 녹로(轆轤)[57]의 두 방법이다. 머리를 구부리고 왼쪽 어깨를 36번 흔들고 다음은 오른쪽 어깨를 36번 흔드는데 이것을 '단관녹로(單關轆轤)'라 하고, 두 어깨를 함께 36번 흔드는데 이것을 '쌍관녹로(雙關轆轤)'라 한다. 화기(火氣)가 단전(丹田)으로부터 쌍관(雙關)을 통해 뇌호(腦戶)로 들어가서 코에 맑은 바람이 들어오는 것을 느낀 다음에 두 다리를 뻗는다.

57) 녹로(轆轤) : 오지그릇을 만들 때 발로 돌리며 둥근 모형과 균형 등을 잡는 데 쓰는 도구이다.

양손을 깍지 끼고 허공을 치고 叉手雙虛托

이는 곧 하늘을 치고 목을 주무르는 방법이다. 양손을 서로 비비며 입김을 내보내는데, 다섯 차례를 한 뒤에 등에다 손을 마주하고 손가락을 사이사이 깍지를 끼고서 위로 향하여 허공을 치기를 3번, 혹은 9번을 하고, 목을 9번 주무른다.

머리를 낮추어 발을 자주 더위잡는다 低頭攀足頻

이는 곧 '구반법(鉤攀法)'이다. 두 손을 갈고리처럼 하고 앞으로 향해서 양쪽 발의 중심을 12번 더위잡고 다시 발을 모으고 단정하게 앉는다.

침이 치솟기를 기다려 以候逆水上
두 번 입 안을 씻고 두 번 삼킨다 再漱再呑津
이렇게 세 차례를 마치면 如此三度畢
신수를 아홉 번 삼킨다 神水九次呑
삼킬 때 꿀꺽꿀꺽 소리가 나면 嚥下汩汩響
백맥이 자연 조화를 이룬다 百脈自調勻

입안에 침이 생기기를 기다려, 두 번 입 안을 씻으며 36번을 삼키는데, 이렇게 세 차례를 하면서 한 입의 것을 세 번 나누어 삼키면 곧 9번이 된다.

물수레가 운반을 마치면 河車搬運訖
불기운이 온몸을 태운다 發火遍燒身

어깨와 몸을 24번 흔들고 다시 녹로를 24번 굴리면 단전(丹田)의 불기운이 아래에서 올라와 온몸을 태우는 듯해지는데, 그럴 때는 입과 코를 모두 잠깐 동안 닫고 기운을 가두어야 한다.

사마가 감히 가까이 못하고	邪魔不敢近
꿈자리도 혼란하지 않다	夢寐不能昏
추위와 더위가 침입 못하고	寒暑不能入
재병이 얼씬거릴 수 없다	災病不能近
자시 후 오전에 시작하면	子後午前作
조화가 건곤과 합치한다	造化合乾坤
차례로 순환하여 실시하면	循環次第轉
팔괘가 진실로 여기에 있다[58] -『수양총서』-	八卦是良因

소씨양생결(蘇氏養生訣)에,

"밤마다 평상 위에서 이불을 안고 책상다리를 하고서 동쪽이나 남쪽을 향하여 이를 36번 마주친다. 그리고 악고(握固)를 하고 잡념을 버리고서 양손으로 허리와 배 사이를 버티고, 숨을 가두고 정신을 집중시키면 더운 불기운이 환하게 단전(丹田)으로 통해 들어가는 것을 느끼게 되는데, 배가 가득하고 기운이 꽉 차기를 기다려서 서서히 기운을 토해내되 귀에 들리지 않게 한다. 다음은 혀로 이를 문질러 입 가득히 화지수(華池水 혀 밑에서 솟는 침)를 모아서 머리를 숙이고 단전으로 내려 보내되 정밀하고 힘차게 내려가도록 마음을 써서, 꼴꼴 소리가 나며 단전까지 다 내려가면 다시 앞의 방법대로 한다. 무릇 9번 숨을 가두고 3번 숨을 삼킨 다음 그치는데, 그러고 나서 두 손을 비벼 뜨겁게 해서, 양쪽 발의 중심과 허리의 양쪽을 문지르되 모두 뜨거운 기운이 통하게 한다. 다음은 양손을 비벼 뜨

58) 팔괘(八卦)가 …… 있다 : 이는 우주의 신비로움을 뜻한 말이다. 팔괘는 자연계의 모든 것을 8종의 괘(卦)로 상징한 것으로서, 즉 우주 변화의 법칙을 가리킨 것이다. 여기에서는 그러한 변화의 신비로움을 도인법(導引法)을 통해 나에게서 그것을 실감할 수 있음을 말한 것이다.

겁게 해서, 눈과 얼굴, 귀와 목을 모두 극도로 뜨겁게 하고, 이어 콧등 좌우를 70번 문지르고 머리에 빗질을 100여 번 하고 누워서 날이 밝을 때까지 푹 잔다."

하였다. -『수양총서』-

이택당(李澤堂 택당은 이식(李植)의 호)이, 옛사람의 수련하는 법을 취하여 그중에서 간략하여 시행할 만한 것을 뽑아서 따로 한 방법을 만들어 놓았으므로 이제 다음에 덧붙인다.

약을 먹더라도 방법에 따르지 아니하면 약만 허비할 뿐 효과가 없다. 오직 수련(修鍊)하는 방법만은 꾸준히 해나가면 약을 먹는 것보다 훨씬 낫다. 만약 꾸준히 하지 않으려면 약을 먹거나 수련할 필요가 없다. 다만 수련하는 법만은 한두 달 하게 되면 자연 습관이 되어서 그만두려야 그만둘 수 없게 된다.

새벽에 일어나 앉아서 뱃속의 탁한 기운을 뿜어내고 코로 맑은 공기를 들이마셔 입으로 뿜어내고 즉시 흡입(吸入)하여 보충한다. 그러고 나서 무릇 세 차례 이를 마주쳐 36번을 반복한다. - 6×6=36인데, 6번을 한 차례로 삼는다. - 다음은 엄지손가락 등으로 눈을 14번 비빈다. 다음은 식지(食指)와 장지(長指) 사이로 코를 5~6차례 문지른다. 다음은 손가락으로 귀의 윤곽(輪廓)을 안팎으로 문질러서 정결하게 한다. 다음은 두 손을 서로 비벼 뜨겁게 해서 얼굴을 따뜻하게 하기를 세수하는 것처럼 한다. - 이 방법은 마땅히 잠을 깨고 처음 일어났을 때에 하는 것이지만 비록 낮이라도 기운이 피로할 적에 때때로 행하면 자연히 정신이 맑고 상쾌해진다. -

조식법(調息法)을 때에 따라 행하면 신선이 된다. 그러니 양생(養生)을 하는 자는 이 방법을 쓰지 않을 수 없다. 이것은 새벽에 일어나서 기운을 수련(修鍊)한 다음에 즉시 행하는데, 그 방법은 두 다리를 뻗고 편안히 앉아서 모든 생각을 버리고 서서히 코의 숨길이 어떠한가를 보면 자연히 코의 숨길이 서서히 배꼽 아래에까지 길게 내려가서 그친다. 또 다시 나와서 코끝에 이르는 것을 보면 전과 같이 서서히

도로 들어간다. 대체로 마음과 숨길이 서로 의지하게 되면 열기(熱氣)는 내려가고 수기(水氣)는 올라온다.

침을 삼키는 방법은, 혀로 윗잇몸을 받치면 자연히 입 안에 침이 생기는데, 입 안을 씻어서 삼키는 것이 곧 기본 방법이다. 그러나 잇몸을 받치고 있다고 해서 꼭 침이 생기는 것은 아니다. 오직 혀를 굽혀서 혀뿌리를 흔들어야 침이 생긴다. 만약 오래 해서 습관이 되면 또한 자연 그만둘 수 없게 된다. 배고플 때는 또한 침을 삼키면 힘이 생기는 것 같다. 도인법(導引法)은 행할 수 없는 것도 있으나, 오직 도로에서 피곤하다거나 추위와 더위가 침범하는 가운데서는 활을 당기는 법을 사용하여 이를 극복하는 것이 좋다. 활을 당기는 법이란 마치 강한 활을 당기듯이 좌우로 당겼다 놓았다 하기를 3~4차례 한다. 또 두 손으로 좌우의 발바닥을 움켜잡고 몇 차례 끌어당기면 또한 시원하게 풀린다. 큰바람이 맞불어올 때는 대략 이러한 방법으로 힘을 내어 맞상대해서 찬 기운의 침입을 당하지 말아야 한다.

대추씨를 물고 있으면 허기지지 않으니 항상 물고 있는 것이 좋다. 만약 매우 춥거나 더울 때, 큰바람이 불고 매우 습한 데서는 호초(胡椒) 2~3개를 물고 이와 혀로 문질러서 매운 기운이 오장(五臟)에 들어가게 하면 온갖 나쁜 기운도 상(傷)하게 하지 못한다.

복식(服食)

구기자(枸杞子)는, 봄과 여름에는 잎을 채취하고 가을에는 줄기와 열매를 채취하여 - 줄기는 마땅히 굳은 껍데기를 쓴다. - 오래 먹으면 몸이 가벼워지고 기운이 더해진다. -『본초』-

구기자를 술에 담가 먹는 방법은, 정월 상인일(上寅日 첫 번째 인일(寅日))에 뿌리를 캐서 잘게 썰어 응달에 말린 것 한 되를 2월 상묘일(上卯日 첫 번째 묘일(卯日))에 청주(淸酒) 한 말에다 담갔다가 만 7일이 되면 찌꺼기는 버리고 새벽마다 먹는다. - 식후에 먹어서는 안 된다. - 4월 상사일(上巳日)에 잎을 채취하여 5월 상오일(上午日)에 술을 담그고, 7월 상신일(上申日)에 꽃을 채취하여 - 아마 줄기일 것이다. - 8월 상유일(上酉日)에 술에 담그고, 10월 상해일(上亥日)에 열매를 채취하여 11월 상자일(上子日)에 술에 담그는데 먹는 방법은 위와 같다. 하서(河西) 지방의 여자들이 이 술을 먹고 나이 395세를 살았는데도 마치 16~17세 같았다. 한(漢)나라 사자(使者)가 그 방법을 배워서 13일을 먹었더니 몸이 가벼워지고 기운이 왕성해졌으며, 1백 일을 먹으니 얼굴이 화려해지고 백발이 다시 검어지고 낙치(落齒)가 다시 나서 300년이 되어도 늙지 아니하였다. -『지봉유설』-

또 한 가지 방법은, 구기자 5되를 갈아서 청주 2말에 담갔다가 7일이 되면 찌꺼기는 버리고 마신다. 처음에는 3홉으로 시작하여 뒤에는 양대로 마시면 보익(補益)이 된다. -『본초』-

또 한 가지 방법은, 구기자 달인 것 5되를 묽은 엿과 같이 만들어 거칠게 빻은 누룩 1되를 담가 둔다. 그리고 찹쌀 5되를 깨끗이 씻어 말려서 밥을 지어, 봄과 여름에는 차게 가을과 겨울에는 약간 따뜻하게 하여 앞의 것과 섞어서 항아리에 넣어, 여름에는 7일 동안을 두되 자주 살펴보아 뜨겁지 않게 해야 하며, 봄과 겨울에는 10일 동안을 두되 밀봉(密封)하여 닫아 두었다가 익은 다음 짜서 복용한다. - 오가피(五加皮)·지황(地黃)·백출(白朮)·천문동(天門冬) 술을 만들려면 모두 이 방법을 준하면 된다.『거가필용』-

구기자를 날것으로 갈아서 즙(汁)을 내어 죽 한 사발에 즙 한 잔을 넣은 다음 이를 익혀서 꿀을 조금 넣어 함께 달여 먹는다. -『신은지』-

구기자와 지황(地黃)을 각각 즙을 내어 즙 한 되에 꿀 반 되를 타가지고 사기 냄비에 함께 달여서 묽은 엿과 같이 만들어 매번 크게 한 숟갈씩 술이나 끓인 물에 타서 먹는다. -『신은지』-

지황죽(地黃粥)은 지황(地黃) 2홉을 썰어서 물에 끓인 다음 쌀과 함께 동이에 넣어 두고, 먼저 우유 2홉과 꿀 1홉을 약간 끓여서 향기가 나게 해두었던 것으로 지황죽을 먹을 때에 함께 넣어 달여서 뜨겁게 해서 먹으면 피를 화하게 하고 정력이 생기게 한다. -『신은지』-

지황주(地黃酒)는 찹쌀 1말에 생지황(生地黃) 3근을 잘게 썰어서 함께 푹 익도록 찐 다음 누룩을 보통 방법과 같이 넣어 술을 빚어서 익은 다음에 먹으면 크게 피를 화하게 하고 얼굴이 아름다워진다. 또 한 가지 방법은 구기자주(枸杞子酒) 조에 보인다. -『의학입문』,『신은지』-

옛사람이 말하기를,

"차라리 한 줌의 오가피(五加皮)를 얻고자 하지, 수레에 가득한 금옥(金玉)은 쓰지 않겠다."

하였고 또,

"문장 - 오가피를 일명 문장초(文章草)라 한다. - 으로 술을 만들면 황금도 이보다 귀중하다고 말할 수 없다."

고도 하였는데, 오가피는 대개 상품(上品)의 영약(靈藥)이다. 술을 만들면 크게 몸을 보(補)하고 차처럼 끓여 먹어도 좋은 효과가 있다. -『지봉유설』-

여름에는 껍데기를 채취하고 겨울에는 뿌리를 채취한다. -『한정록』-

오가피주(五加皮酒)는, 4~5월에 외피(外皮) 벗긴 것으로 1근, -말린 것이면 10냥. - 겨울에는 외피채로 두 배를 넣는다. 물 10병(甁)을 붓고 5병이 되도록 달여 둔다. 그다음 백미(白米) 1말을 여러 번 씻어 가루를 만들어서, 오가피 달인 물 3병 - 지주(旨酒)를 만들려면 2병 반을 쓴다. - 을 끓일 적에 쌀가루에 이것을 타서 완전히 식힌 다음 국말(麴末 누룩가루) 5홉, 진말(眞末 밀가루) 5홉, 부본(腐本) 1되를 고루 섞어 항아리에 넣어서 푹 익힌다. 다시 백미 2말을 여러 번 씻어 고두밥을 찐 다음 오가피 달인 물 6병으로 고루 섞어 완전히 식은 뒤에 앞에 빚었던 것과 함께 타서 다시 빚어 두었다가 다 익은 뒤에 술통에 담아 놓는다. 비록 여러 말을 빚더라도 물을 달이고 누룩을 씀은 이것으로 기준을 삼는다. 또 무릇 물을 조절할 때에는 절대로 다른 물을 사용해서는 안 된다. -『안가방』-

또 한 가지 방법은, 백미 1말을 여러 번 씻어 누룩가루 4되를 넣고 오가피 달인 물 4~5병으로 술을 빚어 이를 끓여서 노주(露酒 향기롭고 독한 술)를 만든다. 그리고 다시 찹쌀 5되를 여러 번 씻어 곱게 빻은 누룩가루 7홉을 넣고 오가피 달인 물 3병으로써 술을 빚는다. 맛이 약간 감미롭게 되면 진하게 달여서 노주를 그 가운데 붓고 유지(油紙)로 밀봉하여 약간 따뜻한 곳에 두었다가 7~8일 뒤에 술통에 담는다. - 또 한 가지 방법은 구기자주(枸杞子酒) 조 아래에 보인다.『안가방』-

말린 천문동(天門冬) 10근과 행인(杏仁) 1근을 찧어 가루를 만들어서 꿀에 재어놓고 사방 1치[寸]의 분량을 하루 세 번 먹는데, 이를 '선인량(仙人糧)'이라 한다. -『신은지』-

천문동주(天門冬酒)는, 껍데기와 심을 제거하고 찧어서 2되의 즙(汁)을 짜낸 다음 누룩 2되를 넣어 발효(發效)시킨다. 그리고 찹쌀 2말을 가지고 가양법(家釀法)에 의하여 술을 만들어 28일 동안 밀봉하였다가 꺼내어 청주를 떠서 마신다. 단 천문동 가루를 구하여 타서 먹으면 더욱 좋다. - 또 한 가지 방법은 구기자주 조에 보인다.『득효방』-

감국(甘菊)을 정월에는 뿌리, 3월에는 잎, 5월에는 줄기, 9월에는 꽃을 채취하여 모두 응달에서 말려서 네 가지를 함께 넣고 여러 번 찧어 가루를 만들어 두고, 술에 한 돈[錢]씩 넣어 먹거나 꿀로 오자(梧子 오동나무 열매) 크기의 환(丸)을 지어서 술에다 7개씩 하루에 세 번 먹기도 한다. -『한정록보』-

또 한 가지 방법은, 4계월(季月 3·6·9·12월) 상인일(上寅日)에, 잎새·줄기·꽃과 뿌리를 채취하여 성일(成日)59)에 이를 함께 1천 번 찧어서 가루를 만들어, 가루로 먹기도 하고 환(丸)을 만들어 먹기도 하는데, 황색이나 백색 모두 맛이 감미(甘味)로운 것을 함께 쓰면 그 효과를 이루 다 기록할 수 없다. -『한정록보』-

감국은 약재가 될 수도 있고, 또 술을 빚어 늘 먹어도 되는데, 그 싹은 노화(老化)를 방지할 수 있다. -『신은지』-

남양(南陽) 양현(穰縣)에 '감곡수(甘谷水)'가 있는데, 좌우에 모두 국화이고 그 꽃이 그 물에 떨어진다. 그래서 물맛이 감미로워 그곳에 사는 사람은 우물을 파지 않고 그 물을 먹는데, 오래 살지 않는 이가 없어서 고령자는 140~150세까지 산다. -『거가필용』-

석창포(石菖蒲)를 한 치에 마디가 아홉인 것으로, 5월 5일에 채취하여 응달에서 백 일 동안 말려서 이를 빻아 가루를 만들어 사방 한 치 정도의 분량을 하루 세 번씩 먹는다. 또 뿌리로 즙(汁)을 내어 찹쌀밥과 누룩가루를 넣고 술을 빚어 먹으면 통신(通神)도 되고 수명도 연장된다. -『한정록보』-

황정(黃精)을 가늘게 썬 것으로 한 섬[石]을 물 두 섬 닷 되에다 아침에서 저녁까지 삶아 푹 익힌 다음 식혀서, 손으로 주물러 부수어 베주머니로 즙을 짜내고 볕에 말린다. 그리고 가루를 만들어 계란만 하게 환(丸)을 만들어 한 개씩 하루 세 번 먹는다. 목이 마르면 물을 마시는데 이것을 먹으면 곡식은 먹지 않아도 되며 백병(百病)이 제거되고 몸이 가벼워지며 늙지 않는다. -『신은지』-

또 한 가지 방법은, 황정을 응달에 말려서 가루를 만들어 매일 맑은 물에 타서 먹는데, 많고 적음은 임의대로 하며, 1년이 되면 늙은이도 젊어진다. -『의학입문(醫學入門)』에는 "처음 캐가지고 먼저 흐르는 물에 쓴 맛을 짜낸 다음 아홉 번 찌고 아홉 번 말려서 쓴다." 하였다. 『신은지』-

---

59) 성일(成日) : 건제십이성(建除十二星) 길흉일(吉凶日)의 하나이다. 이 십이성에 대한 길흉은 이 십이성이 드는 날의 행사에 따라 다르며, 그 십이성은 즉 건(建) · 제(除) · 만(滿) · 평(平) · 정(定) · 집(執) · 파(破) · 위(危) · 성(成) · 수(收) · 개(開) · 폐(閉)인데, 이 십이성이 드는 날의 배열은 현행 민력(民曆)에 나와 있다.

괴실(槐實)을 10월 상사일(上巳日)에 열매와 껍데기 – 괴각(槐角)이다. – 를 채취하여, 새 항아리에 담아 놓았던 우담즙(牛膽汁)에 섞어 넣고 주둥이를 밀봉하여 진흙으로 바른 다음 1백 일이 지난 뒤에 꺼내면 껍데기는 녹아서 물이 되고 열매는 큰 콩만 하며, 자흑색(紫黑色)을 띠게 되는데, 이것이 풍열(風熱 혈압증세)을 소통시킨다. 오래 먹으면 뇌(腦)가 꽉 차고 머리가 희게 되지 않으며 오래 살 수 있다. –『본초』–

한 가지 방법은, 괴실을 채취하여 두 개의 새 기와[瓦] 사이에 저장해 놓고 진흙으로 밀봉하여 20여 일을 두면 그 껍데기가 모두 녹는데 이를 씻어 우담(牛膽)에 담갔다가 응달에서 백 일을 말려서 식후에 한 개씩 먹는다. –『한정록보』–

토사자(菟絲子)를 술에다가 봄에는 5일, 여름에는 3일, 가을에는 7일, 겨울에는 10일을 담갔다가 건져내어 쪄서 익힌 다음 조각이 나도록 찧어 볕에 말려서 다시 빻아 가루를 만든다. 만약 급하게 쓰려면 술에다가 푹 퍼지게 삶아서 볕에 말려 빻아 가루를 만들어 먹는다. –『의학입문』–

매양 2돈[錢]을 공심(空心 밥 먹기 전)에 따뜻한 술로 두 번씩 먹는다. –『한정록』–

어떤 시골 백성이 풍질(風疾)이 들어서 문밖을 나갈 수가 없었는데, 흉년을 만나 토사자 몇 곡(斛)을 수확하여 밥을 지어 늘 먹었더니, 묵은 병이 씻은 듯이 낫고 기력도 병이 나기 전보다 더 건장하게 되었다. 또 한 사람은 젊어서 토사자를 먹었는데, 음식을 평소보다 배나 먹었으며 기력이 왕성하였다. 그러나 홀연히 등에 종기가 났었다. 그래서 금은화(金銀花)의 즙(汁)을 이틀 동안 몇 근을 먹었더니 그 종기가 즉시 삭아 없어졌는데, 대개 토사자는 보기(補氣)하는 것이다. –『지봉유설』–

하수오(何首烏)를 봄과 여름에 뿌리를 캐서 쌀뜨물에 하룻밤 담갔다가 대나무 칼로 껍데기를 긁어내고 썰어서 조각을 만들어 흑두즙(黑豆汁)에 담갔다가 응달에 말린 –『의학입문(醫學入門)』에는 "흑두즙에 버무려 쪄서 말린다." 하였다. - 다음 감초즙(甘草汁)에 버무려 말려서 -『의학입문』에는 이 조항은 없다. - 빻아가지고 가루를 만들어 술에다 2돈[錢]씩 타서 먹는다. 꿀로 환(丸)을 지어 먹기도 하는데, 자(雌)·웅(雄) - 적하수오(赤何首烏)는 웅(雄)이고 백하수오(白何首烏)는 자(雌)이다. - 을 같이 써야 효험이 있다. -『한정록보』-

하수오라는 자가 있었는데, 나면서부터 암약(闇弱 어리석고 허약함)하여 나이 늙도록 처자가 없었다. 하루는 술에 취해 밭 가운데 누웠다가, 따로 난 두 포기의 덩굴이 서로 엉켜서 3~4차례 떨어졌다 붙었다 하는 것을 보고 마음에 이상하게 여겼다. 그래서 그 뿌리를 캐가지고 햇볕에 말려 빻아서 가루를 만들어 술에다 타서 7일을 먹었는데 인도(人道 성욕(性慾))가 생겨났고, 백 일이 되니 오랜 병이 모두 나았으며, 10년 만에는 아들 몇을 낳았고 수명은 130세까지 살았다. -『증류본초』-

복령(茯苓)을 껍데기를 깎아버리고 탄환(彈丸) 크기로 썰어 물에 담가서 붉은 즙(汁)을 우려내고, 푹 찐 다음 볕에 말려 가루를 만들어서 수비(水飛)[60]하여 죽을 끓여 먹으면 심장과 신장(腎臟)을 보한다. -『신은지』-

빻아서 가루를 만들어 순주(醇酒)로 질그릇에 담가 밀봉해 두었다가 15일이 되면 먹을 수 있는데, 하루 세 번 먹는다. 가루로 먹어도 되는데 기갈(飢渴)이 들지 않고 병이 제거되며 오래 살 수 있다. -『신은지』-

연자육(蓮子肉)을 껍데기와 심을 제거하고 푹 쪄서 가루를 만든 뒤 끓인 꿀에 버무려 환(丸)을 만들어 하루에 30개씩 먹으면 배고프지 않다. - 가루를 만드는 방법은 치선(治膳) 조에 보인다.『본초』-

연근(蓮根)은 쪄서 먹는 것이 가장 좋으며 식량을 대신할 수도 있

---

60) 수비(水飛): 분말(粉末)을 만드는 방법의 하나. 보통으로 빻은 가루를 물에 다 풀면 곱게 빻아진 것은 물에 용해되고 덜 빻아진 것은 가라앉는데, 용해된 것만을 따로 모아 침전(沈澱)시키는 것을 말한다.『和漢三才圖會』

다. - 가루를 만드는 방법은 치선 조에 보인다. 『증류본초』 -

마름[菱仁] - 말암 - 과 가시연밥[芡仁] - 거싀년밥. 일명 계두실(鷄頭實)이다. - 을 쪄서 햇볕에 말려 알맹이를 취하여 가루를 만들어 꿀에 섞어 먹으면 곡식을 안 먹어도 오래 살 수 있다. - 가루를 만드는 법은 치선(治膳) 조에 보인다. 『증류본초』 -

계두실(鷄頭實) 3홉을 푹 삶아서 껍데기를 제거하고 기름처럼 걸쭉하게 갈아서 멥쌀 1홉을 넣고 공심(空心 빈 속)에 먹으면 정기(精氣)가 매우 왕성해진다. - 『신은지』 -

생길경(生桔梗)을 깨끗이 씻어 잘게 썰어서 물 한 말을 붓고 몇 사발이 될 때까지 달여서 체로 걸러 묽은 죽처럼 엉긴 뒤에 밖에다 하룻밤을 두었다가 백청(白淸 꿀)을 약간 넣어 아침 식사 전에 먹으면 노인들에게 크게 보(補)가 된다. - 『문견방』 -

창출(蒼朮) 5근을 찧어서 즙을 내어 복령(茯苓) 가루 3근을 섞어 감실(芡實 가시연밥)만 하게 환을 지어 아침·낮·저녁에 3개씩 먹으면 배고프지도 않고 늙지도 않는다. - 백출(白朮)로 술을 빚는 방법은 구기자주(枸杞子酒) 조의 아래에 보인다. 『신은지』 -

해송자(海松子) - 백자(柏子)이다. - 를 연고(軟膏)같이 찧어서 계란만 하게 환을 지어 술에 타서 하루 세 번씩 먹는다. - 『한정록보』 -

잣잎[柏葉]은 나무 끝 가까운 것을 골라 30근을 채취하여 그릇에 담아서 동쪽으로 흐르는 물에다 담그되 물이 세 치 이상 잠기게 하여, 세 동이로 그 위를 덮고 진흙으로 밀봉한 다음 21일을 두었다가 꺼내어 응달에 말리는데, 먼지가 들어가지 않게 하고 마르면 즉시 빻아서 체로 친다. 그리고 소맥(小麥) 3되를 깨끗이 가려서 백엽즙(柏葉汁)에 넣고 밀봉한 다음 5~6일 두었다가 꺼내어 응달에 말려서 건조시킨 다음 이를 갈아서 체로 친다. 또 대두(大豆) 3되를 누렇게 익도록 볶은 다음 갈아서 체로 친다. 이렇게 해서 만든 이상 세 가지를 고루 섞어서 가죽주머니에 담아 두고 한 번에 5홉씩 술이나 물에 타서 하루 세 번씩 먹는다. 채취를 할 때

무덤 가까이나 바위 위에서 자라지 않은 것이라야 좋다. -『한정록보』-

솔잎[松葉]을 봄에는 동, 여름엔 남, 가을엔 서, 겨울엔 북쪽 가지의 것을 채취하여 가늘게 썰어서 이를 갈아 식전(食前)마다 술로 2돈[錢]씩 먹는다. 죽이나 즙(汁)으로 먹어도 된다. - 가루를 만들어 먹는 방법은 구황(救荒) 조에 보인다.『한정록보』-

복령(茯苓)·행인(杏仁)·골쇄보(骨碎補)·감초를 빻아 가루를 만들어 놓고, 생솔잎과 잣잎을 채취하여 물에 담갔다가 앞의 약 가루를 묻혀서 함께 먹으면 향기롭고 아름답다. -『거가필용』-

동지(同知 동지중추부사(同知中樞府事)의 준말) 송영구(宋英耉)는 솔잎을 먹고 참판 유대정(兪大禎)은 송진[松脂]을 먹었는데, 여러 해가 되자 모두 종기가 나서 죽었으니, 약을 먹는 이들은 마땅히 경계할 줄을 알아야 할 것이다. -『지봉유설』-

뽕잎이 교외(郊外)에서 자란 것은 뱀이나 전갈이 침을 흘렸을까 염려되니, 모름지기 집 가까운 원포(園圃)에서 기른 새로 돋은 잎을 채취하여 장류수(長流水 항상 흐르는 물)에 씻어서 꼭지는 떼어버리고 햇볕에 말려 -『본초(本草)』에 "집에서 기른 뽕잎은 독(毒)이 없으며, 잎이 가장귀가 진 것은 '계상(鷄桑)'이라고 하는데 가장 좋은 것이다. 여름과 가을에 다시 돋은 잎새가 상품인데 서리가 내린 뒤에 채취해서 사용한다." 하였다. - 군약(君藥 주재(主材)가 되는 것)을 삼고, 다음은 검은 참깨[巨勝子] 호마(胡麻). 거문춤쐬[61]를 가지고 신약(臣藥 보좌(補佐)를 하는 것)을 삼아 끓인 꿀로 환(丸)을 짓되, 오자(梧子)만 한 크기로 한다. 병일·정일·무일·기일에 조용한 방을 택하여, 부인(婦人)·상주[孝子]와 닭이나 개 등을 물리치고 수합(修合 약을 만듦)한다. 다 제조한 다음 하루 두 번씩 매번 100개를 백곤수(白滾水 흘러가는 물)로 먹는다. 석 달쯤 복용하면 몸에 진속(珍粟 구슬과 좁쌀)같이 생긴 것이 돋는데 이

61) 호마. 거문춤쐬 : 이 간주는 한독본과 오씨본에서 보충하여 번역하였다.

는 약의 기운이 퍼져나가서이니, 놀라거나 두려워할 것은 없다. 그렇게 되면 온몸이 기름이 엉긴 것처럼 깨끗하고 윤기가 생기며, 반년을 먹으면 정력이 솟구치고 모든 병이 생기지 않는다. 그리고 흰 수염이 다시 검어지고 다리의 힘이 건장해지며 눈이 밝아진다. 또 소담(消痰)시키고 진액(津液)을 생기게 하며, 몸을 보하고 정력을 증가시키며, 오래도록 계속 먹으면 자연히 상수(上壽)에 오르게 되는데, 이것은 선가(仙家)의 복식(服食)으로서는 최상품이다. - 호승(胡僧)이 전한 방법인데, 『수세보원(壽世保元)』에 보인다. -

뽕잎 가루 3말과 호마(胡麻)를 9번 찌고 9번 말려서 만든 가루 6되에, 끓인 꿀 4되를 넣어 환(丸)을 지어 하루에 100개씩 먹는데, 이를 '상엽지보단(桑葉至寶丹)'이라 한다.[62] - 『한정록보』 -

한 가지 방법은, 뽕잎을 응달에 말려서 가루로 만든 것 3되에다 거승자(巨勝子 검은 참깨) 1되를 넣고 꿀로 팥알만 하게 환을 지어 식전과 잠자리에 들기 전에 미음(米飮)에 100개씩 넣어 먹는다.[63] - 『의학입문(醫學入門)』에 "군약(君藥) 10분(分)에 신약(臣藥) 7~8분의 비례로 쓰는데, 뽕잎 가루 1두(斗)에 거승자(巨勝子) 7~8승(升)의 비율로 써야 마땅할 것이다." 하였다. -

또 본방(本方)에는 거승자를 찌거나 말리는 방법이 없는데, 『본초(本草)』에,

> "물에 일어서 뜨는 것은 버리고, 술에 버무려 사시(巳時 오전 10시경)에서 해시(亥時 오후 10시경)까지 쪄서 햇볕에 말린다. 혹은 9번 찌고 9번 말리는데, 찔 적에 익지 않으면 사람의 머리털을 넣고 찧어 겉껍데기는 벗기고 속껍데기는 그냥 두며, 소두(小豆)와 함께 볶아 콩이 익으면 콩은 버리고 쓴다."

하였는데, 이 방법에 의하여 쪄서 쓰는 것이 마땅할 것이다.[64]

62) 뽕잎 가루 3말과…… 한다 : 한독본과 오씨본에는 이 부분이 없다.
63) 한 가지 방법은…… 넣어 먹는다. 한독본과 오씨본에는 이 부분이 없다.

호마(胡麻)를 9번 찌고 말려서 빻아 가루를 만들어 꿀에 환(丸)을 만든다. 엿이나 술로 만들어도 되는데, 거위알만 하게 만들어 하루에 5개씩 먹는다. 1백 일을 먹으면 다시는 병이 없으며 1년 뒤에는 몸과 얼굴이 매끄럽고 기름져서 물이 묻지 않으며, 5년이 되면 물이나 불에 상해(傷害)를 입지 않으며 말처럼 달릴 수가 있다. -『신은지』-

대추를 고아서 환을 만들어 먹으면 그 효과를 다 기록할 수 없을 정도이다. -『참동계(參同契)』에 "거승(巨勝)은 수명을 연장시킨다." 한 것은 바로 이것을 말함이다.『한정록보』-

흑소두(黑小豆) - 일명 노두(櫓豆)라 한다. - 를 둥글고 작은 것으로 골라서 아침마다 1백 개를 삼킨다. 소금을 넣고 졸여 먹기도 한다. -『한정록보』-

100가지 종류의 풀꽃[草花]을 응달에 말려서 빻아 가루를 만들어 술에 타서 먹든가 또는 달여서 즙을 내서 술을 빚어 먹으면 온갖 병을 고치고 오래 산다. -『한정록보』-

반룡(斑龍)·주단(珠丹)·녹각상(鹿角霜) 10냥(兩)을 가루로 만들고, 녹각교(鹿角膠) 10냥을 술에 담가 끓여서 풀처럼 만들고, 토사자(菟絲子) 10냥을 2일간 술에 담갔다가 찐 다음 이를 말려서 가루를 만들고, 교주(膠酒) 3~4되를 졸여서 풀처럼 만든다. 이것들을 섞어 반죽해서 1000~2000번을 찧어 오자(梧子) 크기로 환을 지어두고 식전에 소금물이나 술에 50~60개씩 넣어 먹는다. 성도(成都)의 녹발도사(綠髮道士)는 이를 두고 노래하기를,

미려[65]를 못 금하면 바다도 마르는 법	尾閭不禁滄海竭
구전한 신단도 실없는 말이었네	九轉神丹都謾說
오직 반룡과 뇌상주만이	惟有斑龍腦上珠

64) 또 본방(本方)에는 …… 마땅할 것이다 : 이 부분은 한독본과 오씨본에서 보충하여 번역하였다.

65) 미려(尾閭) : 큰 바다 밑에 바닷물이 쉴 사이 없이 샌다는 곳.『莊子 秋水』

옥당66)을 보하고 하혈을 막아주네　　　　　能補玉堂關下血

하였다. -『수세보원(壽世保元)』에는 "백자인(柏子仁) 10냥(兩)과 생지황(生地黃)을 술에 넣고 새까맣도록 하루 동안 찐 것 10냥을 더 넣는다." 하였다. 『수양총서』-

무술주(戊戌酒)는, 찹쌀 3말을 푹 찌고, 수캐 1마리를 가죽과 내장은 버리고서 일복시(一伏時 1주야(晝夜))를 삶아 문드러지게 한 다음 찧어서 진흙처럼 만들어 즙과 함께 밥에다 섞어서 누룩 3냥(兩)을 넣고 술을 빚어 14일을 두었다가 익은 다음 공심(空心)에 한 잔씩 먹으면 보통 술을 마시는 것보다 훨씬 나으며, 한 병이면 원기를 보양(補養)할 수 있는데, 노인에게 더욱 좋다. -『동의보감』-

우유죽(牛乳粥)·닭죽[鷄粥]·산우죽(山芋粥) 만드는 방법은 모두 치선(治膳) 편에 보인다.

철액법(鐵液法)은 범약허(范若虛)의 상소문에,

"신(臣)이 해묵은 병 때문에 30여 년을 산중에 들어가 있었는데, 꿈에 어떤 신인(神人)이 와서 말하기를 '너의 병은 철액(鐵液)을 먹으면 낫는다.' 하였습니다. 그리하여 천하의 명의에게 다 물어보았으나 알지를 못하였고, 신승(神僧)인 달마(達摩)에게 물었더니 '그렇다. 이 약은 범인은 천하게 여기지만 성인은 귀하게 여기는 것이다. 다섯 가지 철(鐵) 가운데 수철(水鐵)이 독이 없으며, 5방(方)의 금(金) 중에는 동방의 금이 가장 좋은 것이다.' 하고는, 드디어 먹는 방법을 가르쳐 주므로 21일을 먹으니 조금 나았고, 100일을 먹으니 큰 차도가 있었습니다. 신이 70세 전에는 자식이 없었으며 72세에 상처를 하였는데, 그 후에 아내 한 명과 첩 둘을 얻어 4남 2녀를 두었으며, 지금 나이 120이 되었으나 밤에 잔글씨를 읽을 정도입니다."

하였다. 가래[鏵]와 쟁기의 생철(生鐵) 5근을 숯불 위에 올려놓고 벌겋게 달구어 망치로 부수어서 혹은 밤알, 혹은 바둑알 크기로 4근 남

66) 옥당(玉堂): 의학용어로, 신장(腎臟)의 명칭.

짓하게 장만하여 정화수(井華水)에다 백 번 깨끗이 씻은 다음 흰 자기 항아리에 담아 정화수 1말에다 담근다. 그리고 굳게 밀봉하여 기운이 새지 않게 해야 하며 따뜻한 곳에 두거나 부인이 가까이 하게 하지 말아야 한다. 그렇게 해서 봄과 여름에는 3~4일, 가을 겨울에는 6~7일이 지난 다음 개봉하여 큰 잔으로 하나씩 먹는다. 혹은 하루에 세 번씩 임의로 먹기도 하는데 정화수는 떠내는 양만큼 더 첨가한다. 오래 먹으면 비위(脾胃)를 보하고 골수를 메우며, 다리의 힘이 건장해지고, 눈이 밝아지며 기운이 더해지는가 하면 주독(酒毒)을 제거시키고 입 냄새를 감소시킨다. 그리고 흰 머리가 다시 검어지고 빠진 이가 다시 나며 소리가 금석(金石)처럼 울려서 귀신도 놀라고 두려워한다. 아내가 없는 이는 먹어선 안 된다. 이는 양기가 동하는 것을 억제하기 어렵기 때문이다. 음식은 온갖 것을 꺼리는 바가 없으나 돼지고기만은 꺼리며 3년마다 한 번씩 철(鐵)을 바꾼다.

생철(生鐵)을 물에 담가 놓고서 날마다 오랫동안 마시면 황고(黃膏 뼛속의 골)가 생겨 더욱 몸이 가볍고 다리가 건장하게 된다. -『의학입문』-

노 사문 경린(盧斯文慶隣)이 철액(鐵液)을 먹은 지 1년이 넘자 정신이 갑자기 소모되어 죽었으니, 약을 먹는 자는 마땅히 경계할 줄 알아야 할 것이다. -『지봉유설』-

신침법(神枕法)

5월 5일, 7월 1일에 산중의 잣나무를 베어다 목침(木枕)을 만들되, 길이는 1척 2촌, 높이는 4촌으로 하며, 그 속에는 1말 2되가 들어갈 수 있게 한다. 그리고 잣나무의 붉은 속심으로 뚜껑을 만들되, 두께는 2푼으로 한다. 이는 대개 긴밀(緊密)하게 둘 수 있고 또는 열어서 쓸 수 있게 하도록 한다. 그리고 뚜껑에다 세 줄로 한 줄에 40개의 구멍을 뚫어 모두 120개가 되게 하며, 좁쌀이 들어갈 수 있을 정도의 크기로 한다. 그리고는 궁궁(芎藭)·당귀(當歸)·백지(白芷)·신이(辛夷)·두충(杜沖)·백출(白朮)·고본(藁本)·목란(木蘭)·촉초(蜀椒)·관계(官桂)·건강(乾薑)·방풍(防風)·인삼·길경(桔梗)·백미(白薇)·형실(荊實)·비렴(飛廉)·백실(柏實)·백복령(白茯苓)·진초(秦椒)·미무(蘼蕪)·육종용(肉蓯蓉)·의이인(薏苡仁)·관동화(款冬花) 등 24가지를 사용하여 24절기에 응하게 하고, 거기에다 오두(烏頭)·부자(附子)·여로(藜蘆)·조협(皂莢)·감초·반석(礬石)·반하(半夏)·세신(細辛) 등 여덟 가지를 더하여 8방(方)의 바람에 응하게 한다.

이상의 32가지를 각각 한 냥씩을 잘게 썰어서 여덟 가지 약은 밑에 놓고 나머지 약은 위에 놓이도록 목침 속에 가득 채우고 베로 주머니를 만들어 목침에 입히고, 다시 가죽으로 주머니를 만들어 이중으로 싸두었다가 잠자리에 들 때는 가죽주머니는 벗겨 버린다. 이는 대개 약기운이 외부로 새는 것을 막기 위한 것이다. 이를 100일을 베고 자면 얼굴에 광택이 나고, 1년이 되면 모든 병이 다 낫고 온몸에는 향기가 가득하며, 4년이 되면 흰 머리가 다시 검어지고 빠졌던 이가 다시 나며, 이목(耳目)이 총명해진다. 동방삭(東方朔)은 말하였다.

"옛날 여렴(女廉)은 이 방법을 옥청(玉靑)에게 전했고, 옥청은 광성자(廣成子)에게 전했다."

치농 治農

[치농 서]

백성은 양식을 하늘처럼 여기고, 양식은 농사를 짓는 것이 급선무이니, 농사는 진실로 백성의 일 중에 큰 근본이 되는 일이다. 무릇 사람들이 이미 살 곳을 정하고 나면 형편대로 농사를 지어야 하는데, 농사란 업(業)은 또한 묘리(妙理)가 있는 법이니, 반드시 지역을 고찰하여 종자를 심되, 건조한 곳에 마땅한 것과 습한 곳에 마땅한 것을 맞추어 심고, 철이 이른 것과 늦은 것도 맞추어서 심어야 바야흐로 이익을 내어 생활을 의존할 수 있다. 이에 농사짓는 방법을 기록하여, 제3편을 삼는다.

풍흉을 점침[驗歲]

동짓날 오곡(五穀)의 종자를 요량하여 각각 한 되씩을 헝겊 주머니에 담아서 북쪽 담장 밑의 그늘진 곳에 묻고 밟지 않도록 하였다가, 50일이 지난 뒤에 - 어떤 데는 입춘날이라 했다. - 파내어 살펴보면, 가장 많이 부풀어 있는 것이 다음해에 합당한 것이다. 땅 기운은 곳에 따라 맞는 것이 다른 법인데, 어디서나 시험해보면 그대로 맞는다. -『신은지』·『사시찬요』-

사광(師曠)[67]의 점술(占術)에 '오목(五木)은 오곡(五穀)의 먼저이다.' 했다.

---

67) 사광(師曠) : 춘추시대 진(晉)나라의 악사. 자는 자야(子野). 소리 분별을 잘하여 길흉을 점쳤다. 저서에 『금경(禽經)』이 있다.

오곡이 어떤지를 알려면 먼저 오목이 어떤지를 살펴보아, 그 오목 중에 무성한 것을 가려 그 나무에 해당되는 곡식을 이듬해에 많이 심으면, 만에 하나도 틀리지 않는다. 그러므로 음양가(陰陽家)의 글에 '화(禾)는 대추나무나 냇버들[楊]에서 생기고, 도(稻)는 수양버들[柳]이나 냇버들에서 생기고, 대맥(大麥)은 살구나무에서 생기고, 소맥은 복숭아나무에서 생기고, 기장은 느릅나무[楡]에서 생기고, 대두(大豆)는 홰나무[槐]에서 생기고, 소두(小豆)는 오얏나무에서 생기고, 마(麻)는 냇버들이나 싸리나무[荊]에서 생긴다.' 한 것이다. -『한정록』-

그해에 살구[杏]가 많이 열면 대맥(大麥)이 벌레 먹지 않고, 복숭아가 많이 열리면 소맥이 벌레 먹지 않으며, 홰나무에 벌레가 없으면 팥이 잘 되고 오얏나무가 벌레 먹지 않으면 녹두(綠豆)의 수확이 많다. -『신은지』-

냉이[薺菜]가 먼저 나면 풍년 들려는 것이고, 두루미냉이[葶藶]가 먼저 나면 흉년 들려는 것이고, 연[藕]이 먼저 나면 비가 많이 오려는 것이고, 납가새[蒺藜]가 먼저 나면 가물려는 것이고, 쑥[蓬]이 먼저 나면 홍수가 지려는 것이고, 마름[水藻]이 먼저 나면 연사가 나쁘려는 것이고, 약쑥[艾]이 먼저 나면 질병이 있으려는 것이다. 매년 먼저 이 일곱 가지 풀을 심었다가 이른 봄에 점친다.68) -『신은지』-

언제나 보면, 입춘날 일진(日辰)이 갑(甲)·을(乙)이면 풍년이 들고, 병(丙)·정(丁)이면 큰 가뭄을 만나게 되고, 무(戊)·기(己)이면 밭곡식이 손상되고, 경(庚)·신(辛)이면 사람들이 안정되지 못하고, 임(壬)·계(癸)면 큰물이 내를 넘치게 된다. -『사시찬요』-

입춘날 닭이 울 적에 간방[艮] 위쪽에 누런 기가 있으면 대두(大豆)가 잘된다. -『사시찬요』-

춘상갑(春上甲 입춘 뒤의 첫 번째 갑자일)에 -『지봉유설』에는, 춘갑자

---

68) 냉이[薺菜]가 …… 이른 봄에 점친다 : 이 부분은 한독본과 오씨본에서 보충하여 번역했다.

(春甲子)라고 했다. 아래도 같다. - 비가 오면, 심한 가뭄이 들고, 하상갑(夏上甲 입하 후의 첫 번째 갑자일)에 비가 오면 배를 타고 저자에 갈 정도로 홍수가 지고, 추상갑(秋上甲 입추 후의 첫 번째 갑자일)에 비가 오면 벼에서 싹이 나도록 장마 지고, 동상갑 - 입동 후의 첫 번째 갑자일. - 에 비가 오면 소와 염소가 얼어 죽게 된다. -『사시찬요』-

춘사일(春社日 춘분을 전후하여 가장 가까운 무일(戊日))에 비가 오면 연사는 풍년들지만 과일이 적게 나고, 추사일(秋社日 추분을 전후하여 가장 가까운 무일)에 비가 오면 다음해에 풍년이 든다. -『사시찬요』-

춘분날은 그늘이 져 해가 보이지 않아야 좋다. 해 뜰 녘에 정동(正東)에 푸른 구름기가 있으면 보리가 잘 되고 연사도 풍년이 든다. -『사시찬요』-

춘분과 추분, 하지와 동지에 구름 기운을 보아 푸르면 충재(蟲災)가 있고, 붉으면 흉년들고, 검으면 수해(水害)가 있고, 누르면 풍년든다. -『주례』-

하지날 바람이 이방(離方)에서 불어오면 연사가 잘 되고, 개고 구름이 없으면 가문다. -『사시찬요』-

추분날 바람이 건방(乾方)이나 손방(巽方)에서 불어오면 다음해에 큰바람이 있고, 감방(坎方)에서 불어오면 겨울이 몹시 춥다. -『사시찬요』-

입동(立冬)에 바람이 서북쪽에서 불어오면 이듬해에 오곡이 잘 익고, 동남쪽에서 불어오면 여름에 가문다. -『사시찬요』-

정월 초하룻날 아침에 사방에 누른 기운이 있으면 곡식이 모두 잘 익고, 동남쪽에서 불어오면 여름에 가문다. -『사시찬요』-

정월 초하룻날 아침에 사방에 누른 기운이 있으면 곡식이 모두 잘 익고, 푸른 기운이 있으면 황충(蝗蟲)이 일고, 붉은 기운이 있으면 가뭄이 들고, 검은 기운이 있으면 수해(水害)가 있으며, 바람이 없이 그늘지고 온화하면 연사가 십 배나 풍년이 드는데, 봄 가뭄이 있

다. -『사시찬요』-

정월 초하루가 갑자일이 되면 바람이 많고, 경자일이 되면 난리가 있고, 무자일이 되면 흉년들고, 병자일이 되면 가뭄 들고, 만일 임자일을 만나게 된다면 큰 홍수가 나게 된다. 미덥지 않다면 정월달의 상순(上旬)을 살펴보라. -『사시찬요』-

정월 초하루는 닭날[鷄日], 2일은 개날[狗日], 3일은 돼지날[豕日], -『지봉유설』에는, 염소 날이라고 했다. - 4일은 염소날[羊日], -『지봉유설』에는, 돼지날이라고 했다. - 5일은 소날[牛日], 6일은 말날[馬日], 7일은 사람날[人日], 8일은 곡식날[穀日]이다. 그날이 청명하고 온화하면 잘 번식(繁殖)되고 태평하지만, 바람 불고 비 오거나 그늘지고 추우면 병이 생겨 손해를 본다. 각 날을 시험해 보라. -『신은지』·『사시찬요』-

2월 초하룻날 비가 오면 벼가 잘 안 되어 곡식이 귀하고, 초하룻날이 경칩(驚蟄)이면 황충(蝗蟲)이 일고, 초하룻날이 춘분(春分)이면 연사가 흉년들며, 초하룻날 뇌성이 처음으로 일면 연사가 좋은데, 진방(震方)에서 일면 곡식이 흔하고 곤방(坤方)에서 일면 비가 많으며, 갑자일(甲子日)에 뇌성이 일면 오곡이 풍년든다. -『사시찬요』-

2월 중에 세 번이나 일진(日辰)에 묘(卯)자가 들면 팥이 잘 되고, 들지 않으면 일찍 벼를 심어야 한다. -『신은지』-

3월 초하룻날 바람 불고 비가 오면 백성에게 병이 많고, 초하룻날이 곡우(穀雨)면 벼락 치는 뇌성이 많고 혹은 가뭄이 들기도 한다. -『사시찬요』-

3일 날 하늘이 그늘지고 혹은 비가 온다면 누에가 잘된다. -『사시찬요』-

3월 중 세 번째 일진에 묘(卯)자가 들면 팥이 잘 되고, 들지 않으면 삼과 보리가 잘된다. -『신은지』-

3월 초사흘 상사일(上巳日)에 개구리 소리를 들어보아 물이 많을는지 가물는지를 점친다. 그러므로 속담[諺]에 '참개구리[田鷄]가 벙어리처럼 울면 낮은 논[田]에서 벼를 매만지기 좋게 되고, 참개구리가 맑게

울면 논 가운데서 노[欒] 잡기 좋게 된다.' 하였다. -『지봉유설』-

4월 초하룻날 바람이 동쪽에서 불어오면 팥이 잘 되고 남쪽에서 불어오면 기장이 잘 되고, 아침부터 밤중까지 불면 오곡이 대풍 든다. -『사시찬요』-

4월 초하루와 그믐날 큰비가 오면 황충(蝗蟲)이 크게 일고, 경진일(庚辰日)과 신사일(辛巳日)에 큰비가 오면 충해(蟲害)가 크게 일고, 약간 비가 오면 작은 충해가 인다. 2일에 비가 오면 큰 가뭄이 들어 오곡이 성숙하지 못하고, 3일에 비가 오면 조금 가물며, 8일에 약간 비가 뿌리는 것은 좋지만, 만일 큰비가 질편하게 오면 높은 데나 낮은 데 할 것 없이 모두 가련하게 된다. -『사시찬요』-

4월 초여드렛날 비가 내리면 보리가 흉년이 들고, 13일에 와도 그렇다. -『신은지』-

4월 중에 묘(卯) 자 일진이 세 번 들면 삼[麻]이 잘 되고, 그렇지 않으면 보리 수확이 없다. -『신은지』-

5월 초하룻날 바람이 동쪽에서 반나절을 불어오면 연사가 풍년들고, 상진일(上辰日 그달 첫 번째의 일진에 진(辰)이 든 날)과 상사일(上巳日)에 비가 오면 황충이 빗줄기를 따라 내려와 벼를 먹어버린다. 이런 증험은 신통하다. -『사시찬요』-

6월의 바람과 비에 관한 점(占)은 4월과 동일하다. 이달에 월식(月蝕)하면 가문다. -『사시찬요』-

7월 입추날에 바람이 곤방(坤方)에서 불어오면 연사(年事)가 풍년 들고, 태방(兌方)에서 불어오면 가을비가 잦고, 이방(离方)에서 불어오면 가물며, 건방(乾方)에서 불어오면 큰비가 오고 갑자기 추워져 곡식을 손상한다. -『사시찬요』-

8월 초하룻날 음산하고 비가 오면 크게 풍년이 들고, 초하루와 그믐날에 큰바람이 불면, 봄에는 가물고 여름에는 비가 잦다. 이달 이하는

내년을 점치는 것이다. -『사시찬요』-

9월 초하룻날 바람 불고 비가 오면 여름에 홍수가 진다. -『사시찬요』-

10월 초하룻날 바람 불고 비가 오면 여름에 홍수가 지고, 그믐날 비가 오면 보리가 잘된다. -『사시찬요』-

11월 초하룻날 바람이 불면 보리가 잘 되고, 그믐날 바람 불고 비가 오면 봄에 가뭄이 들며, 이달 중에 무지개가 서면 대두(大豆)가 잘 된다. -『사시찬요』-

동짓날 밤중에 천기(天氣)가 맑으면 만물이 성숙(成熟)하지 못하고 바람이 많으며, 찬 바람이 자방(子方)에서 불어오면 연사가 풍년들고, 서북(西北) 중간에서 불어오면 벼가 상하게 되고, 유방(酉方)에서 불어오면 가을에 비가 많고, 서남(西南) 중간에서 불어오면 여름에 가뭄이 많다. -『사시찬요』-

동지에 얼음이 얼지 않으면 전염병[瘟疫]이 퍼지게 된다. -『사시찬요』-

12월 초하루와 그믐에 바람이 불고 비가 오면 봄이 가문다. 나머지는 10월과 동일하다. -『사시찬요』-

제야(除夜)에 쌀가루로 움[窩穴] 12개를 만들되, 만일 윤달이 들었으면 1개를 더 만들어, 시루 속에 늘어놓고 밥을 익히듯이 찐다. 만일 첫째의 움 속에 물이 고였으면 정월달에 수해가 있을 것이 예상되고, 물이 많으면 그만큼 비가 많으며, 건조한 것은 그달이 반드시 가물게 된다. 나머지도 모두 이와 같다. -『신은지』-

풍년을 기원함[祈穀]

원일(元日 설날) 5경(更)에 향을 피우며 촛불을 밝히고 술·과일·메[素]를 상 위에 차려놓고서, 가족들을 거느리고 산천(山川)·토지(土地)·오곡(五穀)의 귀신에게 풍년이 들기를 빈다. -『신은지』-

2월 상무일(上戊日 그달의 첫 번째에 든 무일(戊日))에 농가에서는 마땅히 농구(農具)에게 제사하여 풍년이 들기를 빌고, 소귀신[牛王]에게도 제사해야 한다. -『신은지』-

춘사일(春社日)에는 오곡의 귀신에게 제사하여 풍년들기를 빈다. -『신은지』-

추사일(秋社日)에도 역시 제사하여 그해의 추수를 하게 된 것에 보답한다. -『신은지』-

추수한 곡식을 창고에 저장하고서 반드시 희생(犧牲)과 술로 창고를 맡은 귀신에게 제사한다. -『신은지』-

10월 초하룻날 찹쌀로 인절미를 만들어 소뿔 위에 붙이고서 뽕나무 잎에 떡을 싸서 소에게 먹여, 한 해의 노력에 보답한다. -『신은지』-

종자 선택[擇種]

무릇 종자가 쭈그러든[鬱浥] 것은 나지 않고 난다 하더라도 견실하지 못하다. 잡된 종자는 곡식의 생육이 일정하지 못하고, 곡식을 찧어보면 더 줄고 밥을 짓기도 어렵다. 마땅히 빛깔이 순일하고 견실한, 잡되지도 쭈글쭈글하지도 않은 것을 가려서 쭉정이는 까불어버린 다음 물에 넣어 뜨는 것은 버리고, 다시 건져 습기가 없어지도록 충분히 말린다. 이것을 오쟁이[藁篅]에 빈 섬 따위 담아 높고 시원한 데에 간수하거나 집 들보에 높이 매달아 쥐가 먹는 것을 방지한다. -『농사직설』·『한정록』-

종자가 혹시 습기에 상하거나 쭈글쭈글하면 벌레가 생기니, 눈 녹은 물[雪汁]에 담가야 한다. -『농사직설』·『한정록』-

눈은 오곡(五穀)의 정기다. 겨울철에 큰 항아리를 땅 속 온화한 데에 묻어 얼지 않도록 하였다가, 섣달이 되면 -『신은지』에는 "섣달 초여드렛날이다." 하였고, 또 "동짓달도 가하다." 했다. - 눈을 거두어다 담고서 거적으로 시골에서 비개(飛蓋)라고 한다. 두텁게 덮어 빗물이 들어가지 않도록 하되, 낙종(落種)할 때에 종자를 그 속에 담갔다가 건져내어 말린다. 이렇게 세 차례를 하면 벼가 추위를 잘 견디고 탐스럽게 자라며 반드시 수확도 배가 난다. -『신은지』·『농사직설』·『사시찬요』-

더러는 나무통에다 소나 말의 오줌을 담고 종자를 그 속에 담갔다가 건져내어 햇볕에 말리기도 하는데, 역시 세 차례를 해야 한다. -『농사직설』-

소 오줌에 고치 번데기를 - 번데기는 고치 속의 죽은 누에이다. - 삶아, 그 물에다 종자를 담그면 또한 신묘하다. -『사시찬요』-

말뼈를 구해다 부수어 물에 달여, 찌꺼기를 버리고 종자를 담갔다가 그늘에서 습기가 없어지도록 말린다. 이처럼 3~4차례를 하고, 낙종(落種)할 적에도 남은 물을 묻혀 낙종을 하면 벼가 황충(蝗蟲)의 피해를 입지 않는다. -『사시찬요』-

보리 종자는 마땅히 부순 도꼬마리[蒼耳]나 쑥과 버무려, 더운 날 바싹 말려 열기가 식기 전에 거두어 -『신은지』에는 "삼복(三伏) 날 도꼬마리·날료(辣蓼)와 함께 담는다." 했다. - 옹기에다 담으면서, 먼저 볏짚 재를 항아리 밑바닥에 깔고 다시 재로 덮으면 벌레가 먹지 않는다. -『한정록』-

피[稷]와 교맥(蕎麥 메밀)은 비록 여물지 않은 것이라 하더라도 심으면 잘 나고, 대맥(大麥)은 비록 쭈글쭈글한 것이라도 무방하다. 보리 종자를 마련해 두지 못했으면 보릿대[藁]를 부수어 심어도 해마다 풍년이 들며, 팥[小豆]·목면(木綿) 및 오이·참외 같은 것도 묵을수록 더욱 좋아진다. -『속방』-

거름받기[收糞]

오줌 재[尿灰] 만드는 방법은, 외양간 밖에 웅덩이를 파 오줌을 모았다가, 곡식대나 겨・쭉정이 따위를 태워 만든 재를 웅덩이의 오줌과 반죽한다. -『농사직설』-

말똥 재와 태운 앙초(秧草)를 사람 오줌과 배합하고 불 땐 재와 섞어서 잿간[灰間]에 쌓고서 거적과 풀로 덮어 놓으면 뜨듯해져 쉽게 뜬다. -『농사직설』-

호마(胡麻) 껍데기를 부수어 외양간에 밟혔다가 쌓아두어 겨울이 지난 것과, 목화씨[木綿子]를 외양간 오줌과 섞은 것은 모두 밭을 걸게 할 수 있다. -『농사직설』-

앙초와 보드라운 버들가지 및 진력(眞櫪) 춤갈을 작두로 절단(截斷)하여, 외양간에서 나온 오줌이나 사람의 오줌으로 축축하게 적시거나, 외양간에서 밟히어, 뜨듯한 재와 사람의 오줌을 섞어서 쌓아두고, 거적과 풀로 덮어 놓으면 잘 뜬다. 백두옹초(白頭翁草) - 주지곳 또는 한미십기빗블희라고도 한다. - 또한 좋은데 매우 독하여 많이 깔면 모[秧]가 상한다. 모름지기 풀을 섞어 이상의 방법처럼 띄워서 써야 한다. -『농사직설』-

봄・여름 무렵에 연약한 버들가지를 꺾어다 외양간에 깔았다가 매양 5~6일 만이면 걷어내어 쌓아두면 거름이 된다. -『농사직설』-

7월에 보드라운 백양(白蘘)가지・유지(杻枝) 굴밤이・역목(櫟木) 갈의 지엽을 - 어떤 방문에는 "역목의 지엽은 가을이 되면 벤다." 했다. - 작두로 절단하여, 구덩이를 파고 쟁이고서 외양간 웅덩이의 오줌을 부어 적시거나, 혹은 외양간에 밟히었다 뜨거든 밭에 거름을 하면, 잡곡(雜穀)을 심는다 하더라도 무성하게 자라지 않는 것이 없고, 더욱이 보리와 밀에 좋다. -『농사직설』-

가을 무렵 가지를 다 따먹은 뒤에 마른 줄기와 잎사귀를 거둬 저장했

다가, 이듬해에 썰어서 못자리판에 넣으면 매우 좋다. -『사시찬요보』-

밭갈이와 파종[耕播]

밭갈이에 좋은 날은, 을축일(乙丑日) - 또 어떤 방문에는 병인일(丙寅日)과 정묘일(丁卯日)도 들어 있다. - ·기사일·경오일·신미일·계유일·을해일 - 어떤 방문에는 병자일도 들어 있다. - ·정축일·무인일 - 어떤 방문에는 경진일도 들어 있다. - ·신사일·임오일·을유일·병술일·정해일 - 어떤 방문에는 무자일도 들어 있다. - ·기축일 - 어떤 방문에는 경인일도 들어 있다 - ·신묘일·계사일·갑오일 - 어떤 방문에는 병신일과 정유일도 들어 있다. - ·기해일 - 어떤 방문에는 경자일도 들어 있다. - ·신축일·임인일·갑진일·을사일·병오일 - 어떤 방문에는 정미일도 들어 있다. - ·기유일 - 어떤 방문에는 경술일과 신해일도 들어 있다. - ·계축일·갑인일 - 어떤 방문에는 병진일도 들어 있다. - ·정사일·기미일·경신일·신유일이고, 또한 병(丙)·정(丁)·경(庚)·신(辛)이 든 날도 길하다. -『거가필용』-

밭갈이에 흉한 날은, 임진일(壬辰日)·계해일이고, 또한 임(壬)·계(癸)가 든 날이다. -『거가필용』-

파종에 길한 날은, - 종오곡(種五穀)과 하오곡(下五穀)에 길한 날도 같다. - 갑자일(甲子日)·을축일·정묘일·기사일·계유일·을해일·병자일·기묘일·경진일·계미일·갑신일·을유일·기축일·신묘일·임진일·계사일·을미일·병신일·무술일·기해일·경자일·신축일·임인일·계묘일·병오일·무신일·기유일·계축일·병진일·무오일·기미일·경신일·신유일·계해일이다. -『거가필용』-

오곡 종자를 심는 날은, 기해일(己亥日)·기미일과 성일(成日)·수일(收日)을 통용한다. -『거가필용』·『농사직설』-

오곡을 심기에 흉한 날은 정해일(丁亥日)이다. -『거가필용』-

무릇 초일(焦日)에 - 정월은 진(辰), 2월은 축(丑), 3월은 술(戌), 4월은 미(未), 5월은 묘(卯), 6월은 자(子), 7월은 유(酉), 8월은 오(午), 9월은 인(寅), 10월은 해(亥), 11월은 신(申), 12월은 사(巳)가 일진에 든 날은 고초일(苦焦日)이라고 한다. - 오곡을 심으면 싹이 나지 않는다. -『박물지』-

밭에 좋지 않은 흉한 날에는 밭갈이와 파종을 꺼린다. 큰 달에는 6일 · 8일 · 22일 · 23일이고, 작은 달에는 8일 · 11일 · 12일 · 17일 · 19일 · 27일이다. -『거가필용』-

갑인(甲寅) - 전조(田祖)가 죽은 날. - · 정해(丁亥) - 전부(田父)가 죽은 날. - · 정미(丁未) - 전모(田母)가 죽은 날. - · 을사(乙巳) - 전주(田主)가 죽은 날. - · 계사(癸巳) - 후직(后稷)을 장사한 날. - 일은, 농가에서 밭갈이나 파종, 또는 모심기를 가장 기피하는 날이다. -『농사직설보』-

일진(日辰)이, 정월은 술(戌), 2월은 해(亥), 3월은 자(子), 4월은 축(丑), 5월은 인(寅), 6월은 묘(卯), 7월은 진(辰), 8월은 사(巳), 9월은 오(午), 10월은 미(未)가 든 날에는 파종을 해도 수확할 것이 없게 된다. -『농사직설보』-

누렇고 흰 땅에는 벼가 좋고, 검고 건땅에는 보리가 좋고, 붉은 땅에는 조가 좋고, 낮은 습지에는 벼가 좋다. -『한정록』-

황무지(荒蕪地)를 시험해보는 방법은, 땅을 한 자[尺]쯤 깊이 깎아내고 흙 맛을 보아 단맛이 나는 것은 상이고 달지도 짜지도 않은 것이 그다음이고 짠 것이 하등이다. -『농사직설』-

무릇 땅 갈이는 마땅히 천천히 해야 흙이 부드럽고 소도 지치지 않게 된다. 봄 · 여름 갈이는 얕게 해야 하고 갈갈이는 깊게 해야 하는데, 봄갈이는 가는 족족 뒤따라 다듬고, 갈갈이는 흙이 희게 마르기 시작할 때가지 기다렸다 다듬어야 한다. -『농사직설』-

봄갈이는 늦은 것이 좋고 갈갈이는 이른 것이 좋은 법이다. 늦게 하는 것은 봄 얼음이 점점 풀려 지기(地氣)가 통하기 시작하여 비록 굳은 땅이라 하더라도 또한 쟁기질하기가 좋기 때문이고, 일찍 하는 것은 일기가 춥지 않고 온화한 양기(陽氣)가 장차 땅속에 갇혀버리기 전에 하려는 것이다. -『한정록』-

세상 사람들은 단지 깊이 갈기만 하면 되는 줄만 알지, 흙을 보드랍게 부수는 것이 아주 좋은 줄을 모른다. 부수는 데 공력을 들이지 않으면, 비록 싹이 나더라도 뿌리가 굵은 흙덩이에 있으므로 벌레가 먹거나 말라버린다. 흙을 잘 부수면 보드라운 흙에 착근(着根)하게 되어 모든 병해(病害)가 생기지 않는다. -『사시찬요』-

무릇 황무지를 개간할 적에는 처음 갈이는 깊게, 두 번째 갈이는 얕게 해야 한다. 깊이 갈지 않으면 땅이 숙토(熟土)가 되지 않고 얕게 갈지 않으면 생땅이 나오게 된다. -『농사직설』·『사시찬요』-

무릇 개간한 황무지는 잡초[野草]를 태워버리고 쟁기로 갈고서 먼저 지마(芝麻) - 시골에서 진임(眞荏)이라고 하는 것. - 를 한 해 심어 풀이나 나무뿌리가 모두 다 없어진 다음에 오곡(五穀)을 심으면 풀이 묵는 폐단이 없다. 대개 지마가 초목(草木)에게는 마치 오금(五金 다섯 가지 금속, 즉 금·은·구리·철·납)에 대한 주석[錫]과 같아, 서로 견제 작용을 하는 성질이 있다. -『신은지』·『한정록』-

묵밭은, 7~8월 무렵에 갈고서 풀로 덮어 놓았다가 이듬해에 얼음이 풀리면 다시 갈고 종자를 심는다. 대개 밭을 일구는 법이, 갈갈이를 하여 겨울을 넘기는 것을 상으로 친다. -『농사직설』-

건조한 밭은 처음 갈이를 한 다음 풀을 깔고 불 지르고서 다시 갈면 밭이 자연히 좋아진다. -『농사직설』-

척박한 밭은 녹두를 갈고서 무성해지기를 기다렸다 갈아엎어 버리면, 가라지도 나지 않고 벌레도 생기지 않으며, 척박한 땅도 좋은 밭으로 변한다. 무릇 밭을 걸게 하는 방법은 녹두가 제일이고 소두(小豆)·호마(胡麻) - 진임(眞荏)이다. - 가 다음인데, 5~6월 중에 씨를 뿌렸다가

7~8월에 쟁기로 갈아엎어 죽이고, 봄 곡식 심을 밭을 만들면 그 묘(畝)에서 10석을 수확하게 된다. -『거가필용』·『농사직설』-

밭이 하습하여 곡식을 심기 합당치 않은 데는, 서리가 내린 뒤에 풀을 베어 두껍게 덮고 소맥(小麥)을 갈면 소맥이 매우 잘되며, 그 이듬해에는 변하여 건조한 밭이 되므로 목화(木花)를 심어도 잘된다. -『농사직설』-

지대가 낮은 하습한 황무지는 3~4월 무렵 물풀이 우거졌을 적에 통나무[輪木]를 굴려서 풀을 죽이고 땅바닥이 골라진 다음에 늦벼를 심는다. 또는 나무 두서너 다발을 묶어 소로 끌고 다니다가 종자를 심기도 하는데, 이듬해에는 따비[耒] - 시골에서 지보(地寶)라고 하는 것. - 로 갈 수 있고 3년이 되면 소로 갈 수도 있으며, 가라지가 나지 않아 매 가꾸는 공력을 크게 던다. 통나무 만드는 법은, 길이가 넉 자[尺]가량 되는 단단한 나무토막을 다섯 모가 지게하고, 양쪽 머리에 나무 고리[木環]를 꿰고 줄을 나무 고리에 단다. 아이들을 시켜 안장 갖춘 소나 말을 타게 하고, 나무 고리에 맨 줄을 안장 양쪽에 매단다. 소나 말이 가게 되면, 통나무가 저절로 굴러 풀을 뭉개고 흙덩이를 부수게 된다. 너무 하습하여 들어가 밟을 수 없는 땅은, 고로(栲栳) - 시골에서 도리깨[都里鞭]라 하는 것. - 로 풀을 죽이고 파종한다. -『농사직설』-

만일 초목이 무성한 데를 새로 개간하여 논을 만들려고 할 때는 불을 지르고 갈아두었다가 3~4년 뒤에 토질을 살펴보아 거름을 한다. -『농사직설』-

남은 해에 개간을 하여 물을 기다렸다 얼리면, 봄에 토맥(土脈)을 고르기 쉽고 또한 풀이 나지 않는다. 고른 다음에 반드시 잘 말리다가 물을 넣어 맑아진 뒤에 종자를 뿌리면 종자가 땅에 묻히지 않고 잘 나게 된다. -『한정록』-

무릇 파종하는 방법은 만종(漫種)·누종(樓種)·호종(瓠種)·구종(區種)의 구별이 있다. 만종이란 것은, 요라(料蘿)에 종자를 담아 왼쪽 겨드랑이에 끼고 오른손으로 적당히 종자를 뿌리되, 뿌리면서 걸어가다가 대략 세 걸음쯤 가서는 다시 뿌린다. 되도록 종자가 골고루 흩어지게 해야 싹이 고루 나게 된다. 남쪽 지방에서는 흔히들 삼[麻]·보리·조·콩을 점종(點種)하는데 매 가꾸기에 편리하기는 하지만, 땅이 넓고 토질이 비옥하면 모름지기 만종을 해야 한다.

북쪽 지방은 누종을 많이들 하는데, 방법이 매우 구비하다. 제민요술(齊民要術)69)에 '무릇 파종할 적에 소는 천천히 가도록 하고, 파종하는 사람은 종종걸음을 쳐야 한다.'고 했으니, 발로 두둑 밑을 밟는 것은 흙이 다져져서 종자가 잘 나게 하려는 것이다. 요사이 사람들은 둔차(砘車)를 제작하여, 이랑을 따라 종자를 심은 다음에 두둑을 따라 둔차로 밀고 지나가면 뿌리와 흙이 서로 붙게 되므로 효과가 매우 빠르다.

호종이란 것은, 구멍 뚫은 바가지에 종자를 담고서 걸어가는 족족 종자가 놓이게 하여, 되도록 골고루 씨가 서도록 하는 것이다. 쟁기질을 함에 따라 양쪽으로 흙이 깊이 덮이므로, 비록 폭우가 오더라도 쓰러지지 않고 한더위에 가물더라도 잘 견디게 되며, 또한 매 가꾸기에 편리하다.

구종법이란, 산지 근방의 고을이나 높고 경사진 언덕에 모두 다랑밭[區田]을 만들어, 걸우어 파종을 하고 물을 대어주면 한재(旱災)를 대비하게 된다. -『한정록』-

산지(山地)와 습지(濕地)에 따라 맞고 맞지 않는 곡식이 있고, 토질은 좋은 데와 박한 데가 있다. 산전(山田)에는 강한 씨앗을 심어 풍상(風霜)을 피하게 해야 하고, 기름진 밭[澤田]에는 유약한 씨앗을 심어 좋은 결실을 얻게 해야 하며, 좋은 밭에는 늦종자를 심어야 하고 박한 밭에는 올종자를 심어야 한다. 좋은 밭에는 늦종자만 심어야 하는 것이

---

69) 『제민요술(齊民要術)』: 후위(後魏)시대 가사협(賈思勰)이 저술한 중국 최고(最古)의 농서(農書). 곡식·과수·야채 등의 경작법과 가축 사육, 술·된장 제조법 등을 체계 있게 기술한 책으로 모두 92편이다. 『四庫提要 農家類』

아니라 올종자도 해로울 것이 없지만, 척박한 밭에 늦종자를 심으면 반드시 결실을 하지 못한다. - 『한정록』 -

무릇 오곡(五穀)을, 상순(上旬)에 심은 것은 완전한 수확을 하고, 중순에 심은 것은 중등 수확을 하고, 하순에 심은 것은 하등 수확을 하게 된다. - 『한정록』 -

땅이 습하고 기름진 데는 올종자를 심어야 하고, 땅이 건조하고 강한 데는 늦종자를 심어야 한다. 땅이 습하고 기름진 데는 지력(地力)이 왕성하여 생기(生氣)가 빠르므로 늦종자를 심으면 곡식이 지력을 다 받지 못하여 도리어 해롭고, 땅이 건조하여 강한 데는 지력이 완만하여 생기가 더디므로 올종자를 심으면 땅이 곡식의 성질을 맞추지 못하여 이삭이 패지 못하는 법이다. 이런 것에 밝은 사람이 상등 농민이고, 어두운 사람은 하등 농민이다. 그 차이는 단지 털끝 하나를 다툴 뿐이지만, 거두는 이익이 몇 갑절이나 되는 것은 요령을 알기 때문이다. - 『금양잡록』 -

무릇 낙종법은 가장 일찍 하는 것이 나쁘지 않다. 이르면 바람과 가뭄을 견디어내고 가을에도 결실을 잘하는 법이니, 마땅히 얼음이 풀려 땅이 부드러울 적에 마른 대로 건파(乾播)하고 물을 한 자[尺] 반쯤 깊게 대주어야 한다. 이른 봄에는 으레 억센 추위가 많은 법인데, 물이 깊으면 얼음이나 서리가 종자에까지 닿지 않아 동해(凍害)받지 않게 되며 건파를 하면 오래 흙 속에 있으면서 발아(發芽)가 더디므로 봄추위를 면하게 되는 것이다. 비록 눈이 밝은 사람이라 하더라도 물속에서 트는 싹을 제대로 볼 수 없으니 매양 아침의 해돋이나 저녁 낙조(落照) 때 머리를 돌려 옆으로 보면 물속에서 싹이 튼 형상이 마치 금침(金針)의 끝과 같다.

만일 이때 물이 빠져버리면 서리를 맞아 말라죽게 되니, 모름지기 조심스레 보호하여 두 잎이 나기를 기다려야 한다. 일기가 점차 따뜻해져도 또한 나중에 바람이 많이 불게 되어서, 만일 물을 빼버리지 않으면, 싹들이 물결에 움직여서 뿌리가 흙에 붙지 않고 수면(水面)에 많이 떠있게 되는 법이니, 모름지기 일기를 살펴보아, 물을 빼고 햇볕에 쬐어 흙바닥이 엉기게 하여 싹의 뿌리가 자리 잡게 하고서 물을 대야 한다. 이렇게 하면 싹이 일찍 자라기 때문에 가라지가 침범하지 못하고, 뿌리가 깊이 흙에 들어가기 때문에 가뭄도 타지 않고, 결실이 일찍 되기 때문에 바람에도 손상되지 않는다. -『금양잡록』-

북향(北向) 땅은 냉기가 늦게 풀리므로, 곡식·호마(胡麻)·목화의 파종을 모두 때에 맞추어 해야 한다. -『농사직설』-

파종(播種)의 밀도를 어떻게 하면 합당할까. 가난한 백성들은 곡식을 아끼느라 매우 성글게 파종을 하고서 곡식의 싹이 자연히 무성해지기를 기다리는데, 이렇게 한 것은 소득도 적고 완전하지도 못하다. 이치를 따지건대 곁줄기와 나머지 잔단 잎새들은 기운을 온전히 못 받기 때문이다. 곡식 종자를 약간 허비하게 되더라도 배게 파종하는 것이 합당하다. 밭이 기름지면 한 알의 싹에서 펴지는 것이 많으면 30여 줄기가 되기도 하니, 조금 허비하고서 많이 거두어야 되지 않겠는가. -『농사직설』-

벼[稻]

벼 파종은, 무일(戊日)이나 기일(己日) 네 계일(季日) - 계일은 계삭(季朔)의 18일을 말한다. - 에 하는 것이 좋다. -『거가필용』·『농사직설』-

이앙(移秧)에 길한 날은, - 종앙(種秧)·삽앙(揷秧)도 같다. - 신미·계유·임오·계미·경인·갑오·갑진·을사·병오·정미·무신·기유·을묘·신유일이다. -『거가필용』·『농사직설』-

벼 파종을 꺼리는 날은, 인일(寅日)·묘일(卯日)·진일(辰日)이다.

올벼[早稻]

구황되오리[救荒狄所里]: 일명 빙절도(氷折稻), 즉 얼음걷기. 까끄라기가 없고 누런색에 껍질이 얇다. 성질이 매우 빨리 자라고 귀가 매우 약하며 쌀이 희고 연하다. 기름지고 마르지 않는 밭에 합당한데, 3월 상순(上旬) 얼음이 풀리자마자 심어야 한다.

자채벼[自蔡] ᄌᆞ치: 까끄라기가 있다. 처음 이삭이 팰 때는 색깔이 하얗다가 익으면 누렇게 된다. 알맞은 토질과 심는 시기는 위의 것과 같다.

옥자강이[著光] - 옥ᄌᆞ강 - : 까끄라기가 짧다. 처음 이삭이 팰 때는 약간 흰 색깔이었다가 익으면 황적색(黃赤色)이 된다. 쌀이 희어 밥이 좋다. 귀가 질기고 바람을 잘 견딘다. 척박한 땅을 꺼리고, 비록 푸석푸석한 견실하지 못한 땅이라도 이삭이 잘 패고 결실도 잘한다. 심는 시기는 위의 것과 같다.

중올벼[次早稻]

에우지[於伊仇智] - 에우디 - : 까끄라기가 짧다. 처음 이삭이 팰 때에는 연한 흰색이었다가 익으면 까끄라기는 황적색(黃赤色)이 되고 껍질은 진누런색이 된다. 쌀이 윤기가 있고 희며 밥을 지으면 매우 연하다. 귀가 매우 질기다. 성질이 강건하여 푸석푸석한 견실하지 못한 데서도 잘된다. 심는 시기는 위의 것과 같다.

왜자(倭子): 까끄라기가 매우 짧아 없는 것 같다. 처음 이삭이 팰 때는 푸른 색깔이었다가 익으면 까끄라기는 누렇고 껍질은 연한 흰색이 된다. 쌀이 윤기가 있고 희며 밥을 지으면 찟찟하다. 성질이 강해 바람을 잘 견딘다. 푸석푸석하고 물이 차가우며 견실하지 못한 땅에도 잘 된다.

쇠노되오리[所老狄所里] - 쇠노되오리 - : 까끄라기가 없다. 처음 이삭이 팰 때는 푸른 색깔이었다가 익으면 누렇게 된다. 쌀이 윤기가 있고 희며 밥을 지으면 연하다. 귀가 질기고 바람을 꺼린다. 척박한 데는 잘 자라지 않으므로 기름지고 습한 곳에 심어야 한다.

황금자(黃金子): 까끄라기가 길다. 처음 이삭이 팰 때는 푸른 색깔이었다가 익으면 진한 황색으로 변한다. 쇠노되오리와 대략 같은데, 알이 길고 크며 조금 일찍 된다. 쌀이 희고 밥을 지으면 연하다. 귀가 질기고 바람을 꺼린다. 높거나 척박한 데는 잘 안되고, 기름지고 하습한 데가 좋다. 경상도(慶尙道)에서 잘 심는다.

늦벼[晩稻]

사노리(沙老里) - 사노리 - : 까끄라기가 길다. 처음에 이삭이 팰 때는 붉은 색이었다가 익고 나면 연붉은색이 된다. 쌀이 하얗고 밥을 지으면 연하다. 귀가 질기고 바람을 잘 견딘다. 척박한 밭은 좋지 않고 기름지고 물이 찬 데가 좋다.

쇠되오리[牛狄所里] - 쇠되오리 - : 까끄라기가 없다. 처음 이삭이 팰 때는 푸른 색깔이었다가 익으면 희어진다. 쌀이 많이 나고 빛이 희며 밥을 지으면 연하다. 귀가 약하고 바람을 꺼린다. 기름지고 마르지 않는 땅이 좋다.

검은 사노리[黑沙老里] - 거믄 사노리 - : 까끄라기가 짧다. 싹이 자랄 때는 푸른 색깔이었다가 알을 배면 검붉은 색으로 변하며, 잎사귀 붙은 줄기의 마디가 짙게 검어진다. 처음 이삭이 팰 때는 까끄라기와 껍질이 모두 검었다가 익으면 껍질이 살짝 희어지고 눈이 검으며, 알이 빽빽하게 붙는다. 쌀이 희고 밥을 지으면 연하다. 귀가 매우 질기고 성질이 강해 바람을 잘 견디므로 땅을 가리지 않는다.

사노리(沙老里): 까끄라기가 짧다. 처음 이삭이 팰 때는 푸른 색깔이다. 알맞은 토질은 위의 것과 같다.

고새사노리[高沙伊沙老里] - 고새사노리 - : 까끄라기가 길다. 처음 이삭이 팰 때는 하얀 색깔이었다가 익고 나면 연한 황색으로 된다. 합당한 땅은 위의 것과 같다.

쇠노리[所伊老里] - 소노리 - : 까끄라기가 길다. 처음 이삭이 팰 때는 흰 색깔이었다가 익으면 까끄라기가 누렇게 된다. 껍질이 연황색이고 알이 길며 크다. 쌀이 희면서도 강하여 밥 짓기에는 합당치 못하다. 귀가 질기다. 성질이 척박한 땅과 푸석푸석한 토질을 싫어하므로 기름진 땅에 심어야 한다.

늦왜자[晩倭子] - 늦왜즈 - : 까끄라기가 짧다. 처음 이삭이 팰 때 연한 흰 색깔이었다가 익으면 까끄라기는 누렇고 껍질이 희어진다.

동아노리[東謁老里] - 동아노리 - : 까끄라기가 짧다. 처음 이삭이 팰 때는 푸른 색깔이었다가 익으면 누렇게 된다. 쌀이 희고 밥을 지으면 연하다. 성질이 강해 바람을 잘 견디므로 땅을 가리지 않는다.

우득산도(牛得山稻) - 우득산도. 일명 두이라. - : 까끄라기가 길다. 처음 이삭이 팰 때나 익어서나 모두 붉은 색깔이다. 쌀이 희고 약간 잘며, 밥을 지으면 거칠다. 귀는 약하지만 바람을 잘 견딘다. 기름진 데나 척박한 데나 모두 심어도 된다.

흰껌부기[白黔夫只] - 흰검부기 - : 까끄라기가 길고 붉다. 처음 이삭이 팰 때는 연한 흰색이었다가 익으면 눈은 살짝 검고 껍질은 약간 희어진다. 쌀이 희고 밥을 지으면 연하다. 성질이 강해 바람에 잘 견딘다. 알맞은 토질은 위의 것과 같다.

흑껌부기[黑黔夫只] - 검문검부기 - : 까끄라기가 길다. 처음 이삭이 팰 때는 빛이 연한 흰색이었다가 익으면 눈과 껍질이 모두 연한 흰 색깔로 된다. 쌀이 희고 밥을 지으면 연하다. 성질이 강해 바람에 잘 견딘다. 알맞은 토질은 위의 것과 같다.

동솟가리[東鼎艮里] - 동솟ᄀ리 - : 까끄라기가 길다. 처음 이삭이 팰 때는 연한 흰 색깔이었다가 익으면 껍질은 희어지고 눈은 연붉은 색깔로 된다. 껍질이 얇고 쌀이 희며 밥을 지으면 연하다. 성질이 강해 바람에 잘 견딘다. 알맞은 토질은 위의 것과 같다.

영산되오리[靈山狄所里] - 녕산되오리 - : 까끄라기가 없다. 처음 이삭이 팰 때는 푸른 색깔이었다가 익으면 눈은 살짝 검어지고 껍질은 약간 희어진다. 껍질이 얇고 쌀이 희며 밥을 지으면 연하다. 성질이 강해 바람에 잘 견딘다. 기름진 땅에 심는 것이 좋다.

고새눈검이[高沙伊眼檢伊] - 고새눈검이 - : 까끄라기가 길다. 처음 이삭이 팰 때는 흰 색깔이었다가 익으면 누렇게 된다. 줄기 마디가 검다. 쌀이 조금 희기는 하나 밥을 지으면 다소 찟찟하다. 성질이 강해 바람에 잘 견디고, 기름진 데나 척박한 데나 모두 잘된다.

다다기[多多只] - 다다기. 일명 어반미(御飯米). - : 까끄라기가 길고 약간 꼬부라졌다. 처음 이삭이 팰 때나 익어서나 색깔이 모두 희다. 쌀이 희고 매우 부드러워 밥 짓기에 가장 좋다. 성질이 세고, 기름지고 습한 데에 심는 것이 좋다.

구렁찰[仇郞粘] - 구렁출 - : 까끄라기가 없다. 처음 이삭이 팰 때는 연한 붉은 색이었다가 익으면 껍질이 약간 붉어진다. 쌀이 희고 성질이 거칠다. 기름지고 습한 땅에 심는 것이 좋다.

쇠노찰[所伊老粘] - 쇠노출 - : 까끄라기가 짧다. 처음 이삭이 팰 때는 푸른 색깔이었다가 익으면 누렇게 된다. 껍질이 얇고 쌀이 희다. 성질이 강해 바람에 잘 견딘다. 기름지거나 척박한 데 모두 심어도 된다.

다다기찰[多多只粘] - 다다기출 - : 다다기 벼와 같다.

찰산도[粘山稻]: 까끄라기가 없다. 처음 이삭이 팰 때는 연한 흰 색깔이었다가 익으면 껍질이 희다. 쌀은 희지만 조금 거칠다. 귀가 약하나 바람에 잘 견딘다. 기름지고 습하지 않은 조강한 데에 심는 것이 좋다. 8월 상순(上旬)에 익는다.

보리산도[麰山稻] - 보리산도 - : 까끄라기가 없다. 처음 이삭이 팰 때는 푸른 색깔이었다가 익으면 약간 희어진다. 쌀이 붉고 강하여 밥을 짓기에 합당치 못하다. 성질이 강해 바람에 잘 견딘다. 척박한 땅에 심는 것이 좋은데 일찍 심어야 한다. - 이상은 『금양잡록』 -

남방의 논벼[水稻]는 이름이 한 가지만 아니나 대개 종류가 세 가지인데, 일찍 익는 알이 자잘한 것을 선도(秈稻)라 하고, 늦게 익는 향기롭고 윤기 있는 것을 갱도(粳稻)라 하고, 중간의 쌀이 희고 차진 것을 나도(稬稻)라 한다. 세 가지를 청명(清明)이 지난 뒤에 일시에 낙종(落種)했다가 소만(小滿)·망종(芒種) 무렵에 나누어 옮겨 심는다. -『한정록』 -

올벼[早稻]

닭올벼[鷄鳴稻] - 돍오려 - : 까끄라기가 없고 색깔은 연한 황색이다. 귀가 약하다. 한식(寒食) 뒤에 곧 심는다. 새를 보는 일이 가장 어렵다. 지금 노원(蘆原) 사람들이 많이 심는다.

버들올벼[柳稻] - 버들오려 - : 까끄라기가 있고 빛이 연한 황색이다. 귀가 약하다. 닭올벼와 같은 시기에 심는데, 조금 뒤에 심어도 무방하다. 새를 보아야 한다. 지금 노원·풍양(豐壤) 사람들이 많이 심는다.

중벼[中稻]

파랑되오리[青狄所里] - ᄑᆞ랑되오리 - : 까끄라기가 없다. 색깔이 누르고 귀가 약하다. 한식(寒食) 뒤 10여 일이면 심는다. 쌀 성질이 매우 좋아 술을 빚거나 밥을 짓기에 모두 좋다. 지금 노원(盧原)·풍양(豐壤) 사람들이 많이 심는다.

중실벼[中實稻] - 듕실여 - : 까끄라기가 있고 색깔이 연황색이다. 까끄라기가 희고 귀가 약하다. 지금 풍양 사람들이 많이 심는다.

잣다리[柏達伊] - 잣달이 - : 까끄라기가 없고 색깔이 황적색(黃赤色)이다. 귀가 매우 약하다. 비옥한 논에 적합하다. 지금 풍양 사람들이 많이 심는다.

다다기[多多只] - 다다기 - : 위에 있다. 지금 노원(蘆原) 지방 사람들이 많이 심는다.70)

늦벼[晩稻]

왜수리(倭水里) - 예수리 - : 까끄라기가 있고 빛깔이 붉으며 귀가 질기다. 한식(寒食) 이후에 다 심을 수 있는데, 망종 때에 심어도 잘 성숙한다. 이앙(移秧)하기가 가장 좋다. 지금 노원·풍양 사람들이 많이 심는다.

되오리(狄所里) - 되오리 - : 까끄라기가 없고 빛깔이 연붉으며 귀가 약하다. 지금 노원·풍양 사람들이 많이 심는다.

밀다리(密多里) - 밀다리 - : 까끄라기가 없고 빛깔이 짙붉다. 귀가 약하다. 비옥한 논이 아니면 심을 수 없다. 쌀은 죽·밥·떡에 모두 좋다. 지금 풍양 사람들이 많이 심는다.

대추벼[大棗稻] - 대쵸벼 - : 까끄라기가 없고 빛깔이 짙붉다. 귀가 매우 질기다. 이앙(移秧)하기에 더욱 좋다. 지금 풍양 사람들이 많이 심는다.

벼 품종은 이른 것과 늦은 것이 있고 파종하는 법은 수경(水耕)·건경(乾耕)이 있으며 또한 삽종(揷種) - 시골에서는 묘종(苗種)이라 한다. - 이 있지만, 제초(除草)하는 법은 대개 같다. - 『농사직설』 -

---

70) 다다기(多多只) …… 심는다 : 이 부분은 오씨본(吳氏本)에서 보충하여 번역하였다.

이른 벼를 추수한 다음에, 수원(水源)이 있는 비옥한 무논을 가리어 갈고서 겨울철에 거름을 넣거나, 혹은 정월달 얼음이 풀린 때 갈고 거름을 넣었다가, - 혹은 새 흙을 넣어도 된다. 『한정록』에는 "혹 하천이나 연못의 진흙이나 깻묵[麻餅]을 1묘(畝)에 300근씩 재와 섞어서 거름하기도 하고, 혹은 목화씨깻묵[綿花子餅]을 1묘에 200근씩 한다." 했다. - 2월 상순이 되면 또 갈고, 목작(木斫) - 시골에서는 소흘라(所訖羅)라고 한다. - 으로 이리저리 고르고서, 다시 철치파(鐵齒擺) - 시골에서는 수수음(手愁音)이라 한다. - 로 흙덩이를 부수어 숙토(熟土)로 만든다.

먼저 벼 종자를 물에 담갔다가 사흘이 되면 건져내어, - 『신은지』에는 "이른 벼는 청명(淸明) 전에 못물[池塘水]에다 3~4일 담가 침(鍼) 끝 같은 하얀 싹이 조금 나타난 다음에 건져내거나, 항아리 속에 넣고 담갔다가 건져내어 싹 난 것을 풀로 덮어둔다. 만일 흐르는 물에 계속 담그면 싹이 나기가 어렵다." 했다. - 오쟁이 - 시골에서는 빈섬이라고 한다. - 속에 담아 온화한 곳에 두고, - 『신은지』에는 "그늘진 곳에 둔다" 했고, 『한정록』에는 "날씨가 맑으면 양기를 쬐며 하루 두서너 차례씩 물을 적셔주고, 그늘지고 차면 따뜻한 물로 적셔준다." 했다. - 자주 열어보아 쭈글쭈글해지도록 방치하지 말아야 한다.

싹이 두 푼쯤 자라면 무논에 고루 뿌리고, - 『한정록』에 "반드시 청명할 때 뿌리면 싹이 쉽게 견실해진다." 했다. - 판로(板榜) - 시골에서는 번지(翻地)라고 한다. - 혹은 파로(把榜) - 시골에서는 되개(椎介)라고 한다. - 로 종자를 덮고서 물을 대주고, 싹이 날 때까지 새를 보아야 한다. - 『한정록』에는 "씨를 뿌린 2~3일 뒤에 위에다 짚재를 뿌려 놓으면 쉽게 난다" 했다. - 싹이 두 잎이 나면 물을 빼고 손으로 매주어야 하는데, 대개 싹이 연약해 호미를 쓸 수는 없다. - 물이 말라 흙이 강해졌으면 마땅히 호미로 해야 한다. -

싹 사이의 잡초들을 제거하고 나면 또 물을 대주고, 맬 적마다 물을 빼고 다 매고선 다시 물을 대주되, 싹이 연약할 때는 얕게 대주는 것이 좋고 싹이 강성해졌을 때는 길게 하는 것이 좋다. 냇물이 계속 흘러 비록 가물더라도 마르지 않는 데라면, 매양 매주고 나서는 물을 터버리고 뿌리를 이틀쯤 볕에 쬔 다음 도로 물을 대주면, 바람과 가뭄을 잘 견딘다. 싹이 반 자[尺]쯤 길면 또 호미로 매주되, 맬 적에 손으로 싹 사이의 흙바닥을 비벼 부드럽게 해준다.

무릇 화곡(禾穀)의 성장은 오직 매주는 공력에 달린 것이므로 3~4 차례 매주어야 한다. 또한 올벼[早稻]는 성질이 이른 것이므로 조금이라도 늦추어서는 안 된다. -『농사직설』-

곡식이 알을 배면, 맨손을 뻗어 살짝살짝 매주어야지 호미질을 해서는 안 되니, 호미질을 하면 뿌리가 상하여 이삭에 손상이 온다. -『금양잡록』-

매 가꿀 적에 벼의 뿌리를 건드려주면 쉽게 왕성해지고, 옆 뿌리를 들추어내어 끊어주면 원 뿌리가 바로 생겨 파고 들어간다. -『한정록』-

벼 싹이 왕성할 때 물을 빼고 풀을 매주고서, 재거름[灰糞]과 깻묵을 섞어서 뿌리고 4~5일 말리다가, 흙이 말라 균열(龜裂)이 생길 때 물을 얕게 대어 벼에 젖어들게 하는 것을 호전(戽田)이라 한다. -『신은지』-

가을이 가까워져 물을 빼고 흙이 광택(光澤)을 바른 것처럼 되는 것을 고도(稿稻)라 하고, 흙이 갈라지기를 기다렸다가 물을 대어 적셔주는 것을 환수(還水)라 하는데, 곡식이 성숙되면 물을 뺀다. -『한정록』-

물이 있으면 성숙이 더디고, 성숙되려 하는 데 물을 빼면 올벼[早稻]는 알이 잘 떨어지는 법이니, 성숙되는 데 따라서 베어야 한다. -『농사직설』-

늦벼[晩稻]를 수경(水耕)할 때, 정월달에 얼음이 풀린 뒤에 갈고 거름을 넣고 새 흙을 넣고 하는 방법은, 올벼[早稻]의 경우와 같다.

금년에 새 흙을 넣었으면 내년에는 거름이나 혹은 잡초를 넣는 등 서로 바꾸어가면서 넣는다. 땅이 혹 질척거리거나 푸석푸석하거나 혹 물이 찬 곳이면, 오로지 새 흙이나 사토(莎土)를 넣어야 하고, 척박한 데는 마소 똥이나 연지서(連枝杼) - 시골에서는 가을초(加乙草)라 한다. - 잎사귀 및 인분(人糞)·누에똥[蠶沙]이 좋다. 3월 상순(上旬)에서 망종(芒種)까지 다시 간다. -『신은지』·『한정록』에는 "만도(晚稻)는 곡우(穀雨) 전후에 심는다" 했다. -

대개 철늦게 종자를 심으면 견실하게 자라지 못하나, 지종(漬種 종자를 물에 담그는 것)·하종(下種)·부종(覆種)·관수(灌水)·운법(耘法)은 모두 올벼[早稻]와 같다. 6월 보름 전에 세 차례 매주는 것이 제일 좋고, 6월 중에 세 차례 매주는 것이 그다음이고, 여기에도 미치지 못하는 것은 하등이다. -『농사직설』-

건파(乾播)하는 법은 봄철에 가물이 들어 물갈이[水耕]를 할 수 없을 때는 마른갈이[乾耕]를 해야 한다. - 오직 늦벼[晚稻]를 심는다. - 방법은 갈기를 마친 다음 뇌목(檑木) - 시골에서는 고음파(古音波)라 한다. - 으로 흙덩이를 부수고 또 목작(木斫) - 시골에서는 소흘라(所訖羅)라 한다. - 으로 이리저리 평평하게 고른다. 그런 다음 벼 종자 한 말에다 잘 썩은 거름이나 혹은 오줌 재[尿灰] 한 섬을 섞으면 - 오줌 재 만드는 방법은 거름받기[收糞]에 자세히 있다. - 적당하여 심기 좋은데, 싹이 날 때까지 새를 보아야 한다.

싹이 아직 자라지 않았을 때 물을 대주어서는 안 되고, 잡초가 나면 비록 가물어 싹이 마르더라도 매 가꾸지 않아서는 안 된다. 옛말에 '매 가꾸는 앞에는 자연히 백 줄기의 벼가 맺게 된다.' 했고, 노농(老農)들 역시 '싹이 사람의 공력을 알아준다.' 했다. -『농사직설』-

건파한 다음에 흙이 부드럽지 못하면 종자가 부패하거나 혹은 벌레가 먹게 되니, 모름지기 토막번지(土莫翻地) - 나무토막으로 만든다. - 를 그 위로 끌고 다녀 흙이 다져지게 하고, 싹이 나기를 기다렸다가 시비번지(柴扉翻地 사립짝처럼 생긴 땅 고르는 기구)를 그 위로 끌고 다니면 싹은 서고 풀은 죽게 되어 자주 할수록 더욱 좋은데, 싹이 자라면 그만둔다. 또, 마른 대로 한 차례 매 가꾼 다음 물을 대주면 싹이

왕성해진다. -『속방』-

묘종(苗種)하는 법 - 곧 이앙(移秧)을 말한다. - 은, 가물 때도 마르지 않는 무논을 가려, 2월 하순에서 3월 상순까지에 갈아야 하고, 그 무논 10분의 1에 모를 기르고 나머지 9분에는 모를 심을 수 있게 준비한다. - 모를 찌고 나면, 모를 키운 자리도 아울러 삼는다. -

먼저 모 기를 자리를 갈아 법대로 잘 다듬고 물을 빼고서, 부드러운 버드나무 가지를 꺾어다 두텁게 덮은 다음 밟아주며, 바닥을 볕에 말린 뒤 물을 댄다. 먼저 벼 종자를 물에 담갔다가 사흘이 되면 건져내어 오쟁이 - 시골에서는 빈섬[空石]이라 한다. - 에 담고, 하루가 지나 낙종(落種)한 다음 판로(板榜) - 시골에서는 번지(翻地)라 한다. - 로 종자를 덮어주는데, 모가 4촌(寸) 이상 자라면 옮겨 심을 수 있다. 이 묘종법은 제초(除草)하기는 편하나 만일 큰 가뭄이 들면 실농하게 되니, 농가로서는 위험한 일이다. -『농사직설』-

못자리에는 재에다 인분(人糞)을 섞어 바닥에 펴야 하는데, 가령 여러 해 못자리를 한 다섯 마지기 논이라면, 인분 섞은 재 석 섬을 펴고, 만일 처음으로 못자리를 하는 논이라면 인분 섞은 재 넉 섬을 해야 알맞다. 인분을 섞을 때 아주 보드랍게 해서 섞어야지, 만일 인분 덩이가 다 부수어지지 않으면 곡식 종자가 그 위에 녹여 도리어 떠있게 된다. 호마(胡麻) 껍질과 목화씨를 외양물[廏尿]과 섞는 것도 좋다. - 외양물과 섞는 방법은 거름받기[收糞]에 자세히 있다.『농사직설』-

못자리는 3~4번 쟁기질을 해야 하고, 모를 심을 데도 역시 그렇게 해야 한다. -『농사직설보』-

사답(沙沓)의 못자리는 볕에 쬘 것 없이 물이 있는 대로 낙종을 해야 한다. 그렇지 않으면 잠깐 사이에 말라버려 모가 착근(着根)하지 못한다. 무릇 토질이 견실하지 못한 곳이나 비로 인해 법대로 흙을 볕에 말리지 못하여 모가 떠 있게 되면 물을 빼고서 뿌리가 흙에 붙지 않은 데를 모래로 적당하게 눌러주었다가, 뿌리가 붙은 뒤에 물을 낸

다. -『농사직설』-

건앙법(乾秧法)은 봄에 가물이 들어 못자리할 논에 물이 없으면, 마른대로 잘 갈아 덩이가 없도록 다듬었다가, 자잘한 이랑을 치고 볍씨를 인분 섞은 재와 혼합하여 건파(乾播)하듯이 심되, 한 마지기 땅에 7두를 심어야 한다. 비가 와 이앙(移秧)을 하면 물 못자리한 것보다 잘된다. -『농사직설』-

이앙법(移秧法)은, 먼저 이앙(移秧)할 곳을 갈고서 서엽(杼葉) - 시골에서는 가을초(加乙草)라 한다. - 혹은 우마(牛馬)의 똥을 깐다. - 노초(蘆草)도 매우 좋은데 철이 늦은 것이 흠이다. 그러나 날마다 죽죽 자라므로, 날을 헤아려 이앙을 하면 된다. - 옮겨 심을 때에 임하여 또 갈고, 법대로 흙이 아주 부드럽게 잘 다듬는다. 소만(小滿)·망종(芒種) 전후에 -『신은지』에는, 또한 망종 전후라 했고, 또 "남부 지방에서는 입하(立夏) 전후에 많이 한다 했다.' 하였다. - 경쾌한 솜씨로 모를 쪄서 뿌리를 씻어 흙을 없애고, 피는 가려내고 조그마한 묶음으로 만들어, 쟁기질하여 다듬은 무논에 심되, 한 포기에 3~4줄기가 넘지 않게 한다. -『신은지』에는 "4~5뿌리씩을 한 포기로 하고, 5~6치[寸]씩의 너비로 심는 것이 적당하다." 했다. - 되도록 포기가 반듯하고 줄이 똑발라 매 가꾸기에 편리하도록 한다. 뿌리가 떠서 흙에 붙지 못했을 때 물을 대주어서는 안되고, 흙에 볕이 잘 쬐도록 한다. 이때 사람의 발자국이 잠시 남아 있을 정도로 한다. -『농사직설』·『한정록』-

이앙(移秧)할 논의 물이 마르려 하여 옮겨 심는 일이 매우 급하게 되었는데 모가 아직 연약할 경우에는, 못자리에 물을 가득 넣으면 모가 자연히 물 밖까지 나와 자라게 된다. 그러나 약하면서 길기만 하여 옮겨 심을 때 부러져 상할 염려가 없지 않다. -『농사직설』-

모를 혹 제때에 옮겨 심지 않아 시기를 넘기면 파리 똥 같은 것이 생기게 되는데, - 세속에서는 파리똥[蠅屎]이라 한다. - 마른 풀을 모 위에 두껍게 펴고 불을 놓은 다음 즉시 물을 대주었다가, 잎 사이에서 새 움이 한 치가량 올라오기를 기다리거나 장단(長短)이 맞게 헤아려 옮겨 심으면, 제때에 이앙한 것과 다름없다. - 일설에는 "조금 물을 대고 불을 놓으면 뿌리가 상하지 않게 되고, 3일 뒤에 옮겨 심으면 좋다." 했다. 『농사직설』 -

반종법(反種法)은, 논에 물이 없어 잡초가 우거져 잡초를 쉽사리 제거할 수 없는 곳에서는 물을 기다렸다가 벼 포기를 뽑아내어 손상되지 않은 것은 묶어놓고 도로 갈고, 묘종법(苗種法)대로 다시 심으면 매 가꾸는 공력이 매우 줄어든다. 비록 물이 있는 곳이라 하더라도 인력이 부족하여 제초하기가 어려우면 또한 이 법대로 하는데, 벼가 매우 왕성하여 묘종(苗種)한 것보다 낫다. 더러는 '모가 모자란다.'고 하지만, 노농(老農)으로서 여러 차례 경험한 사람들의 말이 모두 '넉넉히 심을 수 있다.'고 했다. - 『농사직설』 -

화누법(火耨法)은, 벼의 움이 두서너 잎 나게 되면 먼저 물을 빼고서 마른 풀을 적당히 고루 펴고 불을 놓았다가 즉시 물을 대주면, 잡초는 모두 죽고 벼만 쭉쭉 자라며, 매 가꾸지 않더라도 수확이 배나 난다. 중국 남경(南京)에서는 5~6석(石)의 종자를 심는 사람도 이 법을 사용한다. 그러나 건조(乾燥)와 습도(濕度)를 마음대로 할 수 있는 곳이 아니면 결코 이 법대로 하기가 어렵다. - 일설에는 "물을 조금 대고 불을 놓으면 뿌리가 상할 염려가 없다." 했다. 『농사직설』 -

시기가 지나고 풀이 성하여 매 가꾸기 어려운 논은, 목작(木斫) - 시골에서는 소흘라(所訖羅)라 한다. - 을 소에다 매어 처음 씨 뿌릴 때처럼 끌고 즉시 매주면, 매기도 쉽고 벼도 무성하다. - 『농사직설』 -

산도(山稻) 심는 법은, 벼 종자가 매우 많지만, 대개 모두 같고 따로 올벼[早稻] - 시골에서는 산도라고 한다. - 라는 한 종자가 있어, 고지대의 땅이나 물이 차는 곳에 적합하다. 그러나 땅이 너무 건조하면 되지 않는다. 2월 상순에 갈고 3월 상순에서 중순 사이에 또 갈고서, 이랑을 지어 씨를 뿌린 다음 이랑 등성이를 밟아 견고해지도록 하고, 매 가꿀 때는 싹 사이의 흙을 제거하여 끼어 있지 않도록 한다. 척박한 땅에는 보드라운 거름이나 오줌 재[尿灰]를 섞어서 심는다. 간혹 올벼[早稻] 3할 · 피[稷] 2할 · 소두(小豆) 1할을 함께 섞어 심는데, 대개 연사는 물이 지거나 가물거나 하고 구곡(九穀)은 연사에 따라 적합한 것이 있으므로, 섞어서 심으면 완전히 실농하지는 않는다. -『농사직설』-

벼나 보리 까끄라기가 눈에 들어갔을 때 치료하는 법은, 아래 구급(救急)에 있다.71)

기장[黍] · 조[粟] · 피[稷] 일명 제(穄) · 수수[蜀黍] 일명 출촉(秫蜀). 시골에서는 당서(唐黍).

기장 심기에 길한 날은 무술 · 기해 · 경자 · 경신 · 임신일이다. -『거가필용』·『농사직설』-

기장은 사일(巳日) · 유일(酉日) · 술일(戌日)이 좋다. -『거가필용』·『농사직설』-

기장을 심을 때 인일(寅日) · 묘일(卯日)과 병오일은 피한다. -『거가필용』·『농사직설』-

조 심기에 길한 날은 기묘 · 신묘 · 을묘 · 정사 · 기미일이다. -『거가필용』·『농사직설』-

3월의 세 묘일(卯日)이 제일 좋다. -『거가필용』·『농사직설』-

피를 심을 때 묘일(卯日) · 인일(寅日)은 피한다. -『거가필용』·『농사직설』-

자르리기장[宿乙里黍] - 잘으리기장 - : 줄기가 푸르고 껍질은 회색이며 열매는 희다. 3월에 기름진 밭에 심는다.

주비기장[走非黍] - 주비기장 - : 줄기가 조금 검고 껍질은 회색이며 열매는 누르다. 심는 계절은 위의 것과 같다.

---

71) 벼나 보리 …… 있다 : 이 부분은 한독본(韓獨本)과 오씨본(吳氏本)에서 보충하여 번역하였다.

달이기장[達乙伊黍] – 달이기장 – : 줄기가 붉고 껍질은 회색이며 열매는 누르다. 심는 계절은 위의 것과 같다.

옻기장[漆黍] – 옷기장 – : 줄기가 푸르고 껍질은 회색이며 열매는 검다. 심는 계절은 위의 것과 같다.(이상은 기장) 찰기장[秫] – 출기장 – : 기장과 같으면서도 알이 작고 껍질이 검으며 쌀이 누르다. 술을 빚기에 가장 좋다. – 이 조목은 『금양잡록』에 실려 있지 않은 것이다. –

세잎조[三葉粟] – 세닙희조 – : 까끄라기가 짧고 줄기가 붉으며 열매가 약간 누르다. 기름진 밭에 일찍 심는 것이 좋다. 5월에 익는다.

외꼬지조[瓜花粟] – 외고지조 – : 까끄라기가 짧고 줄기가 희며 열매가 누르다. 적당한 토질은 위와 같다. 6월에 익는다.

돝울이조[猪啼粟] – 돗우리조 – : 까끄라기가 길고 줄기가 붉으며 열매는 약간 희다. 기름지거나 척박한 곳에 모두 잘된다. 7월 초순에 익는다.

도롱고리[都籠篡粟] – 도롱고리조 – : 까끄라기가 없고 줄기와 열매가 약간 희다. 적합한 토질은 위와 같다. 7월에 익는다.

사삼버무레조[沙森犯勿羅粟] – 사솜버므레조 – : 까끄라기와 이삭이 길며 열매는 조금 푸르다. 적합한 토질과 심는 계절은 위와 같다.

와여목조[臥餘項只粟] – 와여목이조 – : 까끄라기가 없고 줄기가 희며 목이 길고 열매가 누르다. 적합한 땅과 심는 계절은 위와 같다.

물푸레조[茂件羅粟] – 므프레조 – : 까끄라기가 짧고 줄기가 푸르며 이삭이 길다. 익으면 회색(灰色)이 된다. 적합한 땅은 위와 같다. 8월에 익는다.

저물이조[漸勿日伊粟] – 져므시리조 – : 까끄라기가 길고 줄기가 푸르며 익으면 누르다. 땅을 가리지 않고 늦게 심는데, 8월 그믐께 익는다.

새코찌리조[鳥鼻衝粟] – 새코딜이조 – : 까끄라기가 길고 줄기가 약간 희며 열매는 누르다. 기름지거나 척박한 곳 모두 잘된다. 7월에 익는다.

경자마치조[擎子卯赤粟] – 경ᄌᆞ마치조 – : 까끄라기가 없고 줄기가 푸르다. 이삭은 끝이 굵고, 낟알은 누르다. 심는 계절은 위와 같다.

저물이차조[漸勿日伊粘粟] - 져므시리ᄎᆞ조 - : 까끄라기가 짧고 줄기가 붉으며, 익으면 약간 희다. 기름진 땅에 좋다. 5월 초순에 심고 8월 그믐에 익는다.

생동차조[生動粘粟] - ᄉᆡᆼ도ᄎᆞ조 - : 까끄라기가 짧고 줄기가 붉다가 익으면 회색이 된다. 기름지거나 척박한 곳 모두 심는다. 7월에 익는다.

누역차조[褸亦粘粟] - 누역ᄎᆞ조 - : 까끄라기가 없고 이삭은 가지가 많으며 줄기는 푸르다가 익으면 누르다. 적합한 토질과 심는 계절은 위와 같다.

검은데기조[黑德只粟] - 거므더기조 - : 까끄라기가 짧고 줄기가 붉다가 익으면 검어진다. 적합한 땅과 심는 계절은 위와 같다.

가라지조[開羅叱粟] - ᄀᆞ랏조 - : 까끄라기가 길고 줄기가 푸르다가 익으면 누르다. 적합한 땅은 위와 같다. 4~5월에 심는데 8월 그믐에는 익는다.(이상은 조(粟)) 아해사리피[阿海沙里稷] - 아히사리피 - : 까끄라기가 없고, 익은 뒤에는 약간 희어진다.

쉰날피[五十日稷] - 쉬나리피 - : 까끄라기가 없고 익으면 약간 희다. 2월 그믐에 기름지고 습한 땅에 심는다. 7월 초순에 익는다.

장좌피[長佐稷] - 쟝재피 - : 까끄라기가 길고 익으면 약간 희다. 물기 있는 기름지고 습한 땅에 모두 심는다. 7월 초순에 익는다.

중올피[中早稷] - 듕올피 - : 까끄라기가 없고 익으면 약간 희다. 적합한 토질과 심는 계절은 위와 같다.

강피[姜稷] - 강피 - : 까끄라기가 없고 익으면 검어진다. 적합한 땅은 위와 같다. 8월 그믐에 익는다.(이상은 피[稷])

뭉애수수[無應厓唐黍] - ᄫᆞᆯ애슈슈 - : 까끄라기가 없고 익으면 약간 희다. 적합한 땅과 심는 계절은 위와 같다.

쌀수수[米唐黍] - ᄡᆞᆯ슈슈 - : 까끄라기가 없고 익으면 약간 희다. 적합한 토질과 심는 계절은 위와 같다.

맹간수수[盲干唐黍] - 밍간슈슈 - : 까끄라기가 길고 익으면 붉다. 적합한 토질과 심는 계절은 위와 같다. - 이상은 『금양잡록』 -

무릇 밭을 다스리는 방법은, 가을에 일구어 놓고 겨울을 넘기는 것이 제일인데, 조를 갈았던 밭은 더욱 그러하다. - 『농사직설』 -

무릇 곡식은, 녹두나 참외 심은 데 제일 잘 되고, 호마(胡麻) 심은 데가 그다음이고, 순무[蕪菁]나 대두(大豆) 심은 데가 그다음이다. - 『사시찬요』 -

청명(淸明) 때 이른 기장과 조를 심는다. - 『사시찬요』 -

이른 기장과 조는 3월 상순, 늦은 기장과 조는 3월 중순에서 4월 상순까지 심어야 하는데, 기장과 조는 조강한 곳을 좋아하므로 습한 토질은 마땅치 않고 몽근 모래와 검은 흙이 반반인 밭이 좋다. 만일 척박한 곳이면 몽근 거름이나 오줌 재[尿灰]를 섞어서 심는데, 기장이나 조 두서너 되[升]에 거름이나 오줌 재 한 섬 정도를 섞는다. 먼저 팥을 드문드문 뿌린 다음 갈기도 하고, 들깨를 기장이나 조와 섞어서 하기도 하는데, - 들깨 1에, 기장이나 조 3의 비율로 한다. - 이랑 좌우를 발로 이리저리 밟아 종자를 덮는다. - 좌우로 발을 이리저리 움직이면 이미 흙이 덮어지게 된다. -

싹이 자라게 되면, 사이에 난 잡초와 포기가 밴 데를 호미로 제거하고 흙으로 뿌리를 북돋아 준다. 세 차례를 매주어야 하는데 풀이 없더라도 호미질을 생략하지 말아야 한다. - 기장은 싹이 약할 때 호미질을 하면, 흙이 싹 속으로 들어가 자라지 못하게 된다. - 포기가 자라기를 기다렸다가 두 이랑 사이에 잡초가 무성하면, 소 한 마리로 멍구럭을 씌우고 포기가 손상되지 않도록 천천히 갈아, 이랑 사이의 잡초가 없어지고 흙이 뿌리에 북돋아지게 한다. - 『농사직설』 -

조를 심을 적에, 봄에는 되도록 깊이, 여름에는 되도록 얕게 간다. 적은 비가 온 뒤에는 습기가 있을 때에 심고, 큰비가 온 뒤에는 호미질을 한 번 하여 흙을 골고루 심는다. 싹이 나기를 기다려서 자주 호미질을

해야 하는데, 호미질을 많이 하면 가라지가 되지 않는다. -『농사직설』-

간종(間種)한 조가 혹 비로 인해 줄기가 지나치게 무성해버리면, 이삭만 나오고 여물지 않는다. 소에 멍구럭을 씌워 두 이랑 사이를 갈아 줄기 마디에 흙을 넣어주면, 다시 새 뿌리가 나며 이삭이 길게 패고 잘 여문다. -『농사직설』-

중국 사람들의 조 심는 법은, 미리 재를 모아놓은 뒤 그 재 옆에 땔나무를 쪼개 놓고 - 재가 4~5섬이면 나무는 4~5바리 비율로 한다. - 그 나무 위에 돌을 얹고 불을 놓는다. 돌이 벌겋게 달거든 돌 위에 재를 빙 둘러 덮고 그 재 위를 빈 섬으로 둘러놓은 뒤 그 위에다 흙을 덮되 흙 가운데 큰 구덩이를 파고 물을 붓는다. - 재가 5섬이면 물을 5통의 비율로 한다. - 마치 삼[麻] 찌는 방법처럼 하는데, 하루나 이틀쯤 지난 다음 돌과 흙을 치우고 나면, 재가 전보다 배나 무거워진다.

밭을 갈아 두둑을 치고서 그 재를 두둑 사이에 펴고 흙을 덮어 고른다. 발꿈치로 자국을 내고서 작은 구멍 뚫은 두용표(頭用瓢)에 조 종자를 담아, 그 구멍으로 조 종자가 내리게 한다. 이것은 대개 씨가 고루 떨어지게 하려는 것이다. 씨를 내린 다음 호리(胡犁 중국 쟁기)로 이랑을 갈아 조 심은 자리에 흙이 덮이도록 하여 흙을 고루고서 잘 밟으면, 조가 더디게 나고 또 키가 작게 된다. 조금 자라거든 다시 쟁기로 이랑을 갈면 풀은 묻히고 조만 자라게 된다. 이렇게 두어 차례 하고서 또다시 대강 풀을 뽑아주면, 조 줄기는 길지 않지만 이삭은 지극히 길고도 커, 하루갈이에서 30석을 수확하게 되고 적더라도 20석은 거두게 된다.[72)]

기장은 심이 생기기 전에 빗물이 심에 들어가면 상하게 된다. 기장은 심이 막 나서는 이슬도 싫어하니, 매일 아침에 어저귀[䔾麻]를 긴 밧줄 위에 매달고 두 사람이 마주 잡고 기장 위로 끌고 가며 이슬을

---

72) 중국 사람들의 …… 20석을 거두게 된다 : 이 부분은 한독본과 오씨본에서 보충하여 번역하였다.

털어버리면, 심이 상하지 않는다. -『신은지』-

기장은 익으면 잘 떨어져 바람을 맞으면 손실이 되니, 반쯤 익었을 적에 즉각 베어야 하고, 조는 충분히 누렇게 익은 뒤에 베어야 한다. -『신은지』에는 "조는 익으면 빨리 베고 마르면 급히 거두어야 한다. 그렇지 않으면 조 알이 빠지게 될 위험이 있다." 했다.『농사직설』-

조는 또한 늦게 심어도 일찍 익는 것이 있다. 청량(靑粱) - 시골에서는 생동찰[生動粘]이라 한다. - ·점량(占粱) - 시골에서는 저므실(占勿谷)이라 한다. - 따위와 같은 것이니, 표토(表土)가 두터운 오래 묵은 땅을 가려 심어야 한다. - 숲을 베어낸 데가 제일 좋고 오래 묵은 밭이 그다음이고, 보리 심었던 데가 그다음이다. - 5월에 풀을 베고 마르기를 기다렸다 불을 놓되, 재가 식기 전에 조를 뿌리고, - 재가 식어버리면 거미들이 바닥에다 이리저리 거미줄을 쳐, 종자가 땅에 붙지 않게 된다. - 철치파(鐵齒擺)로 흙을 긁어 종자를 덮는데, 풀을 매는 힘이 덜리고 수확이 보통 방법보다 배나 난다. -『농사직설』-

피는 성질이 습한 땅에 알맞다. 2월 중순에 땅을 갈고 목작(木斫)으로 잘 다스려 놓았다가, 3월 상순에서 4월 상순까지 모두 심어도 된다. 심는 방법은 기장이나 조를 심는 법과 같은데, 혹 종자를 뿌려서 심어도 된다. 밭이 만일 토질이 척박한 곳이면 거름 또는 재를 사용하거나, - 몽근 거름과 오줌 재[尿灰]이다. 다음의 것도 이와 같다. - 혹은 먼저 이랑 사이에 잡초(雜草)를 깐 다음 종자를 심고서 두어 차례 호미질을 해 준다. -『농사직설』-

피도 늦게 심지만 일찍 익는 것이 있으니, - 시골에서는 강피[姜稷]라 한다. - 6월 상순경 보리나 밀 심었던 곳에 심는다. -『농사직설』-

촉서(蜀黍)는 - 시골에서는 수수[唐黍]라 한다. - 습한 데가 좋고 조강한 데는 적합하지 않다 2월에 일찍 심는데 여러 번 매주지 않아도 수확이 많다. -『농사직설』-

콩[大豆]·팥[小豆]·녹두(綠豆)·동부[藊豆] 동비·완두(豌豆) 원두.

콩을 심는 길일은 갑자(甲子)·을축·임신·병자·무인·임오·임인일이다. -『거가필용』·『농사직설』-

6월의 세 묘일(卯日)이 제일 좋다. -『거가필용』·『농사직설』-

콩이나 팥을 심는 길일은 신일(申日)·자일(子日)·임일(壬日)이 좋다. -『거가필용』·『농사직설』-

콩을 심을 적에, 6월의 무일(戊日)은 피한다. -『거가필용』-

대두를 심을 적에 신일(申日)·묘일(卯日)을 피한다. -『신은지』-

대두와 소두를 심을 적에 묘일(卯日)·오일(午日)·병일(丙日)·자일(子日)·신일(申日)·을일(乙日)은 피한다. -『거가필용』·『농사직설』-

검정콩[黑太]: 깍지는 붉고 열매는 검으며, 크기가 개암[榛子]만 하다. 기름진 땅이 좋은데, 5월에 심는다.

잘외콩[者乙外太] - 쟐외콩 - : 깍지는 누르고 열매는 검으며, 크기는 쥐눈만 하다. 기름지고 습한 땅이 좋은데, 3~4월에 심으며 9월에 익는다.

와대콩[臥叱多太] - 와대콩 - : 깍지는 검푸른 빛이고 열매는 검붉으며, 크기는 개암만 하다. 척박한 땅에도 좋고, 심는 계절은 위의 것과 같다. 청태(青太) 때에 가장 연하다.

불콩[火太] - 불콩 - : 깍지가 약간 희고 열매는 짙붉으며 껍질이 얇다. 크기가 매실[梅子]만 하며 연하다. 보리 심었던 데에 심는데, 9월[季秋]에야 비로소 익는다.

누렁콩[黃太]: 깍지는 연한 흰색이나 연한 황색이며, 열매는 약간 누르다. 크기가 개암만 하다. 보리 심었던 데에 심는데 8월 그믐에 익는다.

온되콩[百升太] - 온되콩 - : 껍질과 털은 회색(灰色)이고 열매는 누르며, 크기는 쥐눈만 하다.

오해파지콩[吾海波知太] - 오히파지콩 - : 깍지가 희고 열매는 희불그레하며, 크기는 매실만 하다. 보리 심었던 땅에 심는데 8월에 익는다.

유월콩[六月太]: 껍질도 희고 열매도 희며, 크기가 동배(東背 팥 이름)만 하다. 3월에 심는다.

봄갈이팥[春小豆] - 봄가리폿 - : 깍지가 희고 열매는 붉으며 눈이 희다. 크기는 앵두만 하다. 기장이나 조 밭에 섞어서 심는데, 8월에 익는다.

근소두[根小豆]: 깍지가 희고 열매는 짙붉으며 눈이 희다. 크기가 앵두만 하다. 보리 심었던 땅에 심는데, 8월에 익는다.

올팥[早小豆] - 올폿 - : 깍지가 검고 열매는 붉으며 눈이 약간 검다. 크기가 앵두만 하다. 기장이나 조 밭에 섞어 심는데, 7월에 익는다.

산다리팥[山達伊小豆]: 깍지와 열매가 희며 눈도 희다. 크기가 삼[麻]씨만 하다. 보리 심었던 땅에 심는데, 8월에 익는다.

저배부채팥[渚排夫蔡小豆] - 져비부치폿 - : 산다리팥과 같은데 조금 크다.

잉동팥[伊應同小豆] - 잉동폿 - : 깍지가 희고 열매가 절반은 희고 절반은 검으며 눈이 희다. 줄기는 약간 검붉다. 3~4월에 심는다.

검정팥[黑小豆]: 깍지가 희고 열매는 검으며 눈이 희다. 크기가 앵두만 하다. 서속 밭에 섞어서 심는다.

녹두(菉豆): 깍지가 검고 열매는 푸르다. 기름진 땅에, 5월에 심는다.

몰의녹두(沒衣菉豆) - 몰의녹두 - : 깍지는 회색(灰色), 열매는 약간 누르다. 기름진 데나 척박한 데에 다 좋다. 5월에 심는다.

동부[藊豆] - 동비 - : 깍지가 길고 약간 흰데 깍지마다 열매가 10알씩이다. 줄기는 푸르다. 익으면 약간 희어지며 눈이 붉다. 척박한 데에 좋고, 2~3월에 심는데 8월에 익는다.

광장두(光將豆): 열매가 붉고 눈이 희다. - 이상은 『금양잡록』 -

완두(豌豆) - 원두. 일명 잠두(蠶豆). - : 빛깔이 푸르고, 녹두와 같으며 조금 크다. 지금 함경도에서 나는데, 서울의 적전(籍田)에도 있다. - 『동의보감』 -

콩과 팥의 종자는 모두 이른 것과 늦은 것이 있다. - 일찍 심는 것을, 시골에서는 춘경(春耕)이라 하고, 늦게 심는 것을, 시골에서는 근경(根耕)이라 한다. - 일찍 심는 것은, 3월 중순에서 4월 중순까지 심는데, - 『신은지』에는 "3월 상순에 심는 것이 합당하지만, 하지 뒤 20일까지는 모두 심어도 된다.' 했고, 『한정록』에는 "3월에 심어 4월에 먹게 되는 것을 매두(梅豆)라 하고, 나머지는 모두 3~4월에 심는다." 했다. - 밭을 지나치게 잘 손질할 것이 없다. - 『한정록』에 "비옥한 땅은 좋지 않다" 했다. - 종자는 한 구멍에 3~4알이 넘지 않아야지 배면 열매가 적다. 그러나 비옥한 밭에는 드물게, 척박한 밭에는 배게 하여야 한다. - 『신은지』에도 "비옥한 땅에는 드물게, 척박한 땅에는 배게 해야 한다." 했다. - 밭이 척박하면 거름과 오줌 재[尿灰]를 써야 하되, 적게 해야지 많이 쓰는 것은 좋지 않다. 호미질도 두 번을 넘지 않아야 하고, 꽃이 필 때에 호미질을 해서는 안 된다. 호미질을 하면 꽃이 떨어진다. - 『신은지』에 "싹이 나면 곧 매준다." 했다. - 잎이 다 떨어지면 거두고 - 『신은지』에는 "깍지가 붉어지고 줄기가 창연(蒼然)해지면 거둔다." 했다. - 거두고 나서는 갈아 이듬해에 심을 준비를 해야 한다. 갈아놓지 않으면 물기가 없게 된다. - 『농사직설』 -

콩의 근경(根耕)은, - 보리나 밀을 베어내고 바로 그 자리에다 심는다. - 밭 갈기·매 가꾸기 및 거두기를 모두 조종(早種)처럼 한다. 다만 한 구덩이에 4~5알씩 파종한다. - 『농사직설』 -

팥의 근경은 콩의 근경과 같다. 다만 보리 심었던 자리에다 종자를 뿌린 뒤 덮쳐 갈고, 호미질을 한 번만 하고 만다. - 『농사직설』 -

또 한 가지 방법은, 밭이 적은 사람은 보리와 밀이 패지 않았을 적에 두 이랑 사이를 얕게 갈고 대두를 심었다가, 보리와 밀을 거두고 나서는 다시 보리 심었던 데를 갈아 콩 뿌리를 덮어준다. 콩밭 사이에

가을보리를 심는 것이나, 보리 밭 사이에 조를 심는 방법도 모두 이와 같이 한다. -『농사직설』-

소에 멍구럭을 씌워 서속(黍粟) 밭갈 듯이 이랑 사이를 갈았다가, 잡초가 도로 무성해지면 다시 간다. -『농사직설』-

검정팥을 심을 적에는 3월에 땅을 잘 갈아 바닥을 써리고는, 손에 콩을 반 줌씩 쥐고 한 걸음을 갈 적마다 한 번씩 떨어뜨린다. 싹이 왕성해지면 곧 매어주되 풀을 말끔하게 뽑고 이랑을 만든다. 4월에 심어도 된다. -『신은지』-

녹두는 척박한 땅이나 묵밭에도 모두 심을 수 있는데, 드물게 심고 한 번 매 가꾼다. 흩뿌림[撒種]을 해도 된다. -『농사직설』-

6월에 삼[麻]을 베어낸 자리에다 심는데, 너무 일찍 심으면 꼬투리가 생기지 않는다. -『신은지』-

4월에 심었다가 6월에 열매를 거두고서 다시 심고, 8월에 또 열매를 거두어, 1년에 두 차례 익는다. -『한정록』-

동부[藊豆] - 시골에서는 동배(東背)라고 한다. - 는 5월 무렵에 척박한 밭에 심었다가 한 차례 매주고서 익는 대로 딴다. -『농사직설』-

완두(豌豆) - 시골에서는 원두라 하고, 일명 잠두(蠶豆)이다. - 는 사일(社日) 이전에 보리 뿌리 옆에 심고 오줌 재[尿灰]와 거름을 고루 덮고 자주 매주다가 5월이 되면 거둔다. 모든 콩 중에 완두가 가장 오래 저장할 수 있고, 수확이 많으며, 빨리 성숙한다. -『신은지』-

완두는 8월 무렵에 익는데, 더러는 깨[麻]와 섞어 심었다가 같이 거둔다. -『한정록』-

참깨[芝麻] 시골에서는 진임(眞荏) · 지마(芝麻) · 백유마라 하고, 검은 것은 호마(胡麻) · 거승(巨勝)이라 한다. · 들깨[水蘇麻] 시골에서는 수임(水荏) · 유마(油麻)라 한다.

참깨에는 검은 것, 흰 것, 누른 것 세 가지가 있는데, 흰 것이 기름이 많다. - 『농사직설에는 "여덟 모가 난 것이 기름이 많다." 했다. 『한정록』 -

성질이 백양토(白壤土)에 합당하고, - 『사시찬요』에는 "백사지(白沙地)에 합당하다." 했다. - 묵은 땅이 더욱 좋다. - 『신은지』 · 『한정록』에는 "비옥한 데가 좋다." 했다. - 3월 상순이 제일 좋고, 4월 상순이 다음이고, 5월 상순이 가장 못하며, 보름 이전에 심은 것은 열매가 많고 보름 이후에 심은 것은 쭉정이가 있다. 3월 무렵에 비가 온 뒤 - 비온 뒤의 습기가 아니고는 나지 않는다. - 땅을 갈고서 종자를 뿌린다. 만일 숙토(熟土)된 밭이라면, 4월 상순에 보리를 심은 데는 보리를 베어낸 다음 거름과 오줌 재[尿灰]를 섞어서 드물게 심고서 뇌목(檑木)으로 덩어리를 부수어 흙을 덮어주고, 호미질은 두 차례를 넘지 않는다. - 『거가필용』 · 『농사직설』에는 "호미질은 세 차례를 넘지 않는다." 했다. - 익는 대로 베어다가 다발을 만들되 되도록 작게 해야지 크게 하면 말리기가 어렵다. 5~6다발씩을 서로 기대어 무더기를 만들어 놓고, 깍지가 벌어지거든 한 다발씩 거꾸로 세우고서 조그만 막대로 살살 두드려 떨어내고 도로 무더기를 지어 놓는다. 사흘 만에 한 차례씩 두드려 떨어내는데, 4~5차례면 다 된다. - 『거가필용』 · 『농사직설』 -

또 한 가지 방법은, 백호마(白胡麻) 3, 늦팥 1의 비율로 섞어 함께 심는다. 혹은 녹두 2, 호마(胡麻) 1의 비율로 섞어 심어도 된다. 밭을 갈아 이랑을 만들고서 섞어 놓은 종자를 고루 뿌리고 흙을 덮어준다. - 『거가필용』 · 『농사직설』 -

참깨 대를 쌀 창고 안에 놓아두면 쌀이 벌레 먹지 않는다. - 『신은지』 -

들깨[油麻]는 길가 혹은 밭두둑에 심는 것이 좋은데, 포기의 거리를

한 자 정도로 해야지 빽빽하게 하면 가지가 없고 열매도 적다. -『농사직설』·『시사찬요』-

또 한 가지 방법은, 4월 상순에 모를 부었다가 보리나 밀 갈았던 땅에 근경(根耕)할 때, 비가 오면 두 이랑 사이에 옮겨 심는다. -『농사직설』-

메밀[蕎麥] 모밀. 시골명으로 목맥(木麥)

메밀을 심는 길일은 갑자·임신·신사·임오·계미일이다. -『거가필용』-

메밀은 묵밭에 적합한데 입추가 6월에 들었으면 절기 전 -『사시찬요』에는, 절기 뒤라 했다. - 3일 이내가 적기이고, 입추가 7월에 들었으면 절기 뒤 -『사시찬요』에는, 절기 앞이라 했다. - 3일 이내가 곧 적기이다. - 일찍 서리가 오는 지방은 일찍 심어야지 입추까지 기다릴 것이 없다. - 5월에 땅을 갈아놓고 풀이 우거지거든 6월에 다시 갈고, 씨 뿌릴 때에 또 간다. 밭이 척박하더라도 거름을 많이 하면 수확을 하게 된다. 종자 한 말에 거름이나 오줌 재[尿灰] 한 섬 정도를 섞어야 하는데, 오줌 재가 적으면 지종(漬種)을 해도 된다. 지종하는 방법은, 먼저 소나 말의 똥을 태워 재를 만들어 놓고, 마소의 오줌을 나무 구유에 담고서 메밀 종자를 반나절 동안 담갔다가 건져 그 재를 묻혀 심는다. 만일 숲 속의 비옥한 땅이라면 불로 태우고서 갈아 종자를 뿌리는데, 수확이 보통보다 배나 난다. -『농사직설』-

메밀은 조밀하게 종자를 뿌리면 결실이 많고, 드물면 결실이 적다. -『신은지』-

메밀은 무우와 섞어서 갈면 두 가지 다 잘된다. -『사시찬요』-

열매가 흑백(黑白)이 반반일 때 베어서 거꾸로 세워두면 모두 검어진다. -『농사직설』-

보리[大麥]·밀[小麥]

보리를 심을 때는 자일(子日)은 피하고, 밀을 심을 때는 술일(戌日)을 피한다. -『신은지』-

보리와 밀은 백로(白露) 뒤 무일(戊日)에 파종하는 것이 좋다. -『신은지』-

보리와 밀은 자일(子日)·축일(丑日)·무일(戊日)·기일(己日)은 피하고, 해일(亥日)·묘일(卯日)·진일(辰日)이 좋다. -『거가필용』·『농사직설』-

보리를 심는 길일은 경오·신미·신사·신묘·경자·경술일이다. -『거가필용』·『농사직설』-

8월 중의 세 묘일(卯日)이 제일 좋다. -『거가필용』·『농사직설』-

가을보리[秋麰]: 까끄라기가 길고, 익으면 약간 누르다. 기름진 땅에 심는 것이 좋은데, 8월 그믐에 파종하고 이듬해 5월 초순에 익는다. 절서가 이르면 4월 그믐에도 익는다.

봄보리[春麰]: 까끄라기가 길고, 익으면 약간 누르다. 기름진 땅에 좋은데, 2월 해빙(解氷)할 첫머리에 심고 5월에 익는다.

양절모(兩節麰): 위의 것과 같다. 가을에 심기도 하고 봄에 심기도 한다.

쌀보리[米麰]: 까끄라기도 없고 겨도 없으며, 익으면 약간 누르다. 파종 시기는 가을보리와 같다.

참밀[眞麥]: 까끄라기가 길고, 익으면 열매가 푸르다. 기름지거나 척박한 땅에 모두 좋고, 심는 시기는 위와 같다.

막지밀[莫知麥] - 막디밀 - : 까끄라기가 길고 익으면 열매가 누르다. 기름진 땅에 좋은데, 2월에 해빙(解氷)하면 심고 5월에 익는다. - 이상은『금양잡록』-

보리와 밀은 신곡과 구곡의 사이를 잇대어 먹는 것이어서, 농가에서 가장 긴요하게 여기는 곡식이다. 척박한 밭은 백로(白露), 중등 밭은 추분 때에 밭을 다듬은 뒤 10일에 심으면 된다. -『농사직설』-

밀을 심기에는, 8월 첫째 무일(戊日)이 제일 좋고, 둘째 무일이 다음이고, 마지막 무일이 하등이다. 밀을 심기에는, 8월의 중간 무일과 사일(社日) 이전이 가장 좋고, 마지막 무일이 다음이며, 9월이 하등이다. -『거가필용』-

보리와 밀은 두 차례의 사일 - 춘사일과 추사일 - 에 걸치는 것이 좋다. -『거가필용』·『신은지』-

보리와 밀은 일찍 심으면 뿌리가 깊어 추위를 잘 견디고, 늦게 심으면 이삭이 잘다. 너무 일찍 심어서는 안 되니, 너무 일찍 심으면 벌레가 먹고 마디가 생기게 된다. -『농사직설』-

9월에도 보리를 심을 수는 있으나, 너무 늦으면 겨울까마귀가 먹어버려 드물 위험이 있다. -『한정록』-

미리 5~6월 무렵에 밭을 갈아 볕에 쬐었다가 목작(木斫)으로 고루고, -『신은지』에 "6월 초순의 4~5경(更), 아직 이슬이 마르지 않고 양기(陽氣)가 밑에 있을 때에 간다." 했다. - 종자를 뿌릴 적에 다시 갈고서 철치파(鐵齒擺)·목작의 등[背]으로 잘 다듬어 자잘한 이랑을 배게 만들고, 종자를 거름과 오줌 재[尿灰]에 섞어서 심되, -『신은지』에는 "배게 심는다." 했다. - 몽근 거름을 펴 종자를 두텁게 덮어야 하며, 이듬해 3월경 한 차례 매 가꾼다. -『신은지』에는 "10월에 보리밭 속에 풀이 있으면 매는 것이 더욱 좋다. 매지 않으면 보리 수확이 적다." 했다. 『농사직설』-

기장·조·콩·메밀을 심은 밭은, 곡식을 거두기 전에 미리 자루가 긴 큰 낫으로 풀이 누렇게 되기 전에 베어 밭두둑에 쌓아 두었다가, 곡식을 거두고선 그 풀을 밭 위에 두텁게 깔고 불을 놓고서 종자를 뿌리고, 재가 흩어지기 전에 간다. 척박한 밭에는 풀을 배나 더 깔아야 한다. 만일 미처 풀을 베지 못해 거름과 오줌 재를 쓸 적에는 콩이나 팥을 심는 방법대로 한다. 더러는 밭에다 미리 녹두나 호마(胡麻)를 심었다가, 5~6월 무렵에 갈아엎고서 풀이 무성해지거든 다시 갈고 종자를 심는다. -『신은지』에는 "6월에 갈고 녹두를 드물게 심었다가, 7월경 녹두가 속으로 들어가도록 갈아엎으면, 거름을 쓰는 것보다 낫다." 했다. 『농사직설』 -

보리씨 한 말에 소금 한 되를 섞어서 심으면, 거름이나 오줌 재를 쓰는 것보다 낫다. 『속방』 봄과 여름 사이에 세류(細柳)의 가지를 베고, 7월에 백양(白蘘)의 연한 가지, 상수리나무[櫟木] 지엽, 싸리나무 가지를 베어다, 외양간에 깔아 거름을 만들면, 보리와 밀 거름에 좋다. - 자세한 것은 거름받기[收糞]에 있다. -

4월경 흙먼지[沙霧]가 끼면, 긴 밧줄에 어저귀[䔛麻]를 달고 새벽에 두 사람이 그 밧줄을 마주 잡고 보리밭 위로 끌고 다니면 흙먼지가 털려 보리가 상하지 않는다. -『신은지』 -

보리와 밀은 삼복 때 말리되, 도꼬마리[蒼耳] - 독고마리 - · 달여뀌[辣蓼] - 달엿괴 - 와 함께 담아두면 매우 좋다. -『한정록』에는 "보리는 부순 도꼬마리나 쑥과 함께 바싹 말려 더운 열이 식기 전에 담는다." 했다. 『신은지』 -

보리와 밀은 익은 족족 베어 -『신은지』에 "보리는 반쯤 누럴 때 날씨가 갠 날 베어야지 너무 익으면 알이 빠지게 된다." 했다. - 즉시 마당에 거두어 놓고 거적으로 덮어 비가 올 것에 대비해야 한다. 미처 마당으로 가져오지 못한 경우에는 또한 모름지기 밭두둑 높은 곳에 옮겨 놓고 덮었다가 밤에라도 들여와, 맑은 날 마당에 엷게 늘어놓고 - 두텁게 깔면 말리기가 어렵다. - 마르는 족족 털어야[輾] 한다. - 시골에서는 타작(打作)이라고 한다. - 옛말에 '보리를 거둘 때는 불 끄듯이 한다.'고 했다. 만일 조금이라도 지체하다가 비를 맞으면 상하게 되니, 농가에서 보리 거두기보다 더 바쁜 일이 없다. -『농사직설』 -

보리와 밀을 수확할 때는 농사일이 참으로 바쁘다. 보리를 베면 다발을 만들고서, 밭두둑 높은 곳에다 긴 나무로 움막처럼 만들어 보리

다발을 가져다 쌓되, 이삭은 안으로 향하고 뿌리는 밖으로 향하게 하여 비늘 달아 배게 쌓고 한 쪽에 구멍을 내면, 바람에도 상하지 않고 빗물도 들어가지 않는다. 농사일이 조금 뜸해진 다음에 타작을 한다. 다만 마당이나 밭두둑에는 비록 위에 말한 것처럼 쌓더라도 반드시 나방이 생기게 되므로 피한다. -『농사직설』-

봄보리는 2월 무렵 햇볕이 온화한 날 갈아야 하고, 2월이 다 가면 그만둔다. 심는 방법과 매 가꾸는 방법, 거두는 방법은 가을보리와 같다. -『농사직설』-

봄보리나 참밀[眞麥]을 거두어 저장할 때, 부순 도꼬마리를 섞어서 말리되, 미시(未時 오후 1시부터 3시 사이)쯤 열기가 있는 채 거두어 저장하면, 2년 동안은 벌레 먹지 않는다. -『사시찬요』-

논보리를 가는 방법은, 미리 풀 거름을 논가에 모아 놓고, 벼가 성숙하기를 기다렸다가 즉시 베고 곧 갈되, 보리 종자를 거름과 섞어서 깊이 심고 흙을 덮어주면 싹이 바로 나고 또 무성하게 자란다. 봄에 물 있는 논에다 못자리를 해 놓고, 보리를 베어낸 뒤 물을 담고서 모를 심으면, 벼가 매우 무성하게 자란다.[73]

율무[薏苡]

오곡을 심는 방법대로 땅을 잘 갈고, 한 자 간격으로 한 구멍씩 심는다. 높은 데나 낮은 데를 말할 것 없고 다만 건땅이 합당한데, 밑에다 쇠똥 거름을 하는 것이 더욱 좋다. -『거가필용』-

쇠똥 거름에다 심는 것이 좋다. -『사시찬요』-

---

73) 논보리를 …… 무성하게 자란다 : 이 부분은 한독본과 오씨본에서 보충하여 번역했다.

목화(木花)

성질이 모래가 섞인 조강(燥剛)한 밭에 알맞다. 2월 중순에 갈아 놓았다가, 3월 상순에 다시 갈고 목작(木斫)으로 잘 다듬었다가 파종할 때 다시 간다. 3월 3일에 파종하면 수확이 배나 많다. 더러는 곡우(穀雨) 때나 입하(立夏) 전에 심기도 한다. - 『한정록』에는 "곡우 전후에 파종한다." 했다. 『사시찬요』에는 "4월에 일기가 온화하고 청명한 날 파종한다." 했다. - 대개 일찍 심으면 비록 서리가 내리더라도 반드시 결실은 많다. 먼저 목화씨를 흰빛이 안 보일 정도로 쇠똥에다 버무려서, - 『신은지』·『한정록』에는 "먼저 종자를 잠깐 물에 담갔다가 건져내어 재를 버무린다." 했다. - 오줌 재를 많이 묻히며, 다시 마른 재를 묻혀 개암만큼 크게 한다. 이랑을 지은 다음에 뇌목(檑木)의 아래 끝을 뾰쪽하게 하여 이랑 위에 구멍을 내고, - 구멍은 넓게 내야 종자 심기에 지장이 없다. - 오줌 재나 마소의 똥을 구멍에 넣고 파종을 하며, 퇴개(椎介)로 흙을 덮어 준다. 호미질은 많이 해도 나쁠 것이 없고, 성장함에 따라 이랑 사이의 풀이 정하면, 소에 멍구럭을 씌워 천천히 갈아주되, 손상하지 않도록 한다. - 사람들이 밭을 걸우는데 갈기 전에 밭에다 거름을 펴므로 거름 효과가 뿌리로 몰리지 못한다. 이 방법보다 더 나은 것이 없다. 『농사직설』 -

한 자 간격으로 구멍 하나씩을 뚫어 5~7알씩 심고, 싹이 나거든 밴 것은 뽑아버리고 왕성한 싹 두서너 포기만 남겨 놓고 부지런히 매준다. 싹이 한 자 이상 자라면, 순을 쳐 주어 높이 자라지 않도록 한다. 높게 자라면 결실을 하지 못한다. - 『신은지』·『한정록』 -

호미질을 한 다음에는 모름지기 똥물을 주어야 한다. - 『한정록』 -

산골짜기나 들판의 묵밭을, 해빙(解氷)한 다음 무릎 깊이에 방석 넓이의 구덩이를 파고서, 목화 심을 임시에 오줌 재나 마소의 똥으로 구덩이를 메우고 새 흙을 넣는다. 목화씨에 소 오줌이나 몽근 재를 묻혀 밤알 크기만 한 것을 한 구덩이에 5~6알씩 심는다. 7~8촌 정도 자라거든 순을 잘라주면, 가지가 무성하고 그루가 퍼져 수확이 배나 많다. 이듬해에 구덩이 곁에다 또다시 그처럼 하면, 3년 뒤에는 비옥한 밭이 된다. -『농사직설』-

세상 사람들이 참깨와 청태(靑太)를 사이에다 심는데, 목화에 손해가 되는 것을 모른다. 목화를 전심해서 재배하는 사람은 절대로 간작을 심지 않는다. -『농사직설』-

삼[麻]·모시[苧麻]

삼을 심는 길일은, 임신·신사·갑신·기해·무신·신해·경신일이다. -『거가필용』·『농사직설』-

정월의 세 묘일(卯日)이 제일이다. -『거가필용』·『농사직설』-

삼은, 네 계일(季日)과 무일(戊日)·기일(己日)을 피한다. -『거가필용』·『농사직설』-

삼은, 진일(辰日)·술일(戌日)·축일(丑日)·미일(未日)을 피한다. -『농사직설』-

토일(土日)에 삼을 심으면 나지 않는다. -『박물지』-

옛사람의 말에 '열 차례 무 심고 아홉 차례 삼 심는다.' 했으니, 땅은 비옥한 숙토(熟土)라야 한다. 밭이 많으면 해마다 바꿔서 심는 것이 좋으니, 해마다 바꾸면 껍데기가 얇고 마디가 드물다. 정월에 해빙한 뒤 좋은 밭을 가려 가로세로 세 번씩 갈고서 마소의 똥을 펴고, 2월 상순에 다시 간다. 중순은 다음이고 하순은 하등이다. -『신은지』에는 "2~3월에도 모두 심을 수 있고 섣달에 심어도 되는데, 일찍 심어야지 늦게 심는 것은 좋지 않다." 했다. - 목작(木斫) - 시골에서는 소흘라(所訖羅)라 한다. - 과 철치파(鐵齒擺) - 시골에서는 수수음(手愁音)이라 한다. - 로 잘 다듬어서 고른 다음 발로 밟아 고루 다지고, 씨를 뿌릴 적에도 또 고루고 촘촘하게 뿌려야 한다. 고루지 않고 촘촘하지 않으면, 삼이 곱지 않거나 가지가 나 쓰기에 합당하지 못하다.

파로(把撈) - 파로를 시골에서는 예개(曳介)라 한다. 가지가 많은 나무로 만드는데, 소나무가 제일 좋다. - 로 긁어 종자를 덮고, 그 위에 다시 마소의 똥을 덮는다. - 『신은지』에는 "재에다 종자를 버무려 산자(糤子)처럼 하고, 흙 재에 썩은 풀을 섞어 덮는다." 했다. - 삼이 세 치가량 자란 뒤 잡초가 있으면 매주어야 하나, 한 번 이상 매주지 않는다. - 『농사직설』 -

이슬이 있을 때 매주어야 하고, 거름은 3~4차례 주며, 잎사귀가 우거지면 따주어야 한다. - 『신은지』 -

또한 늦은 종자도 있는데, 하지 10일 이전에는 다 심을 수 있다. - 『농사직설』 -

삼밭을 두어 차례 갈아 놓았다가, 10월 하순에 심고 두텁게 거름을 덮어 두면, 봄에 일찍 무성하게 된다. - 『사시찬요』 -

6~7월경에 삼대에 흰 줄기가 생기면 그때 바로 베어 누이되, 다발은 작게, 맑은 물에 조금만 담가 생삼이거나 익힌 삼이거나 알맞게 하면, 1근(斤)에서 삼 4냥씩을 낼 수 있다. - 『신은지』 -

생삼을 살짝 물에 담그고, 들판의 만마(蔓麻) - 너삼 - 를 많이 가져다 쌓아 놓으면, 일주야 사이에 익게 되지만, 시간을 넘기면 물어버린다. - 『속방』 -

생마포를 자엽(紫葉)·비름나물[莧菜]과 함께 삶으면 백옥처럼 희어진다. - 『속방』 -

모시는 9월 한로(寒露) 뒤에 씨를 받아 말렸다가 축축한 모래와 버무려 광주리에 담고 풀로 덮어주어야 하는데, 만일 얼어서 상하게 되면 나지 않는다. 이듬해 2월 - 3월이라고도 한다. - 이 오게 되거든 비옥한 땅에 씨를 뿌리고 풀로 덮고 잠사(蠶沙)로 북돋아 준다. 2년 뒤에 옮겨 심되, - 『한정록』에는 "정월에 뿌리를 옮기고 다시 북돋아 준다." 했고, 혹은 "어느 달이나 심을 수 있다." 했다. - 골은 드물게 씨는 배게 심으며 재와 겨를 흙에 버무려 준다. 5~6월경 뿌리가 붉어지면 즉시 베되, 베고 나선 누에똥・깻묵・겨나 쭉정이와 건 거름으로 북을 주어 8월 중순에 재차 벤다. -『한정록』에는 "5월에 첫물 순, 7월에 두 물 순, 9월에 세 물 순을 벤다." 했다. - 이어 두 손으로 한가운데를 부러뜨려 껍데기를 벗겨 대나무 칼로 흰 부분을 긁으면 겉껍데기가 벗겨진다. 작은 모숨을 만들어 지붕 위에 널어두고서 밤에 이슬을 맞히면 희게 바래진다. 10월 이후에는 마소의 똥이나 외양간의 진흙・겨 등속으로 뿌리를 덮어 동해(凍害)를 입지 않게 해준다. -『신은지』-

언제나 뿌리를 그대로 두고서 재나 거름으로 위를 싸주고, 풀과 흙으로 북돋아주며 혹은 가지를 눌러주면, 이듬해에도 모시밭이 된다. -『한정록』-

경마(檾麻) - 어저귀 - 는 비옥한 숙토(熟土)가 좋은데, 섣달 8일에 심는 것이 좋고 정월・2월에 심어도 된다. -『신은지』-

홍화(紅花) [1]

2월에 홍화를 심는데, 심을 때 비가 오려고 하면, 슬슬 뿌리고 고루 긁어주어 삼 심는 방법처럼 한다. -『신은지』-

재나 거름, 혹은 닭똥으로 덮고 물을 대주는데, 똥이 풀어지도록 해서는 좋지 않다. -『한정록』-

2월 하순이나 3월 초순, 비가 온 뒤 잇달아 호미질하여 북돋아주면, 송이[子科]가 크다. -『사시찬요』-

4월에 늦홍화를 심으니, 모름지기 봄 씨앗을 두었다가 이때부터 5월 초순까지 목화밭 사이에 씨를 뿌린다. 이때를 넘기면 늦다. -『신은지』에는 "5월에 씨를 거두었다가 곧 늦홍화를 심는데, 8월이나 섣달에 모두 심을 수 있다." 했고, 『한정록』에는 "8월 중에 호미로 두둑을 치고 구멍을 다져 심는다." 했다. - 7월에 꽃을 따야 빛깔이 선명하고 오래되어도 변하지 않아, 봄에 심은 것보다 낫다. -『사시찬요』-

꽃이 피었을 때 청명한 날 새벽에 따서 살짝 찧어 누른 즙(汁)을 빼버리고 제비쑥[靑蒿]으로 덮고서 하룻밤을 재웠다가, - 『한정록』에는 "맑은 물에 하룻밤을 담근다." 했다. - 얇은 떡처럼 찍어내어 말려두었다가 쓴다. 습기 있는 담장이나 벽 가까이 두지 말아야지 습기를 가까이하면 젖어서 상하게 된다. - 『신은지』·『한정록』 -

5월에 꽃이 피면 이슬 맞은 채로 거두어 햇볕에 말린다.[74] - 『치부』 -

쪽[藍] 족

평지가 좋다. 3월에 잘 갈고 파종한 다음 긁어서 고루고, 억새 발로 덮어준다. 아침마다 물을 주다가 싹이 나게 되면 억새 발을 걷어버린다. 네 치쯤 자라게 되면, 기름진 숙토(熟土)에다 이랑을 만들고 도랑을 쳐 길을 내고, 다섯 치 간격으로 한 구덩이씩 심고, - 『사시찬요』에는 "5월 망종(芒種) 때 비가 오거든 습기가 있을 때 쪽을 뽑아 한 구덩이에 세 줄기씩 빨리 심어, 땅이 마르지 않도록 하는 것이 좋다." 했다. - 날마다 물을 대준다. 척박한 땅이면 맑은 거름 물을 한두 차례씩 대주어야 한다. - 『신은지』 -

호미질은 다섯 번쯤 하는 것이 좋다. - 『사시찬요』 -

7월에 쪽을 베어, 쪽 한 짐에 물 한 지게를 붓는데 잎사귀와 줄기를 잘게 잘라 가마에다 함께 삶아 여러 번 끓여서 찌꺼기가 없어지게 한다. 그 즙(汁)을 항아리에 담는 비율을, 익은 쪽 세 정(停 양의 단위)에 생 쪽 한 정으로 하였다가, 잎사귀를 마반(磨盤) 위에 건져 놓고 손으로 세 차례쯤 비비고, 익은 즙을 붓고서 걸러 서로 혼합되게 하여 정결한 항아리에 담는다. - 속방(俗方)에는 "생 쪽 즙 2할에다 익은 쪽 즙 1할을 섞어서 염색해도 오히려 전부 생 쪽으로 한 것만 못하다. 쪽 즙은 흐려지기 쉬운데 흐려버리면 빛깔이 거칠어지기 때문에 마반(磨盤)에다 얼음을 장

74) 5월에 …… 말린다 : 이 부분은 한독본에서 보충하여 번역하였다.

치하고 가는 대로 즉시 염색하는 것이 좋다." 했다. - 쪽 뿌리는 그대로 두고 꽃이 피어 열매 맺기를 기다리며, 8월에 거두어 두었다가 봄에 심는다. -『신은지』-

청대[靛] 쳥듸

미리 전년 8~9월 무렵에 땅을 갈고 긁어서 펼쳐 두었다가 섣달 무렵에 다시 한 차례 갈고, 3월에 심을 때에 또 한 차례 갈고 종자를 뿌린 다음, 다시 이리저리 3~4차례 긁어준다. 다섯 잎이 날 때까지 기다렸다 즉시 매주고 불이 나면 다시 매주다가, 5월 무렵이 되면 거두어다가 전청(靛青)을 타작한다. -『신은지』-

정월 중에 포대에다 씨를 담아 물에 담갔다가, 싹이 나면 땅에 뿌리고 재와 거름으로 덮는다. 잎이 나기를 기다렸다가 거름 물을 주고, 두 치가량 자라면 줄을 지어 갈라 심고서 거름 물을 주어 살린다. 5~6월에 이르는 동안 거름 물을 잎사귀 위에 5~6차례 뿌려 주며 잎사귀가 두꺼워지기를 기다리다가, 땅과의 거리가 세 치쯤 자라면 벤다. -『신은지』에는 "하지(夏至) 전후에 잎사귀에 파열(破裂) 무늬가 난 것이 보이면 바야흐로 베게 된다." 했다. - 줄기와 잎사귀를 항아리 속에 담그되, 그 항아리의 대소를 보아 빛깔이 푸른 광회(礦灰)를 다과(多寡)를 헤아려 넣는다. -『신은지』에는 "50근(斤)씩에 석회(石灰) 1근을 쓴다." 했다. - 하루 밤과 낮을 담갔다가 정결하게 걸러놓고, 목배(木扒)로 젓되 청색(青色)이 될 정도로 하다가 가라앉히고서 물을 따라 버린다. 이것을 두전(頭靛)이라 한다. -『신은지』에는 "물에 담근 다음날 황색으로 변하면, 줄기를 건져 버리고 목파(木爬)로 젓되, 분청색(紛青色)이 자화색(紫花色)으로 변한 다음 맑은 물을 따라 버리면 청대가 된다." 했다. - 땅에 있는 원 뿌리에 다시 앞서의 방법대로 거름 물을 주다 뿌리다 하다가, 거두어 베어다 물에 담가서 제조한 것을 이전(二靛)이라 하고, 또한 삼전(三靛)도 뺄 수 있다. -『한정록』-

지금 사람들은 복전(福靛)을 많이 심는다. 보리를 거둔 다음 그 자리에다 심는데, 큰비가 종자를 다져버려 나지 않게 될까 싶으면, 소맥(少麥)의 까끄라기에다 거름을 섞어서 덮어준다. 거름 물을 주다 뿌리다 하는 것과, 물에 담갔다 제조하는 방법은 앞의 방법과 같다. -『한정록』-

부들[茵草] 부들

못 서쪽에 심어 놓으면 뿌리가 못 동쪽까지 뻗어가 많은 떨기가 생기지만, 못 동쪽에 심으면 한 떨기도 생기지 않기 때문에, 세속에서 향동초(向東草)라고 하니, 부들을 심는 사람은 이 점을 알아야 한다. -『속방』-

치포 治圃

[치포 서]

곡식이 잘 되지 못하는 것을 기(飢)라 하고 채소가 잘 되지 못하는 것을 근(饉)이라 하니, 오곡 이외에는 채소가 또한 중요하다. 하물며 농가는 도시와 멀리 떨어져 있으므로 고기반찬을 해 먹기 어려우니, 마땅히 거주하는 곳 근방에다 남새밭을 만들고 채소를 심어 일상의 반찬을 해야 한다. 이러기에 남새밭을 가꾸는 방법을 기록하여 제4편을 삼는다.

치포

채소를 심는 길일은, 임술·무인·경인·신묘일이다. -『거가필용』·『고사촬요』-

2월 춘분에 모든 채소를 심는다. -『사시찬요』-

무릇 채소나 오이를 심을 적에는 반드시 먼저 종자를 말려야 한다. 땅은 좋을수록 나쁠 것이 없으니 척박하면 걸우고, 호미질은 자주 하는 것이 나쁠 것 없지만 가물면 물을 주어야 한다. -『한정록』-

채소는 규종(畦種)하는 것이 좋고, 오이는 구종(區種)하는 것이 좋다. -『한정록』-

규종법(畦種法)은 길이는 한 길 남짓, 너비는 석 자[尺]쯤으로 장만한다. 종자를 심기 며칠 전에 땅을 일구고 쑥풀[蒿草]을 깔았다가 불을 놓아 벌레들을 죽이면 따라서 거름이 된다. 심을 때에 다른 것으로 더 거름을 하고서 두둑을 다듬어서 심는다. -『한정록』-

봄에는 반드시 규종(畦種)을 해야 하는데, 두둑의 길이는 두 걸음, 너비는 한 걸음쯤으로 한다. 크면 물을 고루 주기가 어렵다. 깊이 갈고서 묵은 거름을 위에다 한 치 두께로 덮고 철치파(鐵齒擺)로 긁어 숙토(熟土)를 만들어 발로 밟아 땅을 판판하게 고르고 물을 주어 물기가 모두 스민 뒤에 종자를 뿌린다. 다시 몽근 거름을 흙과 섞어 두 치 남짓 덮는다. 싹이 나면 한 번씩 골라 세울 적마다, 땅을 긁어 흙을 일으키고서 물을 주고 거름을 한다. -『거가필용』-

구종법(區種法)은 한 구(區)의 길이와 너비를 한 자가량씩 되게 파 놓았다가, 심을 때에 몽근 거름을 흙과 골고루 섞어서 바닥에 넣고, 싹이 나거든 드문 데는 그대로 두고 밴 데는 솎아 준다. -『한정록』-

아종법(芽種法)은 먼저 종자를 물에 일어서 바가지 속에 넣고 젖은 풀로 3일을 덮어둔 다음에, 싹이 나서 손가락 마디만큼 자란 다음에야 심는다. 먼저 다듬은 두둑 바닥에 물을 먹이고서 고루 종자를 뿌리고, 다시 체로 친 몽근 건흙을 덮어 햇볕을 막아준다. 이 방법은 채소의 싹이 이미 일제히 나게 되고 또 잡초도 나지 않는다. -『한정록』-

향기로운 채소는 언제고 생선 씻은 물을 주면 향기로우면서 무성하고, 쌀뜨물을 주어도 좋은데, 거름 물을 주면 향기롭지 않다. -『거가필용』-

무릇 채소에 벌레가 생기면, 고삼(苦蔘) 뿌리와 석회(石灰) 섞은 물을 주면 바로 죽는다. -『한정록』-

수박[西苽] 슈박

수박은 모래땅이 좋다. 4월에 -『속방(俗方)』에는 "입하(立夏) 전 3~4일이다." 했다. - 구덩이를 넓게 파고서 사토(莎土)를 몽근 거름과 섞어서 메우고 종자를 4~5개씩 심었다가, 네 잎이 나면 흙을 긁어 뿌리를 북돋아준다. 이렇게 3~4차례를 하면 결실이 많고도 크다. -『사시찬요』-

호미질을 많이 해 주면 결실이 많고, 쓸데없는 꽃을 따주면 덩이가 크다. -『신은지』-

참외[甛苽] 츰외. 속명 진과(眞苽)

적병(積病)이 있거나 각기증(脚氣症)이 있는 사람은 참외를 먹으면 안 된다. 참외가 물이 고인 것이나 꼭지가 둘인 것, 배꼽이 둘인 것을 사람이 먹으면 죽는다. -『증류본초』-

3월에 소금물로 씨를 씻어 따뜻한 데 두었다가 건땅에 심고서 -『속방』에는 "입하(立夏) 전 3~4일에 심는다." 했다. - 씨를 씻은 소금물로 축여주고, 순이 뻗을 때를 기다렸다가 덩굴의 심을 따 버리고서 다시 건흙으로 밑동을 북돋아준다. -『신은지』-

참외가 대서(大暑) 때까지 익지 않을 때는, 가조기[鯗魚] - 말린 석수어(石首魚)이다. - 뼈를 참외의 이마에다 꽂아 놓으면 꼬투리가 떨어지면서 쉽게 익는다. -『사시찬요』-

항아리에 납설수(臘雪水 섣달에 내린 눈이 녹은 물)를 담아 놓았다가, 동청(銅靑) 가루를 넣고 동시에 참외를 담아 놓으면, 참외의 빛깔이 변하지 않는다. -『거가필용』-

오이[苽] 외・호과(胡苽). 일명 황과(黃苽)

오이를 심는 길일은, 갑자・을축・신사・경자・임인・을묘일이다. -『거가필용』・『고사찰요』-

각종 오이를 심기에는 무진일이 좋다. -『사시찬요』-

각종 오이는 비옥한 땅에 심으면 열매가 크게 연다. -『신은지』-

2월 상순이면 오이를 심어야 하니, 3월 상순은 그다음이고 4월 상순은 또 그다음이다. -『속방』에는 "오이는 서리를 두려워하므로 3월 무렵 서리 기운이 없어진 다음에 비로소 심어야 한다." 했다. – 물로 오이씨를 정결하게 일고서 소금을 조금 섞는다. 호미로 마른 흙을 파 젖혀 구덩이 크기를 말[斗]만큼씩 하게 파고, 오이씨를 4개씩 심고서 대두(大豆) 세 알을 구덩이 곁에 심는다. 대개 오이는 약하므로 대두에 의지하여 땅에서 일어서게 되기 때문이다. 두어 잎이 난 다음 대두의 움을 뜯어 버리거나 뽑아 버리고, 바닥이 텅 비어 마르게 하였다가 재로 밑동을 채워주고, 두어 날이 지난 뒤 흙으로 뿌리를 북돋아주면 영구히 벌레가 없다. 만일 개미가 있게 되면, 골[髓]이 있는 뼈를 오이 구덩이의 좌우에 놓아두고 개미가 많이 달라붙거든 가져다 버린다. 자주 이렇게 하면 개미가 자연히 없어진다. –『사시찬요』–

무릇 오이가 일찍 물게 되는 것은, 오이를 딸 적에 발로 밟아 덩굴을 뒤집어 놓기 때문인데, 차분하게 다루고 조심해서 돌보아 서리가 내릴 때까지 가도록 하면, 잎이 마르고 열매도 다하게 된다. 이렇게 된다면 따로 늦은 오이를 심을 것이 없다. –『사시찬요』–

무릇 오이는 사향(麝香)을 가장 꺼리니, 오이 밭가에 마늘이나 염교를 두어 포기 심어 놓으면 사향 냄새가 나더라도 손상되지 않는다. –『신은지』–

대서(大暑) 때에 늦은 오이를 심어 겨울에 두고 먹을 것을 장만한다. –『사시찬요』–

6월에 오이를 거두어 임퇴회(淋退灰)를 뿌려 말려서 항아리 속에 넣어두고, 겨울철에 먹으면 새것과 같다. –『거가필용』·『신은지』–

무릇 오이 덩굴 마디에다 흙으로 북을 주면, 새 뿌리가 나 더욱 무성해진다. –『거가필용』·『신은지』–

동아[冬苽] 동화. 또 한 가지 이름은 지지(地芝)이고 혹은 백동과(白冬苽)라고도 한다

먼저 젖은 볏짚 재를 몽근 진흙과 섞어 땅 위에 깔고, 호미로 두둑을 지었다가 3월에 종자를 심는다. -『속방』에는 "동아는 서리를 꺼리므로 서리 올 기미가 없어진 뒤에야 비로소 심을 수 있다." 했다. - 씨알마다 한 치가량씩 띄워서 심고 젖은 재를 체로 쳐서 덮고서 물을 뿌려준다. 다시 거름 물을 주었다가 마르면 물을 주되, 한낮에 싹이 재를 떠받고 나오거든 재를 싹 밑에 내려놓고 부수어서 뿌리 곁을 북돋아주고는 맑은 거름 물을 준다. -『한정록』-

10월에 동아를 거두어 놓고 건조한 곳에 두는 것이 좋은데, 소금·술·초와 빗자루, 고양이나 개가 닿는 것을 꺼린다. 꼭지가 꼬부랑하여 속에 들러붙어 있는 것은 암컷이니, 두었다 씨를 해야 한다. -『신은지』-

박[匏] 박. 일명 호로(胡蘆)

2월 하순에 날씨가 맑은 한낮에 심고서, -『속방』에 "박은 서리를 두려워하므로 3월 무렵 서리 올 기색이 없어진 뒤에야 비로소 심을 수 있다." 했다. - 매일 아침에 맑은 거름 물을 준다. -『신은지』-

한 치가량 자라면 호미로 구덩이를 파고 나누어 심되 한 구덩이에 한 덩굴씩 하고 매일 아침에 거름 물을 주다가, 가물면 아침저녁으로 물을 준다. 덩굴이 자라면 막대를 세워 타고 올라가게 해준다. -『한정록』-

큰 호로를 심는 법은, 정월 중에 땅에다 구덩이를 파되 사방으로 4~5자, 깊이도 그와 같이 하고서, 유마(油麻)·녹두의 잎사귀 및 썩은 풀 따위로 한 겹, 건흙으로 한 겹을 채워, 이처럼 4~5겹을 하여 위로 한 자 남짓 올라오게 해 놓고 건흙을 넣어 메운다. 2월이 되면 구덩이마다 종자를 10여 알씩만 심어 놓고 나거든 포동포동하고 좋은

네 줄기만 가려, 두 줄기씩 잡고 죽도(竹刀)로 반쪽만 껍질을 벗겨 무엇에다 움직이지 않게 묶어놓고, 나무 접붙이는 방법처럼 소똥과 황토나 진흙으로 봉하여 싸둔다. 두 줄기가 서로 붙어 살아나거든 각각 한 줄기의 머리만 잘라 버리고, 다시 그 두 줄기를 앞서의 방법대로 서로 붙게 하고서, 살아나거든 한 줄기만 남겨 놓으면, 곧 네 줄기가 위는 한 줄기가 된다. 호로가 맺기를 기다려 좋고 큰 것 두 개만 가려놓고 나머지는 모두 따버리면, 호로가 매우 커 한 개가 한 지게의 쌀을 담게 된다. -『산거사요』·『거가필용』·『신은지』-

큰 호로를 허리에 매고 물을 건너면 익사를 면할 수 있다. -『문견방』-

생강[薑] 누에가 깔 때 심고 두텁게 쑥풀을 덮어, 닭이 파버리지 못하게 하고, 누에가 올라갈 때에 불을 놓아 태우고서 다시 참나무 잎을 덮어 썩힌다.[75]

생강을 심는 길일은, 갑자·을축·신미·임신·임오·신묘·계사일이다. -『사시찬요』·『거가필용』·『고사촬요』-

비옥한 땅을 깊이 갈고 심는 것이 좋은데, -『거가필용』·『사시찬요』에는 "흰 모래땅이 좋은데, 7~8차례를 5~6치가량 깊이 갈고서, 자갈을 긁어 없애고 조금씩 몽근 거름을 섞어서 심으며, 흙을 2~3치가량 두텁게 덮어준다." 했다. - 3월에 심고, -『신은지』에는 "청명(淸明) 뒤 3일에 심는다." 했다. - 누에똥·두엄·재거름·쇠똥 따위로 덮어 주며, 두둑 너비는 3척(尺)씩으로 해야 물 주기가 편리하다. 싹이 나거든 늙은 생강은 따버리고, 이엉을 만들어 볕을 가려주며, -『사시찬요』에는 "두둑 남쪽에 며래[䕷]나 삼을 심어 그늘을 만들어 주어야 한다." 했고, 『신은지』에는 "6월에 이엉을 덮거나 혹은 갈대를 꽂아 해를 가려준다." 했다. - 자주 쇠똥 담근 물을 준다. 8월에 거두었다가 9~10월에는 깊게 움을 파고 겨나 쭉정이를 섞

75) 누에가 깔 때 …… 썩인다 : 이 부분은 이 항목의 마지막과 비슷하나 내용이 다른 점이 있으므로 한독본과 오씨본에서 보충하여 번역하였다.

어 온화한 데에 묻었다가 종자를 해야 하는데, 화각(火閣)에 두는 것도 좋다. -『한정록』-

생강 밭은 몽글게 갈고 자주 매주는 것이 좋다. -『산거사요』-

무릇 생강은, 누에가 깔 때 심고 짚으로 두텁게 덮었다가 누에 올라갈 때가 되어 부드러운 싹이 처음 날 적에 즉시 덮었던 짚에 불 놓아 버리면 쉽게 무성하게 자란다. -『속방』-

파[蔥]

파 심기에 길한 날은, 일진이 갑자·신미·기묘·신사·갑신·신묘 -『고사촬요』에는 신유(辛酉)로 되어 있다. - 인 날이다. -『거가필용』-

8월 상순에 이랑을 만들고 재거름에 씨앗을 섞어서 심었다가, -『사시찬요』에는 "7월에 가을 파를 심는다." 했다. - 이듬해 정월이 되면 - 3월이라고 한 데도 있다. - 옮겨 심되, 심을 때에 쓸데없는 잔뿌리를 끊어버리고 살짝 말려, 줄을 드물게 치고 배게 심고서 닭똥으로 북을 준다. -『신은지』-

2월에 파 씨를 좁쌀 태운 것과 함께 고루 섞고, 조를 섞지 않으면 종자가 고루 뿌려지지 않는다. 가볍게 끙게[耮]로 긁어 흙을 덮으며 그 위에 거름과 재를 편다. -『사시찬요』-

8월 하순에 쓸데없는 잔뿌리를 말끔하게 끊어버리고 심고서, 돼지똥이나 닭똥·오리똥을 거친 겨와 섞어 북을 준다. -『한정록』-

또 사계총(四季蔥)이란 것은 시기에 구애할 것 없이 심는 것인데, 또한 쓸데없는 잔뿌리를 다 없애고 살짝 볕 쬐어 심는다. -『한정록』-

5월 망종(芒種)에 파 씨를 거둔다. -『사시찬요』-

자총이[紫葱] 『동의보감』에 "『본초강목』에 호총(胡葱)은 곧 지금의 자총인 듯싶다 했다." 하였다

10월에 이랑을 치고서 심고 그 위에 말똥을 약간 깔았다가, 이듬해 5월이 되면 캐서 말려 종자를 한다. 관서(關西) 및 호남(湖南) 사람들은 7월 보름날 심는데, 해마다 밭을 바꾸어서 심는다. -『속방』-

마늘[蒜]

마늘 심는 길일은, 무진·신미·병자·신사·임진·계사·신축·무신일이다. -『거가필용』·『고사촬요』-

8월 초순에 -『사시찬요』에는 "9월 한로(寒露) 때 심는데, 일찍 추워질 해에는 8월 보름에 심어도 된다." 했다. - 비옥한 땅에 심는데, -『사시찬요』에는 "희고 연한 땅이 좋다." 했다. - 세 차례를 잘 갈고 호미로 고랑과 두둑을 치고서 두 치씩 띄워 한 구덩이를 둔다. 짚신 버린 것을 소변에 담갔다가, 종자를 속에다 넣고 건흙을 곁들어 심고서 위에다 거름을 두텁게 하면, 크기가 주발[碗]만큼씩 하다. -『한정록』-

싹이 나거든 자주 잔뿌리의 곁 땅을 매주고 거름 물을 준다. 총[薹]이 나는 대로 뽑아버리면 쪽이 비대하지만, 그렇지 않으면 여위고 작다. -『신은지』-

9월 초순에 마늘쪽을 촘촘하게 심었다가, 2월 무렵에 이르면 땅을 두어 차례 갈고서 두둑마다 건흙을 수십 짐씩 붓고, 다시 연장으로 뒤적거려서 골고루 긁고 두 치가량에 구덩이 하나씩을 내고 마늘 묘종을 한 포기씩 심으며, 가물 때는 항시 물을 준다. -『거가필용』-

5월 하지(夏至) 때에 마늘을 캐는데, 일찍 거두면 껍질이 붉고 쪽이 단단하나, 늦게 거두면 껍질이 풀려 부수어지기 쉽다. -『사시찬요』-

부추[韭] 부치 · 염교[薤] 염교

부추는 게으른 사람의 채소여서, 해마다 심지 않아도 된다. - 『사시찬요』 -

부추는 사람에게 가장 유익하므로 마땅히 늘 먹어야 하나, 자못 매운 냄새가 나므로 성정(性情)을 함양(涵養)하는 면에 있어서는 기피하게 된다. - 『본초』 -

봄철의 향기는 피를 보하지만, 여름철의 냄새는 피를 파괴하게 된다. - 『속방』 -

부추를 심으려면, 2월 하순에 종자를 부었다가 9월에 갈라 심고, 10월에는 볏짚 재를 3치가량 덮어 주고 다시 엷게 흙을 덮어주면 재가 바람에 날리지 않는다. - 『신은지』에는 "돼지나 닭똥으로 북준다." 했고, 『사시찬요』에는 "닭똥이 가장 좋고 생선 씻은 물도 좋다." 했다. - 입춘(立春) 뒤에 싹이 재 속에서 나오면 뜯어다 먹을 만하고, 만일 일기가 맑고 따뜻하면 2월 말에는 움이 자라 채소가 다 되므로, 차례로 베어낼 수 있다. 바닥에 뿌리를 항시 두고 갈라 심으므로 종자를 뿌릴 필요가 없다. - 『한정록』 -

부추는 뿌리가 여러 해 얽히게 되면 무성하지 않으므로, 8월이면 따로 두둑을 치고 갈라 심는데, 심을 적에 늙은 뿌리는 따버리고 연한 뿌리만 조금 두어야 한다. - 『신은지』 -

한 해에 3~4차례 베되 뿌리가 상하지 않도록 하고, 겨울에 북을 주면 봄에 앞질러 다시 돋아난다. - 『증류본초』 -

염교는 부추 비슷하나 잎이 넓으면서 흰 기가 많고 열매가 없으며, 비록 맵기는 하지만 오장(五臟)에서 매운 냄새가 나지 않기 때문에, 도가(道家)에서 일상 식용한다. - 『증류본초』 -

염교는 희면서 부드러운 좋은 땅에 합당하다. 2~3월에 - 8~9월도 좋다. 『한정록』에는 "염교는 시기에 구애하지 않고 심는데, 혹은 마늘과 동시에 심는다." 했다. - 땅을 3~5번 갈고서 말리다 심는데, 두둑이 건조하면 염교가 비대하게 자란다. 대체로 한 자[尺] 거리에 한 포기씩 심고 7~8뿌리를 한 포기로 하는데, 약한 뿌리를 끊어버리고 강한 뿌리만 두면 여위고 비대해지지 않으며, 잎이 나면 곧 매주어야 하는데 호미질은 자주 하는 것이 좋다. -『거가필용』-

무릇 부추나 염교를 심을 적에는 쓸데없는 뿌리를 끊어버리고 살짝 말려서 드문드문한 줄에 촘촘하게 심어야 한다. -『신은지』-

토란[芋] 토란. 혹은 토지(土芝). 시골명은 토련(土蓮)

토란을 심는 길일은 임신·신사·임오·신묘·경자·무신·임술일이다. -『거가필용』-

토란 종자는 둥글고도 길며 뾰족한 데가 흰 것을 가려, 남쪽 처마 밑에 구덩이를 파고 바닥에 공강(礱糠)을 깔고서 종자를 놓고 볏짚으로 덮어 두었다가, 3월 무렵에 꺼내어 비옥한 땅에 묻어둔다. -『신은지』에는 "정월에 먼저 땅을 한 번 호미질하고, 다시 새 황토(黃土)로 덮고 호미질하고서, 토란 싹을 가져다가 위로 보게 빽빽이 배열하여 심고 풀로 덮는다." 했다. - 싹이 3~4잎 나기 기다렸다가 -『신은지』에는, 싹이 대략 4~5치 자란 뒤라고 했다. - 5월 무렵에 -『신은지』에는, 3월 무렵이라고 했다. - 물 가까운 비옥한 땅을 가려 옮겨 심고서, 개천의 흙이나 혹은 재거름 또는 두엄으로 북돋아주고, 가물면 물을 대주어야 하며, 호미질은 자주 하는 것이 좋다. -『한정록』-

새벽녘이나 이슬이 마르기 전 비 온 뒤에 호미질하여 매주되, 뿌리 근방이 비어 있게 하면 토란이 크고 알이 많다. -『신은지』-

8월에 토란 싹이 왕성해졌을 때 호미로 뿌리가의 흙을 파 젖혀놓고 건 진흙으로 뿌리를 북돋아주며 또한 줄기와 잎사귀를 바닥에 깔아버리면, 생기가 토란 뿌리로 돌아가 알이 커진다. -『신은지』-

진흙이 좋은 데다 토란 심는 방법은 2~3월에 사방과 깊이가 모두 석 자가량 되게 밭을 다듬고서, 바닥에 한 자 다섯 치 두께로 콩깍지를 깔고 밟으며, 물을 준다. 물이 푹 젖거든 튼튼한 토란 종자를 가려 한 구덩이에 다섯 알을 한 복판에 심고 다시 콩깍지로 밟으며, 가물 적엔 자주 물을 주면 한 구덩이에서 세 섬의 토란을 수확할 수 있다. -『거가필용』·『고사촬요』-

가지[茄] 가디

2월 하순의 맑은 날 한낮에 심는데, - 사일(社日) 이전에 심어도 된다. - 5월 중순에는 열매를 맺는다. -『속방(俗方)』에는 "가지는 서리를 두려워하므로 3월 무렵, 서리 내릴 기미가 없어진 다음에야 심을 수 있다." 했다. 『신은지』-

청명(淸明) 때에 볍씨와 동시에 담갔다가 이랑을 치고서 심고, 2~3 치가량 자라면 옮겨 심되 드문드문하게 해야 하며, 매일 아침에 맑은 거름 물을 준다. -『한정록』-

가지는 물을 좋아하므로 항시 습기가 있도록 해야 한다. 처음에 가지 모종을 갈라 심을 적에 만일 가물 때라면 물을 주고 심고서 무엇으로 덮어주어 햇볕이 쬐지 않도록 해야 한다. 꽃이 필 적에 무성한 잎사귀를 따 버리고 재로 뿌리에 북을 주면 열매가 배나 많이 열린다. -『사시찬요』-

갈라 심을 적에 그루마다 뿌리 밑에다 유황을 조금씩 넣어주면, -『산거사요』·『거가필용』·『신은지』에는 "뿌리 위를 헤치고 유황을 도토리알 만큼씩 넣고서 진흙으로 북을 준다." 했다. - 열매가 많고 맛이 달며, 크기가 잔대(盞臺)만하다. 『한정록』 6월에 가지를 거두어 임퇴회(淋退灰)를 뿌려서 말렸다가 항아리 속에 저장해두고, 겨울철에 가져다 먹으면 새것과 같다. -『거가필용』·『신은지』-

9월에 가지 종자가 익었을 때 따다가 쪼개어 씨를 빼서 물에다 일어, 가라앉는 것만 거두어다 말려서 간직한다. -『신은지』-

미나리[芹] 미나리

미나리를 심는 곳은 항시 물이 넉넉하도록 하고, 2월이 되면 거름을 해야 한다. -『사시찬요』-

무[蘿葍] 무. 채복(菜菔) 또는 노복(蘆菔)

2월 상순에 씨를 뿌리면 3월 중순에 먹을 수 있고, 5월 상순에 씨를 뿌리면 6월 중순에 먹게 된다. 또 6월에도 씨를 뿌리는데, 7월에 뿌려도 된다. -『신은지』-

만일 묵은 씨가 있을 경우 입하(立夏)가 지나면 즉시 심고 5월이 다 가게 되면, 밑이 주먹만 하게 큰다. 또 6월 6일에 심는다. -『거가필용』-

소서(小暑) 때에 무를 심는다. -『사시찬요』-

칠석(七夕) 이후에 채복(菜菔)을 심는다. 또 다달이 심을 수 있고, 다달이 먹을 수 있다. -『한정록』-

걸고 좋은 보드라운 모래땅이 좋다. -『신은지』에는 "모래땅이 더욱 좋고, 땅이 척박하면 거름을 해야 한다."고 했고, 『한정록』에는 "땅은 걸수록 좋고 흙은 몽글수록 좋다." 했다. - 2~3번 갈아 다듬고 -『거가필용』에는, 5~6번이라고 했다. - 드문드문하게 종자를 뿌려야 하며, 촘촘하면 밑이 작다. -『한정록』에는 "촘촘하면 솎는다." 했다. - 호미질은 많이 하는 것이 좋다. -『거가필용』·『사시찬요』-

무는 목화밭에 흩뿌리는 것도 좋고, 메밀과 섞어서 갈면 두 가지 다 좋다. -『사시찬요』-

씨를 뿌린 다음 재거름으로 덮고 자주 물을 주어야 하나, 이슬이 있는 채 땅을 긁어주면 벌레가 생긴다. -『신은지』-

겨울철에는 무를 움 속에 가져다 거꾸로 달아매고 움 입구를 덮어서 막아놓고, 수시로 꺼내다 먹는다. -『거가필용』-

2월에 움 속에 저장한 무를 가져다 건땅에 심었다가, 5~6월이 되면 종자를 받는다. -『속방』-

순무[蔓菁] 쉰무. 일명 무청(蕪菁)

건땅을 6~7번을 갈아 몽글게 할수록 좋다. 1묘(畝)당 종자 3되씩 6월에 고루 뿌려 심는데, 7월에 심어도 된다. -『거가필용』에는 "7월이 반쯤 된 뒤에 심는다."고 했다. - 심을 적에 만리어(鰻鱺魚) - 배암장어. 『거가필용』에는 "말린 뱀장어이다." 했다. - 즙(汁)에 종자를 담갔다가 말려서 심으면 벌레가 없게 된다. -『거가필용』·『신은지』-

땅을 여러 번 갈고서 순무를 심을 적에는 처서(處暑) 때부터 백로(白露) 때까지 모두 심을 수 있는데, 일찍 갈면 밑이 크고 잎동은 적으나 늦으면 잎만 크고 밑은 가늘다. -『사시찬요』-

뿌리를 심어서 종자를 받는 방법은 무와 같다. -『속방』-

순무 종자는 묵은 것을 구해 쓰는 것이 좋다. -『거가필용』-

겨자[芥] 계ᄌᆞ

2~3월경에 봄보리를 간 뒤 10여 일 만에 겨자를 심는다. 5월이 되면 종자를 받았다가 7월에 다시 심고, 5월에 받은 종자를 나누어 두었다가 이듬해 봄이 되면 심는다. -『속방』-

칠석(七夕) 이후에 겨자를 심는다. 또 7~8월에 종자를 심고 자주 거름 물을 주어야 하는데, 서풍이나 무릇 초일(焦日) - 초일(焦日)에 대해

서는 경파(耕播) 조에 보인다. - 을 만나면 물을 주어서는 안 된다. -『한정록』-

배추[菘菜] 빅칙

2월 상순에 종자를 뿌리면 3월 중순에 먹게 되고 5월 상순에 종자를 뿌리면 6월 중순에 먹게 된다. 심은 다음에 재거름으로 덮어주고 자주 물을 준다. -『신은지』-

칠석 이후에 배추를 심는다. -『한정록』-

말똥 거름 물을 주면 움과 잎이 모두 연하고 누르다.[76] -『치부』-

상추[萵苣] 부로

상추는 줄기가 흰 것이 좋고 줄기가 붉은 것은 못한데, 6월에 심는다. -『사시찬요』-

2~3월경에 겨자와 함께 심고, 6월이 되면 종자를 받았다가 7월에 다시 심는다. -『속방』-

8월에 종자를 뿌리고 싹이 자라기를 기다려서 이랑을 치고 갈라 심는다. 이듬해에 잎을 따 먹되 수시로 물을 주면 중심 부분이 비대해지면서 즉시 상추의 순이 돋아난다. -『한정록』-

머위[白菜] 머휘

3월에 비옥한 땅을 골라 갈고 호미질하여 건흙으로 덮고서 이랑과 두둑을 치고 듬성듬성 종자를 뿌린다. 싹이 세 치쯤 자라기를 기다려서

---

76) 말똥 거름물을…… 누르다 : 이 부분은 한독본(韓獨本)에서 보충하여 번역하였다.

이랑 안쪽에 줄을 내고 심고 물을 대주며, 뿌리가 자리잡고 잎이 일어서거든 즉시 거름 물을 주어야 하는데, 40일이 되면 먹게 된다. 9~10월에 심어도 된다. - 『신은지』 -

7~8월에 종자를 심었다가 9월에 이랑을 치고 갈라 심는다. 자주 거름 물을 대주어야 하는데, 서풍(西風)이나 초일(焦日)을 만나면 물을 주어서는 안 된다. - 초일은 경파(耕播) 조에 나왔다. 『한정록』 -

시금치[菠菜] 시근칙

7월에 종자를 2~3일 물에 담갔다가 껍질이 부드러워지면 건져내어 그대로 말리다가, 땅에다 놓고 분(盆)으로 덮어 두며, 싹이 나기 기다렸다 비옥한 땅의 더부룩한 흙 속에 심고 물을 대주면 무성하게 자란다. 처음 심을 때 되도록 달이 넘어서 나게 만들어야 하니, 가령 초 2~3일에 심은 것이나 26~27일에 심은 것이 모두 다음 달의 초하루가 되어야 바야흐로 싹이 난다. 징험해 보면 실지로 그러하다. - 현채(莧菜)도 이와 같다. 『신은지』 -

땅을 아주 몽글게 다듬고 거름도 아주 걸게 한 다음에 종자를 뿌리고 이어 말똥으로 덮는다. 다 자란 다음에는 거름 물을 줄 것이 없다. - 『산거사요』 -

고수[胡荽] 고싀. 일명 향유(香荽)

먼저 종자를 4~5차례 꺼풀을 벗겨 7월 - 『신은지』에는, 8월로 되어 있다. - 그믐날 저녁때에 심는 것이 좋다. - 『산거사요』·『거가필용』·『신은지』에는 "반드시 그달 그믐날 저녁때 종자를 뿌린다." 했다. - 습한 땅에 심어야 좋은데, 재로 덮고 물을 주면 쉽게 자란다. - 『한정록』 -

아욱[冬葵] 아옥

땅은 비옥할수록 좋다. 척박한 데는 걸우어야 하므로 이전의 집터가 더욱 좋다. 봄에는 반드시 규종(畦種)을 해야 하고, - 규종하는 법은 위에 나왔다. - 세 잎사귀가 난 다음에는 물을 주되 아침저녁으로 주어야 한다. 가을에는 한종(旱種 건조한 채로 심는 것)을 해야 하고, 10월 하순 땅이 얼려고 하면 종자를 뿌리고 - 정월 하순에 종자를 뿌려도 된다. - 발로 밟아주는 것이 좋다. 땅이 습하면 싹이 즉시 나는데 호미질은 자주 해 주는 것이 좋다. 5월 초순에 다시 심고, - 이때 심는 것으로 가을 아욱 날 때까지 댄다. - 6월 1일에는 - 줄기가 흰 가을 아욱을 심는데, 줄기가 흰 아욱은 건조한 채 심는 것이 좋고, 줄기가 붉은 것은 건조한 채 심으면 검고 깔깔하다. - 가을아욱이 먹을 만하다. 5월에 심은 것을 그대로 두었다가 이때에 종자를 받아 - 봄아욱은 종자가 고루 익지 않는다. - 심는 것이다.

봄아욱을 잘라 버리고 그 뿌리에서 난 움은 매우 부드럽고 좋아 가을아욱보다도 좋고, 8월 중순에 가을아욱을 잘라 버리면 - 가지가 많은 것은 땅에서 1~2치가 되고, 줄기가 하나인 것은 땅에서 4~5치가 된다. - 살지고 연하게 움이 난다. 상강(霜降)까지 기다렸다 거두면, 사람의 무릎 높이만큼 자라는데 줄기나 잎사귀가 모두 맛이 좋다. - 일찍 난 것을 잘라 버리지 않은 것은 높이가 비록 두어 자가 된다 하더라도 잎이 뻣뻣하여 먹기에 합당치 않다. - 자잘한 것들을 베어 버리고 즉시 땅바닥을 손으로 더듬어 치우고서 볏짚으로 덮어 두었다가, 해가 지나 받은 종자를 동규(冬葵)라 하는데 씨를 약으로도 쓴다. - 『거가필용』 -

청양(青蘘) 호마각(胡麻角)

이랑 복판에 심는다. 심는 방법은 채소를 심는 것과 같고, 싹이 나면 먹을 만하다. 늘 종자를 남겼다 심는데, 맛이 매우 매끄럽고 아름다워 아욱만 못하지 않고 또한 머리를 감는 데 좋다. -『거가필용』-

쑥갓[艾芥] 쑥갓

기름진 땅이 좋은데, 3월에 심고 5월에 종자를 받는다. -『속방』-

적로(滴露) 덕노. 일명 감로(甘露)

3월에 종자를 뿌렸다 9월에 뿌리를 캐어, 무와 함께 담가 겨울 김치를 만든다. 종자를 움 속에 저장하는데, 생강을 저장하는 방법처럼 한다. -『속방』-

앵속각(鶯粟殼)[77] 양귀비화

종자는 두어 가지가 있다. 추석날 밤이나 혹은 중구(重九 9월 9일)에 발가벗고 심되, 두 손을 교대하여 종자를 뿌리고 다시 비로 고르게 쓸어주면, 꽃받침이 겹으로 되고 잎이 많이 난다. 먼저 땅을 걸우어 기름지고 더부룩하게 한 다음 종자를 잿물[黑汁]에다 반죽하여 뿌리면, 개미가 싹을 파먹지 않게 된다. -『치부』-

부부가 함께 고운 옷을 입고 밤중에 마주 앉아 심으면 아리따운 꽃이 많이 핀다.

소자유(蘇子由 자유는 송나라 소철(蘇轍)의 자)가 영천(潁川)에서 살 때 집이 가난하였는데, 매양 여름과 가을이 교차하는 환절기에 배추와 겨자가 잘 안되었으면 앵속각과 결명(決明)을 심어 부족을 보충했는데 이는 청량(淸涼)한 맛을 취한 것이다.

---

77) 앵속각(鶯粟殼) : 이 부분은 전체를 한독본에서 보충하여 번역하였다.

맨드라미[鷄冠] 만도라미

앉아서 심으면 왜소(矮小)하지만 서서 심으면 사람의 키만큼 크고, 손으로 심으면 꽃이 이삭처럼 된다. 키로 종자를 까불러서 심으면 꽃잎이 쪼가리를 이루어 볼만하다. -『산거사요』-

머리를 풀고 종자를 뿌리면 영락(瓔珞 목걸이 따위)처럼 된다.[78)] -『치부』-

남초(南椒) 남만쵸. 일명 왜초(倭椒)

건조한 땅이 좋다. 2월에 종자를 뿌렸다가 4~5월경에 비가 온 후에 옮겨 심는다. -『속방』-

바람이 잘 닿는 데에 심으면 열매가 많다. -『속방』-

곰취[熊蔬] 곰돌늬

기름지고 습한 땅이 좋다. 3월 그믐경에 뿌리를 취해다 심는다. -『속방』-

동소(冬蔬) 동취

모래땅이 좋은데, 3월 그믐께 뿌리를 가져다 심는다. -『속방』-

거여목[苜蓿] 게여목

기름진 몽근 땅이 좋다. 7월에 이랑을 치고 심는데 물주는 방법은 한결같이 부추에 주는 법대로 한다. -『거가필용』에는 "철파(鐵把)로 흙을 긁

---

78) 머리를 풀고 …… 된다 : 이 부분은 한독본(韓獨本)에서 보충하여 번역하였다.

어 일어나게 한 다음 물을 준다." 했다. 『거가필용』·『신은지』 -

한종(旱種)할 때에는, 거듭 땅을 갈아 골이 깊고 넓게 해 놓고, 구멍이 있는 바가지로 종자를 뿌리고서 비계(批契)로 긁어 준다. 언제고 정월이 되면 마른 잎들을 불 놓고, 땅이 축축할 적에 즉시 갈아 두둑을 치고서 철치루(鐵齒鍋)로 긁고 다시 노감(魯砍)으로 깊은 데를 골라주면 습기가 있어 무성하지만, 그렇게 하지 않으면 여위게 자란다. 한 해에 세 차례 움을 베지만, 씨를 두어야 할 것은 한 번만 베고 말아야 한다. 초봄에도 날로 먹기가 좋으며 국을 끓이면 매우 향기롭고 맛이 좋다. 특히 말이 즐겨 먹는다. 이것은 오래 사는 것이어서, 심는 사람이 한 차례 수고만 하면 길이 일이 없으니, 도읍(都邑)의 성곽(城郭) 양지에 심는 것이 적격이다. -『거가필용』-

승검초[當歸] 승엄초

3월에 심어야 하는데, 순이 난 뒤에 심어도 잘 산다. 겨울에는 토막[土宇]을 치고서 그 안에 심어 놓고 따뜻한 물을 주면 누런 움이 죽죽 자라는데, 먹으면 맛이 좋다. -『속방』-

산 밑이나 담장 밑 그늘진 데에 심으면 무성하게 자라는데, 만일 싹이 패 꽃이 피었다 열매를 맺어버리면 이듬해에는 나지 않는다. -『속방』-

소루쟁이[羊蹄根] 소롯

뿌리를 캐어 굴 안에 두고, 겨울철이면 덮어 주어 찬기가 들어가지 않도록 하면, -『속방』에는 "토막 안에다 심고 따뜻한 물을 준다." 했다. - 움이 바로 나게 되는데, 끊어다 국을 끓이면 보드랍고 매끄러운 맛이 아주 좋고 또한 끼니를 때울 만하다. 움을 끊은 다음 도로 굴속에 두면 끊는 족족 곧 움이 나 한없이 해 먹을 수 있다. -『구황촬요』·『고사촬요』-

버섯 양식하는 법[生蕈菌法]

느릅나무·버드나무·뽕나무·회나무·닥나무는 버섯이 나는 다섯 가지 나무다. 장죽(漿粥)을 끓여 나무 위에 붓고 풀로 덮어 놓으면 곧 버섯이 난다. -『속방』-

썩은 나무나 잎을 가져다 땅 속에 묻어놓고 늘 쌀뜨물을 주어, 2~3일 젖어 있도록 하면 곧 버섯이 난다. 본디 썩은 나무는 사람에게 해롭지 않은 것이다. -『신은지』-

또, 잘 친 이랑 속에 썩은 거름을 붓고, 썩은 나무를 가져다 6~7치 길이로 끊어서 부수어, 채소를 심는 방법처럼 이랑 속에 고루 깔고 흙을 덮고서 물을 주어 늘 축축하게 하다가, 만일 처음으로 자잘한 버섯이 나면 즉시 끊어버리고 이튿날 아침에도 나가서 또한 끊어버리면, 세 차례나 나는 것은 매우 크기도 하고, 거두어다 해먹어 보면 더없이 좋다. -『신은지』-

소나무·팽나무[彭木]·참나무에서 나는 버섯도 독이 없다. -『신은지』-

봉선화(鳳仙花) [1] 일명 은선자(隱仙子)

비옥한 땅이 좋다. 봄철에 종자를 뿌린다. 여름에 꽃 피었다 열매를 맺는데, 씨는 기름을 짜서 음식에 치면 맛이 참기름보다 좋다. -『문견방』-

봄철에 오색 봉선화 씨를 각각 두어 알씩을 아령관(鵝翎管) 속에 담아 심어 놓으면, 싹이 날 적에는 합쳐 하나의 줄기가 되는데, 건흙으로 북을 주고 닭을 데친 물을 주면 모두 오색 꽃이 핀다.[79]

---

79) 봄철에 …… 핀다 : 이 부분은 한독본(韓獨本)에서 보충하여 번역하였다.

종수 種樹

[종수 서]

옛말에 '10년 계획으로 나무를 심는다.'는 말이 있다. 지역에 따라 그곳에 알맞은 나무를 많이 심으면 봄에는 꽃을 볼 수 있고 여름에는 그늘을 즐길 수 있으며, 가을에는 열매를 먹을 수 있을 뿐만 아니라, 그것이 재목이 되고 기기(機器)가 되니 모두 자산(資産)을 늘리는 방법이다. 그리하여 옛사람들도 나무를 심고 가꾸는 것을 중히 여겼던 것이다. 이에 나무를 심고 가꾸는 방법을 적어 제5편을 삼는다.

종수(種樹)

식목 길일[栽木吉日]은 갑술·병자·정축·기묘·계미·임진일이고, - 『거가필용』·『고사촬요』 - 또 모창(母倉)[1]·육의(六儀)[2]·상일(相日)[3] 및 성일(成日)·개일(開日)[4]도 좋다.

---

1) 모창(母倉): 봄에는 해일(亥日)·자일(子日), 여름에는 인일(寅日)·묘일(卯日), 가을에는 진일(辰日)·술일(戌日)·축일(丑日)·미일(未日), 겨울에는 유일(酉日)·신일(申日)이나 토왕(土旺) 후에는 사일(巳日)·오일(午日)을 말한다.

2) 육의(六儀): 구궁(九宮)에 배합된 삼원 갑자(三元甲子) 중 갑일(甲日) 위에 있는 무·기·경·신·임·계 일.

3) 상일(相日): 봄에는 사일(巳日), 여름에는 신일(申日), 가을에는 해일(亥日), 겨울에는 인일(寅日).

4) 성일(成日)·개일(開日): 정월인 경우 술일(戌日)과 자일(子日)을 말하는 것인데, 월건(月建)에 따라 변한다. 예를 들어 정월의 월건이 인(寅)이라면

병술·임술 및 을일(乙日)은 피(避)해야 하고 계사일과 남풍(南風) 부는 화일(火日 병일(丙日)·정일(丁日) 등을 말함)에는 나무를 심으면 안 된다. 또한 서풍(西風) 부는 화일에도 꽃이나 나무를 심지 않는 것이 좋다. -『거가필용』·『양화소록』-

과일나무를 심는 길일[種果吉日] - 대나무 심는 것도 같다. - 은 병자·무인·기묘·임오·계미·기축·신묘·무술·경자·임자·계축·무오·기미일이다. 다른 책에는 기사·기해·병오·정미·을묘·무신일도 끼어 있다. -『거가필용』·『고사촬요』-

임술일은 피해야 한다. -『거가필용』-

식목은 정월(正月)이 가장 좋은 때[上時]이고, 2월이 그다음[中時]이며, 3월이 그중 처지는 때[下時]이다. 최식(崔寔)의 월령(月令)에 의하면, '정월에는 초하루부터 그믐날까지 다 나무를 옮겨 심을 수 있다.' 하였고, 또한 '식목은 2월 중에 끝내야 한다.' 하였다. -『거가필용』·『사시찬요』-

모든 나무의 뿌리는 편안하게 뻗기를 원하고 배토(培土)는 평평하기를 바라며 토양(土壤)은 원래 서 있던 곳과 같기를 원하고 구덩이는 단단히 메워지기를 바라므로, 이미 바라는 대로 옮겨 심었다면 움직이지 말고 미련 둘 것도 없이 돌아가 다시 뒤돌아보지 말아야 한다. 모종은 어린 자식 다루듯 하되 버린 듯 놓아두면 타고난 천성대로 저절로 자란다. -『유종원문』-

옛사람이 이렇게 말했다.

"나무의 이식(移植)은 어느 때나 할 수 있다. 나무가 알지 못할 정도로 숙토(宿土)를 많이 붙이고 남쪽 가지를 표시해 캔다. 먼저

인일(寅日)이 건일(建日)이 되고 묘일(卯日)이 제일(除日)이 되며, 진일(辰日)이 만일(滿日)이 되고 사일(巳日)이 평일(平日)이 되며, 오일(午日)이 정일(定日)이 되고 미일(未日)이 집일(執日)이 되며, 신일(申日)이 파일(破日)이 되고 해일(亥日)이 수일(收日)이 되며, 자일(子日)이 개일(開日)이 되고 축일(丑日)이 폐일(閉日)이 된다.

파 놓은 깊고 넓은 구덩이에 옮겨 넣고 나무뿌리가 편안한 상태가 되도록 한다. 표시해 놓은 대로 남쪽과 북쪽의 방향을 맞춰야 하며 방향을 바꾸면 안 된다. 맑은 인분 물로 흙을 질퍽하게 개어 뿌리를 덮고 나무를 흔들어 뿌리 사이사이까지 흙이 채워지게 한 다음 물을 주기 편하도록 구덩이 둘레를 3치쯤 높이로 단단히 쌓는다. 물을 자주 주어 마르지 않도록 하고 매양 물을 준 다음 마른 흙으로 덮어 주면 수분 증발을 막을 수 있다."

『신은지』에는

"나무를 심은 지 3~4일 지난 다음에나 물을 주어야 된다."

했다.

큰 나무라도 가지나 잎이 적으면 윗동치기를 하지 말고 정성을 다해 보살피며 손으로 잡고 흔들거나 가축이 가까이 오지 못하도록 해야 한다. -『거가필용』·『신은지』·『사시찬요』-

큰 나무를 옮겨 심을 때, 구덩이 속에 가을보리(秋牟) 여남은 말을 깔고 심으면 백이면 백 다 산다. -『사시찬요』-

나무를 옮겨 심을 때는 원래 묻혔던 자리 이상으로 흙을 돋우지 않도록 하고 네 귀퉁이에 기둥을 세운 다음 새끼줄로 꽁꽁 묶어 큰바람이 불어도 뿌리가 흔들리지 않도록 해야 한다. - 소나무 심기 조에 자세히 보인다. 『허성문집』 -

근래 홍여순(洪汝淳)은 꽃나무를 옮겨 심을 때 반드시 숙토(宿土)를 많이 붙이고 남쪽과 북쪽을 표시해 캐어 옮긴 다음 기다란 버팀목을 세우고 흔들리지 않도록 단단히 잡아매었기 때문에 아름드리나무라도 살지 않는 것이 없었다. -『지봉유설』-

모든 과일나무는 보름 전에 심으면 열매가 많이 달리고 보름 후에 심으면 열매가 적게 달린다. -『산거사요』·『거가필용』·『신은지』·『사시찬요』-

씨 심기[核種法]는, 모든 씨앗은 한 치가 될까 말까 한 깊이로 심어

야 - 깊이 심으면 나지 않는다. - 겨울에 단단한 껍질이 얼어 터져 잘 난다. -『사시찬요보』-

꺾꽂이법[枝種法]은, 3월 상순 -『신은지』에는, 2월 상순이라고 했다. - 에 좋은 과일나무의 곧고 여린 가지 중 손가락 굵기만 한 것을 골라 다섯 치 길이로 잘라 토란에 꽂아 심는다. 토란이 없으면 순무나 무를 써도 된다. 이렇게 하는 것이 씨를 심는 것보다 낫다. 발근(發根)을 하고 2년이 지난 다음에는 옮겨 심을 수 있다. -『거가필용』·『신은지』·『사시찬요』-

모든 좋은 나무의 큰 가지에는 옆으로 뻗은 작은 가지가 있게 마련이다. 그 작은 가지를 중심으로 위아래로 몇 자쯤 되게 굵은 가지를 잘라 정(丁) 자 꼴을 만든다. 쇠붙이를 달구어 잘린 부분을 지진 다음 굵은 가지가 뿌리가 되도록 누이고 작은 가지가 그루가 되도록 세워 심으면 반드시 산다. - 다음의 배나무 순의 머리를 지져 심는 법을 참조할 것. 배나무심기 조에 보인다.『사시찬요』-

모든 꽃나무의 가지를 꺾꽂이할 때는 먼저 다른 꼬챙이로 땅을 찔러 구멍을 내어놓은 다음 그 구멍에 꽃나무 가지를 꽂아 넣어 잘린 가지 끝이 상하지 않게 해야 하며, 구멍이 완전히 메워지도록 가볍게 손으로 누른 다음 그늘진 곳에 놓아두어야 한다. -『양화소록』-

접붙이는 법[揷樹法]은, - 요즈음은 접붙이기[接樹]라고 한다. 제(除)·만(滿)·성(成)·수(收)·개일(開日)과 상(相)·육의(六儀)·모창일(母倉日)이 좋다. - 싹이 부풀려고 할 때가 가장 좋고 잎이 터지려고 할 때가 그중 처진다. 나무 굵기가 도끼자루만 하거나 팔뚝 정도의 것이라면 다 접목을 감내할 수 있다. 큰 것은 네댓 개, 작은 것은 두세 가지 정도 꽂는다. 먼저 삼끈[麻紉]으로 접본(接本)이 될 나무의 자를 부분을 10여 바퀴 돌려 감아 꽁꽁 묶는다. 묶지 않으면 접지(接枝)를 꽂을 때 껍질이 찢어지거나 터질 위험이 있기 때문이다. 그런 다음 톱니가 고운 톱[細齒鋸]으로 땅에서부터 5~6치쯤 되게 남겨두고 접본을 자른다.

대나무를 얇고 반반하면서도 엇비슷이 깎아 죽첨(竹籤)을 만들어 접본의 목질과 껍질 사이를 2치 깊이로 찔러 넣는다. 그런 다음 접지로 쓸 좋은 과일 나뭇가지를 5~6치 정도로 잘라 역시 죽첨의 형태로 한쪽 면만 비슷이 깎아 내려 나무 심을 지나서는 크기나 길이가 죽첨과 같게 한다. 반대쪽 껍질이 붙어 있는 쪽의 겉껍질을 살살 긁어 벗겨낸 다음 찔러 두었던 죽첨을 뽑고 그 자리에 꽂아 넣는다. 푸른 껍질이 상하면 그 접지는 살아나지 않기 때문이다. 그리고 접지를 꽂을 때는 나무 부분은 나무 쪽으로, 껍질 부분은 껍질 쪽으로 향하게 꽂아야 두 나무의 껍질이 서로 붙어 살아난다.

접지를 다 꽂은 다음에는 무명베 보자기로 그루터기를 싸고 잘 썩은 쇠똥을 이겨 바른다. - 『신은지』에는 "접본의 껍질을 보호하기 위해선 뽕나무 껍질로 싸매고 진흙을 이겨 바른다." 했다. - 체로 흙을 곱게 쳐 접지의 머리가 겨우 나오도록 북돋워준다. 마르지 않게 접지를 축여 준 다음 흙을 덮어준다. - 속방(俗方)에는 "그 위에 둥구미를 씌우고 둥구미 위에 물을 뿌려 습기를 유지해 주며 접지 위에는 물을 주지 않는다." 했다. - 흙을 북돋워줄 때는 단단히 하겠다고 손바닥으로 누르지 않는 것이 좋다. 잘못하다 접지(接枝)를 건드리면 부러뜨리기 십상이기 때문이다. 접이 붙은 다음 접본 주위에 돋는 곁순들은 즉시 잘라 주어야 한다. 그렇지 않으면 나무의 기운이 갈려 더디 자란다. 이 방법이 거의 실패가 없다. 흔히 십자 쪼개접[十字破接]이라는 것은 열 개 붙여 한 그루 살리기도 힘들다. - 『거가필용』·『사시찬요』 -

허리접[腰接]은, 나무둥치가 큰 것은 지표(地表)로부터 한 자, 작은 것은 7~8치쯤 남겨두고 나무를 반듯하게 자른다. 잘린 면의 대치되는 양쪽 가장자리를 한 치 깊이로 쪼개고 그곳에 접목을 꽂아 넣는 식으로 매 접본마다 두 개씩 접붙인다. 접본과 접지의 껍질이 서로 붙게 해야 할 것은 물론이다. 진흙을 이겨 잘 발라 봉하고 살아나기를 기다린다. 접이 완전히 붙은 다음에는 두 가지 중 약한 가지를 제거하고 한 가지만 남겨 둔다. 배[梨]나 능금[林檎] 같은 것은 적리(赤梨)에 접붙이는 것이 좋고 밤나무는 상수리나무[櫟]에 접붙이는 것이 좋다. -『신은지』-

뿌리접[根接]은, 접본의 밑동을 지표(地表)에 바짝 잘라내고 쪼갠 다음 접지를 촉빠르게 깎아 꽂는다. 진흙을 이겨 단단히 봉하고 인분을 펴 얹은 다음 자주 물을 주면 살아난다. -『신은지』-

모든 과일나무를 접붙일 때 남쪽으로 뻗은 가지를 쓰면 열매가 많이 달린다. 참으로 묘한 일이다. -『신은지』·『사시찬요』에도 "남쪽으로 뻗은 가지를 쓰면 좋다. 북쪽 등으로 뻗은 가지를 쓰면 열매가 적게 달린다." 했다. -

편수법(騸樹法)은, 나뭇잎이 피기 전에 뿌리 근처를 깊이 파고 직근(直根)을 찾아 잘라주는 것이다. 사방으로 뻗은 곁뿌리는 남겨두어 흔들리지 않게 해야 한다. 다시 팠던 구덩이를 단단히 메워주면 달리는 과일이 훨씬 커져 접붙이는 것보다 낫기도 하다. -『신은지』-

나무 시집보내는 법[嫁樹法]은, 정월 초하룻날 해가 뜨기 전 납작하고 길쭉한 돌을 주워 과일나무 가지 사이에 끼워 두는 것을 '시집보낸다[嫁樹]'고 한다. 그렇게 하면 열매가 많이 달리고 튼실해진다고 한다. 대보름날이나 그믐날에 해도 된다. -『사시찬요』-

모든 과일나무 중 열매를 맺지 않는 것이 있으면 정월 초하룻날 5경(更 새벽 3시에서 5시 사이)쯤 도끼로 나무둥치를 어슷비슷 찍어 놓으면 열매가 많이 달리고 떨어지지 않는다. -『거가필용』에는 "대추나무·감나무·오얏나무의 경우 도끼로 찍어 놓으면 더욱 좋다." 하였고, 『사시찬요』에는 "대추나무는 찍지 말아야 한다. 찍어 놓으면 대추가 잘아진다." 하였다. 『산거사요』·『거가필용』·『신은지』-

모든 나무는 다 암수가 있으며 수나무는 열매를 맺지 않는 경우가 많다. 이런 경우 나무둥치에 사방 한 치 정도의 구멍을 파고 그 구멍에 맞게 암나무를 깎아 박은 다음 진흙을 이겨 발라두면 열매가 맺힌다. -『거가필용』·『사시찬요』-

전정법[修果樹法]은, 정월에 작고 잡다한 곁가지들을 잘라주어 나무의 힘이 갈리지 않도록 해 주면 열매들이 탐스럽고 굵게 된다. -『신은지』-

사일(社日 춘분(春分)·추분(秋分)에서 가장 가까운 앞뒤의 술일(戌日). 입춘 후 다섯 번째 술일을 춘사일(春社日), 입추 후 다섯 번째 술일을 추사일(秋社日)이라 했는데, 춘사일에는 곡식의 생육을 빌고 추사일에는 그 수확을 감사했음)에 과일나무 밑에서 절구질을 하면 열매가 튼실하게 달라붙어 떨어지지 않는다. 열매가 달리지 않는 나무의 경우도 이렇게 한다. -『거가필용』·『신은지』·『사시찬요』-

과일 솎는 법[摘果法]은, 모든 과일이 처음 익을 때 두 손으로 잡고 따면 해마다 열매가 많이 맺는다. -『거가필용』·『신은지』-

과일이 미처 익기도 전에 익은 과일 따내듯 무시로 따내면 나무의 근맥(筋脈)이 뽑혀 다음해에는 반드시 과일이 많이 달리지 않는다. -『사시찬요』-

모든 과일이 맺히는 첫해에는 상제나 중[僧尼]의 접근을 막아야 한다. 상 입은 사람이나 중의 손길이 닿으면 끝내 한 알의 과일도 거두지 못하게 된다. 절대 가까이 오지 못하게 해야 한다. -『사시찬요』-

과수의 새나 까마귀 쫓는 법[辟果樹上鳥烏法]은, 산 사람의 머리카락을 나무 위에 걸어놓으면 까마귀나 새들이 와서 과일을 파먹지 못한다. -『증류본초』-

과일이 익어갈 때 어느 사람이 한 개라도 훔쳐 먹으면 온갖 새들이 날아들어 파먹으니 철저히 돌보아야 한다. -『거가필용』·『신은지』-

해충구제법[辟果蟲法]은, 정월 초하룻날 새벽닭이 울 때 횃불로 과일나무를 골고루 그을리면 벌레가 안 생긴다. -『거가필용』·『신은지』·『사시찬요』-

청명일(晴明日) 3경(更 밤11~1시 사이)에 볏짚을 나무 위에 묶어 두면 대모충(戴毛蟲 송충이처럼 털이 많은 벌레)이 생기지 않아 나무가 상하지 않는다. -『산거사요』-

과일나무에 좀벌레가 생겼을 때는 삼나무[杉]로 못을 만들어 그 구멍을 막으면 벌레가 금방 죽는다. -『신은지』·『사시찬요』-

꽃나무의 벌레 구멍은 유황(硫黃)가루로 막는다. -『사시찬요보』-

과수의 충사(蟲絲 거미줄 같은 것) 제거법[辟果樹蟲絲冪法]은, 못쓰게 된 솜에 유황가루를 섞어 대나무 장대 끝에 매달고 불을 붙여 그을린다. -『문견방』-

서리 예방법[果花拒霜法]은, 모든 과일나무 꽃이 한창 필 때 서리를 맞으면 열매가 맺지 않는다. 이를 예방하기 위해서는 미리 과수원 속에 두엄[惡草]을 재고 그 위에 인분[生糞]을 펴부어 놓는다. 비가 개고 차가운 북풍(北風)이 불면 이날 밤에는 반드시 서리가 내릴 터이니, 이런 날을 기다렸다 두엄에 불을 지른다. 시나브로 두엄이 타면서 연기를 내면 서리가 내리지 못해 꽃이 동해(凍害)를 입지 않는다. -『거가필용』·『신은지』-

뽕나무[桑]

5월 오디가 익을 때 잎이 크고 오디가 적게 달리는 노상(魯桑 뽕잎이 크고 품질이 좋은 뽕나무 종류)의 오디 중 튼실한 것을 골라 따, 맑은 물에 잘 일어 햇볕에 말려 둔다. 인분을 흠뻑 주고 여러 차례 갈아놓은 좋은 땅에 묘상[畦]을 만든 다음 말려 두었던 씨앗을 메기장[穄]에 섞어 뿌린다. 덮는 둥 마는 둥 살짝 흙으로 덮어주어야 한다. 두껍게 덮으면 나지 않는다. 묘상 둔덕에 말뚝을 박고 장대를 걸쳐 놓은 다음 그 위에 거적 등을 쳐[柴棚] 직사광선을 막아 주어야 한다. -『신은지』에는 "5월에 오디를 따 갈무리하되 꿉꿉한 벽[濕壁]에 근접시키지 말아야 한다. 다음해 2월에 땅을 여러 번 갈고 씨를 뿌린 다음에는 마르지 않게 물을 주고 싹이 돋기를 기다린다. 싹이 돋은 다음에는 튼실한 것 한두 개씩만 남겨 두고 나머지는 다 없앤다." 하였다. - 한 자쯤 자랐을 적에 인분을 다시 한번 주면 씨 뿌린 그해 네댓 자 정도 자란다.

이듬해 정월 - 『신은지』에는 “2월이나 섣달도 좋다.” 하였다. - 대여섯 번 땅을 갈고 다섯 발짝에 한 그루씩 옮겨 심는다. 낮은 곳에는 심지 않는 것이 좋다. 물에 잠기면 죽기 때문이다. 심을 때는 구덩이마다 인분을 한 되쯤 퍼붓고 심는다.

가을로 접어들면 지면에 바싹 붙여 줄기를 자르고 다시 인분을 흠뻑 준 다음 흙으로 북돋워준다.

이렇게 봄·가을로 매양 인분을 주고 북돋워주기를 3년만 하면 오디가 달리고 뽕잎 채취를 감내할 수 있을 뿐 아니라 그루마다 30근씩은 거둬들일 수 있다. - 『거가필용』·『사시찬요』 -

2월에 갈고리말뚝으로 밑에 있는 가지를 땅에 닿도록 끌어내려 고정시키고 마른 흙으로 묻어두면 - 만일 젖은 흙으로 덮으면 가지가 썩어 살지 않는다. - 뿌리가 잘 난다. 이듬해 정월에 잘라 옮겨 심는다. - 『거가필용』·『신은지』 -

뽕나무를 밭으로 옮겨 심은 지 이태째 되는 해에는 뽕잎을 따지 말아야 하며 팔뚝 굵기 정도 자라면 다시 옮겨 심는다. - 『거가필용』 -

뽕나무 밑의 새로 돋는 줄기는 항상 떼어버리고, 녹두나 팥을 파고 심으면 땅이 기름지게 되어 뽕나무에도 유익하다. - 『거가필용』 -

옆으로 일곱 발짝쯤 띄우고 길이도 네 발짝쯤 띄워 대칭되게 뽕나무를 심으면 소로 그 사이를 갈 수 있다. 밭농사를 계속 지어야 뽕나무가 황폐해지지 않는다. - 『신은지』 -

정월에 뽕나무를 다듬고 손봐주어야 한다. 마른 가지와 밑의 작고 잡다한 가지들을 깎아주고 뿌리께를 판 다음 거름[糞土]을 주어 북돋워준다. 만일 이달에 손봐주지 않으면 잎이 늦게 피고 무성해지지 않는다. 섣달에 해도 된다. - 『신은지』 -

5월에 뽕나무의 가지 끝을 하나도 남기지 말고 잘라준 뒤 하지(夏至)에 인분이나 누에똥[蠶沙]을 주고 위에 소개한 법대로 북돋워준다.

이때 잘라내지 않으면 이듬해 가지가 생기지 않는다. -『신은지』-

매년 때에 맞추어 가지 끝을 잘라주고 가지에 돌을 달아 휘어 늘어뜨려 옆으로 퍼져 자라게 해야 한다. 가운데 가지[中心枝] 역시 곧게 뻗쳐 올라가지 못하게 휘어 내려야 할 것은 물론이다. 곧바로 올라가면 잎을 따기가 어렵기 때문이다. -『거가필용』·『사시찬요』-

정월 초하루 새벽닭이 울 때 횃불로 뽕나무를 그을리면 벌레가 생기지 않는다. -『산거사요』·『거가필용』·『신은지』·『사시찬요』-

닥나무[楮]

2월에 모종을 낸다. -『사시찬요』-

닥은 돌무더기 주변 건조한 땅에 심는 것이 좋다. 땅을 파고 뉘어 심은 뒤 흙을 두껍게 덮는다. 발로 밟지 말고 돌로 눌러놓으면 잘 산다. 줄기가 자라거든 그 줄기를 구부려 휘묻이를 하고 묻힌 곳을 돌로 눌러놓으면 그곳에 뿌리가 내린다. 뿌리를 내린 지 몇 년 뒤에 그 뿌리 근처를 소로 갈아 뿌리를 드러내 놓으면 드러난 뿌리들에서 다시 싹이 돋는다. -『속방』-

섣달에 닥나무를 깎아내고 정월에 그 등걸을 태운다. 태우지 않으면 무성하게 자라지 않는다. -『사시찬요』-

4월에 쪄[斫]서 닥껍질을 벗기는 것이 좋다. 이달에 찌지 않으면 말라 죽는 것이 많게 된다. 섣달에 찌는 것도 괜찮다. -『신은지』·『사시찬요』에는 "섣달에 찌지 않으면 말라 죽는다." 했다. -

매년 깎아낸 다음 몽둥이[木杵]로 등걸을 두드려 부숴 놓으면 매우 무성해진다. -『속방』-

옻나무[漆]

옻나무는 습기가 많은 곳에 심는 것이 좋다. 2월에 심어도 되고 10월에 심어도 된다. -『속방』-

옻 내기는 6월·7월 다 괜찮다. -『사시찬요』-

7월에 도끼로 나무껍질을 찍어놓고 수액(樹液)을 대롱[竹管]으로 모아 담으면 칠이 된다. -『신은지』-

큰 옻나무[老大樹]의 경우는 나무 밑을 깊이 파고 직근(直根)을 잘라낸 뒤 잘라진 윗부분에 그릇을 이어 달아 놓으면 칠[汁]을 많이 받을 수 있다. -『속방』-

소나무와 잣나무[松柏]

정월 우수(雨水) 때 소나무나 잣나무를 심는다. -『사시찬요』-

정월 초하루부터 그믐날까지는 언제나 소나무와 잣나무를 옮겨 심을 수 있다. 2월과 3월도 괜찮다. -『신은지』-

소나무·삼(杉)나무·회(檜)나무·잣나무는 동지(冬至)부터 다음해 춘사일(春社日)까지 언제나 옮겨 심을 수 있다. -『신은지』-

춘사일 전에 흙을 많이 붙여 뿌리돌림을 하여 옮겨 심으면 백이면 백주 다 산다. 그러나 이때를 넘기면 살지 않는다. -『거가필용』·『신은지』·『사시찬요』-

소나무를 옮겨 심을 때 가운데 큰 직근을 잘라 버리고 옆으로 뻗은 잔뿌리만 남겨 심으면 반송(盤松)이 되지 않는 것이 없다. -『거가필용』·『신은지』·『사시찬요』-

작은 소나무라도 옮겨 심을 때는 흙을 붙여 캐야 한다. 만일 손으로 뽑으면 살리기 어렵다.[5] -『문견방』-

---

5) 작은 소나무라도 …… 어렵다 : 이 부분은 한독본(韓獨本)과 오씨본(吳氏本)

중국 사람들이 큰 소나무를 옮겨 심는 법은 2월 초순이나 중순, 먼저 지남철을 놓고 캘 나무의 동·서·남·북을 표시한 다음 크고 작은 뿌리들이 다치지 않도록 조심조심 흙을 파내어 캔다. 옮겨 심을 곳의 땅은 깊고 넓게 판 다음 보리[麥] 몇 말을 들이부어 깔고 캐어온 나무를 먼저 서 있던 방향에 맞추어 깔아놓은 보리에 뿌리가 편안하게 놓이도록 세운다. 뿌리를 자르거나 구부리지 말아야 하며 되도록 원래 묻혀 있던 형태대로 펴 주어야 한다. 올라가고 내려가고 구부러진 뿌리들이 자연 형태 그대로 유지되도록 해줘야 하는 것이다.

또한 원래 서 있던 자리의 흙을 많이 파다가 먼저 그 흙으로 뿌리를 두껍게 묻은 다음 다른 흙으로 구덩이를 메운다. 처음 뿌리를 묻는 원 흙에는 다른 흙이 섞여 들어가지 않게 해야 하며 다지지 말아야 한다. 다지다가는 뿌리를 상하게 할 염려가 있기 때문이다. 다른 흙으로 구덩이를 메울 때는 되도록 흙을 많이 펴 넣지 말고 얇게 편 다음 꽁꽁 다지고 다시 흙을 펴 넣어 펴고 다지는 식으로 메워 올라간다. 나무 등걸의 묻혀 있던 자리까지만 흙을 채우고 그 이상으로 흙이 올라가지 않도록 주의한다. 소나무의 드러난 뿌리[露根]는 묻지 않도록 한다. 드러난 뿌리를 묻으면 죽는다. 다 심은 다음에는 네 귀퉁이에 큰 버팀목을 세우고 꽁꽁 묶어 큰바람이 불어도 뿌리가 흔들리지 않도록 한다. 그런 다음 마르지 않게 새벽과 저녁에 물을 주면 비록 아름드리나무라도 절대 말라 죽지 않는다. -『허성문집』-

7월 갑진일·병진일에 소나무를 베면 좀이 먹지 않는다. -『거가필용』-

측백나무[側柏]

오뉴월 장마 때, 구덩이에 가을보리[秋麥]를 펴고 심으면 살아난다.

에서 보충하여 번역하였다.

- 심는 법은 위 소나무 조와 같다. 『경험방』 -

느티나무[槐][6]

열매가 익을 때 거두어 벌레가 생기지 않도록 햇볕에 말려 갈무리한다. 하지(夏至) 열흘 전쯤 물에 담근다. 6~7일 지나면 싹이 튼다. 씨앗 껍질이 벗겨지지 않도록 조심해서 비 오는 날 삼씨[麻子]와 함께 섞어 뿌린다. 뿌린 그해 삼과 함께 자라나는데 쓰러지지 않도록 말뚝을 박고 새끼줄을 쳐 준다. 다음해에도 삼씨를 뿌려 어린 나무를 보호해 준다. 심은 2년 뒤 정월에 옮겨 심는다. - 『거가필용』·『신은지』 -

정월 초하루에서 그믐까지 옮겨 심으면 좋다. 2~3월에도 괜찮다.

느티나무에 푸른 벌레[靑蟲]가 꾀면 이파리를 거의 갉아먹고 만다. 이럴 때 나무 밑에서 북[鼓]을 두드리면 벌레가 저절로 떨어진다.[7] - 『경험방』 -

버드나무[柳]

정월이나 2월에 팔뚝만한 새[弱] 가지를 한 자 반 길이로 잘라, 자른 부분을 태워[燒] 묻고 공이[杵] 등으로 다진 다음 마르지 않게 물을 준다. - 『신은지』 -

심을 때 마늘 한 쪽 - 『신은지』에는 "마늘 한 쪽 및 한 치쯤 되게 자른 감초(甘草)를 넣는다." 했다. - 을 밑에 놓고 그 위에 나무의 태운 부분이 닿게 하여 심으면 영원히 벌레가 생기지 않는다. - 『거가필용』·『신은지』 -

---

6) 느티나무[槐] : 느티나무[槐]는 원래 콩과에 딸린 갈잎 큰키 나무. 흔히 괴목·회나무·괴화(槐花)나무·홰나무로 불리는 것으로 느릅나무과의 느티나무와는 다른 나무이나 흔히 느티나무를 괴목(槐木)으로 잘못 일컫고, 여기서도 역시 느릅나무[楡]와 묶어 취급하였으므로 느티나무로 적었다.

7) 느티나무에 …… 떨어진다 : 이 부분은 한독본(韓獨本)에서 보충하여 번역하였다.

두릅나무[頭菜木]

2월에 심는다. -『속방』-
이른 봄에 따서 삶아 먹거나 무쳐 먹는다. -『동의보감』-

밤나무[栗]

종자로 쓸 밤은 다 익으면 따서 겉껍질을 벗기고 집 안[屋下] 음습한 곳의 땅을 파고 묻어둔다. 되도록 깊이 파고 묻어 겨울에 얼지 않게 해야 한다. 2월에 싹이 트면 묘상에 심고 겨울에는 짚[草]으로 싸주어야 하며 3월에는 싸 주었던 것을 풀어준다. 울타리로 둘러막아 3년 동안은 사람들의 손길이 닿지 않도록 해야 한다. -『거가필용』·『신은지』-

종자 밤은 한 송이에 세 톨씩 들어 있는 것이 좋은데, 반드시 가운데 박혔던 것을 골라 심어야 한다. 만일 양쪽 가에 있던 것이나 외톨밤을 심으면 맺히는 송이마다 전부 한 톨씩만 여무는 외톨밤밖에 달리지 않는다. -『속방』-

처음 밤을 심을 때 땅을 파고 기와쪼가리 같은 것을 깐 뒤 흙을 펴고 그 위에 심으면 뿌리가 깊이 파고들어가지 않아 옮겨심기 편리하다.

가을이나 겨울에 구덩이를 파고 인분을 펴 넣은 뒤 흙으로 덮고 표시해 놓았다가 이듬해 봄 그 구덩이로 옮겨 심으면 잘 살고 빨리 자란다. -『속방』-

밤나무는 씨로 심고 접붙이기 등은 하지 않는다. 접붙이기 등의 방법으로는 살리기 어렵다. -『속방』-

종자 밤을 심어 싹이 돋아난 후 쥐가 그 밤을 파먹거나 사람이 혹 파먹으면 그 밤나무는 영원히 열매를 맺지 않으니 절대로 범접하지 못하게 해야 한다. -『속방』-

대추나무[棗]

2월에 맛이 좋은 것을 골라 많이 심고 싹이 나기를 기다려 얼마만큼 자라면 세 발짝에 한 그루씩 옮겨 심는다. 꽃이 필 때 막대로 나무를 쳐서 너무 다닥다닥 붙은 꽃을 털어주면 열매가 많이 맺힌다. 5월 오일(午日)에 도끼로 나무둥치를 여기저기 후려쳐 주면 맺힌 과실이 굵고 커지며 맛이 더욱 좋아진다. -『신은지』-

정월 초하룻날 시집보낼 때[嫁樹時] - 정월 초하룻날 5경(更)에 도끼로 과일나무를 불규칙적으로 어슷비슷 찍어놓는 것을 시집보낸다[嫁樹] 한다. - 대추나무는 찍으면 안 된다. 찍어놓으면 대추가 잘아진다. -『사시찬요』·『거가필용』에는 "대추나무와 감나무·오얏나무는 아무렇게나 찍어주면 더욱 좋다." 했다. -

대추가 익을 때 안개가 끼면 무르거나 하여 손실이 많이 생긴다. 어저귀대나 삼대를 나뭇가지 위에 여기저기 묶어[散絟] 주면 안개 기운[霧氣]을 물리칠 수 있다. 볏짚을 나뭇가지 위에 여기저기 묶어 주어도 손상되는 것을 막을 수 있다. -『신은지』-

누에를 발[簇]에 올릴 때쯤 꽃을 털어 주면 열매가 많이 달리고 굵다.[8] -『치부』-

호도나무[胡桃]

호도나무를 버드나무 접본(接本)에 접붙이면 잘 살고 열매가 빨리 달린다.[9] -『묵장만록』-

2월에 마른 호도를 심어도 살아난다. 만일 말똥[馬糞]에 가까이하게 되면 죽는다. 자란 뒤에도 그렇다. -『속방』-

---

8) 누에를 …… 굵다 : 이 부분은 한독본에서 보충하여 번역하였다.
9) 호도나무를 …… 달린다 : 이 부분은 대본에 없는 것을 오씨본(吳氏本)에서 보충하여 번역하였다.

네댓 번 옮겨 심으면 껍질이 얇고 속알이 커지며 옮겨 심지 않으면 껍질이 두껍고 속알이 작아진다. -『속방』-

은행나무[銀杏]

은행나무에는 암컷과 수컷이 있다. 수컷은 열매에 세모가 지고 암컷은 두 모가 져 있다. 반드시 서로 마주보게 심어야 하며 그림자가 져도 열매를 맺으니 물가에 심는 것이 좋다. -『산거사요』·『거가필용』·『신은지』·『사시찬요』-

2월에 은행나무 가지를 정(丁) 자 꼴로 잘라 두 잘린 부분을 쇠붙이를 달구어 지진 다음 심으면 살아난다. - 꺾꽂이[枝種法]에 자세히 적혀 있다.『속방』-

수은행나무가 열매를 맺지 않을 때는 둥치에 사방 한 치쯤 되는 구멍을 파고 암나무로 메워 넣으면 열매를 맺는다. 시험해보면 금방 열매가 달리는 것을 볼 수 있을 것이다. -『거가필용』·『사시찬요』-

배나무[梨]

춘분날 왕성하게 자라나는 배나무 새 순[筍]을 지팡이 꼴[拐樣]로 잘라낸다. 쇠붙이를 달구어 양쪽 잘린 부분을 진액이 빠지지 않도록 지진 다음 땅을 깊이 파고 두 자 깊이로 뉘어 심는다. -『신은지』에는 "한 자쯤 되게 심는다." 했다. - 춘분 전날이나 다음날 심어도 안 된다. 다만 춘분날 심는 것이 좋다. - 위의 꺾꽂이[枝種法]를 참고할 것.『산거사요』·『거가필용』·『신은지』-

배나무가 꽃만 피고 열매를 맺지 않는 경우 두꺼운 껍질을 긁어 주면 무성해지고 열매도 많이 맺힌다. -『사시찬요보』-

지봉(芝峰) 이수광(李睟光)이 이렇게 말했다.

"시쳇말에 '덜 익은 배를 쪄 먹으면 그 배나무가 나쁜 배나무로 변한다.'더니, 우리 집에 좋은 배나무 몇 그루가 있었는데 그 배가 채 익기 전에 손님이 와서 따 쪄 먹었더니 그 뒤로는 그 배나무의 배들이 익기만 하면 금방 꺼멓게 썩어 먹을 수 없게 되었다." -『지봉유설』-

북경(北京) 압사사(壓沙寺)는 어원(御園)이라고 하는 곳인데 그곳의 접붙이는[栽接] 관습을 보면, 먼저 아가위나무[棠梨] - 아기배·아그배라고도 한다. - 와 대추나무를 서로 가깝게 심는다. 나무가 자라 접을 붙일 정도가 되면 아가위나무를 접본으로 하여 아리(鵝梨 노란 빛깔의 배가 달리는 나무의 일종)의 가지[接枝]를 접붙인다. 그 접지가 살아나 줄기가 뻗어나면 옆에 있는 대추나무 둥치에 구멍을 뚫고 아리의 줄기를 그 구멍으로 꿰어[度接] 빠지지 않도록 해 준다. 배나무 줄기는 그 구멍을 통해 자라며 1~2년 사이에 그 구멍을 완전히 메우고 두 나무껍질이 서로 붙어 한 나무처럼 된다. 그렇게 되면 대추나무의 윗동을 잘라 내고 다시 아가위나무의 줄기를 잘라 준다. 곧 배나무를 대추나무에 접붙이는 꼴인 것이다. 열매가 달고 아름답다는 것이 바로 이것이다.[10] -『묵장만록』-

뽕나무에 배나무를 접붙이면 결실이 빠르고 맛도 좋다. -『치부』-

상사(上巳 3월의 첫 사일(巳日))에 바람이 불면 배나무에 좀벌레가 생긴다.[11] -『치부』-

복숭아[桃]·살구[杏]·오얏나무[李]

복숭아나무는 바투 심어야 좋고, 오얏나무는 띄엄띄엄 심되 남북(南北)으로 줄을 맞춰야 좋으며, 살구나무는 인가(人家) 근처에 심는 것

10) 북경(北京) …… 바로 이것이다 : 이 부분은 오씨본(吳氏本)에서 보충하여 번역하였다.
11) 뽕나무에 …… 생긴다 : 이 두 항목은 한독본에서 보충하여 번역하였다.

이 좋으나 역시 바투 심으면 안 된다. - 『산거사요』·『거가필용』·『신은지』·『사시찬요』 -

우물가에 복숭아나무를 심으면 좋지 않다. - 『사시찬요』 -

살구나 오얏씨를 심을 때는 과육(果肉)이 붙어 있는 채로 좋은 땅[肥地]에 심어 두었다가 이듬해 흙을 붙여 옮겨 심는다. - 『신은지』 -

살구는 익을 때 과육째 거름[糞] 속에 묻어 두었다가 봄이 되어 싹이 돋아나면 바로 옮겨 심는다. 옮겨 심지 않으면 작고 맛도 쓰다. 나무 밑 한 발짝 사방은 절대 겨리질[耕]을 말아야 한다. 겨리질을 하면 나무만 무성할 뿐 열매가 달리지 않는다. - 『거가필용』 -

복숭아씨는 과육을 남기지 말고 오글오글 팬 씨껍질의 틈새에까지 조금도 과육이 남아 있지 않게 깨끗이 씻은 다음 여자 - 『산거사요』에는 처녀라 했다. - 에게 단장을 곱게 하고서 심게 하면 뒷날 꽃이 곱고 아름다울 뿐만 아니라 씨와 과육이 붙지 않고 돌아 빠진다. - 『산거사요』·『거가필용』·『신은지』 -

복숭아는 익을 때 따서 과육을 제거하고 햇볕이 잘 드는 담 모퉁이에 넓고 깊은 구덩이를 판 다음 질퍽한 쇠똥을 거둬 넣고 복숭아씨 여남은 개를 뾰족한 부분이 아래로 향하도록 심은 뒤 흙을 한 자가량 두껍게 덮어준다. 이듬해 늦은 봄 싹이 나면 진흙을 붙여 옮겨 심는다. 살구나무를 접붙이면 살구가 무척 굵어지고 오얏나무를 접붙이면 오얏이 빨갛게 익으며 달다. - 『거가필용』·『신은지』·『사시찬요』 -

석만경(石曼卿)이 진흙에 복숭아씨를 싸가지고 탄자[彈]를 만들어 산령(山嶺)을 향해 쏘았더니 1~2년 사이에 온 산이 복숭아꽃으로 뒤덮였다고 한다. - 『사문유취』 -

복숭아나무는 3년이면 열매를 맺고, 5년이면 최성기에 다다르며 7년이면 늙고 10년이면 죽는다. 심은 지 6년째 되는 해 칼로 껍질을 찢어 진[膠]이 나오도록 해 주면 그 나무는 5년 이상 더 산다. - 『산거사요』·『거가필용』·『신은지』·『사시찬요』 -

복숭아나무가 심은 지 5년이 되어도 열매를 맺지 않는 것은 대개 나무껍질이 그 자신을 너무 옭죄고 있어 자랄 수 없기 때문이다. 심은 지 3년째 되는 해 – 『거가필용』에는 "정월 초하룻날 하라." 했다. – 곧게 자란 대여섯 줄기의 껍질을 날카로운 칼로 그어 찢어주면 그 나무는 열매를 많이 맺는다. – 『거가필용』·『신은지』 –

돼지 머리 삶은 물을 식혀서 부어 주면 복숭아벌레가 생기지 않고 오래 쓴 대나무 등잔대[竹燈檠]를 나무에 걸어 두면 벌레가 저절로 떨어진다.[12) – 『치부』 –

정월 초하루 5경(更)에 오얏나무 가지 사이에 돌멩이를 끼워 놓고 장대로 가지 끝을 두드려주면 열매가 많이 달린다. 섣달 그믐날 밤도 같다. – 『거가필용』·『신은지』 –

복숭아나무의 작은 벌레는 아충(呀蟲)이라 하는 것인데 그것이 생기면 오래 쓴 죽등(竹燈)을 걸어 놓는다.[13]

앵두나무[櫻桃]

4월 가랑비가 올 때 손가락 굵기 정도의 좋은 앵두나무 가지를 잘라 건땅[肥土]에 꽂는 것이 가장 잘 산다. – 『신은지』 –

앵두나무를 기를 때는 닭털을 많이 모아 뿌리를 감싸주면 앵두도 많이 달리고 알도 굵다. – 『사시찬요보』 –

앵두나무는 늙으면 열매도 많이 맺지 않고 왕성하지 않으니 베어 옮겨 심는 것이 좋다. – 전해지는 시쳇말에 의하면 "앵두는 자주 이사 다니기를 좋아하므로 이스랏[移徙樂]이라 한다." 한다. –

쌀뜨물을 자주 주면 열매가 커지고 일찍 익는다. – 『사시찬요』 –

---

12) 돼지 머리 …… 저절로 떨어진다 : 이 부분은 한독본과 오씨본에서 보충하여 번역하였다.

13) 복숭아나무의 ……걸어 놓는다 : 이 부분은 한독본에서 보충하여 번역하였다.

모과나무[木瓜]

심는 법은 복숭아 · 오얏나무와 매한가지이다. 추사일(秋社日)을 전후해서 옮겨 심으면 다음해에 바로 열매가 맺혀 봄에 심는 것보다 낫다. 휘묻이[壓枝]를 해도 산다. -『신은지』-

포도나무[葡萄]

2월이나 3월, 왕성한 줄기를 덩굴에서 떼어 내어 대략 3자쯤 되게 잘라 무나 순무에 꽂아 심는다. 심을 때는 3~5치 정도만 밖으로 나오게 하여 깊이 심는다. 싹이 돋아 자라거든 받침틀[架]로 이끌어 올리고 쌀뜨물을 자주 준다. - 또한 늘 고기[肉] 삶은 물을 식혀서 뿌리에 부어주고 3일 후 맑은 물을 주어 풀어준다. - 겨울에는 볏짚 등으로 싸주어 얼어 죽는 것을 방지해 줘야 한다. -『신은지』-

빈 화분 속으로 줄기를 꿰어 빼낸 뒤 화분에 흙을 채워 매달아 둔다. 줄기에서 발근(發根)을 하면 잘라 옮겨 심는다. -『사시찬요보』-

대추나무 곁에 포도나무를 심은 다음 봄에 대추나무 둥치에 구멍을 뚫고 포도나무의 줄기를 꿰어 놓는다. 줄기가 자라면서 그 구멍을 완전히 메우고 껍질이 서로 붙으면 포도나무의 뿌리 부분을 잘라내어 대추나무에 의지해 살도록 하면 그곳에서 열리는 포도는 과육과 씨가 대추와 같다. -『산거사요』·『거가필용』·『신은지』·『사시찬요』-

영희전(永禧殿)14) 재실 뜰에는 마유포도(馬乳葡萄)가 심겨 있는데, 잎이 진 다음에는 그 줄기들을 거두어 뿌리 위에 서려 쌓고 빈섬[空石 거적처럼 엮은 곡식을 담는 그릇]으로 덮어준 다음 겨울에는 마당의 눈을 쓸어 모아 그 위에 쌓아 둔다. 눈이 녹으면 다시 받침틀[架]로 올리는

---

14) 영희전(永禧殿) : 조선 태조 · 세조 · 원종 · 숙종 · 영조 · 순조의 영정을 모셨던 전각(殿閣). 뒤에 남별전(南別殿)으로 바꿔 불렀으며 서울 남부에 있었다.

데 한 가지도 말라 죽는 것이 없고 1년 내내 벌레가 안 생긴다. 대개 눈이 많이 오면 보리 풍년이 들 듯, 눈 녹은 물이 벌레를 죽이기 때문이다. -『문견록』-

정월에 여린 가지를 네댓 자 길이로 자른다. 먼저 건땅을 푸석푸석하게 갈아 다듬은 다음 거름을 주고 두 마디만 밖으로 나오게 하여 심는다. 조그만 울타리를 단단히 둘러쳐 막아주고 봄이 되기를 기다린다. 봄기운이 돌면 다투어 싹이 돋는다. 흙 속에 묻힌 마디들에서 가지를 뻗을 수 없게 되면 그 힘은 전부 땅 위로 나온 두 마디를 위해 쓰게 되므로 채 2년이 안 가 올림틀[棚]을 완전히 뒤덮는 큰 나무가 된다.[15]

사과나무[楂果]

사과와 단행(丹杏)·유행(流杏)은 다 씨로 번식시킬 수 없으며 접을 붙이는 것이 좋다.

그러나 사과나무에는 거미줄 같은 집을 짓는 벌레가 많이 끼고 가지는 많이 뻗으나 말라 죽는 것이 많다. 빨래한 물을 늘 뿌리에 부어주면 이런 걱정은 없어진다. -『속방』-

능금나무[林檎][16]

송충이 같은 벌레가 생기면 누에똥을 나무 밑에 묻어주거나 물고기 씻은 물을 부어주면 곧 없어진다. -『치부』-

---

15) 정월에 …… 큰 나무가 된다 : 이 부분은 한독본에서 보충하여 번역하였다.
16) 능금나무[林檎] : 이 항목은 한독본에서 보충하여 번역하였다.

양화 養花

[양화 서]

황량한 들판이나 적막한 물가에서 벗이 없어 정 붙일 곳이 없다면 꽃을 가꾸고 대나무를 재배하는 것도 세월을 보내는 한 가지 방법이다. 그러나 재배하는 기술과 갈무리하는 방법을 몰라 습(濕)하게 취급해야 할 것을 건조하게 하고 찬 곳에 두어야 할 것을 따스한 곳으로 옮기는 등 타고난 천성을 거스른다면 그것들은 종내 오그라들어 말라 죽게 될 뿐이다. 그리하여 이에 꽃 가꾸는 방법을 적어 제6편을 삼는다.

양화

분재법[盆種花樹法]은, 먼저 겨울에 양지쪽 도랑[溝]의 흙을 파 올려 햇볕에 말린 다음 체로 쳐서 기와 쪼가리와 자갈 등을 골라낸다. 그리고 그곳에 인분을 뿌려 햇볕에 말리기를 3~4번 거듭한다. 그런 다음 그 거름흙[糞土] 무게와 같은 양의 마른 풀[柴草]을 섞어 불을 놓아 태운다. 다 타고나면 재와 함께 그러모아 갈무리해 둔다. 이듬해 정월이나 2월 그 거름흙을 주고 꽃이나 채과(菜果), 나무를 심던지 꽃나무[花木]의 씨를 뿌린다. 그런 다음 매양 닭이나 거위를 튀한 가라앉힌 물에 - 닭이나 거위 등을 튀한 것이 없다면 누에똥[蠶沙]을 물에 우려 쓰면 더욱 좋다. - 거름물 - 바로 인분의 맑은 물이다. - 과 섞어 마르지 않게 뿌려 준다.

꽃의 경우, 싹이 올라올 때는 연한 뿌리가 자라나는 시기이므로 이

때는 거름물을 주지 말아야 한다. 거름물을 주면 곧 죽는다. 연한 줄기가 웬만큼 자랐거나 꽃망울이 맺히기 시작하면 다시 거름물을 주기 시작한다. 그러나 꽃이 필 때는 주면 안 된다. 매일 아침저녁으로 물[淸水]만 주는 것으로 그쳐야 한다. 채과·과실 등 열매가 맺는 것의 경우는 열매가 맺히면 거름 물을 주지 말아야 한다. 거름 물을 주면 맺혔던 열매가 떨어진다. 모든 꽃은 3~4월 사이에 분(盆)으로 올린다. -『양화소록(養花小錄)』에는 "검은 흙이나 붉은 흙을 따질 것 없이 차지지 않고 물비린내[肥臊] 등이 나지 않는 흙을 파다가 체로 쳐 자갈과 모래를 제거한 뒤 인분 맑은 물을 뿌려 서너 번 햇말똥[馬糞]을 물에 우려 가라앉힌 다음 위의 맑은 물만 더 뿌려주는 것만 못하다." 했다.『거가필용』·『신은지』·『사시찬요』-

꽃 가꾸기에 좋은 날과 나쁜 날[種花吉凶日]·꺾꽂이법[枝種法]·해충 제거법[辟蟲法]은 위의 식목[種樹] 편에 보인다.

최화법(催花法)은 말똥을 물에 우려 주면 3~4일 뒤에 필 꽃이 다음날 전부 핀다. -『거가필용』·『신은지』·『사시찬요』·『양화소록』-

꽃빛깔 바꾸는 방법[花色變改法]은, 붉은[紅] 꽃을 희게 하려면 유황(硫黃) 연기를 쐰[熏] 잔(盞)으로 꽃을 덮어두면 희어진다. -『사시찬요보』-

흰 모란을 5색 모란으로 바꾸기. - 모란심기 편에 자세히 기록되어 있다. -

붉거나 흰 연꽃을 청색으로 바꾸기. - 연꽃심기 편에 자세히 기록되어 있다. -

꽃들이 싫어하는 것은, 꽃에는 사향(麝香) 냄새를 쐬게 해서는 안 된다. 만일 사향을 쐬어서 손상(損傷)을 입었을 때는 바람이 잘 통하는 곳으로 옮겨 놓고 마른 쑥[艾]에 웅황(雄黃) 가루를 섞어 태워 그 연기를 쐬어주면 회복된다. -『거가필용』·『신은지』-

모든 꽃은 상제와 임신부를 가장 싫어한다. 이들이 꽃을 꺾은 경우 그 뒤 몇 년은 꽃이 피지 않으니 절대로 접근하지 못하도록 금해야 한다. -『거가필용』·『양화소록』-

화분관리법[排盆法]은, 모든 화분은 반드시 반음반양(半陰半陽)인 곳에 두어야 하며 벽돌로 괴어 주는 것이 좋다. 그러나 석류(石榴)·치자(梔子)·산다(山茶)·사계(四季) 등 건조한 것을 싫어하는 것은 꽃이 진 뒤에는 반드시 땅을 파고 분이 지면과 평행이 되도록 묻어 땅의 기운[地氣]을 받도록 해 주어야 한다. 세속(世俗)에서는 두 개[雙]씩 평상[凳]에 벌여 놓으면 안 된다고 하지만 두 개씩 벌여 놓아도 괜찮다. -『양화소록』-

모든 꽃나무는 오랫동안 담 밑에 놓아두면 꽃봉오리나 가지들이 전부 사람 있는 쪽을 향해 기울어진다. 반드시 자주 돌려놓아야 하며 오랫동안 한 쪽만 바라보고 있게 해서는 안 된다. -『양화소록』-

갈무리하는 법[收藏法]은, 먼저 높고 건조하면서도 햇볕이 잘 드는 곳에 땅을 파고 움[土宇]을 만든다. 출입구 겸 환기구(煥氣口)는 남쪽으로 내되 화분을 들이고 내기에 불편하지 않도록 너무 협소하지 않게 한다. 갈무리는 너무 일러도 좋지 않다. 2~3차례 서리를 맞힌 다음 움 속으로 들여놓는 것이 좋다. 날씨가 따뜻할 때라도 출입구 겸 환기구를 열어 놓아서는 안 된다. 만일 혹독한 추위가 몰아치면 이엉이나 거적 등으로 두껍게 덮어 얼지 않게 해 주어야 한다. 입춘(立春)이 지난 다음에는 가끔 덮은 것을 걷어 주어야 한다. 한식(寒食) 뒤에 밖으로 꺼낸다. -『양화소록』-

노송(老松)

가운데 큰 직근(直根)을 자르고 사방 옆으로 뻗은 수근(鬚根)만 남겨두면 반송[偃蹇 나무가 곧게 크지 않고 가지들이 전부 옆으로 누워 구부러지고 나무 위가 평면 꼴을 이루는 것]이 되지 않는 것이 없다. 춘사(春社 입춘 뒤 5번째 술일(戌日)) 전에 흙을 붙여[帶土 뿌리돌림] 옮겨 심으면 백이면 백주가 다 산다. 이때를 놓치면 결코 살릴 도리가 없다.

- 『거가필용』·『신은지』·『사시찬요』·『양화소록』 -

노송의 가지나 줄기가 구불구불 심하게 비틀리고 말라 죽은 가지에 새 움이 돋아 비스듬히 누워 자란 가지가 많으며 잎이 가늘고 짧은 한편, 가지 끝에는 솔방울이 달리고 등치에는 만년화(萬年花 지의류(地衣類)에 속하는 은화식물(隱花植物). 이끼의 한 종류임)가 붙어 있는 채 바위 사이에 붙어사는 것을 제일 상품(上品)으로 친다. 그러나 성질이 몹시 까다로워서 옮겨 심으면 대부분 죽는다. 먼저 땅을 파고 큰 직근을 잘라낸 뒤 흙으로 잘 덮어 두었다가 이듬해 캐어 분(盆)으로 옮기면 잘 산다. 3일에 한 번씩 물을 주고 그늘진 곳에 놓아두지 말아야 한다. 장마 때는 뿌리께는 덮어주어 지나친 습기로부터 보호해 줘야 한다. 노송의 뿌리는 약하여 추위를 견디지 못하므로 혹독한 추위가 몰아칠 때에는 움 속으로 들여 놓아야 한다. - 『양화소록』 -

누운잣나무[萬年松]

누운잣나무는 가지가 층을 이루고 푸른 잎이 술[絛絲]처럼 밑으로 늘어져 있으며 줄기가 비틀려 구부러진 것이 흡사 나무를 감고 올라가는 붉은 뱀 같은데, 향기가 맑고 진한 것이 좋으며 잎이 흰빛을 띠고 가시처럼 찌르는 것은 하품(下品)이다. 2월이나 3월에 좋은 것을 골라 가지를 떼어 내어 분에 꽂은 다음 그늘진 곳에 놓아두고 마르지 않게만 물을 주면 살아난다. 다시 핀 새잎은 까실까실 가시처럼 찌르나 오래되면 술처럼 된다. 성질이 몹시 사람의 훈기와 화기(火氣)를 싫어하는 반면 추위는 잘 견딘다. 겨울에는 양지쪽 땅으로 옮겨 심었다가 이듬해 봄에 다시 분으로 올리는 것이 좋다. 마르지 않게 물을 주고 나무 그늘 밑에 놓아두지 말아야 한다. 금강산(金剛山)과 묘향산(妙香山) 꼭대기에 잘 나는데 중들이 베어 부처님 앞에 피우는 향으로 쓴다. - 『양화소록』 -

대나무[竹]

근죽(箽竹)은 시쳇말로 왕대[王竹]란 것이고 담죽(澹竹)은 바로 솜대[綿竹]며 참대[苦竹]는 바로 오죽(烏竹)이다. -『지봉유설』-

대나무는 암컷과 수컷이 있는데 뿌리로부터 올라와 곁가지가 난 곳까지 마디가 하나 있는 것은 수컷이고 마디가 두 개 있는 것은 암컷이다. -『거가필용』·『사시찬요』에는 "뿌리 위 첫마디에 곁가지가 하나만 나면 수컷이고 두 개가 나면 암컷이다." 했다. - 암컷이 순이 많이 돋으므로 대나무를 심을 때는 마땅히 암컷을 심어야 한다. -『사문유취』-

정월 1일, 2월 2일 하는 식으로 12월 12일까지 월·일의 숫자가 같은 날 대나무를 심으면 살지 않는 것이 없다.

대나무는 본명일(本命日)에 심는데, 정월 초하루, 2월 2일, 3월 3일 등이다. -『거가필용』·『사시찬요』에는 "2월 2일, 3월 3일을 본명일이라 한다." 했다. - 대나무는 진일(辰日)에 많이 심는데, -『거가필용』·『고사촬요(故事撮要)』에는 "갑진일(甲辰日)은 죽취일(竹醉日)이다." 했고, 『사시찬요』에는 "2월부터 5월까지의 진일(辰日)에는 언제나 옮겨 심을 수 있다." 했다. - 산곡(山谷 황정견(黃庭堅)의 호)이 이른바 '대나무는 진일에 잘라야 차례를 기다리던 새 순이 올라와 자란다.[竹須辰日劚 筍看上番成]'는 것이 이것이며, 또한 섣달에 심기도 하는데, 두릉(杜陵 두보(杜甫). 장안(長安) 교외에 있었기 때문에 스스로 두릉의 포의(布衣), 소릉(小陵)의 야로(野老)라 했음)이 이른바 '동쪽 수풀에 대나무 그림자가 엷으니 섣달에는 다시 옮겨 심어야겠구나.[東林竹影薄 臘月更須移]' 한 것이 이것이다. 이때가 아니고는 옮겨 심어봐야 살지 않는 것이 대부분이다. 그러나 5월 13일은 옛사람들이 죽취일(竹醉日), 또는 죽미일(竹迷日)이라고 하는 날로 이날 대나무를 심으면 무성하게 자란다. -『사문유취』-

5월 13일은 대나무의 본명일(本命日)이므로 이날 옮겨 심으면 백에 하나도 죽지 않는다. 시험해 보면 금방 효과를 볼 것이다. -『거가필용』-

5월 18일에 대나무를 옮겨심기도 한다. 또한 20일이 가장 좋다고 하기도 하고, 어떤 이는 꼭 5월을 따질 것 없이 매월 20일은 다 괜찮다고 했으며 진시(辰時)에 심어야 한다고 했다. -『거가필용』-

화일(火日)이나 서풍(西風)이 부는 날 대나무를 심으면 안 된다. -『거가필용』·『사시찬요』-

먼저 두세 달이나 혹은 반년 뒤에 옮길 계획을 세운다. 대나무 줄기를 한두 자쯤 찍어낸 뒤 삽으로 뿌리를 자르고 흙으로 덮어둔다. 마르지 않게 물을 주며 돌보다가 예정된 때가 되면 파 옮긴다. 그 즉시 살아나며 잎갈이도 하지 않는다. 이미 곁뿌리를 잘라 놓으므로 대나무 줄기가 성장을 멈추었기 때문에 옮겨 심어도 탈이 없는 것이다. -『신은지』-

대나무는 높고 평평하며 물이 나지 않는 곳의 누르거나 흰빛의 연한 흙에 심는 것이 좋다. 대나무는 서남쪽으로 뿌리 뻗기를 좋아하는 성질을 가졌으므로 서남쪽으로 뻗은 뿌리를 잘라 캐어 줄기와 함께 집안[園中] 동북쪽 모퉁이에 심는다. -『거가필용』·『사시찬요』-

대나무 뿌리는 남쪽으로 뻗지 않는 것이 없다. 남쪽으로 뻗은 뿌리를 캐어 북쪽을 향해 심는다. 그러나 반드시 비 오는 날 심어야 한다. 시쳇말에 '대나무는 어느 때나 비 오는 날 원흙[宿土]을 많이 붙이고 남북을 표시해 캐어 옮기면 된다.' 한다. -『몽계망회록』-

대나무는 어느 때 심어도 된다. 그러나 날이 계속 흐릴 때 심어야 모두 산다. -『거가필용』-

땅을 깊고 넓게 파고 마른 말똥을 고운 진흙에 섞어 -『신은지』에 "말똥을 흙에 섞을 뿐 이겨 쓰지는 않는다." 했다. - 여름에는 푸석하게 겨울에는 좀 조밀하게 구덩이를 2자가량 메운 다음 심는다. 반드시 3~4줄기[莖]를 한 포기로 모아 심어야 하며 흙은 다지지 말고 푸석하게 덮어야 한다. 얕게 심으면 안 되니 흙을 줄기 위[株上]까지 덮어 주어야 한다. 만일 호미 머리[鋤頭] 등으로 진흙을 두드려 다지면 새 순[筍]이 돋지 않는다. 한 번 두드려 다지면 1년 동안 돋지 않고 두 번 두드리면 2년

동안 돋지 않는다. -『월암 종죽법』-

대나무를 심을 때는 흙을 막대기 등으로 쑤시면서 덮어야[杵築] 하고 절대로 발로 밟아 다져서는 안 된다. 발로 밟으면 순[筍]이 돋지 않는다. -『신은지』에도 "발로 밟는 것을 피해야 한다." 하였고, 송임홍(宋林洪)의 종죽법(種竹法)에도 "발로 밟지 말라." 하였다. - 손바닥으로 다지는 것도 피해야 한다. 만일 낯 씻은 물을 뿌려주면 말라 죽는다. -『사시찬요』-

대나무를 옮겨 심을 때는 절대 흔들리지 않게 해야 한다. 먼저 대나무의 윗동[梢]을 쳐내고 버팀목으로 잡아매어 보호하면 좋다. -『신은지』-

줄기를 남겨둔 채 옮겨 심으면 바람에 흔들려 무성하게 자라지 않는 것이 대부분이다. 줄기를 뿌리로부터 한 자 남짓 남겨두고 잘라버린 뒤 그 줄기의 머리만 밖으로 나오게 묻어 심으면 심은 그해 새 순이 돋는다. 그러나 그 순을 밟아 죽이면 이듬해에는 그보다 더 큰 순이 돋는다. 그것마저 밟아서 죽이고 3년째 돋는 순을 키우면 한 줄기가 몇 길은 실히 뻗쳐 올라간다. -『거가필용』·『사시찬요』-

대나무가 왕성하지 않으면 뿌리에 개나 고양이를 묻어주면 새 순이 왕성하게 솟아난다. -『사시찬요』-

새 순 내는 방법[引筍法]은, 좀 떨어진 거리[隔籬]에 삵괭이 -『신은지』에는 개라 하였다. - 나 고양이를 묻어주면 이듬해 순이 저절로 솟아오른다. -『거가필용』·『신은지』·『사시찬요』-

대 뿌리 막는 법[障竹根法]은, 대나무 뿌리는 흔히 돌계단 등 석축 사이를 뚫고 들어가 그 석축을 무너뜨리는 경우가 많다. 조각자(皁角刺)를 많이 모아 흙을 파고 묻어두면 그곳으로는 뿌리를 뻗지 않는다. 또한 참깨대[油麻梗] -『신은지』에는, 참깨짚[芝麻稭]이라 하였다. - 를 한 묶음[小把]씩 묶어 땅을 파고 묻어두어도 뿌리가 그곳으로 뻗지 않는다. -『거가필용』·『신은지』·『사시찬요』-

고사 방지법[治竹枯法]은, 대나무가 꽃이 피고 열매를 맺으면 - 돌피[稗]와 같은 열매가 맺는데 죽미(竹米)라 한다. - 곧 말라 죽는다. 한 나무[竿]가 이러할 경우 그냥 내버려 두면 온 대숲이 다 꽃이 피고 말라 죽는다. 이러한 현상을 예방하려면 여러 대나무 중 제일 굵은 것을 골라 잘라내고 뿌리[近根]의 마디를 세 자쯤 되게 뚫은 뒤 인분(人糞)을 채워두면 그런 현상이 사라진다. - 『거가필용』·『신은지』·『사시찬요』 -

시쳇말에 '할아버지와 손자는 서로 보지 못하게 하고 어미와 아들은 떼어 놓지 말라.'는 것이 있는데, 이것은 한 해씩 걸러 대나무를 베는 것이 좋다는 말이다. 대나무는 7월 진일(辰日)과 경오일(庚午日)·계미일(癸未日)에 베는 것이 좋고 6월 6일도 괜찮다. 동짓날이나 섣달에 베면 나무에 좀이 먹지 않는다. - 『신은지』 -

11월·12월의 계일(癸日)에 대나무를 베는 것은 피(避)해야 한다. - 『거가필용』 -

대나무 분재법[盆竹]은, 기온이 뚝 떨어지면 사람 옆에 남아 있는 것은 오직 오반죽(烏斑竹)뿐이다. 반죽(斑竹)은 겨울을 나면 까맣게 변해 오죽(烏竹)이 된다. 오뉴월 장마[梅雨] 때 새로 돋은 줄기 중 곧고 잎새가 짧으며 가지가 많이 뻗은 것을 골라 분에 옮겨 심는다. 곁뿌리[橫根]를 자를 때는 좌우로 각각 몇 마디쯤 되게 잘라 캐야 하며 줄기가 붙어 있는 곳은 건드리지 말아야 한다. 조금이라도 잘못 건드렸다가는 잎이 말려 펴지지도 않고 끝내 말라 죽고 만다. 여러 해 묵어 뿌리를 뻗고 새 순이 솟아나면 분 속이 좁아져 그 뿌리들을 수용하기 어려워진다. 이럴 때에는 햇볕 잘 드는 곳에 옮겨 심는다. 처음 분으로 올렸을 때는 햇빛을 보지 못하게 해야 하며 갈무리는 너무 덥거나 너무 춥게 하지 말고 마르지 않도록 물을 주어야 한다. - 『양화소록』 -

매화나무[梅]

5월에 매실씨[梅核]를 거두어 갈무리해 두었다가 이듬해 2월 집[庄] 앞뒤에 수백 그루 심으면 겨울 눈 속에서 꽃이 필 뿐만 아니라, 진한 향기가 사람을 감싸 뼛속까지 싱그럽게 한다. 열매를 맺은 후 오매(烏梅 껍질을 벗기고 짚불에 그을려 말린 매실(梅實). 설사·기침에 쓰고 차(茶)로도 씀)를 만들면 자산(資產)을 불릴 수도 있다. -『신은지』·『거가필용』에는 "매화나무로 12년이 되어야 열매를 맺는다." 했다. -

매실(梅實)이 익을 때 과육째 건땅에 심고 싹이 나기를 기다려 마르지 않게 물을 준다. 10월이 되면 7~8치 정도 자라며 어느 것은 한 자쯤 자라는 것도 있다. 이듬해 2~3자 정도 자라도록 기다렸다가 10월에 옮겨 심는다. 땅을 많이 파고 깊이 심어야 하며 뿌리가 흔들리지 않도록 해야 한다. 척박한 땅에 심어도 괜찮다. 그러나 물주는 것을 잊어 마르게 해서는 안 된다. -『신은지』 -

매화나무 분재법[梅盆]은, 매화나무로 운치와 격을 따지기 때문에 둥치가 비스듬히 옆으로 누워 가지가 성기고 앙상할 뿐 아니라 늙은 가지가 기괴(奇怪)하게 생긴 것을 귀하게 여긴다. 곧게 뻗어 올라간 새 가지[嫩枝]를 기조(氣條 바로 도장지(徒長枝)를 이르는 것)라고 하는데 『서경(書經)』에 이른바, 운치와 격조라는 것이다. 줄기 위에 흡사 가시처럼 생긴 짧은 곁가지[橫枝]가 돋으며 꽃이 다닥다닥 붙는[密綴] 것이 있는데 이런 종류는 좋은 것[高品]이 아니다. -『범석호 매보서』 -

대개 매화나무를 접붙이려면 먼저 크지 않은 복숭아나무를 분에 올려 착근시킨 다음 접지(椄枝)로 쓸 매화나무 가지 곁에 걸어 달아매고 십(十)자 꼴로 두 나무가 서로 닿는 부분을 깎아 붙인 다음 생칡[生葛] 덩굴의 껍질을 벗겨 단단히 잡아맨다. 두 나무의 기(氣)가 통하고 껍질이 서로 엉겨 붙으면 매화나무에서 잘라낸다. 시체 사람들이 의접(倚接)이라고 하는 것인데, 잘라낸 다음 분은 반음반양(半陰半陽)인 곳에 두어야 하며 자주 물을 주어야 한다. 서로 붙은 나무가 옆으로 비스듬히 누운 노매(老梅)의 꼴을 이룬다.

꽃봉오리가 맺히면 따뜻한 방안으로 들여 놓는다. 자주 미지근한 물을 가지와 뿌리에 뿜어 주고 옆에 불이 관 화로를 놓아 두어 찬 공기가 스며들지 않게 해 주면 동지(冬至) 전에 꽃봉오리가 터진다. 꽃이 진 뒤에는 찬 공기를 쐬지 않게 다시 움[土宇] 속으로 들여 놓으면 열매를 맺는다. 만일 찬 공기를 쐬면 열매가 맺히지 않을 뿐만 아니라 줄기 역시 말라 죽는다. 분은 토분[瓦器]을 쓰는 것이 좋으며 마르지 않도록 물을 주어야 한다. 고풍(古風)이 감도는 매화나무를 만들려면 반드시 홑꽃[單葉]이 피는 나무를 접붙여야 한다. 매화나무가 만일 늙어 가지를 뻗지 않거나 꽃봉오리를 맺지 않으면 햇볕 잘 드는 곳으로 옮겨 심어 뿌리를 뻗게 해 주면 이내 큰 나무로 자란다. -『양화소록』-

사철나무[冬靑樹]에 매화나무를 접붙이면 검은 반점이 있는 꽃[灑墨梅]을 피운다. -『동파집』-

국화[菊]

집에 심는 국화에는 사치기(奢侈氣)가 있기 때문에 붉은 국화는 심지 않는 것이 좋다. 붉은 국화는 사람을 역겹게 할 뿐 아니라, 청초한 맛도 없다. 오직 감국(甘菊)만이 심을 만한 것인데, 붉은 줄기에 노란 꽃이 피며 덩굴처럼 뻗는 것이 바로 도연명(陶淵明)이 사랑했던 것이다. 뿌리를 옮겨 심으면 잘 살고 꽃이 핀 뒤 씨가 땅에 떨어지면 이듬해 바로 난다. -『신은지』-

봄에 돋은 싹이 한 자쯤 자랐을 때 순[顚]을 쳐 주면 가지가 두 개로 벌고 다시 쳐 주면 네 개로 번다. 이런 식으로 매양 쳐 주면 쳐 줄 때마다 가지가 벌어 가을에 가서는 한 줄기에 수천 수백 송이의 꽃이

어울려 휘늘어져 흡사 일산[車蓋] 등과 같아진다. -『범석호 국보서』-

국화 뿌리는 물을 가장 싫어하므로 물을 주는 것은 좋지 않다. 조그만 그릇[盞]에 물을 담아 뿌리 곁에 놓고 종이(창호지 등 닥으로 만든 종이를 말함)를 좁고 길게 오려 적신 다음, 반은 줄기 밑둥[根莖]에 감아 놓고 반은 물그릇에 담아 놓으면 물이 그 종이를 타고 저절로 배어 올라간다. -『사시찬요』·『양화소록』-

국화를 재배할 때는 묵은 뿌리에서 돋아난 싹들이 그대로 자라게 해서는 안 된다. 반드시 5월 안에 비 오는 날을 택해 땅을 반 자가량 파고 먼저 거름[肥土]을 넣은 뒤 모래가 섞인 흙을 덮어 편 다음 한 구덩이에 한 줄기씩 나누어 심는다. 줄기가 약한 것은 옆에 갈대를 꽂아 잡아매주고 줄기가 크고 가지가 많이 벌면 다시 대가지 등으로 잡아매준다. 줄기가 외롭게 자라면 줄기 끝을 잘라 주어 가지를 벌게 한다. 착근을 한 뒤 거름흙[肥土]으로 뿌리를 덮어 주면 무성하게 자란다. 그러나 뙤약볕을 너무 받으면 잎이 황적색으로 변하고 비를 너무 맞히면 잎이 시꺼멓게 이울어지니 세심하게 주의하여야 한다. 땅에 심을 때는 반드시 습기가 많지 않은 곳을 골라 심어야 하며 분재를 할 때는 토분[瓦器]에 심는 것이 좋다. 꽃이 핀 뒤에는 자분(瓷盆)으로 옮겨 심어도 괜찮다. -『사시찬요』·『양화소록』-

도랑 흙을 파 올려 기와 쪽이나 자갈 등을 골라내고 잘게 부숴 말려 찐 다음 참깨깻묵[芝麻油滓]을 섞어 분 속에 넣고 심으면 잘 자랄 뿐 아니라 벌레가 생기지 않아 뿌리를 상할 염려가 없다. -『속방』-

누런 잎이 생기면 부추즙을 내어 뿌리에 부어 주면 푸르게 회복된다.[17] -『치부』-

---

17) 누런 잎이 …… 회복된다 : 이 부분은 한독본에서 보충하여 번역하였다.

난초[蘭]

한 줄기에 한 송이 꽃이 피며 향기가 넘쳐흐르는 것이 난(蘭)이고, 한 줄기에 6~7송이의 꽃이 피며 향기가 좀 모자라는 것이 혜(蕙)다. 모래와 자갈에 모종을 하면 잘 자라고 차[茗]를 끓여 부어 주면 향기가 좋아지니, 이것은 어느 난초에게나 같은 것이다. -『황산곡 수죽기』-

난초 잎은 맥문동(麥門冬) 비슷하나 넓고 질기며 채[長]가 한두 자쯤 되는데 사철 푸르다. 꽃은 노란빛을 띠고 꽃잎 중간에는 조그만 자색점이 찍혀 있다. 봄에 꽃이 피는 것을 춘란(春蘭)이라고 하는데 빛깔이 짙고 가을에 피는 것을 추란(秋蘭)이라고 하는데 빛깔이 엷다. 잎사귀에서는 향기가 나지 않고 꽃에서만 향기가 난다. 분에 담아 거실에 들여 놓으면 온 방이 향기로 가득 찬다. -『증류본초』-

난초는 산곡(山谷)에 여러 포기가 한데 어울려 나는데, 줄기는 자색이고 마디는 적색이며 녹색의 잎에는 광택이 있다. 한 줄기에 한 송이의 꽃이 피지만 더러는 두 송이가 피기도 한다. 꽃잎은 두 장이거나 세 장인데 그윽하고 맑은 향기가 멀리까지 뻗친다. 꽃빛깔은 흰[白] 것도 있고 붉은[紫] 것도 있고 엷은 푸른색[淡碧]을 띠는 것도 있는데 꽃은 언제나 초봄에 피며 서리가 오고 얼음이 언 뒤에도 고결한 품격을 고치는 법이 없다. -『설문해자』-

포기 가르는 법[分蘭法]은, 한로(寒露) 한 달쯤 전에 모래를 파다가 자갈을 골라내고 인분(人糞)을 섞어 햇볕에 말려 갈무리해 둔다. 한로가 지난 다음 가지가 잘 번 원분(元盆)을 깨어 벗긴 뒤 조심조심 엉긴 뿌리를 풀어간다. 오래된 노두(蘆頭)는 버리고 3년 된 뿌리[穎]는 남겨 둔다. 한 분에 세 뿌리나 네 뿌리씩 모아 심는다. 분 아래층을 굵은 모래로 채우면 기공이 많이 생겨 장맛비에도 물이 괴어오르지 않고 위층을 고운 모래로 채우면 습기를 잘 보존해 불볕에도 잘 마르지 않는다. 햇볕을 알맞게 쬐고 이슬을 알맞게 맞히며 거름을 알맞게

주면 산다. －『양화소록』－

우리나라에는 난초[蘭蕙]의 종류가 많지 않을 뿐 아니라, 분으로 옮겨 심으면 잎이 점점 짧아지고 향기도 없다. 호남(湖南) 지방 바다에 연(沿)한 산들에 나는 것이 좋다. 서리가 내린 후 기근(氣根)이 상하지 않도록 흙[舊土]을 많이 붙이고 캐어 옛 방식대로 분에 옮겨 심는 것이 좋다. 난의 잎은 1년 동안에 다 자라지 않고 이듬해 늦여름이 되어야 성장을 마친다. 잎이 뻗어날 때는 마르지 않게 계속 물을 주어야 한다.

언제나 반음반양인 곳에 두어야 하고 마르지 않게 해야 한다. 갈무리할 때도 너무 덥게 해서는 안 되며 또한 사람의 훈기도 쐬지 않게 해 주어야 한다. －『양화소록』－

연(蓮) 그 잎을 하(荷), 그 열매를 연(蓮), 그 뿌리를 우(藕), 그 꽃봉오리를 함담(菡萏), 그 꽃을 부용(芙蓉)이라 하는데 총칭해서 부거(芙蕖)라고 한다.

8~9월에 단단하고 검게 익은 연실(蓮實)을 거두어 벽돌 등에 머리 부분을 갈아 껍질을 얇게 만든 다음 도랑 언저리의 흙을 파 잘 이겨 셋째손가락 정도로 두 치쯤 되게 연실을 싼다. 위쪽은 가늘고 밑으로 내려가면서 점점 굵게 싸는데, 연실의 간 부분이 뾰족한 쪽을 향하게 하고 뿌리[蔕頭] 쪽은 굵고 뭉뚝한 쪽을 향하게 한다. 다 빚어 싼 다음에는 진흙이 마르기를 기다렸다가 못[池] 속에 던져 넣는다. 뭉뚝한 부분이 먼저 가라앉으므로 껍질을 얇게 간 부분이 위를 향하게 되어 잘 난다. －『거가필용』·『신은지』－

쇠똥으로 땅을 걸게 한 다음 입하(立夏) 3~4일 전에 연뿌리의 마디머리[節頭]를 캐어 진흙 속에 심으면 －『신은지』에는 "2월에 대초(帶草)와 진흙[濕泥]으로 연뿌리를 싸서 못 안에 심는다." 하였다. － 심은 그해 바로 꽃이 핀다. －『산거사요』·『거가필용』·『사시찬요』·『양화소록』－

이른 봄에 연뿌리 세 마디를 상처를 입지 않게 캐어 못 바닥 야문 흙[硬土]에 닿도록 진흙을 깊게 파고 심으면 심은 그해 꽃이 핀다. -『거가필용』·『양화소록』-

5월 20일에 깊이 심는다. 연줄기[蓮柄]가 큰 것은 대나무를 박아 세우고 잡아매주면 살지 않는 것이 없다. -『양화소록』-

연을 심을 때는 붉은 꽃이 피는 연과 흰 꽃이 피는 연을 함께 섞어 심으면 안 된다. 흰 꽃의 연이 성(盛)하면 붉은 꽃의 연은 반드시 쇠잔해지므로 한 못 안에 심어야 할 경우에는 꼭 간격을 띄워 양쪽에 나누어 심어야 하며 심는 방법은 반드시 옛 방법을 따라야 한다. 그러나 절기나 날에는 구애받을 필요가 없다. -『양화소록』-

연실을 푸른 빛깔의 독[靛瓮] 속에 넣어 놓았다가 겨울을 난 뒤 심으면 푸른 꽃이 피는 연이 난다. -『지봉유설』-

큰 독[大瓮] 두 개에 붉은 꽃 피는 연과 흰 꽃 피는 연을 나누어 심는다. 심을 때는 곁뿌리[旁根]는 모두 잘라 버려야 하며 잎줄기가 이리저리 흔들리지 않게 해야 한다. 이리저리 흔들리면 꽃이 피지 않는다. 얼음이 얼기 시작하면 독을 햇볕이 잘 드는 곳에 갈무리하고 얼어 터지는 일이 없도록 해야 한다. 이듬해 봄에 캐어 묻으면 더욱 많은 꽃이 핀다. 만일 독이 무거워 움직일 형편이 못 되면 묵은 뿌리들을 캐어 버리고 독을 비워 두었다가 이듬해 다시 심으면 된다. -『양화소록』-

연[荷蓮]은 오동열매 기름[桐油]을 지극히 무서워한다. -『거가필용』·『산거사요』-

연못[蓮池]에 칡을 우려서는 절대 안 된다. 연의 씨가 마른다. -『문견방』-

목부용(木芙蓉) 어떤 이는 목련(木蓮)이라고 부르기도 한다. 8월에 꽃이 피어 일명(一名) 거상화(拒霜花)라고도 한다

4월 이슬비가 올 때 손가락 정도 굵은 좋은 가지를 골라 잘라 건땅[肥土]에 꽂아 두면 가장 잘 산다. -『신은지』-

2월이나 10월 한데 모여 난 여러 줄기 중에서 포기가름을 하여 옮겨 심는다. 꽃이 희고 연꽃 같아 사랑스럽다. -『속방』-

중국에서는 목말부용(木末芙蓉)이라고 하는데 '화산 속에서 붉은 꽃을 피운다.[花山中 發紅蕚]'고 한 것을 보면 중국의 목부용은 우리나라에서 소위 목련(木蓮)이라고 부르는 것과는 다른 것 같다. - 왕유(王維)의 '신이오시(辛夷塢詩)'에 이른바 '신이'라는 것이 목부용이 아닌가 싶다. -

산다화(山茶花) 시체 이름은 동백(冬柏)이다

남방초목기(南方草木記)에는,

"붉은 꽃 피는 것과 흰 꽃 피는 것 두 종류가 있는데, 보주산다(寶珠山茶)·누자산다(樓子山茶)·천엽산다(千葉山茶)가 있다."

하였고, 격물론(格物論)에는,

"몇 종류가 있는데, 보주다(寶珠茶)·석류다(石榴茶)·매류다(梅榴茶)·척촉다(躑躅茶)·말리다(茉莉茶)·궁분다(宮粉茶)·관주다(串朱茶)는 분홍색이고 일임홍(一稔紅)·조전홍(照殿紅)은 잎사귀가 각각 다르다."

했는데, 우리나라에서 심는 것은 오직 네 종류뿐이다. 붉은 색의 홑꽃이 눈[雪] 속에 피는 것을 시체 사람들은 동백(冬柏)이라고 부르는데 이것은 곧 격물론의 이른바 일임홍이고, 분홍색의 홑꽃이 봄이 되어야 피는 것을 시체 사람들은 춘백(春柏)이라고 부르는데 이것은 곧 격물

론의 이른바 궁분다이며, 지금 서울[都下]에서 기르는 천엽동백(千葉冬柏)이라는 것은 격물론의 이른바 석류다이다. 또한 천엽다(千葉茶)라는 것으로 꽃술에 금속(金粟)이 맺히는 것이 있는데 이것은 바로 격물론의 이른바 보주다이다. 대개 천엽석류다(千葉石榴茶)는 잎사귀가 두껍고 짙은 녹색일 뿐만 아니라 꽃술이 전부 자잘한 꽃 형태를 이루므로 호사가(好事家)들은 모두 이것을 귀하게 여긴다. 그러나 보주다의 뛰어난 자태(姿態)에 미치지는 못한다. 홑꽃이 피는 것[單葉茶]들은 잎사귀가 누런빛을 띠는 옅은 녹색으로 좋지 않다. -『양화소록』-

홑꽃이 피는 동백과 춘백은 남쪽 지방 섬에 잘 나는데, 그곳 사람들은 그 나무를 베어 땔감으로 쓰고 열매는 따서 기름을 짜 머릿기름[沐髮之膏]으로 쓴다. 서울에서도 열매를 심으면 심는 대로 다 나는데 작은 분에 옮겨 심어 매화나무 접붙이는 방법대로 천엽다에 접붙이면 백 개면 백 개가 다 붙는다. 그러나 분(盆)이 작아 마르기 쉬우므로 마르지 않게 자주 물을 주어야 한다. -『양화소록』-

꺾꽂이를 하면 단엽다(單葉茶)는 잘 살아나지만 천엽다(千葉茶)는 여간해서 살아나지 않는다. 한식(寒食)이 지난 10여 일 뒤에 천엽다의 가지를 세 치쯤 되게 잘라 분에 빽빽이 꽂은 다음, 땅을 한 자쯤 되게 구덩이를 파고 그 분을 구덩이 속에 들여 놓은 다음 낮에는 햇빛을 보지 못하게 덮어 주고 밤에는 이슬을 맞도록 열어 주면 반 수 이상은 뿌리가 난다. -『양화소록』-

모든 산다의 잎에는 먼지가 잘 앉으니 수건으로 자주 닦아 주어 광택을 잃지 말게 해야 한다. 갈무리할 때는 산다의 가지나 잎이 다른 물건에 닿지 않게 하고 춥지도 덥지도 않게 해야 하며, 또한 사람의 훈기나 화기(火氣)에 가까이 말아야 한다. 물을 줄 때는 너무 젖지도 마르지도 않게 하고 뙤약볕을 쬐지 않도록 해야 한다. -『양화소록』-

치자화(梔子花) 일명 담복화(薝蔔花)이다

화훼류(花卉類) 중의 명품(名品)은 치자이다. 일명 담복촉(薝蔔蜀)이라고 하는데 붉은 꽃이 피는 것도 있다.

『치화잡조(梔花雜俎)』에 이렇게 되어 있다.

"모든 꽃은 꽃잎이 여섯 장인 경우가 거의 없는데 오직 치자꽃만이 여섯 장의 꽃잎[六出]이다." -『양화소록』-

치자에는 네 가지의 아름다움이 있는데, 꽃빛깔이 희면서도 기름진 것이 첫째 아름다움이고, 꽃향기가 맑으면서도 진한 것이 둘째 아름다움이며, 겨울이 되어도 잎갈이를 하지 않는 것이 셋째 아름다움이고, 열매로 노란 빛깔의 물을 들일 수 있는 것이 넷째 아름다움이다. -『양화소록』-

눈[雪花]이 여섯 모[六出] 꼴이고 돌[石 수정 따위를 말함] 또한 여섯 모인 것과 같이 음기(陰氣)가 엉겨 이루어진 것은 모두 여섯 수[六數]인 것을 보면 이 꽃 역시 음기가 모여 이루어진 것이기 때문에 꽃잎이 여섯 장[六出]이고 건조한 것과 따뜻한 것을 몹시 싫어하는 성질을 갖게 된 모양이다. 갈무리할 때도 너무 덥게 하면 가지나 잎이 마르거나 누렇게 변화하고 꽃도 피우지 못한다. 그렇다고 얼게 해서도 안 되니 모든 꽃 중에 갈무리하기가 가장 어렵다. 마르지 않게 물을 주고 뙤약볕을 받지 않도록 해야 한다. -『양화소록』-

담복(薝蔔)은 꽃이 피어 있는 것을 그대로 옮겨 심어도 잘 살고, 가랑비가 올 때 여린 가지[嫩枝]를 꺾꽂이해도 잘 살아난다. -『신은지』-

꺾꽂이할 때는 꼭 옛 방법을 따를 필요는 없다. 세 치쯤 되게 가지를 잘라 분(盆)에 드문드문 꽂아 그늘진 곳에 두어 두면 다 살아난다. -『양화소록』-

서향화(瑞香花)

여대방(呂大防)이 지은 『서향도(瑞香圖)』의 서문(序文)에는 이렇게 되어 있다.

"서향은 풀이다. 노란 꽃과 흰 꽃을 피우는 두 종류가 있는데 미처 봄이 오기 전에 꽃을 피우기 시작한다." -『양화소록』-

『거가필용』에는,

"꽃이 붉고[紫] 잎사귀가 귤잎 비슷하면서 푸르고 두꺼운 것이 가장 향기롭다."

하였으며, 양성재(楊誠齋 성재는 송나라 양만리(楊萬里)의 호)의 시(詩)에도,

"붉은 송이[紫茸]가 푸른 가지 사이에서 번뜩인다.[紫茸翻了綠花枝]"

하였고, 우리나라 이도은(李陶隱 도은은 이숭인(李崇仁)의 호)의 시에도,

"푸른 잎새 붉은 꽃이 매울 정도로 향기롭다.[靑葉紫花香可烈]"

한 것을 보면 서향은 모두 푸른 이파리에 붉은 꽃이 피는 것을 가장 좋은 것으로 치고 있다. -『양화소록』-

망종(芒種)에 서향 가지를 잘라 가지 밑 부분을 쪼갠 다음 그곳에 보리[大麥] 한 알을 물려 넣고 빗을 때 빠진 머리카락으로 동여매어 땅에 꽂고 햇빛을 보지 못하게 가려 준 다음 매일 마르지 않게 물을 주면 살지 않는 것이 없다.[18]

4월 중에 반드시 처마 밑[廊廡下] 돌계단 기반부에 낙숫물 떨어지는 곳에서 두 치쯤 띄워 심어야 한다. 뜰 밑[屋下]이 너무 깊으면 안 된다. -『신은지』·『양화소록』에는 "북쪽 지방은 기온이 차므로 분에 재배하

18) 망종(芒種)에 …… 것이 없다 : 이 부분은 한독본에서 보충하여 번역하였다.

는 것은 좋으나 땅에 심는 것은 적당치 않다." 했다. -

뿌리를 드러내어 심으면 안 된다. 뿌리가 드러나게 되면 잘 자라지 않는다. -『거가필용』·『신은지』-

5월이나 6월에 한 치쯤 되게 가지를 잘라 분에 꽂아 그늘진 곳에 놓아두면 곧 살아난다. -『양화소록』-

서향의 뿌리는 달착지근해서 지렁이 등이 즐겨 파먹는다. 의복을 빤 잿물[灰汁]이나 소변을 부어 주면 지렁이 등이 퇴치된다. 옻 찌꺼기[漆滓 옻나무 진을 받아 두면 묽은 칠 속에 앙금 비슷하게 많이 생기는 것]로 북돋워[壅] 주고 길짐승을 튀한 물이나 닭·거위 등을 튀한 물, 돼지고기를 삶은 물을 부어 주면 무성하게 자란다. -『양화소록』에는 "만일 옛날 방법대로 소변이나 닭·거위 튀한 물, 돼지 삶은 물을 부어 주면 분 속 흙에서 냄새가 날 뿐 아니라 곧 가는 뿌리[細根]들이 썩고 말므로 맑은 물은 서서히 주는 것만 못하다." 했다. 『산거사요』·『거가필용』·『신은지』-

서향은 지나친 습기도 싫어하며 뙤약볕도 싫어한다. -『거가필용』·『신은지』-

서향의 뿌리는 가늘고 연약한 것이 머리카락처럼 엉켜 있기 때문에 약간만 지나치게 건조하거나 음습해도 손상을 입는다. 이파리가 크고 두꺼우며 짙은 녹색을 띠고 있어야 정상이다. 만일 누른빛을 띠고 잎사귀가 오글오글해진다면 이것은 지나친 건조나 습기 때문에 뿌리에 병이 생겨 그러한 것이니, 반드시 분갈이를 하여 흙을 바꿔 주고 그늘진 곳에 두되 음습하지도 않고 건조하지도 않게 물을 주면 다시 옛 모습을 되찾는다. 청천자(菁川子)가 이 꽃을 얻어 무척 사랑했는데, 여러 가지 어려움을 겪다가 이 꽃을 키우는 여러 가지 옛 방법을 보던 중 '음습한 것도 싫어하고 햇볕도 싫어한다.'는 말을 발견하고는 비로소 이 꽃을 재배하는 기술을 터득하게 되었다 한다. -『양화소록』-

너무 일찍 갈무리하면 움[土室] 속이 너무 더워 이파리가 다 떨어진다. 반드시 서리를 대여섯 차례 맞힌 다음 들여놓는 것이 좋다. -『양화소록』-

석류화(石榴花)

석류화는 안석국(安石國)으로부터 왔기 때문에 안석류(安石榴)라는 이름이 붙었는데, 신라(新羅) 때 바다 밖[海外]에서 들여온 것은 해류[海榴]라고 한다. 꽃과 꽃받침은 다 진홍색이고 꽃잎은 엄지·검지·장지를 모아 잡은 꼴이며 꽃술은 붉고 황속(黃粟)이 빽빽이 맺혀 있다. 여러 겹 꽃이 피는[千葉] 것도 있고 노란 꽃이 피는 것도 있으며, 붉은[紅] 꽃에 흰 테가 둘린 것도 있고 흰 꽃에 붉은[紅] 테가 둘린 것도 있는데 꽃들 중의 한 기품(奇品)이다. -『격물총화』-

꽃은 노란 것과 붉은[赤] 것 두 가지가 있고 열매 역시 단 것과 신 것 두 가지가 있는데 단 것은 먹을 만하나 신 것은 약(藥)에나 넣는다. -『도경』-

또 씨가 희며 수정(水晶)처럼 맑고 반짝거리는 것이 있는데 맛도 달다. 수정류(水晶榴)라 부른다. -『증류본초』-

시체에서는 여러 겹 꽃이 피면서 열매를 맺지 않는 것을 백엽(百葉)이라 하고, 곧은 줄기에 층층이 가지가 뻗어 나무 모양이 위는 촉빠르고 밑으로 내려오면서 점점 굵어지며 사선을 이루는 것을 백양(柏樣)이라 하며, 곧은 가지에 위는 성기고 가지가 흡사 우산을 벌려 놓은 것 같은 것을 주석류(柱石榴)라 하고, 여러 그루가 한데 어울려 가지와 줄기가 서로 얽혀 있는 것을 수석류(藪石榴)라 하는데, 이 몇 가지 석류 중 오직 백양류(柏樣榴)가 매우 아름다울 뿐 다른 것은 다 아름답지 않다. -『양화소록』-

엄지손가락 굵기의 석류나무 곧은 가지를 한 자쯤 되게 8~9줄기 잘라 밑 부분을 두 치쯤 불에 태워 놓는다. 구덩이를 한 자 일곱 치 길이로 지름이 한 자쯤 되게 판 뒤 잘라 놓은 줄기를 가지 끝이 한 치쯤 밖으로 나오게 하여 구덩이 가장자리에 둘러 세우고 동물의 뼈[雜骨]나 돌[姜石]을 가지 사이사이에 채우고 단단히 흙으로 메운다. 마르지 않게 물을 주면 곧 살아난다. -『양화소록』에는 "꺾꽂이할 때는 옛날 방법대로 할 것은 없다. 가지를 한 치나 두 치쯤 되게 잘라 다른 분에 총총히 꽂아 그늘진 곳에 두어 두면 곧 살아난다." 하였다. 『산거사요』·『거가필용』·『사시찬요』 -

잎이 피지 않았을 때 여린 가지[嫩枝] 줄기에 거름흙[肥土]을 붙이고 볏짚 등으로 잘 싸 묶은 다음 마르지 않게 자주 물을 주면 뿌리가 난다. 뿌리가 나면 잘라 심는다. 조약돌들로 가지를 눌러 휘묻이해 두어도 뿌리가 잘 나온다. -『신은지』 -

가지가 한 쪽으로만 치우쳐 뻗어 한 쪽에는 가지가 성기고 작으면 그 성긴 쪽의 땅을 파 놓는다. 그러면 반드시 자잘한 가지[雜枝]들이 많이 돋는다.

이것은 나무의 기운이 곧바로 뻗어 올라오지 못하고 판 곳에 맺혀 있었기 때문에 가지가 나는 것이다. -『양화소록』 -

석류는 낮에는 온종일 햇볕을 쬐게 해 주어야 하며 아침저녁은 물론 한낮에도 물[淸水]을 주어야 한다. 만일 새싹이 줄기를 길게 뻗치면 손가락으로 심(心)을 따 주어야 한다. -『사시찬요』 -

석류가 맺힐 때는 물을 너무 많이 주지 않도록 한다. -『양화소록』 -

모든 석류나무는 열매가 많이 맺히면 반드시 가지가 말라 죽는다. 백양류는 허리 위에 열매를 맺지 말게 하고 한두 알 정도 남겨둔 채 나머지는 모두 따 버려야 한다. -『양화소록』 -

오래된 뿌리가 서려 얽힌 채 죽어 썩으면 열매를 맺지 못한다. 반드시 베어 내야 한다. -『양화소록』 -

정월 초하룻날 돌멩이를 가지[樹叉] 틈에 끼워 두거나 뿌리께에 무더기로 쌓아 두면 열매가 굵어지고 많이 달린다. -『거가필용』·『신은지』 -

돌로 뿌리를 눌러 놓으면 열매가 많이 열린다. -『치부』 -

갈무리할 때는 가지 끝이 땅에 닿지 않게 해야 하며 또한 너무 덥지

않게 해야 한다. -『거가필용』·『신은지』-

왜철쭉[倭躑躅]

꽃잎이 무척 크고 빛깔은 석류꽃과 같다. 꽃받침이 이중(二重)이고 꽃도 겹꽃인데 잘 시들지 않고 오래간다. 갈무리할 때는 너무 덥게 하지 말아야 하며 물을 줄 때에도 너무 많이 주지 말아야 한다. -『양화소록』-

사계화(四季花) 월계화(月季花)도 붙인다

이 꽃은 세 가지가 있는데 붉은[紅] 꽃이 3월[봄]·6월[여름]·9월[가을]·12월[겨울] 네 번 되는 것을 사계화라 하고, 꽃빛깔이 분홍이며 잎사귀가 둥글고 큰 것을 월계화(月季花)라 하며, 푸른 줄기가 덩굴로 뻗어가며 봄·가을에 한 번씩 꽃이 피는 것을 청간사계(靑竿四季)라 하는데 청간사계는 아름답지 않다. -『양화소록』-

사계화가 처음 필 때 너무 햇볕을 쬐면 꽃빛깔이 검붉어지고 햇볕을 안 쬐면 꽃빛깔이 엷어진다. 꽃이 피려 할 때는 자주 물을 뿜어 주어 가지가 마르지 않게 하고 항상 반음반양인 곳에 두어야 한다. 뿌리가 손상되면 충기(蟲氣)가 가루[粉]가 되어 가지나 잎사귀에 침전되어 달라붙는데 치료하지 않으면 가지도 마르고 꽃도 안 핀다. 반드시 복숭아나무 가지로 잘 긁어내거나 복숭아나무 잎으로 문질러내야 한다. 그러나 아무리 잘 닦아내어도 옛 모습을 되찾지는 못한다. 반드시 병든 줄기를 잘라 버리고 묵은 뿌리를 파내어 기름진 흙[肥壤]에 옮겨 심고 거름 물[肥水]을 주면 오래지 않아 새 뿌리가 뻗어나며 새 줄기가 솟아올라 꽃망울이 맺힌다. 비록 흰 가루 같은 것이 잎에 달라붙는 병[白㴳]이 없다고 하더라도 오래도록 새 줄기가 솟아오르지 않으면 다시 옮겨 심던지 분흙을 갈아 주는 것이 좋다. 너무 덥게 갈무리하면 새 가지가 솟아올라 추위를 만나면 도리어 이울게 된다. -『양화소록』-

월계화는 꽃이 피려 할 때 뙤약볕에 내놓으면 꽃망울이 썩으며 피지 않는다. 반드시 그늘진 곳에 두었다가 꽃이 핀 다음에 밖으로 내놓아야 한다. -『양화소록』-

벌레가 잎을 갉아먹으면 생선 씻은 물로 씻어준다.[19] -『치부』-

해당화(海棠花)

중국 사람들은 해당화를 꽃 중의 신선[花中神仙]이라 했다. -『거가필용』-

동짓날 이른 아침 쌀뜨물을 뿌리에 부어 주면 꽃이 곱고 많이 핀다. 맺히는 열매를 다 따 주면 이듬해에 꽃이 많이 핀다. -『산거사요』·『거가필용』·『신은지』·『사시찬요』-

자미화(紫薇花)

시체에서 백일홍(百日紅)이라 부른다. 간지러운 것을 참지 못해 나뭇가지 사이를 손가락으로 긁으면 가지와 잎이 다 움직인다.

나무 둥치는 반들반들하고 한 길 남짓 큰다. 꽃잎은 붉고[紫] 쪼글쪼글한데 자잘한 꽃들이 모여 주먹만한 송이를 이룬다. 꽃받침은 밀랍 빛깔이고 꽃은 뾰족뾰족하며 줄기는 붉은[赤] 빛깔인데 잎은 마주 난다. 6월에 꽃이 피기 시작하여 대사(代謝)를 거듭하며 9월까지 계속 핀다. -『격물총화』-

우리나라 영남(嶺南) 지방 해안 근처 여러 고을[郡]에서 이 꽃을 많이 심는데, 비단처럼 아름답고 이슬 꽃처럼 곱게 온 마당을 비춰주어

19) 벌레가 …… 씻어준다 : 이 부분은 한독본에서 보충하여 번역하였다.

그 어느 것보다도 유려(流麗)하다. 그러나 영북(嶺北) 지방에서는 기온이 너무 차가워 얼어 죽는 것이 십중팔구이고, 다행히 호사가(好事家)의 보살핌을 받아도 겨우 죽는 것만을 면하는 것이 열 나무 중에 한둘에 불과하다. 이슬비가 올 때 가지를 잘라 꽂아 그늘진 곳에 두어 두면 곧 산다. 새 가지는 해장죽[海竹] 등으로 붙잡아 매어 주고 백양류 꼴로 수형(樹形)을 가다듬으면 아름답다. 갈무리할 때는 너무 덥게 하지 말고 마르지 않게 물을 주어야 한다. -『양화소록』-

정향(丁香) [1]

2월이나 10월 여러 줄기가 한데 어울려 난 포기에서 포기가름을 하여 옮겨 심으면 곧 산다. 4월에 꽃이 피면 향기가 온 집안에 진동한다. -『속방』-

가지를 잘라 정(丁) 자 꼴을 만들어 양 머리를 쇠붙이를 달구어 지진 다음 땅에 뉘어 심어도 바로 뿌리가 난다. - 꺾꽂이[枝種] 및 배나무 심기[種梨]조에 자세히 기록되어 있다.『속방』-

소도(小桃)

버드나무나 복숭아나무에 접을 붙이면 잘 산다. 2월에 꽃이 핀다. -『속방』-

산수유(山茱萸) [1]

땅이 얼기 전이나 언 땅이 풀린 뒤에는 언제나 심을 수 있다. 2월에 꽃이 피는데 붉은 열매도 보고 즐길 만하다. -『속방』-

닭똥으로 북돋워주면 무성히 자란다. -『산거사요』-

모란(牡丹)

6월에 씨를 채취해서 물에 담가 가라앉는 것만 골라 거름흙[糞土]에 섞어 펴 담아 놓는다. 8월에 묘상[畦]을 만들어 뿌려 놓으면 이듬해 봄에 싹이 난다. -『신은지』-

추사(秋社) 전이나 추분(秋分) 뒤에 옮겨 심어야 하는데 - 8월과 9월에는 다 괜찮다고도 했다. - 남쪽 가지를 표시하고 흙[宿土]을 많이 붙여 캐야 한다. - 구양영숙(歐陽永叔)의 『낙양기(洛陽記)』에는 "흙[舊土]을 반드시 털어내야 한다." 하였다. - 옮겨 심을 구덩이에는 매 구덩이마다 거름흙[糞土]을 한 말을 붓고 - 구양 영숙의 『낙양기』에는 세토(細土)라 했다. - 가위톱 가루[白蘞末] - 가회톱. - 한 근을 그 위에 고루 편 뒤 심는다. - 구양 영숙의 『낙양기』에는 "모란 뿌리는 달기 때문에 많은 벌레들을 유인하여 파먹히게 되는데 가위톱은 살충제 역할을 한다." 했다. - 수근(鬚根)을 끊지 말고 발로 밟지 말아야 하며 물을 많이 주어 잦아들게 하면 된다. -『신은지』-

모란 뿌리 근처를 빙 둘러 파고 쇠똥을 채워 넣은 다음 물을 주어 거름 물이 스며들게 하면 한층 더 무성해진다. -『속방』-

옮겨 심을 때는 반드시 뿌리를 바르게 펴 주어야 한다. 뿌리를 구부려 심으면 죽는다.[20] -『치부』-

모란은 접을 붙이지 않으면 아름답지 않다. 반드시 추사 뒤 중양(重陽 음력 9월 9일) 전에 - 이때를 지나면 좋지 않다. - 꽃나무 줄기를 땅에서 5~7치쯤 남겨 두고 잘라내고서 접을 붙인다. 진흙을 이겨 봉한 다음 체로 친 흙[軟土]으로 덮어 보호해 주고 바람과 햇볕을 쐬지 않게 볏짚 등으로 집 모양을 만들어 가려 준다. 이것이 꽃나무의 접붙이는 방법이다. -『낙양모란기』-

엄나무[奄木]에 모란을 접붙이면 10여 길 이상 자란다. -『사시찬요보』-

20) 옮겨 심을 …… 심으면 죽는다 : 이 부분은 한독본에서 보충하여 번역하였다.

한 줄기에 여러 송이의 꽃망울이 맺히는 경우, 큰 것 한두 개만 남겨 두고 다 따 버리는 것을 타박(打剝)이라고 하는데 나무의 기운[脈]이 갈릴[分]까봐 그러는 것이며, 꽃이 지자마자 그 가지를 잘라 열매를 맺지 못하게 하는 것은 그 나무가 일찍 늙을까봐 그러는 것이다. - 『낙양모란기』 -

동짓날 밤에 뿌리[根脚] 근처의 흙을 파 뒤집고 이튿날 물독[水缸] 안의 석의(石衣)를 잘게 두드려 거름흙[肥土]을 섞어 북돋워주면 - 『신은지』에는 "못[水池] 속에 있은 푸른 이끼[靑苔衣]를 거름흙[糞土]에 섞어 북돋기도 하고 어떤 이는 다만 인분을 주기도 한다." 했다. - 꽃이 빨리 피고 또한 무성히 자란다. - 『산거사요』·『거가필용』·『사시찬요』 -

꽃이 옛날 것보다 점점 작아지는 것은 대개 나무좀벌레에 손상을 입었기 때문이다. 반드시 그 구멍을 찾아 유황(硫黃)으로 메우고, 그 옆에 바늘구멍 같은 작은 구멍이 나 있는 것이 바로 벌레가 숨어 있은 구멍이니, 돗바늘[大鍼] 끝에 유황가루를 묻혀 찌르면 벌레가 죽으며 꽃은 다시 옛 모습을 찾게 된다. 이것이 꽃을 치료하는 법이다. 오징어 뼈로 찌르면 안 된다. 꽃이 반드시 죽는다. - 『낙양모란기』 -

모란 뿌리 밑에 백출(白朮 삽주뿌리)을 놓고 심으면 모든 꽃빛깔이 붉게[紫] 된다. 흰 것은 홍화(紅花)나 자초(紫草) 즙을 짜 뿌리에 부어주면 부어 주는 빛깔에 따라 꽃 빛이 변한다. - 『동파집』 -

주일용(周日用)은 '흰 모란꽃을 다른 다섯 가지 빛깔로 변색시키려면 다 뿌리에 변색시키고 싶은 빛깔의 물을 부어 주어야 한다.' 했다. - 『지봉유설』 -

작약(芍藥) [1]

9~10월 작약 뿌리를 캐어내 샘[甘泉] 물에 씻은 다음 딱딱하게 굳고 썩은 부분을 긁어낸다. 구덩이 속에 인분을 퍼붓고 모래를 인분 위

에 편 다음 작약 뿌리를 놓고 새 흙으로 덮어 준다. 대개 3년이나 혹은 2년에 한 번씩 뿌리가름을 해 주어야 하는데 뿌리가름을 해 주지 않으면 묵은 뿌리가 노경(老硬)해지면서 새 싹을 침식(侵蝕)하기 때문에 꽃다운 꽃이 되지 못한다. -『왕관 작약보서』-

꽃이 지면 그 즉시 씨를 따 버리고 가지와 줄기들을 한데 모아 서려 묶어 놓는다. 기운[脈]이 위로 뻗치지 못하면 다 뿌리로 돌아오게 되므로 이듬해 꽃이 흐드러지고 빛깔이 더욱 윤택해진다. -『왕관 작약보서』-

접시꽃[葵花] 일명 촉규(蜀葵). 붉은 것·흰 것·검은 것·분홍색 등 몇 가지가 있다

2월에 접시꽃 씨를 물에 담아 높이 뿌려 심으면 줄기도 역시 높이 자란다. -『산거사요』·『거가필용』·『신은지』-

패랭이꽃[石竹花] 일명 구맥(瞿麥)

우리나라 패랭이꽃은 붉은[紅] 것 한 가지뿐이지만 당석죽(唐石竹)은 다섯 가지 빛깔[五色 푸른 것[靑]·노란 것[黃]·붉은 것[赤]·흰 것[白]·검은 것[黑]을 말함]의 꽃을 다 피우는 게 있다. 가을에 씨를 거두어 두었다가 봄에 심으면 바로 난다. 돌 틈 등 건조한 곳을 더욱 좋아하므로 섬돌[堦] 틈이나 담[墻] 밑에 심어도 돋아난다. -『속방』-

훤초(萱草) [1] 일명 의남초(宜男草)·합환화(合歡花) 또는 원추리·업나물이라고도 한다

뿌리를 캐어 드문드문 심는다. 1년만 되면 저절로 포기가 벌어 조밀해진다. - 시약(蒔藥) 조에 자세히 기록되어 있다.『신은지』-

파초(芭蕉)

파초는 식물 중에 가장 연약하다. 너무 건조하면 마르고 너무 음습하면 썩는다. 키우는 방법을 터득하면 쉽게 번성시킬 수 있고 키우는 방법을 모르면 말려 죽이기 십상이다. 언 흙이 완전히 풀리고 밤에 서리가 안 올 때쯤 해서 반음반양인 땅에 커다랗게 구덩이를 판다. 그 속에 뿌리를 편안하게 앉히고 고운 흙으로 뿌리를 감싼 다음 보드라운 거름흙으로 지난해 묻혔던 자리까지만 묻어 주고 잠시도 마르지 않게 물을 준다. 4월이 오고 훈훈한 남풍이 불어오면 묵은 줄기[宿莖]에서 새 잎이 나오면서 묵은 줄기는 꺼멓게 떠 저절로 떨어져 나간다. 못신게 된 짚신을 말 오줌에 담가 놓았다가 뿌리 근처의 땅을 깊이 파고 빙 둘러 묻어 주면 싹이 윤기를 띠며 빨리 크고 기운차고 왕성해진다.

된서리가 오고 나뭇잎이 떨어지려 할 때가 되면 힘센 종[健僕]에게 줄기를 한 자쯤 남겨 두고 베어 버린 후 뿌리를 캐어 움[土宇] 속에 갈무리하도록 한다. 움 속에 갈무리할 때는 복판으로 몰지 말고 가장자리로 줄지어 심은 다음 등겨[糠]로 덮어 준다. 사람의 훈기도 싫어하지 않으며 따뜻하게 해 주는 것이 가장 좋다. 가장 싫어하는 것은 차가운 습기로 차가운 습기를 쐬면 손상되기 일쑤다. -『강경순 양초부략』-

홍초(紅蕉)[21]

홍초는 민월(閩粵 지금의 중국 복건성(福建省))서 건너온 것으로 일명 난초(蘭蕉)이고 시체에서는 미인초(美人蕉)라 부른다. 꽃은 난초꽃 같고 빛깔은 석류꽃 빛깔이다. 2월에 씨를 심고 초겨울에는 뿌리를 캐어 집 안[屋內] 햇볕이 드는 곳에 땅을 파고 묻는다. 만일 마르면 차를 끓여 식혀 부어 준다. 이듬해 봄에 꺼낸다. 그러나 씨를 심는 것은 뿌

21) 홍초(紅蕉) : 이 항목은 한독본에서 보충하여 번역하였다.

리가름[分根]을 하는 것만 못하다. 심은 그해 꽃이 핀다. -『치부』-

석창포(石菖蒲) [1] 일명 창촉(昌歜). 생김새와 품종은 치약(治藥) 편에 기록되어 있다

여러 해 안 파낸 도랑 감탕 속에 묻혀 있는 기와 쪽을 찾아 가루를 낸 다음 그 가루 흙에 심는다 -『산거사요』·『신은지』·『거가필용』-

초봄 잎사귀가 좁은[細葉] 석창포의 서리어 얽힌 뿌리[盤根]를 캐어 잔뿌리[鬚根]를 깎아 버리고 괴석(怪石) 밑에 줄지어 놓고 부스럭돌[碎石]로 눌러 놓은 다음 괴석의 샘[石泉]에 물을 부어 스며 내려가게 하면 자연히 잔뿌리가 나오며 괴석에 서려 얽힌다. 물을 오래 갈아 주지 않아 썩은 냄새가 나게 해서는 안 된다. -『양화소록』-

석창포는 뿌리를 씻어 주는 것을 무척 좋아한다. 자주 씻어 주면 잎사귀가 좁아지고 채가 길어진다. 연기는 지극히 싫어해서 잠시만 연기에 둘러싸여도 썩지[爛死] 않는 것이 없다. -『양화소록』-

갈무리할 때는 너무 덥게 하지 말아야 한다.22) -『양화소록』-

모래나 잔 돌을 이용해 그릇에 괴석을 앉히고 석창포를 봉우리[石峯] 사이에 심은 다음 아침마다 물을 갈아주면 무성히 자란다. 그러나 물이 흐리거나 진흙 등 앙금이 앉으면 잎이 이운다. 근래 전하는 바에 따르면 일본(日本)의 어느 도인(道人)이 큰 소라껍질에 창포(菖蒲)를 심고 하루에 세 번씩 물을 갈아 주면서 키웠는데 30년이 지나자 다만 머리카락 같은 것이 물속에서 나와 있는 것이 보일 뿐이었으며 자리 옆[座間]에 놓아두면 여름에는 사람을 시원하게 하고 겨울에는 따뜻하게 한다고 한다.

한 치 크기 줄기에 아홉 마디가 있은 것이 진품(眞品)인데 중국 강서성(江西省) 천보동(天寶洞) 천홍애(天洪厓) 우물[丹井] 두 곳에서 난

---

22) 갈무리할 …… 말아야 한다 : 이 부분은 한독본에서 보충하여 번역하였다.

다. 한 치 길이에 아홉 마디가 있은 것은 심은 지 1년 뒤부터는 봄이 되면 한 번씩 잎을 깎고 뿌리를 씻어 주어야 하는데 깎으면 깎을수록 잎의 폭은 점점 좁아진다. 밤에 등불을 켜고 책을 볼 때 한 분(盆)이나 두 분을 옆에 놓아두면 등잔불 연기를 흡수하여 연기가 눈을 쓰리게 하지 않는다. 또한 맑은 날 밤에 분을 밖으로 내놓았다가 아침에 잎사귀 끝에 맺힌 이슬방울을 거두어 눈을 씻으면 눈을 밝게 하는데 오래도록 계속하면 한낮에도 별을 볼 수 있다. 돌산[石山]에 재배해도 된다. 만일 숯[炭]에 심으려 한다면 숯은 반드시 껍질이 있는 것을 써야 좋다. -『이국미 합제방록』-

요즘에 괴석에 심는 것들은 바로 암채(巖菜)며 석창포가 아니다. 석창포는 창포와 똑같으나 잎이 좁고 짧다. 약으로 쓰는 석창포가 바로 그것인데 곳곳에 있다. -『이국미 합제방록』-

괴석(怪石)

옛날 시에 보면 괴석은 다 호수나 바다에서 산출되는 것인데 우리나라에서 완상(玩賞)되는 것은 다 산에서 파낸 것이다.

송도(松都 개성) 남쪽 20리께에 경천사(敬天寺)라는 절이 있는데 그 절 북쪽 3~4리께에서 괴석이 많이 산출되고 있다. 돌 빛은 푸른데 봉우리들이 높고 험악하며 깎아지른 듯한 낭떠러지와 깊고 험한 계곡은 흡사 구름과 우뢰를 은은히 간직하고 있는 듯한 꼴을 하고 있다. 받침노[鑪 발솥 비슷하게 생긴 그릇] 속에 안치(安置) 시키면 물을 빨아올려 봉우리 꼭대기까지 축축해지며 한낮 뙤약볕에도 마르지 않는다. 이끼[蘚苔]가 알락달락하게 끼여 흡사 침수향(沈水香) 같기 때문에 침향석(沈香石)이라고 하는데 참으로 천하에 다시없는 보배이다.

신계현(新溪縣)에서 나는 것은 돌결[石理]이 미세하고 연해서 물을 빨아올리지 못하고 안산군(安山郡)에서 나는 것은 누르께하며 흙 빛깔을 많이 띠고 있는데 모두 좋지 않은 것들이다. – 근세(近世)에 풍천(豐川)에서 나는 것이 자못 아름답다. 단양(丹陽)에서 나는 것은 봉우리까지 물은 잘 빨아올리나 누르께하며 붉은 것이 흙빛을 많이 띠고 있다. 『양화소록』 –

수락산(水落山)에서 산출되었다는 괴석봉(怪石峯)은 돌질이 굳으면서도 물을 빨아올리는데 빛깔은 검푸르다. – 『문견방』 –

시체 사람들은 사리(事理)를 알지 못해서 만일 침향석을 구하게 되면 바로 끊고 자르고 파내는가 하면 앞뒤로 구멍을 뚫어 암채나 잡초 등을 오목한 곳에 심는데 이것은 다 비속(鄙俗)한 짓이다. 이른바 침향석이라는 것은 돌결이 스스로 구멍을 이루고 구멍 속에는 고운 모래가 엉겨 붙어 있어 물이 돌 밑 구멍에 닿으면 그 즉시 엉겨 붙어 있은 모래가 젖어 번지며 저절로 꼭대기에까지 올라가는 것인데 만일 자르고 파내는 등 돌결을 많이 끊어놓으면 물이 위에까지 올라가지도 못하게 된다. 더구나 그 위에 심은 암채의 뿌리가 구멍 속으로 들어가 구멍을 메우면 물기가 올라오지 못할 뿐만 아니라 돌 역시 터지는 결과를 낳고 말 것이니 더더욱 망령된 짓이 아닐 수 없다.

만일 돌[石品]이 매우 아름답다면 이끼[苔髮]가 돌 사이사이에 저절로 나 소나무나 삼나무가 울창한 숲을 이룬 것 같아 아무리 사람이 정교하게 만들어도 천연적으로 그렇게 생긴 아름다움에는 따라 미칠 수가 없는 것이다. 날씨가 매서워지면 반드시 햇볕에 내어 놓아 말려야 하며 받침노는 반드시 자기(瓷器)를 써야 한다. – 『양화소록』 –

만일 괴석에 이끼가 돋게 하려면 마른 꼴을 넣어 짓이긴 진흙에 말똥을 섞어 돌에 발라 습기가 많은 곳에 두어 두면 오래지 않아 이끼가 돋는다. – 『산거사요』·『거가필용』·『신은지』 –

양잠 養蠶

[양잠 서]

배고프면 밥을 먹고 추우면 옷을 입는 것은 인간에게 있어서는 같은 일이다. 누에가 없다면 옷을 만들어 입을 수 없기 때문에 선비의 집이거나 일반 백성의 집을 막론하고 양잠을 중히 여기는 것이다. 그러나 잠종(蠶種)을 선택하고, 누에를 쓸고[下蟻], 잠박을 나누고[分擡], 뽕을 먹일[飼葉] 때에 금기(禁忌) 사항을 피하지 않거나 사육 규칙을 잘 지키지 않으면 노력과 공은 배나 들어도 고치의 수확은 많지 않다. 그래서 별도로 양잠하는 방법을 기록하여 제7편을 삼는다.

양잠

양잠 길일(養蠶吉日)은, 욕련(浴連 누에씨를 물에 담그는 일)하고 출잠(出蠶 알에서 나온 누에를 터는 일)하며, 잠박(蠶箔)을 안치하고 잠박에 올릴 적에는 무진·임오·갑오·을사·갑인·정사·무오일과 수일(收日 십이성(十二星) 중에 열 번째 되는 날)·만일(滿日)·천덕일(天德日)·월덕일(月德日)·월덕합일(月德合日)·명성일(明星日) 오부일(五富日) 등이 좋다. -『거가필용』-

잠사(蠶沙 누에똥)는 천덕방(天德方)으로 낸다.

양잠기일(養蠶忌日)은, 3월에 진일(辰日)·술일(戌日), 4월에 사일(巳日)·해일(亥日), 5월에 묘일(卯日)·유일(酉日), 12월에 자일(子日)·축일(丑日)이다. 이상의 일진(日辰)에는 출잠·교접(交蝶 암수 나방을 교배시

키는 일)·욕종(浴種 욕련과 같음) 등의 일은 피해야 한다. -『선택서』-

경술일과 잠고(蠶姑)가 죽은 날은 좋지 않다. -『거가필용』-

잠실(蠶室)은 잠실방(蠶室方 사대 흉신(四大凶神) 중의 하나)을 피해야 한다. -『거가필용』-

잠신(蠶神 누에를 맡았다는 신(神))이 있는 방위, 즉 잠실방은 해(亥)·자(子)·축(丑)년에는 미방(未方), 인(寅)·묘(卯)·진(辰)년에는 술방(戌方), 사(巳)·오(午)·미(未)년에는 축방(丑方), 신(申)·유(酉)·술(戌)년에는 진방(辰方)이다. 이 방위에 봄날 흙일을 하면 누에와 뽕나무가 모두 실패를 보게 된다. -『선택서』-

잠신(蠶神)에게 제사 지내는 법은 정월 초닷샛날 잠신에게 제사를 지내는데 잠실은 오방(午方 정남(正南))에 있어야 한다. 제사를 지낼 때는 향(香)과 음식을 갖추고 누에를 칠 여인을 시켜 제사를 드리게 하는데, 이때 술 대신 차[茶]를 사용한다. -『사시찬요』-

『제해기(齊諧記)』에 이렇게 되어 있다.

"오현(吳縣)에 사는 장성(張成)이 어느 날 밤, 한 부인이 집 남쪽에 있는 것을 보았는데, 그 부인이 손짓을 하여 장성을 부르는 것이었다. 장성이 다가가니 '이곳이 바로 당신 집의 잠실 자리이며, 나는 그 신(神)이오. 내년 정월, 흰 죽을 쑤어 흙 위에 붓고 나에게 제사를 드리면 그 뒤부터는 해마다 잠농(蠶農)이 잘될 것이오."

하였다. -『사시찬요』-

잠구(蠶具) 준비는, 잠실은 북쪽 방이 제일 좋고, 서쪽 방이 다음이며, -『한정록(閑情錄)』에는 "동쪽에서 햇빛이 비치는 것을 좋아한다." 하였다. - 동쪽 방이 가장 나쁘다. -『거가필용』에는 "서쪽에 창문이 없으면 괜찮다." 했다. - 석양빛이나 서풍(西風)은 만물을 배양(培養)하는 기운이 아니라고 한다. -『거가필용』-

2월 5일에 잠실을 손질한다. -『산거사요』-

누에가 나오기 1개월 전에 잠실을 미리 수리하되, 모름지기 널찍하고 정결해야 하며, 바람이 잘 통하고 햇빛이 잘 비쳐야 한다. 담장이나 벽에 습기가 차도록 해서는 안 되며, 잠실 앞에 수목(樹木)이 있어도 좋지 않고, 창문과 지게문[戶]을 밝게 해야 누에가 자고 일어나는 것을 분별하기가 쉽다. 창문에는 새 종이를 바르고, 창마다 갈대 발[簾]을 바닥까지 늘여서 여기저기 바람구멍을 만들어 여닫게 하면 습기와 텁텁한 기운을 없앨 수 있다. -『사시찬요』·『한정록』-

개미누에가 알에서 나오기 3~4일 전에 먼저 잠실에 불을 때어 훈훈하게 해야 한다. -『신은지』-

날을 가려 빈 잠박 3개를 상·중·하에 배열하는데, 위의 것은 먼지를 받고 아래 것은 바닥에서 올라오는 습기를 차단하도록 잠박에는 피[稗] 줄기를 잘게 썰어 깔고 가운데 잠박에는 분대(分擡 누에를 잠박에 나누어 옮겨 놓는 것)에 대비한다. -『한정록』-

12월에 띠풀[茅草]을 베어 비를 맞히지 말고 쌓아 두었다가 이듬해 봄에 이것을 잠박에 깔아주면 고치가 훨씬 두껍고 견실하게 된다. -『신은지』-

누에는 쇠똥[牛糞]을 좋아하고 소는 잠사(蠶沙)를 좋아하니, 쇠똥을 태워 잠실(蠶室)에 연기를 쐬어주면 누에에게 매우 좋다. 동짓달에 쇠똥을 많이 거두어 쌓아 두었다가 봄날 날씨가 따뜻해지거든 잠실 둘레에 구덩이를 파고 쇠똥을 밟아 넣고 속에서 불을 붙이되, 연기가 나지 않도록 한다. -『거가필용』·『신은지』·『사시찬요』-

12월 안에 마른 뽕잎을 가루로 만들어 항아리 속에 저장해 두었다가 누에에게 먹이면 누에의 열병(熱病)을 없앨 수 있고, 남은 것은 소의 사료를 쓰면 매우 좋다. -『신은지』-

잠종(蠶種) 가리기는, 누에를 치는 법은 누에씨를 선택하는 데서 시작된다. 숫고치[雄繭]는 끝이 가늘고 단단하고 작으며, 암고치[雌繭]는 둥글둥글하고 후대(厚大)하다. 고치를 섶에서 딸 때 윗부분에 가까운 밝은 쪽에 있은 것이나 섶 위에 있은 것 중에서 깨끗하고 단단한 것을 따서 깨끗한 잠박 위에 하나하나 펴서 바람이 잘 통하는 방 안에 놓아둔다. 이렇게 하여 날 수가 차면 나방[蛾]이 저절로 나오게 되는데, 첫날에 나온 것을 묘아(苗蛾)라 하고 마지막에 나온 것을 본아(本蛾)라고 하는데, 이것들은 종자로 쓸 수가 없다. 나방 가운데 만일 날개가 말렸거나, 눈썹이 민둥하거나, 눈썹이 검게 탔거나, 다리가 검게 탔거나, 배가 붉은 색이거나 털이 없거나, 몸이 검거나 머리가 검은 것 역시 모두 종자로 쓸 수 없다. 다만 완전하여 상태가 좋은 것만 가려 두터운 종이로 연(連)을 만들어 그 위에 나방을 분산시켜 놓되, 다음날부터는 매일 그날 나온 것끼리 연 하나를 만든다.

그리하여 18일이 되면 서남쪽 깨끗한 땅에 구덩이를 파고 나방을 묻어 봉분(封墳)을 만들어 주어 날짐승이나 벌레가 먹지 못하게 한다. 누에씨가 빙 둘러 무더기로 쌓인 것은 모두 쓰지 않는다. 누에씨의 수량이 다 찬 뒤에는 연 위에 그대로 두고 3~5일간 기른다. 날씨가 청명한 날 해가 뜨기 전에 우물물을 길어다가 연(連)을 물에 담가 독기를 제거한 뒤 통풍이 잘 되는 서늘한 방에 걸어 두되, - 『신은지』에는 "연은 등을 서로 대어 걸어 놓는다." 하였고, 『한정록』에는 "걸어 놓을 때에 누에알이 밖으로 향하면 누에알이 바람에 의해 죽을 염려가 있다." 하였다. - 연기를 쐬거나 햇볕이 오래 쬐지 않게 해야 한다. 10월이 오면 그것을 뚤뚤 말아 연기가 스며들지 않을 깨끗한 방에 가지런히 정돈해 보관한다. - 『거가필용』·『신은지』·『사시찬요』·『한정록』 -

동짓날 연(連)을 물에 담그고, 12월 3일과 8일, 세 차례에 걸쳐 연을 물에 담근다. - 『사시찬요』에 이르기를 "흐르는 물이 제일 좋고 우물물이 다음인데 물이 너무 차지 않게 한다." 하였고, 『한정록』에는 "뽕나무 재나 볏짚 잿물에 3일간 담갔다가 건지는데 눈 녹은 물이면 더욱 좋다." 하였다. - 연을 물에 담그는 작업이 끝나면 뽕나무 껍질로 만든 노끈으로 달아맨다. - 『신은지』에는 "물에 담근 연을 마당 가운데 막대를 꽂고 거기에 높이 매달아 해와 달의 정기(精氣)를 받게 한다." 하였다. - 선달 그믐날 밤 오방초(五方草) - 또 다른 처방으로 마치현(馬齒莧: 비름의 일종)을 쓴다. - ・도부목(桃符木 복숭아나무에 새긴 부적으로 옛날 정월 초하룻날 문 위에 붙였음)을 물에 넣고 삶아서 식혔다가 정월 초하룻날 다섯 번 담근 뒤 항아리 속에 넣어 보관한다. 10여 일마다 대낮에 한 번 꺼내어 바람을 쐬어주며, 구름이 끼거나 비가 온 뒤에는 즉시 햇볕에 말려야 한다.

출잠(出蠶 잠련 꺼내기)은, 3월 곡우(穀雨) 때에 하는데, 잠모(蠶母 누에를 치는 부인네)는 손을 깨끗이 씻고, - 뽕잎을 따서 누에에게 먹일 때나 잠박에 누에를 누일 때도 아울러 이와 같이 해야 한다. - 항아리 속에서 누에씨를 꺼내어 바람기가 없는 따뜻한 곳에 걸어 둔다. 너무 높이 걸어 두면 바람에 상하게 되고, 너무 낮게 걸어 두면 저습한 토질(土質)에 상하기 쉽다. 잠종이 처음 붉은 색을 띠고 통통해지다가 다시 이른 봄의 버들처럼 연한 초록색으로 변하고 마지막으로 멀리 보이는 산(山) 빛깔과 같이 푸른 빛깔로 변하는데, 온 바탕이 이렇게 되면 종자는 쓸 수 있지만, 만일 알 꼭대기가 평평하고 건조하거나 빛깔이 창(蒼)・황(黃)・적(赤)의 색깔을 띠고 있으면 이것은 쓰지 못할 종자이다. -『사시찬요』-

잠종의 변색(變色)이 늦거나 빠른 것은 제 기능에 따라 되는 것이니, 잠종을 손상시켜 가면서 억지로 변하도록 하지 말아야 한다. 그리고 뽕잎이 돋기 시작하면 진시(辰時)나 사시(巳時)경에 항아리 속에서 누에씨를 꺼내어 말린 것을 골고루 펼치되 일정한 도수가 없이 적당하게 한다. 다만 제1일에 3분이 변하고, 제2일에 7분이 변하면 문득 종이에 풀을 칠하여 잘 봉해서 다시 항아리 안에 수장(收藏)했다가 제3일 오시(午時)에 이르러 다시 잠련을 꺼내어 펼쳐 보았을 때는 반드시 10분이 다 변했어야 한다. -『한정록』-

하의(下蟻)는, 누에씨가 전부 회색 빛깔로 변했으면 두 연(連)을 한데 합쳐 깨끗한 잠박 위에 펼쳐 놓고 양 머리를 실로 묶어 탁자 위에 놓아두는데 연기가 쏘이지 않는 서늘하고 깨끗한 곳이어야 한다. 3일째 되는 날 늦게 잠박을 펴 보았을 때 개미누에가 나오지 않았어야 가장 좋은 것이다. 만일 먼저 나온 것이 있으면 이것을 출마의(出馬蟻)라고 하는데 그냥 두면 누에가 가지런하게 자라지 못하니 닭털로 쓸어버리고 기르지 말아야 한다. - 『사시찬요』에는 "닭털로 쓸어서는 안 된다." 하였다. - 대개 누에가 나올 때 가지런하지 않으면 잠을 자고 깨는 것이 늙을 때까지 일정해질 수가 없다. 그러므로 누에를 치는 데는 세 가지가 가지런해야[三齊] 하는데 자제(子齊 누에씨 낳는 날이 일정한 것)·의제(蟻齊 누에가 일정하게 나오는 것)·잠제(蠶齊 누에가 균일하게 자라는 것)가 바로 그것이다. 개미누에가 모두 나온 뒤에는 연(連) 따위에 개미누에의 숫자를 기록한다. 그리고 연한 볏짚을 잘게 썰어 잠박(蠶箔) 위에 고르게 펴 요를 만든 뒤 깨끗한 종이를 요 위에 붙인다.

그다음에 뽕잎을 따다가 - 『한정록』에는 "뽕잎을 가슴속에 품어 따뜻하게 한다." 하였다. - 실같이 가늘게 썰어 요 위에 뿌리는데 가능한 한 골고루 얇게 뿌리도록 한다. 그리고 그 위에 연을 가져다 덮는다. 그러면 개미누에가 스스로 연에서 아래의 뽕잎으로 내려오는데, - 『신은지』에 "내려오지 않는 놈이 있을 때는 가볍게 떨면 내려온다." 하였다. 『한정록』에는 "닭털 등으로 쓸어내리면 누에 새끼가 놀라게 되니 이것을 사용하지 말라." 하였다. - 혹시 시간이 지나도록 연에서 내려오지 않거나 연의 등 쪽으로 기어오르는 놈은 잔약하고 병든 것들이니 연과 함께 버린다. 개미누에가 나온 빈 연[空連]을 달아 보면 누에의 중량(重量)을 알 수 있는데, 연의 무게가 3냥(兩)이면 개미누에는 잠박 하나에 펴 놓을 수 있고, 이것이 늙을 때가 되면 30개의 잠박에 나누어 놓을 수 있다. 개미누에 1전(錢 1냥(兩)의 10분의 1)이 노잠(老蠶)이 될 때까지 한 잠박가량의 뽕잎이 소요되니 제멋대로 너무 많이 먹지 않도록 한다. 그렇지 않으면 수고롭기만 하지 실적(實績)이 없다. - 『거가필용』·『신은지』·『사시찬요』·『한정록』 -

개미누에 기르기[飼蟻]는, 누에가 처음 알에서 깨어 나왔을 때는 검은 빛깔인데 차차 먹이를 더 주어 제3일째 되는 날 사시(巳時)나 오시(午時)쯤 되어 작은 바둑알 크기 정도의 무더기를 갈라 잠박 가운데 나누어 놓고 차차 뽕잎을 준다. 이것을 벽흑(擘黑)이라고도 하고 분의(分蟻 개미누에를 가름)라고도 한다. -『한정록』-

첫날에는 1시간마다 두 차례를 먹여 1주야 동안에 48차례를 먹인다. 36차례를 먹이기도 한다. 이틀째에는 30차례, 사흘째 역시 30차례를 먹이되, 정성을 들여 길러야 한다. -『신은지』-

개미누에에게 처음 뽕을 줄 때는 보드라운 잎을 비틀어 따다가 날카로운 칼로 잘게 썰어 체로 쳐서 자주 먹인다. 대개 뽕잎을 비틀어 따는 것은 건조하지 않도록 하는 것이고, 칼이 잘 들지 않는 것이면 뽕잎의 액(液)이 없게 되고, 잘게 썰지 않으면 개미누에를 덮게 되고, 체로 치지 않으면 골고루 뿌릴 수가 없다. 뽕나무는 수액(樹液)이 적으므로 오래 둘 수가 없어 뽕을 따서 조금만 지나면 마르기 때문에 자주 주는 것이다. -『사시찬요』-

첫잠[初眠] - 애기잠이라고도 함 - 은 -『신은지』에서는 두면(頭眠),『한정록』에서는 정면(正眠)이라고 했다. - 검은색이 흰색으로 변하면 이것이 향식(向食)이니 뽕잎을 조금 두껍게 주어야 하고, 흰색이 청색으로 변하면 이것이 정식(正食)이니 뽕잎을 더욱 두껍게 주어야 하며, 청색이 흰색으로 변하면 이것이 만식(慢食)이니 이때는 뽕을 조금 감해 주어야 하고, 흰색이 황색으로 변하면 이것이 단식(短食)이니 뽕잎을 더욱 감해 주어야 하고, 순황색으로 변하면 정식(停食)이니 이것을 이른바 정면(正眠)이라 한다. -『한정록』-

첫잠[頭眠] 후 먹이 주는 방법은 전부 잠들었을 때 먹이를 그치고, 완전히 깨었을 때 먹이를 주어야 한다. - 만약 8~9분 깨었을 때 곧 바로 먹이를 주면 누에가 늙을 때까지 균일하게 자라지를 않는다. - 이때 주는 먹이의 양은 1주야는 여섯 차례를 주고 다음날부터 점차 증가시킨다. -『신은지』-

누에가 황색으로 변할 때(즉 깊은 잠으로 들어갈 때)는 아주 따뜻하게 해 주어야 하고, 막 잠에서 깨어났을 때는 약간 온기(溫氣)가 있게 해 주어야 하며, 완전히 깨어난 후 일기가 청명한 날이면 사시와 오시 사이에 잠시 창문에 내린 주렴을 걷어 통풍을 시켜주어야 한다. -『한정록』에는 "남풍이 불면 북쪽 창문의 주렴을 걷고, 북풍이 불면 남쪽 창문을 걷어 올려 공기가 들어오도록 해야 한다." 하였다. -

둘째 잠[再眠] -『신은지』에는 정면(停眠)이라 하였다. - 은 첫잠[正眠]을 자고 일어난 뒤 누에 빛깔이 황색에서 백색으로 변하면 먹이를 조금 더 주고, 백색에서 청색으로 변하면 먹이를 더욱 증가하며, 청색에서 다시 백색으로 변하면 조금 감해주고, 백색에서 황색으로 변하면 더욱 감해 주어야 하는데 이것이 또 한 잠을 자는 것이다. -『한정록』-

잠을 자려고 할 때 누런 광채[黃光]가 보이면 곧바로 먹이 주는 것을 중단했다가 일제히 깨어나거든 느지막이 먹이를 주되 얇게 뿌려 주어야지 두텁게 주면 상하게 된다. 1주야는 네 차례만 주고 다음날부터 차차 증가시켜 준다. -『신은지』-

잠을 깨면 따뜻하게 해 주어야 하고, 완전히 깬 뒤에는 날씨가 청명한 날 사시에서 오시 사이에 발을 걷어 통풍시키는 방법은 위와 같다. -『신은지』-

한잠[大眠]은, 잠이 일제히 깨는 것을 기다려 1주야에 세 차례를 주고 다음날은 증가하여 7~8차례까지 준다. 오후 일기가 맑고 따뜻할 때에 잘게 썬 뽕잎에 따뜻한 물을 골고루 뿌린 다음 녹두가루[菉豆麵]나 쌀가루[白米麵] 혹은 검정 콩가루[黑豆麵] - 이상의 가루 등을 미리 갈아 체로 쳐서 준비한다. - 를 한 잠박(蠶箔) 당 10냥(兩) 정도 섞어 먹이면서 3~4분의 뽕잎을 감한다. 하루를 걸러 또 이렇게 하면 누에의 열과 독을 풀리게 할 뿐만 아니라, 뽕잎도 절약되고 실의 분량이 많고 실이 단단하여 색깔을 띠게 된다. -『신은지』-

한잠 뒤에 15~16차례 뽕잎을 먹으면 늙게 되는데 실을 적게 얻느냐 많이 얻느냐 하는 문제는 이때에 달려 있으니, 이 며칠 동안에는 태만

해서는 안 된다. 낮에 늙은 놈이 있은 것이 보이거든 먹이의 양과 횟수를 줄이다가 늙은 놈이 9할가량 될 때 섶[簇]에 올려야 한다. -『사시찬요』·『한정록』-

한잠을 자고 일어난 뒤 세 차례 먹이를 주고는 창문에 바른 종이를 떼고 주렴을 걷어 올려 바람이 잘 통하도록 하되, 반드시 너무 갑작스레 함으로써 병이 나지 않도록 해야 한다. -『사시찬요』에 "한잠 뒤에는 누에가 서늘한 기운을 좋아하기는 하지만 심한 바람은 피해야 한다." 하였다. - 날씨가 너무 더울 경우에는 깨끗한 물을 넣은 항아리를 놓아 두어 서늘한 기운이 돌게 하되, 만일 풍우가 몰아치거나 밤이 되어 서늘한 기운이 돌면 즉시 발을 내려야 한다. -『한정록』-

사양 총론(飼養總論)

누에는 반드시 밤낮으로 먹이를 주어야 하고, 먹이를 줄 때는 반드시 골고루 주어야 한다. 만약 먹이 주는 횟수가 너무 잦으면 너무 일찍 늙고, 적으면 더디게 늙는다. 25일 만에 늙으면 잠박 하나에서 25냥의 실[絲]을 얻을 수 있지만, 28일 만에 늙으면 20냥을 얻으며 만약 한 달이 넘거나 40일이 되어 늙게 되면 단지 10여 냥을 얻을 뿐이다. -『신은지』-

만약 날씨가 궂고 일기가 찬 때 먹이를 줄 경우에는 마른 뽕잎이나 볏짚 한 묶음에 불을 붙여 잠박 둘레를 쐬어 습기와 한기를 제거한 뒤에 밥을 주면 누에에 병이 생기지 않는다. -『신은지』-

누에가 빗물이 묻은 뽕잎이나 찬 이슬이 있는 뽕잎을 먹으면 백강(白殭 누에가 고치 속에서 번데기가 되지 못하고 누에 그대로 있은 것)이 되고, 바람에 마른 뽕잎이나 오래되어 뜬 뽕잎[熱葉]을 먹으면 복결(復結 누에가 체하여 생기는 소화불량)이 생기며, 축축하고 냄새나는 뽕잎을 먹으면 여러 가지 질병이 생긴다. 물에 젖은 뽕잎을 처리하는 방법은 뽕잎을 따다가 멱서리에 쟁여 잠시 동안 덮어 놓으면 속에서 훈기가 생기는데 얼마 후에 펼쳐 놓으면 훈기가 나가는 바람에 습기가 기화(氣化)되고 냉기 또한 가시게 되니 이때에 먹이면 된다. 그러나 마르거나 떠서 냄새가 나는 뽕잎은 별다른 처리 방법이 없으니 버리는 것이 좋다. -『거가필용』·『사시찬요』-

뽕잎을 따가지고 집에 돌아와서는 반드시 방 안에 성글게 펴 놓아 열기가 빠진 뒤에 먹여야 한다. -『한정록』-

누에를 치다가 뽕잎이 모자랄 때는 감초 물을 뽕잎에 뿌리고 나서 쌀가루를 묻혀 마르기를 기다려서 먹이면 1주야는 넘길 수 있다. 이렇게 하면 고치가 단단하고 두껍게 되는데, 이것을 이른바 제잠(齊蠶)이라고 한다. -『거가필용』·『사시찬요』·『한정록』-

분대 총론(分擡總論)

누에가 조밀하게 있으면 나누어 놓아야 하고 누에똥이 두껍게 쌓였으면 똥갈이를 해 주어야 한다. 잠박 나누기는 시기를 잃으면 너무 조밀하게 되고, 똥갈이 시기를 잃으면 습기가 많게 되므로, 잠박 나누기와 똥갈이를 자주 해야 한다. -『거가필용』·『사시찬요』·『신은지』에는 "밥을 그치고 즉시 분대(分擡)를 한다." 하였다. -

똥갈이할 때마다 누에를 늘어놓는데, 너무 조밀하면 강한 놈은 먹이를 먹을 수 있지만 약한 놈은 얻어먹지를 못하여 반드시 잠박 주위를 맴돌게 된다. 또 똥갈이 할 때에 오랫동안 마구 쌓아 놓거나 먼 곳에서 높이 던져 버리게 되면 누에끼리 서로 부딪쳐서 상하고 병이 나게 되니 적절하게 펼쳐놓고 정성스레 다루어야 한다. -『거가필용』·『사시찬요』·『한정록』-

냉난 총론(冷暖總論)

개미누에가 처음 까서 두잠 잘 때까지는 잠실이 온난해야 하니 잠모(蠶母)는 반드시 홑옷을 입고 보살피다가 한기(寒氣)가 들면 누에 역시 추울 것이니 즉시 실내 온도를 더 높여 주고, 자신이 덥다고 느껴지면 누에도 더울 것이니 적당하게 실내 온도를 내려 준다. 한잠[大眠] 뒤가 되어 날씨가 더워지면 실내를 서늘하게 해 주어야 한다. -『신은지』·『한정록』-

주야(晝夜)의 사이도 대강 사시(四時 춘·하·추·동)와 같이 나눌 수 있는데, 아침과 저녁은 마치 봄·가을과 같고, 한낮은 여름과 같으며, 한밤중은 겨울과 같아서 춥고 더운 것이 일정하지 않으니, 잠실(蠶室)에 불을 때되 온도의 높낮음을 참작해서 할 것이요 일률적으로 규정할 수는 없다. -『한정록』-

누에를 치는 데는 여덟 가지 마땅함이 있으니, 잠잘 때는 어둡게, 잠이 깬 뒤에는 밝게, 누에가 어리거나 잠을 자려고 할 때는 따뜻하고 어둡게, 누에가 크게 자란 뒤이거나 잠에서 깨어났을 때는 서늘하고 밝게 해 주어야 하며, 입이 달아 많이 먹을 때는 뽕을 많이 자주 주며 막 일어났을 때는 얇게 가끔 주어야 한다.

여러 가지 금기 사항[雜忌]

연기[燃熏]를 싫어한다. -『거가필용』·『신은지』·『사시찬요』·『한정록』-

생선이나 고기 굽는 냄새를 싫어한다. -『거가필용』·『사시찬요』·『한정록』-

피모(皮毛) 태우는 냄새를 싫어한다. -『사시찬요』-

종이 태우는 냄새를 싫어하여 이것을 마시면 전멸한다. -『사시찬요』-

가까이에서 더러운 냄새가 나지 않도록 한다. -『거가필용』·『사시찬

요』·『한정록』 -

술·초(醋)·오신(五辛 다섯 가지의 자극성이 있은 채소. 이설(異說)이 있으나 마늘·부추·파·달래·무릇 등을 말함. 오훈채(五葷菜))·누린내[羶]·비린내[腥]·사향(麝香) 등의 냄새를 싫어한다. -『거가필용』·『사시찬요』·『한정록』 -

석양 햇빛을 싫어한다. -『한정록』 -

맞바람 치는 것을 싫어한다. -『한정록』 -

갑자기 문을 열었을 때 훽 몰아치는 바람을 싫어한다. -『신은지』 -

등불이 창문에 비껴 비치는 것을 싫어하다. -『사시찬요』 -

대문이나 창문 두드리는 소리를 싫어한다. -『사시찬요』 -

부엌에서 칼 소리 내는 것을 싫어한다. -『사시찬요』 -

실내에서 통곡하는 소리, 부르짖거나 성내는 소리, 더러운 말, 음담패설을 싫어한다. -『거가필용』·『사시찬요』·『한정록』 -

해산한 부인, 상제[孝子] 기타 불결한 사람이 잠실에 들어오는 것을 금한다. -『거가필용』·『사시찬요』·『한정록』 -

술을 먹고는 뽕을 따거나, 누에에게 먹이를 주거나 똥갈이를 하거나 잠박 가르기를 하지 말아야 한다. -『거가필용』·『한정록』 -

해산한 지 한 달이 못 된 산모(産母)는 잠모(蠶母) 노릇을 할 수가 없다. -『거가필용』·『사시찬요』 -

잠모는 의복을 자주 바꾸어 입어서는 안 된다. -『사시찬요』 -

누에는 양물(陽物)이기 때문에 불이 물을 싫어하는 것과 같다. 그러므로 입으로 먹기는 하지만 마시지는 않는다. -『사시찬요』 -

만잠(晩蠶)

여름누에와 가을누에를 만잠이라고 하는데, 하잠(夏蠶)을 칠 경우에는 새끼누에로부터 늙을 때까지 항상 서늘하게 해 주어야 하고, 특히 파리나 모기를 싫어하니 장막을 설치해서 이를 방지해 주어야 한다. 추잠(秋蠶)은 처음 서늘하게 해 주다가 차차 따뜻하게 해 주어야 한다. 기르는 방법은 전과 같다. -『한정록』-

하잠 고치는 생사(生絲)를 켜는 것으로는 적당하지 않고 솜[綿纊]으로 적합할 뿐이니, 하잠을 많이 칠 필요는 없다. 혹 하잠을 칠 경우는 벽흑(擘黑) 후에는 날마다 이른 새벽에 한 번씩 똥갈이를 해 주어야 한다. -『한정록』-

부(附) 실켜기[繅絲]

무릇 누에고치는 서늘한 곳을 가려서 얇게 펼쳐 두어야만 나방이 저절로 더디 나와서 실을 켜기에 바쁘지 않다. 만일 이렇게 하지 못할 경우에는 항아리[瓮]에 고치를 넣고 쪄서 나방을 죽이는 방법이 있다. 실을 켜는 비결은 오직 가늘면서 둥글고 고르고 단단하게 할 것이며, 굵은 마디가 생겨서 고르지 못한 것이 없도록 해야 한다. -『한정록』-

고치실을 켜는 방법으로는 열부(熱釜)를 사용하거나 냉부(冷釜)를 사용하는 방법이 있어 서로 다르다. 그러나 모두 반드시 소거(繅車 고치실을 켜는 물레)가 있어야만 결 수가 있다. 실을 켜는 데 쓸 큰 가마솥[大釜] 위에 시루[甑]를 얹고 시루 속에 물을 가득히 부은 다음, 그 시루 중간에 나무 하나를 가로질러 놓으면 두 사람이 양쪽에 마주 앉아서 실을 켤 수 있다. 물은 반드시 끓고 있어야 하며, 금방금방 고치를 물에 넣는데, 너무 많이 넣으면 고치가 미처 삶아지지 않으니 조금 덜어낸다. 실이 굵은[麤絲] 단격(單繳 한 오리의 실)일 경우에는 쌍격(雙繳)으로 하는 것도 좋으나 다만 냉분(冷盆)으로 켠 실처럼 깨끗하고 영롱하지는 못하다.

냉분은 반드시 커야 하는데 먼저 냉분의 외부에 진흙을 발라 두었다가 실을 켤 때에는 물을 8~9분쯤 붓는다. 물은 따뜻한 기운이 오래도록 지탱하게 할 것이요, 금방 더웠다가 금방 식게 하지 말아야 한다. 이것은 전격(全繳)으로 가는 실[細絲]을 켤 수 있고, 중등의 고치일 경우에는 쌍격(雙繳)을 켤 수 있는데, 열부(熱釜)에 비하여 훨씬 정신을 쏟아야 하고 또 실이 튼튼하다. -『한정록』-

목양 牧養

[목양 서]

이미 거처를 정했으면 반드시 항산(恒産)이 있어야 하니, 목축(牧畜)하는 일 역시 하찮게 여길 일이 아니다. 소로 밭갈이를 하고, 말은 물건을 실어 나르며, 양・돼지・닭・물고기 등은 제수(祭需)로 쓰고 노인을 봉양하며, 학・사슴・계(鸂 물새의 일종)・원(鴻 새의 일종) 등은 친구삼아 무료한 시간을 보낼 수 있다. 이에 특별히 목양하는 방법을 기록하여 제8로 삼는다.

소 기르기[養牛]

외양간 만드는 길년(吉年)으로는 묘(卯)・진(辰)・사(巳)・신(申)・해(亥)・자(子)가 든 해이고, 나머지 해는 불길하다. -『거가필용』-

길한 달로는 2월・4월・7월이 대길(大吉)하고, 9월은 평길(平吉)하며, 나머지 달은 불길하다. -『거가필용』-

길한 날로는 갑자・을축・기사・경오・갑술・을해・병자・무인・경진・임오・계미・을유・병술・무자・기축・경인・임진・계사・갑오・을미・기해・경자・신축・임인・계묘・무신・임자・정사・경신일이다. 또 무오・신미・신유・기유일이 길하고, 무(戊)・기(己)・경(庚)・신(辛)・임(壬)・계(癸)일이 길하다. 그리고 초하루・초닷새・초엿새・열이틀・열사흘・보름날이 길하다. -『거가필용』-

외양간을 고쳐서는 안 되는 흉일(凶日)은 봄철에는 자일・술일・오일이고 여름철에는 인일·묘일·축일이며, 가을철에는 사일·오일·진일이고, 겨울철에는 신일·유일·미일이다. -『거가필용』-

소를 들여오는 길일은 병인·임인·을사·신해·갑인·무오일이고, 흉일은 을축·임신·갑술·경술·계축일이다. -『거가필용』-

어미소 상보는 방법[相母牛方]은, 털이 희고 젖이 붉은 것은 다산(多産)하고, 털이 성글고 젖이 검은 것은 새끼를 낳지 못한다. 새끼를 낳을 때 송아지가 누워서 어미와 마주보고 있으면 새끼를 자주 낳고 등을 돌리고 있으면 새끼를 드물게 낳는다. 하룻밤에 세 무더기의 똥을 누는 소는 1년에 한 번씩 새끼를 낳고, 한 무더기만 누는 소는 3년에 한 번씩 새끼를 낳는다. -『고사촬요』-

농경우 상보는 법[相耕牛方]은, 눈은 뿔과 가까이 있어야 하고 눈은 크면서 흰자위가 동자(瞳子)를 꿰뚫어야 하며, 뿔은 가늘면서 뿌리 부분의 간격이 좁아야 한다. 체구는 굵직해야 하고 털은 짧으면서 빽빽해야 하며, 경골(頸骨)과 꼬리는 장대(長大)해야 하고, 뒷다리의 고문(股門) - 두 다리 사이를 말한다. - 은 시원스럽게 보여야 좋다.

털이 성글고 길면 추위를 견디는 힘이 약하고, 꼬리털이 헝클어지고 똘똘 말린 것은 수명이 짧다. -『거가필용』·『신은지』·『고사촬요』

영척(寧戚)의 『상우경(相牛經)』에 이렇게 말하였다.

> "머리는 작고 뇌(腦)는 크며, 머리통이 길고 몸은 짧으며, 뿔은 모나고 눈은 둥글며, 등마루는 높고 어깻죽지는 낮으며, 식모(食毛 음모(陰毛)의 오기인 듯함)는 갈라지지 않고, 서 있을 때 발굽이 가지런해야 경우(耕牛)가 될 수 있다." -『고사촬요』-

머리는 마르고 작아야지, 살이 많으면 쓸모가 없다. 얼굴은 장방형(長方形)이어야지, 짧은 것은 단명(短命)한다. 눈은 움푹하여야 힘이 세지, 그렇지 않으면 힘을 못 쓴다. 눈빛이 붉으면 사람을 들이받고, 눈 아래에 가마[旋毛]가 있으면 이름을 '누적(淚滴)'이라 하는데 이런 소는 불길하다. 코는 커야만 코뚜레를 꿰기 쉽고, 코가 뾰족하면 코뚜레를 꿰기 어려운 데다가 힘을 쓰지 못하며, 코 위에 털이 거꾸로 있으면 나쁘다.

입은 모나고 커야 먹기를 잘하며, 이빨은 희어야 하고, 뿔은 앞으로 향해야 길하다. 뒤로 향해 있으면 나쁘다. 두 뿔 사이에 헝클어진 털이 있으면 주인을 해치며, 뿔은 둥글고 미세(微細)한 무늬가 있어야 한다. 귀는 뿔과의 간격이 가까워 손가락 하나 정도여야 매우 좋다. 골격은 장대해야 하고, 꼬리뼈는 굵직한데다가 털이 적어야 힘이 세다. 털이 짧고 빽빽하면서 검은 빛깔이 나는 것은 추위를 견디는 힘이 강하고, 쥐털과 같이 성글고 긴 것은 추위에 약하다. 앞다리는 곧으면서 사이가 넓어야 하고, 뒷다리는 굽으면서 사이가 넓어야 하며, 발굽은 크면서 청(靑)·흑(黑)·자(紫)색을 띤 것을 철제(鐵蹄)라 하여 좋게 여기고, 똥은 나선형(螺旋形)이어야 힘이 천둥과 같이 세다. -『고사촬요』-

소라는 동물은, 농사(農事)를 짓는 데 절실히 필요한 존재이므로 가축(家畜)을 잘 기르는 사람은 반드시 애지중지하는 마음을 가지고 있다. 계절에 따라 서늘하고 따뜻하게 해 주고, 때맞추어 주리고 배부른 것을 살피며, 휴식을 알맞게 취하도록 하여 그 혈기를 길러 주어야 한다. 만약 그렇게 한다면 피모(皮毛)가 윤택(潤澤)해지고 몸에 살이 많이 쪄서 기운이 넉넉하여 아무리 늙어도 쇠하지 않을 것이니, 어찌 고되거나 파리할 리가 있겠는가.

이른 봄에는 반드시 우리[牢欄] 안에 쌓여 있은 똥 무더기를 쳐내야 한다. 이후부터는 열흘에 한 번씩 이렇게 하여 더러운 기운이 꽉 차는 것을 없애야 하고, 질컥한 똥오줌에 발굽이 잠겨 병이 나지 않도록 해야 한다.

묵은 풀[舊草 지난해에 난 풀]이 다 없어지고, 새 풀[新草]이 아직 나지 않았을 때에는 깨끗한 볏짚[藁]을 잘게 썰어 거기에 밀기울이나 겨·콩 등을 섞고 물기가 약간 있게 하여 구유[槽]에 담아 배불리 먹인다. 봄가을 풀이 무성할 때는 물을 먹인 뒤에 풀을 먹도록 하면 배가 거북하지 않게 된다. 겨울철 날씨가 쌀쌀하고 눈보라가 몰아칠 적에는 소를 따뜻한 곳에 두고 소죽[糜粥]을 끓여 먹여야 한다. 또 콩잎이나 닥나무 잎 등을 미리 따서 보드랍게 부수어 저장해 두었다가, 쌀뜨물에다 잘게 썬 풀과 쌀겨 · 밀기울을 한데 섞어 먹여야 한다. 또 간혹 면병(棉餠 목화씨 깻묵)을 먹이기도 하는데, 이것이 이른바 '계절에 따라 서늘하거나 따뜻하게 하고, 시간에 맞춰 주리고 배부르게 한다.'는 것이다.

매년 농사철이 돌아오면 낮에는 방목(放牧)하고 저녁에는 다시 배불리 먹여야 하며, 5경(更)초에 해가 뜨지 않아 서늘할 때를 이용하여 소를 부린다면, 평소보다 배의 기운이 나서 한나절만 일을 해도 하루 동안의 성과보다 더 많을 것이다. 해가 높이 떠올라 소가 열기에 헐떡거리게 되면 휴식을 시켜 주어, 힘을 다 빼어 지치게 하지 말아야 한다. 이것이 남쪽 지방에서 주경(晝耕)하는 방법이다. 만일 북쪽 지방의 평야(平野)일 경우에는, 한낮의 열기를 피해 밤에 밭을 갈고, 밤에는 또 꼴과 콩을 먹여서 힘을 보충해 주며, 다음날 밭갈이를 마친 뒤에는 다시 방사하는데, 이것이 이른바 '일하고 쉬는 것을 절도 있게 하여 혈기(血氣)를 기른다.'는 것이다.

주리면 먹으려 하고 목이 마르면 물을 마시려 하는 것은 동물의 상정(常情)이다. 그런데 심지어는 지치도록 부려서 숨을 헐떡거리고 땀을 뻘뻘 흘리며 밭 갈던 소를 제멋대로 먹이를 찾아 먹도록 하여, 산야에 방사하기도 하고 물가로 내쫓기도 한다. 이리하여 창자가 텅 비고 근력(筋力)이 지칠 대로 지쳐 넘어져 있는 것을 가끔 볼 수 있는데, 그 힘을 이용하면서 그 생명을 이렇게 손상시키니, 어떻게 소를 사랑으로 기르는 방도를 안다고 할 수 있겠는가. -『한정록』-

집안에 소 한 마리가 있으면 7인의 노동력을 대신할 수 있다. -『금양잡록(衿陽雜錄)』에 "소가 없는 사람은 9명의 일꾼을 고용해서 쟁기를 끌어야 소

한 마리의 힘을 대신하여 20~30마지기를 갈 수 있다." 하였다. - 만일 송아지를 길들이려 할 적에는 반드시 밭갈이에 익숙한 늙은 소와 같이 쟁기를 채워 익히도록 하면, 밭갈이 하는 법을 저절로 알게 될 것이다. - 『신은지』 -

언치를 만들 때는, 윗부분은 사초(蓑草 도롱이를 엮는 띠. 짚 따위)로 엮으면 빗물이 잘 빠지게 되고, 아랫부분은 갈대꽃을 붙이면 따뜻하게 되는데, 서로 이어 엮기를 도롱이 만드는 법과 같이 한다. 혹한이 닥쳐 콧물이 흐르면 허리에 힘이 없어지게 되므로 언치를 소의 등에 얹고 마승(麻繩)으로 묶어 주면 추위에 손상되는 것을 막을 수 있다. - 『신은지』 -

소의 병은 일정하지 않으나 그 약을 쓰는 방법은 사람과 비슷하다. 다만 약재를 많이 조제해서 먹이면 낫지 않는 병이 없다. 오줌에 피가 섞여 나오는 것은 열(熱)을 받아서 생긴 병이니, 혈약(血藥)으로 치료한다. 냉기가 응결되면 코가 마르고 호흡이 곤란하므로 발산(發散)시키는 약을 투여하고, 열기가 응결되면 콧물이 흐르고 헐떡거리므로 청리(淸利) 시키는 약을 투여한다. 그리고 혹 우역(牛疫)이 유행할 경우는 훈기(薰氣)로 감염되는 수가 많으므로 다른 곳에 끌어다 놓고 나쁜 기운[沴氣]을 제거하면서 약을 쓰면 간혹 살리는 수도 있다. - 『한정록』 -

소가 기창병(氣脹病)에 걸려서 냉(冷)·열(熱)이 상충(相衝)하여 지라[脾]를 손상하였을 때는 먼저 공위산(攻胃散)을 써야 한다. 즉 백지(白芷) 1냥, 회향(茴香) 1냥 1전(錢), 길경(桔梗) 1냥 2전, 창출(蒼朮) 1냥 3전, 세신(細辛) 1냥 1푼(分), 작약(芍藥) 1냥 3전, 귤피(橘皮) 9전 5푼, 관계(官桂) 1냥 1전을 가루로 만들어 매번 1냥씩 복용시키는데, 생강 1냥을 소금물 1승(升)에 넣어 끓여서 약 가루와 함께 따끈하게 먹인다. 그리고 비수혈(脾腧穴)에 침질이나 불로 지지는 것이 가장 좋다. - 『거가필용』 -

소가 갑자기 배가 창만(脹滿)하여 미친 듯이 날뛰면서 사람을 들이받을 때는 대황(大黃)과 황련(黃連) 각 5전을 계자청(鷄子淸 달걀의 흰자위) 1개와 술 한 사발에 골고루 타서 먹인다. - 『한정록』 -

소가 잡충(雜蟲)을 먹고 배가 창만할 때는 연자시(燕子屎 제비 똥) 한 홉을 물에 타서 -『한정록』에 "술에 탄다." 하였다. - 먹인다. -『신은지』·『한정록』 -

오줌에 피가 섞여 나올 때는 당귀(當歸)와 홍화(紅花)를 가루로 만든 다음, 술 한 홉과 끓여서 함께 -『한정록』에 "술 한 사발에 약 가루를 담근다." 하였다. - 먹인다. -『증류본초』 -

똥에 피가 섞여 나올 때는 부엌 한복판의 황토(黃土) 2냥을 술 1되에 타서 끓여 식힌 뒤에 먹인다. -『증류본초』 -

쇠꼬리가 검게 말라서 물이나 풀을 먹지 않을 때는 대황(大黃)·백지(白芷)·황련 각 5전을 가루로 만들어 계란 흰자위 한 개와 술에 타서 먹이면 즉시 효험이 있다. -『한정록』 -

코가 팽만할 - 코가 붓는 것 - 때는 엄초(釅醋) 1잔을 귀에 부으면 즉시 낫는다. -『치료방』 -

소의 눈에 백막(白膜)이 생겨 동자를 가릴 때는 볶은 소금과 대나무 마디[竹節]를 알맞게 태워서 부드럽게 간 다음, 1전씩 백막 위에 뿌린다. -『한정록』 -

몸에 벌레가 생겼을 때는 당귀(當歸)를 곱게 찧어서 식초에 하룻밤 동안 담갔다가 발라 준다. -『한정록』 -

어깨가 문드러졌을 때에는 묵은 솜 3냥을 알맞게 태워서 마유(麻油) - 참기름 - 에 타서 발라 주되, 5일 동안 물기가 들어가지 않도록 해야 한다. -『한정록』 -

쇠발굽 사이가 짓물렀을 때에는 자광(紫礦) - 수지(樹脂)가 엉겨 형성된 것으로 난석(爛石: 푸석푸석한 돌)과 같은데, 혈갈(血竭)과 같은 유이다. - 을 가루로 만들어 돼지기름과 섞어 무른 발굽 사이에 넣고 철(鐵)을 달구어 지진다. -『한정록』 -

해소(咳嗽)에는 소금 1냥에 된장 1되[升]를 타서 먹인다. - 된장 만드는 법은 아래의 치선(治膳) 조에 보인다.『한정록』 -

귀기(鬼氣 사기(邪氣)와 같은 말)에 의해 몸을 떨며 땀이 나고 입과 코가 냉(冷)할 때는 끓인 소금물 1되를 먼저 먹이고, 잘게 썬 파[蔥]의 흰 대궁 한 움큼을 좋은 술 한 되에 타서 3~5차례 끓여 먹인다. 만일 차도가 없으면 다시 먹인다. 혈전포(血轉胞) - 피가 세포(細胞)에 전입(轉入)된 병 - 에 걸린 소는 치료하기 어렵다. -『치료방』-

소가 열병에 걸려 입이 황흑색(黃黑色)으로 변해 마치 푸른 진흙과 같고 네 다리를 오므리지 못할 때에는 백출산(白朮散)을 쓴다. 백출 2냥 5전(錢), 창출(蒼朮) 4냥 2전, 자완(紫菀) 2냥 3전, 우슬(牛膝) 2냥 2전, 마디를 떼어 버린 마황(麻黃) 3냥, 후박(厚朴) 3냥 1푼, 당귀(當歸) 3냥 5전, 고본(藁本) 3냥 3전을 가루로 만들어 한 번에 2냥씩 먹이되, 술 2되를 젖은 풀 위에 놓아두었다가 약 가루와 합쳐 먹이면 즉시 차도가 있다. -『거가필용』-

또 호마엽(胡麻葉 검은 참깨잎) - 거문츰깨닙 - 을 찧어 즙을 내어 먹이면 즉시 차도가 있다. -『신은지』·『한정록』-

청사(靑蘘 참깨 잎) - 츰깨닙 - 를 물에 달여 먹인다. -『증류본초』-

우역(牛疫)이 근처에 들어왔을 때에는 병들지 않은 소에게 소변을 하루에 3~4차례 먹이면 전염이 되지 않는다. 소는 본시 사람의 오줌을 좋아하므로 남자가 소의 입에 바로 대고 오줌을 누면 스스로 받아먹는데 아주 효과가 있다. -『치료방』-

자토(赭土 붉은 흙) - 듀토 - 를 뿔 위에 바르면 역기(疫氣)를 물리친다. -『치료방』-

발병하기 전에 침[涎]을 흘리는 것은 바로 온역(瘟疫)의 조짐이니, 황백(黃柏)을 갈아서 낸 즙(汁)과 백석(白石 양기석(陽起石)의 애칭)을 태운 재를 술에 섞어 입에 들이부으면 예방이 된다. -『고사촬요』-

침을 계속 흘리는 경우에는 향묵(香墨 참먹) - 츰먹 - 을 갈아 만든 먹물과 쪽[藍]의 즙을 내어, 매번 3푼에 석회 1홉과 술 반 되[升]를

혼합하여 먹인다. - 『치료방』 -

발병하기 전에 미리 양제(羊蹄 소루쟁이) - 솔옷 - 즙 2~3되를 먹이고, 발병한 뒤에도 먹인다. - 『증류본초』 -

막 병기(病氣)가 있을 때 천금목(千金木 붉나무) - 븕나모 - 을 베어다가 외양간에 두른다. - 『증류본초』 -

천금목과 그 잎을 끓여서 식힌 뒤에 먹인다. - 『증류본초』 -

천금목의 잎을 잘게 썰어 풀과 같이 섞어 먹인다. - 『증류본초』 -

외양간 안에서 안식향(安息香 붉나무 진) - 븕나모진 - 이나 창출(蒼朮)을 태워 그 향기를 들이마시게 하면 즉시 그친다. - 『거가필용』·『신은지』·『사시찬요』 -

소가 급사(急死)하는 역병(疫病)에 걸려 머리로 옆구리를 치받을 때는 파두(巴豆) - 중국에서 나는 약재이다. - 7개를 껍질을 벗기고 곱게 찧어서 마유(麻油 날참기름)에 섞어 먹인다. - 『치료방』에는 "파두 2개를 사용한다. 만일 파두가 없을 경우에는 대황(大黃) 5전을 가루로 만들어 날참기름 1냥과 같이 묽은 장물[醬水] 반 되에 타서 먹인다." 하였다. - 이어 조각 가루[皂角末 주염가루] - 주엄ᄀᆞᄅᆞ - 를 코 속에 틀어넣고 다시 신바닥[鞋底]으로 꼬리가 붙은 뼈[尾停骨] 아래를 때린다. - 『신은지』·『한정록』에 "목구멍이 막힌 소에게는 조각 가루를 코에 틀어막고 신바닥으로 꼬리가 붙은 뼈 아래를 친다." 하였다. 『증류본초』·『편민』·『도찬』·『사림광기』 -

우역(牛疫)에는 파초(芭蕉) 뿌리를 캐다가 짓찧어 즙을 내어 한 번에 한 사발씩 3일 동안 먹이면 아무리 심한 우역이라도 번번이 낫는다. 파초는 향촌(鄕村)에 항상 있는 것이 아니므로 미리 심어 두었다가 우역에 대비함이 가하다. - 『고사촬요』·『거가필용』에 "석남등(石南藤)에다 파초의 자연즙 5되와 섞어서 먹인다." 하였다. 석남등은 중국 약재이다. -

석창포(石菖蒲)·담죽엽(淡竹葉) - 면죽(綿竹) - ·갈분(葛粉 칡뿌리 가루)·울금(鬱金) 심황·녹두(菉豆)·창출(蒼朮) - 2년 동안 묵은 삽주뿌리. - 을 같은 분량으로 가루를 만들어, 이 가루 1냥에 파초의 저절로 나온 즙 3되, 꿀 1냥, 황랍(黃蠟) 2전을 섞어 먹인다. 그래도 차도가 없을 적에는 한 번 더 먹이되, 열이 심하면 대황(大黃 장군풀 뿌리) - 쟝군풀 브희 - 을 첨가, 잔등에 땀이 나지 않으면 마황(麻黃)을 첨가, 코나 입에서 피가 나면 포황(蒲黃 부들꽃) - 브들옷 - 을 첨가한다. -『신은지』·『사림광기』·『산거사요』-

12월의 술지게미[糟] - 주염이 - 큰 되로 1되, 적복령(赤茯苓) 가루 4냥, 석창포와 대황 가루 각 2냥, 지황즙(地黃汁) 1되, 초(醋) 반 되, 사람의 오줌 큰되로 1되를 섞어 하루에 한 번씩 먹이되, 격일로 5차례 먹인 뒤에 그만둔다. 그리고 이어서 코털[鼻毛] 난 부분을 침(針)으로 1푼쯤 찔러 피가 나오면 차도가 있다. -『치료방』-

대황(大黃)과 시호(柴胡) - 춤ᄂᆞ물 불휘 - 각 1냥씩을 잘게 썰어서 물에 끓여 먹이면 바로 차도가 있다. 만일 시호가 없을 경우에는 단지 대황 2냥을 물에 끓여 두 번에 나눠서 설사(泄瀉) 할 때까지 계속한다. -『치료방』-

황백(黃柏)을 잘게 썰어 물에 끓여 양을 제한하지 않고 먹인다. -『고사촬요』-

진다(眞茶 좋은 작설차(雀舌茶)) - 됴흔 작셜차 - 2냥을 가루로 만들어 물 5되에 타서 먹인다. -『신은지』-

12월의 토끼 머리를 태워 그 재를 물 5되에 타서 먹인다. -『거가필용』·『신은지』-

여우의 머리나 꼬리를 태워 그 재를 물에 타서 먹인다. -『증류본초』-

여우의 장(腸)을 태워 그 재를 물에 타서 먹인다.[23] -『증류본초』-

지렁이[地龍]를 많이 잡아 소의 입 속에 넣고 목을 눌러 넘어가게 하되, 차도가 있을 때까지 계속한다. -『고사촬요』-

큰 두꺼비[大蟾] - 중 두꺼비도 된다. - 를 잡아 등을 눌러 오줌을

---

23) 여우의……먹인다 : 이 부분은 한독본(韓獨本)과 오씨본(吳氏本)에서 보충하여 번역하였다.

누게 한 뒤에 껍질과 머리를 제거하고 고기만을 짓이겨 물과 조화해서 먹인다. - 『치료방』 -

손에 기름을 발라 항문에 집어넣어 굳은 똥을 끄집어내되, 똥이 원활히 통할 때까지 계속한다. - 『고사촬요』 -

소나 말이 전염병을 앓을 때는 너구리고기[獺肉] - 너고릐고기 - 나 똥을 끓여 식혔다가 먹인다. - 『본초』에는 또 "너구리의 고기·간·밥통[肚]을 물에 끓여서 그 물을 먹이지만, 똥은 사용하지 못한다." 하였다. -

소나 말이 전염병을 앓을 때 흑두(黑豆)를 삶은 물을 먹인다. - 『증류본초』 -

소나 말이 전염병을 앓을 때는 백출(白朮)·여로(藜蘆 박새) - 박씨 - ·궁궁(芎藭)·세신(細辛 족두리풀 뿌리)·귀구(鬼臼 두여머조자기)·석창포를 같은 분량으로 거친 가루를 만들어 코앞에서 태워 그 연기가 뱃속으로 들어가게 하면 즉시 낫는다. - 『우마의방』 -

소나 말에 전염병이 처음 발병되었을 때는 신체상에 작은 종기 - 조금 부어오른 것. - 가 생기는데, 자세히 찾아내어 불에 달군 쇠꼬챙이로 지진다. 또 냉수를 몸에 끼얹되, 체온이 내릴 때까지 계속한다. 또 쑥으로 새끼손가락 크기의 심지를 만들어 신궐혈(神闕血) - 배꼽 한가운데이다. - 을 30번 뜬다. - 『우마의방』 -

소나 말과 같은 육축(六畜)이 전염병에 걸리면 술에 사향(麝香)을 조금 타서 먹인다. - 『증류본초』 -

소나 말의 모든 병에는 버들잎과 생우유를 함께 넣고 찧어 탄알[彈子] 크기만한 환(丸)을 만들어 햇볕에 말렸다가, 사용할 때는 보드라운 가루로 만들어 생우유에 타서 먹이면 신기한 효험이 있다. - 『증류본초』 -

소가 병이 나은 후에 장(腸)이 막혀서 똥을 누지 못할 때는 백미(白米) 2되를 하룻밤 불렸다가 맷돌에 간 쌀 물과 날참기름 반 되를 섞어 먹이면 차도가 있다. - 『치료방』 -

소가 옴[疥癩]이 올랐을 때는 여로(藜蘆 박새)를 가루로 만들어 물에 타서 바르면 신묘(神妙)하다. -『신은지』- 또는 메밀[蕎麥]의 마른 꽃 - 모밀느정이 - 을 태워 만든 잿물로 씻어 준다. -『한정록』-

말 기르기[養馬]

마구간을 짓는 길일(吉日)은, 정묘·경오·갑신·신묘·임진·경자·임자일과 천덕일(天德日)·월덕일(月德日)·일덕일(日德日)이다. -『거가필용』-

흉일(凶日)은 무인·경인일이다. -『거가필용』-

말을 들여오는 길일은 을해·기축·을사일이고, 흉일은 무오일이다. -『거가필용』-

왕량(王良)의 『상마첩법(相馬捷法)』에 이렇게 말하였다.

"머리는 우뚝하게 높아야 하고, 낯[顔面]은 수척한 듯 살[肉]이 적어야 한다. 귀는 작아야 하니, 귀가 작아야 간(肝)이 작아서 사람의 의중을 빨리 알아차리고, 귀가 짧은 놈은 성질이 가장 경쾌하다. 눈은 커야 하니, 눈이 크면 심장이 커서 용맹스럽고 놀라지 않는다. 눈 아래에 살이 없는 놈은 사람을 무는 경우가 많고, 코가 크면 폐(肺)가 커서 달리기를 잘한다. 외신(外腎)은 작아야 하고 장(腸)은 두툼해야 하니, 장이 두툼하면 배 아래가 넓고 평평하다. 허구리[膁]는 작아야 하니, 허구리가 작으면 지라[脾]가 작아서 기르기 쉽다. 가슴은 넓어야 하고, 갈비뼈[筋骨]가 12개 이상 되는 것이 좋다. 삼산골(三山骨)이 평평해야 살이 잘 찌고, 네 발굽은 주실(注實)해야 무거운 짐을 실을 수 있으며, 양쪽 배 아래에 난 역모(逆毛)가 허구리에 거꾸로 부착된 것이 좋다. 바라보면 크다가도 가까이 가서 보면 작은 것은 근마(筋馬)이고, 바라보면 작다가도 가까이 가서 보면 크게 보이는 것은 육마(肉馬)이다. 몹시 마른 듯하면서도 어깨의 살이 보여야 하고, 매우 비만(肥滿)하면서도 머리의 뼈가 보여야 한다. 지금 말을 구입하려고 한다면 눈과 코가 크고 힘줄과 골격이 굵고 걸음걸이와 서 있는 모습이 좋으면, 바로 좋은 말이다." -『거가필용』-

좋은 말을 상 보는 법은, 협골(頰骨)은 원만해야 하고, 귀는 잘라 놓은 대통과 같아야 하고, 두개골[腦骨]은 원통형이어야 한다. 눈알은 달아 놓은 방울과 같아야 하고, - 이백약(李百藥)의 『보금편(寶金篇)』에 "눈이 방울을 달아 놓은 듯한 데다가 선명한 자색(紫色)이고 하얀 선(線)이 동자를 꿰뚫은 말은 하루에 500리를 달린다." 하였다. - 눈 아래에는 살[肉]이 있어야지, 살이 없으면 사람을 해친다. 안면은 껍질 벗긴 토끼와 같아야 하고, 콧구멍은 관대(寬大)하야 하며, -『보금편』에 "코가 금반(金盤)만해서 주먹이 들어갈 수 있어야 한다." 하였다. - 윗입술은 방형(方形)에다가 구차(口叉 윗입술과 아랫입술이 맞닿는 곳)는 깊어야 하고, -『보금편』에 "구차는 깊숙해야 이빨이 먼 데까지 나고, 혀는 낚시를 늘어뜨린 듯한 데다가 빛깔이 연꽃처럼 생겨야 한다." 하였다. - 아랫입술은 원형이어야 한다. 식조(食槽)는 넓어야 하고, 목은 길면서 활처럼 굽어 마치 닭이 울 때의 형상과 같아야 한다. 귀 앞에 난 긴 털은 무성한 풀싹과 같아야 하고 갈기[鬐]는 뚜렷이 갈라져야 한다. 안육(鞍肉 말안장이 닿는 부분의 살)은 두툼해야 하고, 등마루는 평평해야 한다. 허리는 짧고, 연골(硯骨)은 평평해야 한다. 늑선골(肋扇骨)은 촘촘해야 하고, 후면에서 보면 개[狗]가 웅크리고 앉은 듯해야 한다. 가슴팍은 평평하고, 넓어야 한다. 척접골(脊接骨)은 짧아야 하고, 무릎은 원형이어야 한다. -『보금편』에 "무릎은 두툼한데다가 원형이어서 누룩[麴] 덩이와 같아야 한다." 하였다. -

앞다리는 곧아야 하고, 다리의 마디는 가까워야 하되, 그 뼈마디가 굵고 정강이뼈는 섬세해야 한다. 앞발굽은 원형이어야 한다. 발바닥은 두툼해야 하고, 복부는 평평해야 한다. 한구(汗溝 말의 흉복부와 퇴부(腿

部)가 내면으로 서로 연결된 곳, 즉 땀이 흘러내리는 부분)는 깊숙해야 하고, 외신(外腎)은 작아야 한다. 퇴부(腿部)는 비파(琵琶) 모양과 같아야 하고 꼬리뼈는 짧아야 한다. 꼬리는 무성한 풀싹과 같아야 하고, - 『고사촬요』에 "꼬리는 드리워진 비[篲]와 같아야 한다." 하였고, 『보금편』에 "꼬리는 유성(流星)과 같아서, 분산되어 한데 엉기지 않아야 한다." 하였다. - 뒷다리는 굽어야 하고, 곡지혈(曲池穴) 부분은 깊숙해야 한다. 녹절(鹿節)은 깊숙해야 하고, - 『고사촬요』에는 "섬세해야 한다." 하였다. - 뒷발굽은 뾰족해야 한다. - 『고사촬요』에 또 "힘줄은 굵직해야 하고 밥통 부분에는 역모(逆毛)가 나야 한다." 하였다. 『거가필용』·『고사촬요』 -

둔한 말을 상 보는 법은, 머리가 큰데다가 무겁게 보이고, 이관(耳關)이 멋없이 크다. 구차(口叉)가 얕고, 아랫입술이 팽팽하고, 뺨이 얄팍하다. 식조(食槽)나 뼈대가 좁고 약하다. 힘줄이 가늘고, 피부가 팽팽하다. 갈기나 털이 거칠고, 허구리[膁]가 너무 늘어졌다. 등자(鐙子)가 닿는 부분에 살이 없고, 등성이가 높으면서 곧다. 늑골(肋骨)이 듬성하고, 복부가 좁다. 과골(胯骨)이 위는 넓고 아래는 얕으며, 삼산골(三山骨)이 높다. 뒤 허구리가 작고, 발굽 밑이 얕다. 완자(踠子)나 무릎이 작고, 겨드랑이 밑에 살이 팽팽하다. 갈비뼈의 간살이 넓고, 복부가 멋없이 크다. 뒷다리가 곧은데다가 외측(外側)의 뼈마디가 뚜렷하지 못하고, 한구(汗溝)가 얕은데다가 선명하지 못하고, 미주(尾株)가 높다. - 『고사촬요』 -

가마[旋毛]를 상 보는 법은, 두 눈 사이인 수성(壽星)의 부위(部位)와 목 밑의 끈을 두른 부분, 가슴과 고조(靠槽)의 부분과 밥통이나 등자(鐙子)가 닿는 부분, 뒷다리에서 복부와 연결되는 허구리에 있는 가마 등은 모두 좋고 나머지 부분에 있는 가마는 모두 나쁘다. - 『고사촬요』 -

수명(壽命)을 보는 법은, 말의 안광(眼眶) 안에 오색 빛깔이 나거나 안광(眼眶) 아래에 글자 모양의 무늬가 있으면 90세를, 콧잔등에 무늬가 있되 왕(王)·공(公)자 모양의 무늬가 있으면 50세를, 화(火)자 모양의 무늬가 있으면 40세를, 천(天)자 모양의 무늬가 있으면 30세를, 산(山)·수(水)자 모양의 무늬가 있으면 20세를, 개(介)자 모양의 무늬가 있으면 18세를, 사(四)자 모양의 무늬가 있으면 8세를, 택(宅)자 모양의 무늬가 있으면 7세를 산다. 선모(旋毛)가 안광(眼眶) 위에 있으면 40세를, 광골(眶骨) 안에 있으면 30세를, 중광(中眶) 아래에 있으면 18세를 산다. 입에 홍백색(紅白色)의 광채가 보여 마치 굴속에 있는 꽃을 보는 것과 같으면 장수(長壽)하고, 만약 흑색으로 선명하지 않거나 상반(上盤)이 선명하지 않으면 수(壽)하지 못한다. -『고사촬요』-

이빨로 나이를 아는 법은 1세에는 구치(駒齒) 2개, 2세에는 구치 4개, 3세에는 구치 6개가 나고, 4세에는 성치(成齒) 2개, 5세에는 성치 4개가 난다. 6세에는 육아(肉牙) 6개가 나고, 7세에는 위아래 이빨의 안쪽이 패고 8세에는 위아래 이빨이 패어서 보리알이 들어갈 만하게 된다. 9세에는 아랫잇몸 중앙의 2개가 패어서 쌀알이 들어갈 만하고, 10세에는 4개, - 아랫잇몸 중앙의 이빨을 말한다. - 11세에는 이빨 6개가 다 팬다. 12세에는 아랫잇몸 중앙의 이빨 2개가, 13세에는 4개가, 14세에는 6개가, 다 평평해진다. 15세에는 윗잇몸 중앙의 이빨 2개가, 16세에는 4개가, 17세에는 6개가 다 팬다. 18세에는 윗잇몸 중앙의 이빨 2개가, 19세에는 4개가, 20세에는 6개가 다 평평해진다. 21세에는 아랫잇몸 중앙의 이빨 2개가, 22세에는 4개가, 23세에는 6개가 다 누런 빛깔로 변한다. 24세에는 윗잇몸 중앙의 어금니 2개가, 25세에는 4개가, 26세에는 6개가 다 누런 빛깔로 변한다. 27세에는 아랫잇몸 중앙의 어금니 2개가, 28세에는 4개가, 29세에는 6개가 다 흰 빛깔로 변한다. 30세에는 윗잇몸 중앙의 어금니 2개가, 31세에는 4개가, 32세에는 6개가 다 흰 빛깔로 변한다. 이빨이 좌우로 어긋나면 부리기가 어렵고, 이빨이 성글면 머지않아서 병들고, 꽉

차거나 두툼하지 않으면 오랫동안 달리지 못한다. -『거가필용』-

양마 총론(養馬總論)

말이란 화(火)에 속한 가축이기 때문에 그 성질이 습한 것을 싫어하고, 높고 건조한 곳에 살기를 좋아하며, 마방(馬房)은 오위(午位)에 짓지 말아야 한다. 밤낮없이 먹이를 먹이다가, 중춘(仲春)에 방음(放淫 마음대로 교미(交尾)하는 것) 시키는 것은 그 본성을 따르는 것이요, 계춘(季春)에 서로 공격하게 하는 것은 퇴력(退力)할까 염려해서이며, 한여름에 물에 밀어 넣는 것은 더위에 상할까 해서이고, 계동(季冬)에 따뜻하게 해 주는 것은 추위에 상할까 염려해서이다. 돼지 쓸개나 개의 쓸개를 넣어 죽을 끓여 먹이면 살이 찐다. -『거가필용』·『신은지』-

말을 기를 때는, 겨울에는 마구간을 따뜻하게 해 주고, 여름에는 반드시 서늘하게 해 주며, 구유[槽櫃]가 항상 정결하여 터럭[羽髮]·거미줄과 사석(沙石)·회토(灰土) 등 더러운 물건이 들어가지 않도록 해야 한다. 만약 이러한 것들을 먹게 되면, 말이 마르고 병이 생긴다. -『거가필용』·『고사촬요』-

먹이를 줄 때에는, 새 풀을 가려서 주어야 하고, 조나 콩은 체로 치고 키로 까불어서 주어야 한다. 익은 먹이를 줄 때에는, 새로 길은 물에 담가서 시원해진 뒤에 먹여야 하고, 언 사료나 묵은 풀은 절대로 먹이지 말아야 한다. 저녁마다 2~3차 일어나서 풀을 주어야 하고, 말이 열(熱)이 날 때에는 익은 사료를 주어서는 안 된다. -『거가필용』·『신은지』·『고사촬요』-

먹이는 꼴[芻]에 세 가지가 있는데, 첫째는 나쁜 꼴, 둘째는 보통 꼴, 셋째는 좋은 꼴이다. 말이 주렸을 때에는 나쁜 꼴을, 배부를 때는 좋은 꼴을 주어서 항상 배부르도록 하면, 살이 찌지 않는 놈이 없다. 풀을 거칠게 주면 곡류(穀類)를 많이 섞어 주어도 살이 찌지 않으니,

풀을 잘게 썰고 거친 것은 버린 뒤에 먹여야 살이 찐다. -『고사촬요』-

물은 하루에 세 차례씩 주는데, 아침에는 소량으로, 낮에는 그 중간으로, 저녁에는 다량으로 주며, -『고사촬요』에는 "밤에는 물을 주지 않는다." 하였다. - 물을 먹일 때는 깨끗한 것을 주어야지 묵은 물을 주어서는 안 된다. -『거가필용』·『신은지』·『고사촬요』-

여름철은 덥고 겨울철은 추우므로, 물을 절제해서 먹여야 한다. 대저 물을 먹일 때 삼가지 않으면 병을 일으키기 쉽다. -『거가필용』-

겨울철에는 물을 먹인 뒤에 말을 타거나 몰아야 한다. -『고사촬요』에 "물을 먹인 뒤 말을 몰면 해가 없다." 하였다. 『거가필용』·『신은지』-

혹시 소금기 있는 물을 먹일 때는 많이 먹이지 말아야 한다. 많이 먹이면 허리와 배에 손상을 가져와서 콩팥이 차게 되고 콩팥이 차게 되면 설사하게 된다. -『고사촬요』-

매일 새벽과 저녁에 말의 입 속을 들여다보아서 열이 있는지의 징후를 살펴야 한다. -『거가필용』·『신은지』-

낮에 말의 분뇨(糞溺)를 살펴보아서, 오줌이 맑고 똥이 찐득하면 병이 없다. -『고사촬요』-

말을 타지 않을 때는 풀이 있는 곳에 놓아 제 마음대로 놀게 해 주어야 한다. -『거가필용』-

방목법(放牧法)은, 5월 이후에는 방목하지 않다가 가을이 되면 방목하고, 8월 보름께에는 하루쯤 말을 타고 나가 땀을 흘리게 하되 과로하지 않도록 하며, 언치를 입혀서 밤새 땀을 흡수하도록 하였다가 이튿날 아침에 털을 빗겨 주고 이삭이 없는 풀 1~2묶음을 썰지 않은 채 그대로 먹이며, 깨끗한 물 1~2사발을 먹인 뒤에 도로 방목한다. 그리고 10일 간격으로 앞의 방법과 같이 말을 타되, 좋은 말은 다섯 차례, 보통 말은 세 차례 탄다. -『고사촬요』-

우리나라에서 경험한 목양법(牧養法)은, 겨울과 봄철에 말을 타고 나갔다가 말에 땀이 흐르면 안장을 벗기지 말고, 서서히 털을 빗어 준다. 만약 갑자기 안장을 벗기면 혈한풍(血汗風)에 걸리게 된다. 땀이 가신 뒤에야 안장을 벗기고 마의(馬衣) – 우리나라 말로 언치[於之]라 한다. – 를 입히고 재갈을 벗겨야 한다. 말이 매우 피로하면 굴레를 풀어 주고 휴식하기를 기다렸다가 기운이 정상으로 돌아오면 썰지 않은 풀 한 묶음과 썬 풀을 차례로 먹인 뒤에 또 사료 1~2되를 물과 풀에 섞어 먹이고, 다시 깨끗한 물 1대두(大斗)에 썬 풀과 사료 3~4되를 섞어 먹인다. 항상 깨끗한 물을 먹이고 충분한 휴식을 취하게 하여야 한다. 땀이 빨리 마르지 않는 것은 병이 있는 증거이니, 다시 말을 타고 나가 땀을 약간 흘리게 한 뒤 앞의 방법과 같이 해야 한다. –『고사촬요』–

길을 갈 때에는 물을 먹이지 않는다. 더욱이 말이 쉬는 근방에서는 말들의 교합(交合) 장면을 절대로 피해야 한다. –『고사촬요』–

먼 길을 갈 때에는 잠시의 휴식을 취하게 하고 공초(空草 패모(貝母)의 별명)를 주고 빗질을 하고 물을 먹이고 나서 사료를 준다. –『신은지』–

말을 타고 먼 길을 갔을 적에는 충분히 휴식하게 한 뒤 먹이를 일찍 먹여야지 늦게 주어서는 안 되며, 먼저 물 몇 모금을 마시게 한 뒤에 사료를 주어야 한다. 그렇지 않으면 반드시 체하게 된다. –『거가필용』–

군마(軍馬)를 기르는 데 말을 튼튼하게 하는 방법은, 희렴(豨薟 진득찰)을 가늘게 썰어서 그 잎은 까불어버리고 줄기만을 곡류(穀類)에 섞어 먹이되, 그 구유를 약간 먼 곳에 두어 아무리 눈이 오는 추운 날씨라도 마구간에 들여놓지 말고, 하루 한 차례씩 그 구유 쪽으로 달리게 하여 근육을 단련시키면 말이 튼튼하고 추위에 견디는 힘이 생긴다. –『고사촬요』–

말이 먹이는 잘 먹어도 살이 찌지 않을 때에는 말먹이를 끓일 때 관중(貫衆) 1~2매를 같이 삶아 오래도록 먹이면 수충(瘦蟲)이 저절로

나온다. -『거가필용』·『신은지』-

말이 먹이를 먹어도 배가 부르지 않는 경우에는, 감초(甘草)·인삼·백출(白朮)·당귀(當歸) 각 2전(錢), 대황(大黃) 6전, 관중 5푼을 가루로 만들어 물을 타지 않은 술 1종(鍾), 참기름 1잔(盞), 계란 1개를 섞어서 이른 아침 입에 들이붓고 고삐를 높이 매달아 물이나 풀을 먹지 못하게 한다. 그랬다가 오후에 가서 물과 풀을 먹인다. 그래도 낫지 않을 때는 다시 먹인다. -『고사촬요』-

무는 말의 버릇을 고치는 방법은, 『설부(說郛』에 '강잠(殭蠶 말라죽은 누에. 즉 고치 속에서 번데기가 되지 못한 누에)으로 말의 입술 안팎을 문지르면 즉시 물지 않는다.' 하였다. -『지봉유설』-

눈에 현기(眩氣)가 있는 말을 치료할 때는, 서리 온 뒤에 마른 곡수(穀樹 닥나무)의 잎을 가늘게 갈아서 하루 두 차례씩 노관(蘆管 갈대의 줄기)에 넣어 눈에 불어넣는다. -『신은지』-

안골(眼骨)을 치료하는 방법은, 갓 발병하여 심하지 않을 때는 나무를 바늘 모양으로 만들어 이마 위의 가마[旋毛] 속을 가로 찌르고, 다시 바늘 머리를 위로 향하여 2치 - 포백척(布帛尺) - 가량 꽂아 놓으면 즉시 차도가 있으며, 차도가 있더라도 하룻밤을 지난 뒤에 침을 뺀다. -『고사촬요』-

또 처음 이 증세가 있을 때에는, 난발(亂髮 저절로 빠진 사람의 머리털)을 태워 코에 쏘여서, 맑은 콧물을 흘리다가 농(膿)을 흘리게 되면 낫는다. -『고사촬요』-

또 백반(白礬) 4전과 탄알 크기의 청염(靑鹽) 두 덩어리를 준비, - 만일 청염이 없을 경우에는 우리나라 소금으로 대용할 수 있다. - 소금을 가루로 만들어 쟁개비[銚子] 한가운데 놓고 백반으로 덮은 뒤에 불을 때어 백반이 끓어오를 때에 꺼내어 다시 숯불에 놓고 검은 연기가 날 때까지 구워 곱게 갈아서 소량의 용뇌(龍腦)를 첨가하여 눈 속에 찍어 넣는다. -『고사촬요』-

또 처음 발병할 때에 가마솥 밑바닥의 검정과 볶은 소금을 같은 분량으로 가루를 만들어 1전씩 눈 속에 넣으면 차도가 있다. -『고사촬요』-

또 팥알만한 웅담(熊膽)을 곱게 갈아서 술 1종(鍾) 반가량에 타서 작은 잔으로 천천히 먹이되, 복통증이 날 경우에는 하루 동안 먹이를 주지 않으면 즉시 낫는다.

무릇 안골(眼骨)이 있으면 복통증이 있게 마련이므로, 신궐혈(神闕穴) - 배꼽이다. - 을 50장(壯) 뜨면 즉시 효험이 있다. -『고사촬요』-

모든 복통증을 치료할 때에도, 신궐혈 50번을 뜨면 신기한 효험이 있다. -『고사촬요』-

물이나 풀을 잘 먹지 않는 것을 치료하는 방법은, 껍질을 버린 계란 1개, - 비둘기 알이면 2개. - 참기름 3홉, 꿀 3홉, 웅담 1전 반, 짓이긴 마늘 1개, 두림주(豆淋酒) - 검은콩[黑豆]을 볶아서 한창 뜨거울 때 술에 넣은 것. - 1되를 섞어서 공복(空腹)에 부어 넣으면 낫는다. 그런데 아침에 부어 넣었을 때는 저녁에 먼저 사료를 주어 배가 부른 뒤에 물 1되가량 주어 천천히 마시게 한다. 낫지 않으면 다시 부어 넣는다. -『고사촬요』-

충조(蟲噪)를 치료하는 방법은, 증상이 중한 경우는 자줏빛이 나도록 볶아서 진흙과 같이 찧은 정력자(葶藶子 두루미 냉이) - 두루믜 나이씨 - 1홉을 준비한 뒤에 상백피(桑白皮) 한 줌과 씨를 빼버린 대추 20개를 물 2되에 넣고 1되 정도가 될 때까지 달여서 찌꺼기를 버리고 정력자 가루를 넣어 골고루 섞어서 말의 체온이 알맞을 때 목구멍에 부어 넣되, 하루걸러 부어 넣는다. 중한 증세에도 3번을 넘지 않아서 낫는다. -『신은지』-

10년이 넘는 충조(蟲噪)를 치료하는 방법은, 담즙(膽汁)과 같이 진한 간장 반 홉을 두 차례로 나눠서 콧속에 붓되, 한 번 부을 때마다 2일간 쉬어야지, 그렇지 않고 연이어 부으면 말에 손상이 온다. -『고사

촬요』 -

충조에 걸려 코에서 거품이 나고 콧대에 종기가 난 경우 치료할 수 없다. -『고사촬요』 -

급성 황병(黃病)을 치료하는 방법은, 오래된 가죽신의 가죽을 물에 담가 그 즙을 목구멍에 들이붓는다. 그래도 효험이 없을 경우에는 대황(大黃)·당귀(當歸) 각 1냥과 소금 반 잔을 물 3잔에 넣고 반 잔쯤 되도록 달여서 두 차례에 나눠 들이붓는다. 이렇게 두 차례를 해도 낫지 않을 때에는 침(鍼)으로 꼬리의 끝 부분을 째어 피를 내게 하면 즉시 효험이 있다. -『고사촬요』 -

숨을 헐떡거리고 털이 말랐을 때에는, 대마자(大麻子) - 아래 구황(救荒) 조 흑두(黑豆) 복용하는 방법에 보인다. - 한 되를 깨끗이 씻어 먹이면 큰 효험이 있다. -『고사촬요』 -

물에 상했을 때 치료하는 방법은, 말을 급히 휘몰아 헐떡거리는 숨이 가라앉기 전에 물을 마시게 하면 얼마 후에 두 귀와 코가 차가워와지고 맑은 콧물이 줄줄 흐르게 되는데, 이것이 바로 그 증세이다. 파 한 줌과 소금 1냥가량을 함께 짓이겨 두 콧구멍에 넣어 두면 얼마 뒤에 재채기를 하면서 맑은 물을 흘리게 되는데, 이것이 바로 그 효험이다. -『거가필용』 -

또 먼저 난발(亂髮)을 태워 두 코에 훈김을 쐰 후에 같은 분량의 천오(川烏)·백지(白芷)·호초(胡椒)·저아(猪牙)·조협(皂莢)과 사향(麝香) 소량을 가루로 빻아서 대나무 통 속에 1자(字) - 2푼 반 - 씩 넣고 콧속에 불어넣으면 얼마 후에 재채기를 하는 동시에 맑은 콧물을 흘리면서 곧 효험이 있다. 여기에 참외 꼭지를 같은 분량으로 첨가하여 복용시키면 물에 상하고 먹이에 체한 일체의 증상에 그 효험이 신통하다. 효험이 없으면 다시 불어넣는다. -『거가필용』·『신은지』 -

먹이에 체했을 때 치료하는 방법은, 말이 먼 길을 가다가 충분한 휴식을 취하지 못하여 밥통[肚]에 열지(熱脂)가 수축되지 않았을 때 바로 마른 풀을 주면 열지가 풀을 감싸 소화가 되지 않아서 이 병이 생긴다. 수탉 한 마리를 칼 대신 주먹으로 때려잡아 삶아서 배를 가르고 심장·간장과 부리·발톱과 똥이 든 창자를 전부 꺼낸 다음, 풍화석회(風化石灰) 1홉을 함께 넣고 짓이기고 다시 참기름 4냥을 넣어 골고루 섞어서 먹이면 즉시 효과가 있다. 닭고기는 버리고 다만 내장만 사용한다. -『거가필용』·『신은지』-

또 대황(大黃)·욱리인(郁李仁)과 미황색(微黃色)으로 볶은 천산갑(穿山甲) 각 1냥씩과 풍화석회(風化石灰) 1홉 만일 - 석회가 없다면 박초(朴硝) 4냥으로 대용해도 된다. - 을 가루로 만들어 먹이고, 참기름 4냥과 엄초(釅醋) 1되를 함께 섞어 먹이면 즉시 효과가 있다. 만약 약을 먹여도 변이 트이지 않을 때에는 저아(猪牙)와 조협(皁莢) 4냥을 가늘게 빻은 뒤에 참기름 4냥에 섞어 항문에 채워 넣고 다시 앞의 약을 먹이면 즉시 변이 트인다. -『거가필용』-

똥·오줌을 누지 못할 때 치료하는 법은, 자고 일어나서 죽으려 할 적에는 빨리 치료해야 한다. 만약 그렇지 않으면 죽게 된다. 지(脂 동물성 기름)나 유(油 식물성 기름)를 손에 발라 항문에 집어넣어 응결된 똥을 빼내기도 하고, 소금을 요도(尿道)에 넣어 오줌이 나오게 되면 즉시 차도가 있다. -『고사촬요』-

소변의 불통을 치료하는 방법은, 연마한 활석(滑石) 1냥과 연마한 박초(朴硝)와 목통(木通)·견우자(牽牛子) - 흰 것은 백축(白丑), 검은 것은 흑축(黑丑)이라 한다. - 2냥씩을 가루로 만들어 따뜻한 물과 함께 먹인다. 그래도 통하지 않을 때는 다시 부어 넣는다. -『고사촬요』-

설사하는 것을 고치는 방법은, 약간 볶은 좋은 누룩 가루 4냥과 창출(蒼朮) 가루 4냥을 따끈한 쌀뜨물에 타서 들이붓는다. 낫지 않을 때는 재차 들이붓는다. -『고사촬요』-

전포(轉胞)되었거나 결장(結腸)되었을 때 치료하는 방법은, 세신(細辛)·방풍(防風)·작약(芍藥) 각 1냥과 소금 1잔(盞)을 물 5잔에 넣고 달여 2잔을 만들어 두 차례에 나눠서 먹이되, 먹이기 전과 먹인 후에 망초(芒硝)·울금(鬱金)·한수석(寒水石)·대청(大靑) 각 1냥을 물 5잔에 넣고 2잔 반으로 달여서 각 반 잔의 술과 기름[油]에 골고루 혼합한 뒤에 두 차례에 나눠 입 속에 들이부으면 신묘하게 낫는다. -『신은지』-

전포(轉胞)되어 죽으려고 할 때에는, 어린아이의 오줌을 물에 타서 목구멍에 들이부으면 즉시 효과가 있다. 찧은 마늘을 요도(尿道)에 깊숙이 5치[寸] 정도 넣어도 좋다. -『신은지』-

협골(頰骨)이 부었을 때 치료하는 방법은, 양제근(羊蹄根 솔옷 뿌리) 49개를 태워 그 재를 협골 위에 붙이되, 식으면 갈아붙이곤 한다. 만약 양제근이 없을 때는 손가락 굵기만한 버드나무 가지를 태워서 붙인다. -『신은지』-

뒤 사타구니가 냉(冷)한 병을 치료하는 방법은, 된장[豉] - 만드는 법은 치선(治膳) 조에 보인다. - ·파[葱]·생강 각 1냥씩을 물 5잔에 넣고 반 잔으로 달여 술에 타서 먹인다. -『신은지』-

발굽이 짓무른 병을 치료하는 방법은, 구유 옆에 말이 밟고 서는 땅을 사방 1척 정도 파고 계란만한 둥근 돌을 묻은 뒤에 말이 언제나 그 부분을 밟고 서도록 하면 1~2일 만에 즉시 차도가 있다. -『신은지』-

황병(黃病)을 치료하는 방법은, 황백(黃栢)·웅황(雄黃)·목별자(木鱉子) - 중국 약제로서 열매가 자라처럼 생겼다. - 를 같은 분량으로 가는 가루를 만든 다음, 초(醋)를 넣어 풀을 쑤어 차갑게 반죽해서 환부(患部)에 붙이고 종이를 발라두되, 종기가 처음 발생했을 때에 그 부분을 침으로 여기저기 찌른 뒤에 위의 약을 바른다. -『거가필용』-

척추[梁脊]를 치료하는 방법은, 곪은 데가 금방 터질락 말락 할 때에 말의 오줌과 똥으로 축축해진 진흙을 엷게 바르되, 진흙이 마르면 바꾸어 바른다. 이렇게 3~5차례 거듭하면 자연 가라앉는다. 혹은 하수구의 더러운 진흙을 발라도 된다. -『거가필용』·『신은지』-

척추에 종기가 났을 때는, 황단(黃丹) 가루를 바르고 바람을 피하면 즉시 낫는다. -『신은지』-

종기의 딱지에는, 누룩을 붙이면 즉시 떨어진다. -『신은지』-

콧속에 종기가 났을 때에 치료하는 방법은, 메밀[蕎麥] 가루를 넣고, 이어 보릿짚을 먹인다. -『신은지』-

개라창(疥癩瘡)을 치료하는 방법은, 두형(杜蘅 족두리 풀)을 생으로 찧거나 혹은 가루를 만들어 붙여도 좋다. -『신은지』-

또 여로(藜蘆)를 가루로 만들어 물에 타서 발라도 좋다. -『신은지』-

호마엽(胡麻葉 검은 참깨 잎)을 찧어 즙을 내어 넣어도 좋다. -『신은지』-

또 짚을 태워서 내린 잿물로 씻어낸다. -『한정록』-

개창(疥瘡)에는 누런 콩을 까맣게 볶아 생마유(生麻油)에 섞어 짓이겨 붙이되, 먼저 진한 쌀뜨물로 환부를 깨끗이 씻는다. -『한정록』-

또 칡뿌리를 캐어 흙을 씻어내고 가루로 만들어 물에 타서 바른다. 그러면 비록 난치의 개창이라도 불과 1차에 즉시 낫는다. -『고사촬요』-

또 올챙이[蝌蚪] 알 한 사발 정도를 입 속에 들이부으면 효과가 있다. -『고사촬요』-

또 비마자(萆麻子) 1되를 껍질까지 찧어서 누룩 5홉과 섞어 술을 빚어 4~5일 후 익기를 기다려서 사용한다. 그런데 싸리나무를 침(針)처럼 깎아서 곪은 데를 따고 고름을 닦아낸 뒤에 이 술을 바른다. 그러면 아무리 여러 해 되어 고치기 어려운 개창도 모두 낫는다. -『속방』-

메밀[木麥]을 오줌에 하룻저녁 담갔다가 껍질째 찧어 풀처럼 찐득하게 만들어 바르면 즉시 효험이 있다. -『속방』-

마역(馬疫)을 치료하는 방법은, 우역(牛疫) 아래에 보인다.

노새와 나귀의 병을 치료하는 방법도 말의 병 치료와 같다. -『신은지』-

양 기르기[養羊]

양 우리[羊棧]를 짓기에 좋은 날인 무인·기묘·신사·갑신·경인·갑오·을미·경자·갑진일이다.

양을 우리에 넣기에 좋은 날은 계묘일이고, 흉일(凶日)은 7월의 무일(戊日)·기일(己日)과 9월의 기일이다.

양은 12월에 낳은 것이 가장 좋고, 정월에 낳은 것도 좋으며, 11월과 2월에 낳은 것이 그다음이다. 어미양 10마리가 있을 경우 수양[羝] 2마리가 적당하다. 수양이 너무 적으면 새끼를 배지 못하고, 너무 많으면 무리를 어지럽힌다. -『거가필용』·『신은지』-

양은 화(火)에 속하는 가축으로 성질이 습한 것을 싫어하고 건조한 곳에 거처하기를 좋아하므로 나무 시렁[棚棧]을 높다랗게 만들어 주고 분뇨를 항상 치워 주어야 한다. -『거가필용』·『신은지』-

양이 처음 자랄 때는 건초를 잘게 썰어 쌀겨[糟] 조금과 물에 섞어서 주다가 5~7일이 지난 뒤에는 여기에 검은 콩[黑豆]을 갈아 쌀겨와 물에 섞어서 매일 조금씩 먹인다. 많이 주어서는 안 된다. 많이 주면 다 먹지 않고 남기게 되어 사료가 아깝고, 아울러 살이 찌지 않는다. 또 물은 절대로 주지 말아야 한다. 물을 먹이면 살이 빠지고 오줌을 많이 싼다. 하루에 6~7차례 먹이를 주되, 좋은 풀을 너무 배부르도록 먹이면 식상(食傷)에 걸리게 된다. -『거가필용』·『신은지』-

양은 소금을 좋아하므로 언제나 소금을 먹도록 하는 것이 좋다. -『신은지』-

봄철과 여름철에는 일찍 방목(放牧)했다가 일찍 우리에 몰아넣어야 한다. 만약 오시(午時)·미시(未時)가 되어 열기(熱氣)를 받아 땀을 흘리게 되면, 흙먼지가 털 속으로 들어가 피부병이 생긴다. 가을이나 겨울철에는 늦게 방목해야 한다. 만약 일찍 방목하여 이슬 맞은 풀을 먹으면 입 속에 종기가 나고, 코도 곪게 된다. -『신은지』-

사시(巳時)에 방목했다가 미시(未時)에 우리로 몰아넣는다. -『산거사요』-

물에 빠져 물을 먹었을 적에는, 먼저 물로 눈을 위시하여 콧속의 화농(化膿)된 부분을 깨끗이 씻은 다음 소금 한 줌을 물에 끓여서 식혔다가 위로 맑게 뜬 소금물 약간을 양쪽 코에 부으면 5일 내에 낫는다. -『신은지』-

피부병에 걸린 양은 격리해 두어 전염을 막아야 한다. 그렇지 않으면 떼죽음을 하게 된다. 피부병을 치료하는 방법은, 여로(藜蘆 박새) 뿌리 얼마를 찧어 쌀뜨물에 담가 밀봉하여 따뜻한 부뚜막에 며칠간 두면 산미(酸味)가 나게 된다. 먼저 기와 조각으로 상처를 긁어내고 끓인 물로 깨끗이 씻은 뒤 마르기를 기다려 이 약즙(藥汁)을 바른다. 두 번만 이렇게 하면 즉시 낫는다. 만약 피부병이 여러 곳에 났을 경우에는 난 부분마다 이렇게 바른다. -『거가필용』·『신은지』-

또 백초상(白草霜 솥 밑의 검댕[鍋底黑])·소금·동유(桐油)를 같은 분량으로 섞어 바르되, 증세를 따라 적당히 사용한다. -『거가필용』·『신은지』-

돼지 기르기[養猪] 동화(桐花)로 돼지에게 먹이면 돼지가 4배로 살찐다

돼지우리의 물을 빼는 데는, 인(寅)·신(申) 두 방위에서 해야 돼지에게 좋고, 나머지 방위는 모두 흉하다. -『거가필용』-

돼지우리를 짓는 길일(吉日)은, 갑자·무진·임신·갑술·경진·무자·신묘·계사·갑오·을미·경자·임인·계묘·갑진·을사·무신·임자일이다. -『거가필용』-

돼지를 우리에 넣는 길일은 계미일이다. 흉일(凶日)은 무진·기묘·경인·임진·갑인·경신일이다. -『거가필용』-

어미 돼지로는 주둥이가 짧고 유모(柔毛 보드라운 털)가 없어야 좋다. 주둥이가 길면 어금니가 많아서 한쪽에 3개 이상이 되는데, 이는 살찌우기가 어려우므로 기를 필요가 없다. 새끼 돼지 때에 쌀겨를 주면 자라지 않는다. 수새끼는 어미와 한 우리에 넣으면 안 된다. 어미와 수새끼를 한 우리에 넣으면 장난치기만 좋아하고 먹이를 먹지 않는다. 암새끼는 한 우리에 넣어도 무방하다. 우리는 작거나 더러워도 상관이 없으므로 조그만 헛간이라도 눈비만 피할 수 있으면 된다. 봄철과 여름철에 풀이 돋아나면 수시로 방목하되, 겨 같은 것들을 매일 주어야 한다. 8~10월에는 방목하되, 사료를 조금씩 주어야 한다. -『신은지』-

돼지가 병이 들었을 때는 꼬리를 잘라 피를 내면 즉시 낫는다. -『신은지』·『산거사요』-

장역(瘴疫)에 걸렸을 때는 무[蘿葍]나 그 잎을 준다. 이것은 돼지가 즐겨 먹는 식물이고 무의 물성이 시원하기 때문에 그 열독을 해소시키고, 또 장위(腸胃)를 돌려 유통(流通)시키는 효능도 갖고 있다. 그러나 돼지가 이를 먹지 않을 경우에는 치료하기 어렵다. -『신은지』·『산거사요』-

닭 기르기[養鷄] 부(附) 오리·거위

닭·거위·오리를 기르기에 좋은 방위는 자(子)·오(午)·묘(卯)·유(酉) 등 사극방(四極方)과 갑(甲)·경(庚)·병(丙)·임(壬) 등 중황방(中皇方)이니, 이 여덟 방위에 닭을 기르면 잘 자란다. -『거가필용』-

닭·거위·오리 등 가금(家禽)의 집을 짓는 데[24] 좋은 날은, 을축·무진·계유·신사·임오·계미·경인·신묘·임진·을미·정유·경자·신축·갑진·을사·임자·병진·정사·무오·임술일과 성일(成日 십이성(十二星) 중의 아홉 번째 날)·만일(滿日 십이성 중의 세 번째

---

24) 닭 …… 짓는데 : 이 부분은 한독본(韓獨本)과 오씨본(吳氏本)에서 보충하여 번역하였다.

날)이다. -『거가필용』-

유일(酉日)에는 닭을 내지 않는다. -『거가필용』-

12월에 닭을 잡으면 상서롭지 못하다. -『거가필용』-

종자용(種子用)으로는 서리가 내릴 때에 -『신은지』에는 "상강(霜降) 때이다." 하였다. - 깐 것이 가장 좋다. -『한정록』에는 "봄철이나 여름철에 깐 것은 좋지 않다." 하였다. - 생김새가 자그마하고 털이 조밀하며, 다리가 가늘고 짧은 놈이 알을 잘 품고 병아리를 잘 기른다. -『신은지』·『사시찬요』·『한정록』-

널찍한 정원을 마련하여 사방에 한 길[丈] 높이의 담장을 치고 위는 가시로 막고 정원 중간에 담을 쳐서 좌원(左園)과 우원(右園)으로 나눈다. 그리고 원내(園內)에 사방 1장 5척가량의 닭 집 하나씩을 만들되, 그 밑에 둥우리를 매달아 -『한정록』에는 "담장 안 동·서·남·북에 각각 큰 닭장을 지어 놓는다." 하였다. - 닭이 자고 알을 품도록 한다. 2월경에는 먼저 좌원(左園) 안의 땅을 잘 갈고 차조[秫]로 죽을 쑤어 뿌린 뒤 풀로 덮어 두면 2일 만에 구더기가 생긴다. 여기에 암탉 20마리와 수탉 5마리를 방목한다. 좌원의 것을 다 파먹고 나면 다시 우원(右園)으로 몰아넣는데, 여기에도 차조로 죽을 끓여 위와 같이 한다면 닭이 저절로 살이 찐다. - 속방(俗方)에 "곡식의 겨를 담장 안에 많이 방치하고 물을 뿌려 습하게 해 주면 구더기가 저절로 생겨 닭이 파먹는다." 하였다.『거가필용』·『신은지』·『한정록』-

닭장 주위에 수수[蜀黍]를 심어 그늘을 만들어 주고, 가을이 되어 수수가 익으면 그것을 수확하여 닭에게 먹이면 닭이 쉽게 자라고 잘 살찐다. -『한정록』-

기름을 밀가루에 반죽하여 손가락 마디만한 덩어리로 만들어 날마다 10여 개씩 먹이거나 경반(硬飯 토복령(土茯苓)의 이명)을 토유황(土硫黃)과 섞어 곱게 갈아서, 매번 반 전(錢)쯤을 밥에 골고루 섞어서 먹이면 수일 만에 살이 찐다. -『거가필용』·『신은지』·『한정록』-

밀[小麥]로 밥을 지어 먹이면 살이 쉽게 찐다. -『신은지』-

거위를 살찌우는 방법을 사용하면 살이 쉽게 찐다. 방법은 아래에 있다. -『거가필용』·『신은지』-

암탉이 알을 낳았을 때는 으레 영양을 보충해 주어야 한다. 이때 삼씨[麻子]를 먹이면 알은 품으려 하지 않고 알만 계속 낳는다. -『거가필용』·『신은지』-

병아리를 깐 지 10여 일까지는 -『한정록』에는 "30일이다." 하였다. - 둥우리에서 나오지 못하게 해야 한다. 둥우리를 나오면 까마귀나 올빼미가 채갈 위험이 있다. -『사시찬요』·『한정록』-

병아리가 처음 깼을 때 마른 모이를 먹여야지, 젖은 모이를 먹이면 배꼽에서 농(膿)이 생겨서 죽게 된다. 만약 버드나무를 태우면, 새끼는 죽게 되고 큰 놈은 눈이 먼다. -『신은지』·『사시찬요』·『한정록』-

닭을 집에 처음 가져왔을 때 곧장 깨끗한 물로 다리를 씻으면 집에서 먼 곳으로 달아나지 않는다. -『거가필용』·『신은지』·『사시찬요』-

닭의 모든 병에 참기름[眞麻油]을 먹이면 즉시 낫는다. -『신은지』·『한정록』-

닭이 오공(蜈蚣 지네)의 독(毒)에 맞았을 때는 수유(茱萸)를 갈아서 먹인다. -『한정록』-

만약 전염병[瘟疫]이 돌아 한 마리가 감염되면 모두가 다 죽게 되므로 병든 닭을 즉시 잡아 쪽[藍]을 주둥이에 물려 거꾸로 달아매거나, 혹은 각(閣) 위에 옮겨 놓으면 전염병을 면할 수 있다. -『한정록』-

닭고기를 먹을 때, 몸뚱이가 검고 머리가 흰 닭을 먹으면 병을 얻고, 발가락이 6개인 닭을 먹으면 사람이 죽는다. -『사시찬요』-

오리 역시 서리가 내릴 때 깐 것이 좋다. 몸뚱이가 작고 털이 많으며 다리가 가늘고 짧은 놈이 알을 잘 품고 새끼를 잘 기른다. -『사시찬요』-

거위나 오리의 암놈 중에 머리통이 작고 윗부리[上齕]에 작은 구슬[珠] 5개가 있는 놈은 알을 가장 많이 낳고, 3개가 있는 놈은 그다음이다. - 『사시찬요』·『거가필용』 -

거위나 오리는 1년에 두 번 새끼를 까는 놈으로 종자를 삼아야 한다. 대개 거위는 수컷 1마리에 암컷 3마리, 오리는 수컷 1마리에 암컷 5마리가 적당하다. - 『거가필용』·『신은지』 -

거위나 오리는 알을 품을 때 둥우리에서 자주 나오지 않는 놈을 종자로 삼아야 한다. 자주 나오는 놈은 종자에 적당하지 않다. - 『거가필용』 -

거위나 오리는 알을 품은 지 대략 1개월 만에 새끼가 나오는데, 새끼를 꺼낼 4~5일 전부터 북소리나 다듬이 소리, 돼지소리나 개짓는 소리가 들리지 않도록 해야 한다. 알을 품을 도구로는 재[灰]가 묻은 것을 쓰지 말아야 하며, 5~6일 동안에는 임산부(妊産婦)가 보지 않도록 해야 한다. - 『거가필용』 -

거위나 오리에게 토유황(土硫黃)을 먹이면 살이 잘 찐다. - 『거가필용』·『신은지』 -

거위를 빨리 살찌게 하는 방법은 벼 - 혹 소맥(小麥)이나 대맥(大麥)도 좋다. - 를 삶아서 주되, 먼저 벽돌로 작은 집을 만들어 그 안에 거위를 넣고 거위가 움직일 수 없도록 하며, 문은 나무막대로 막아서 단지 주둥이만 내밀고 먹이를 먹도록 하여, 낮에는 3~4차 모이를 주고 밤에는 더 많이 준다. 이때에 물을 주지 말아야 한다. 이렇게 5일만 하면 틀림없이 살이 찐다. - 『거가필용』·『신은지』 -

암오리는 수컷이 없어도 콩이나 맥류(麥類)를 많이 먹어 살찌게 되면 스스로 알을 낳는다. - 『신은지』 -

암오리는 매년 5월 5일에는 방사(放飼)하지 말고 마른 모이만 먹이면서 물을 주지 않으면 날마다 알을 낳는다. 이렇게 하지 않으면 알을

낳다가 말다가 한다. -『거가필용』-

나무로 알 모양을 만들어 거위 둥우리에 넣고 거위를 꾄 뒤, 거위가 알을 낳으면 즉시 꺼내다가 따뜻한 곳에 놓아두고 부드러운 풀로 알을 덮어 주어야 한다. -『거가필용』-

물고기 기르기[養魚]

가축을 기르는 다섯 가지 법에 첫째는 물고기, 둘째는 양, 셋째는 돼지, 넷째는 닭, 다섯째는 거위나 오리 기르기인데, 경(經) -『양어경(養魚經)』을 말한다. - 에 이르기를 '생활을 영위하는 방법에 다섯 가지가 있는데, 그중에 물에서 기르는 것이 제일이다.' 했으니, 바로 물고기[魚]이다. -『한정록』-

못을 파는 데는 모름지기 좋은 연월일시(年月日時)를 가려야 하고, 고기를 물에 넣을 때에도 생문방(生門方 팔문(八門) 중에 삼길문(三吉門)의 하나)으로 넣어야 한다. 예를 들면 경신(庚申)·임자(壬子)일은 생물이 곤방(坤方)에 있다.『하종결(下種訣)』에 말하기를,

> "경신·임자는 생물이 곤방에, 임술·경자는 이방(离方)에, 갑인·병진은 손방(巽方)에, 계묘·신미는 간방(艮方)에, 을유·신축은 감방(坎方)에, 기미·정해는 태방(兌方)에 있으니, 하종(下種)을 법에 의해 배치하면 물고기가 죽는 일이 없다." -『한정록』-

하였다.

6묘(畝)의 땅에 못을 파고 못 가운데 9주(洲)를 만든다. -『거가필용』에는 "한 길[丈] 깊이로 못을 파고, 벽돌로 산을 쌓아 10주(洲)를 만들되, 수면 위로 올라오지 않도록 한다." 하였다. - 알 밴 잉어 3척(尺)된 놈 20마리와 수잉어 3척된 놈 4마리를 구해다가 2월 상경일(上庚日 맨 처음 경일) 못 속에 넣되, 물소리가 나지 않도록 조용히 넣어야 반드시

산다. 4개월이 되어서는 첫 번째의 신수(神守)를 넣고, 6개월에는 두 번째의 신수를 넣고, 8월에는 세 번째의 신수를 넣는데, 신수란 곧 자라[鱉]를 말한다. 대저 잉어가 360마리가 차면 그중에 교룡(蛟龍)이 어른이 되어 잉어들을 데리고 날아가 버리게 되는데, 자라가 있으면 날아가지를 않고 못 가운데서 마음대로 돌아다니면서 스스로 강호(江湖)로 여기고 살게 된다. 이듬해 2월이 되면 길이 1척짜리 잉어 1만 마리, 2척짜리 4천 마리, 3척짜리 2천 마리를 얻게 되고, 그다음해가 되면 길이 1척짜리 10만 마리, 2척짜리 5만 마리, 3척짜리 4만 마리를 얻게 되는데, 길이 2척짜리 2천 마리만 종자로 남겨 두고 나머지는 모두 팔아 버린다. 3년째가 되면 잉어가 이루 헤아릴 수 없이 많게 된다. 잉어를 기르는 까닭은, 잉어는 서로 잡아먹지 않기 때문에 잘 자라고 또 귀하게 여기기 때문이다. -『거가필용』·『한정록』-

무릇 물고기를 기르는 곳은 진흙이 비옥하고 마름[蘋藻] 등 물풀이 번성한 곳을 선택하는 것이 좋다. 그러나 사람이 가까이 주거하여 지키면서 여러 가지 방법으로 수달[獺]의 침해를 방비하여야 한다. 사는 곳에서 가까운 호수에도 이 방법에 의하여 물고기를 기른다면 부(富)를 빨리 이룰 수 있다. 이는 틀림없는 일이다. 지금 사람들은 다만 강에 나가 물고기를 잡아다가 곡식[靑草] 따위를 먹이면서 못 속에서 기르는데, 이렇게 해도 1년에 1척쯤 자라게 되므로, 역시 공용(供用)할 수 있다. -『한정록』-

또 양(羊)의 우리를 못가 언덕에 짓고 양을 기르면서 매일 이른 아침에 양의 똥을 못 가운데 쓸어 넣어 물고기에게 먹이는데, 이렇게 하면 사람이 손수 곡식 따위를 넣어 줄 필요가 없다. 다만 물고기에게 체기(滯氣)가 있을 뿐이다. -『한정록』-

못물이 흘러나가는 곳에는 발[簾]을 쳐서 물고기가 도망가는 것을 막아야 하는데, 발이 너무 촘촘하면 물이 흐르지 않고, 너무 성글면 작은 물고기가 빠져나가므로, 큰 나무 판자에 구멍을 여러 개 뚫어서

발 대신으로 사용하면 가장 좋다. -『속방』-

만약 물고기가 독기를 마시고 물 위에 하얗게 떠 있을 때는 급히 독수(毒水)를 빼내고 다른 새 물을 못에 끌어들인 다음, 파초(芭蕉) 잎을 많이 따다가 짓이겨 새 물이 들어오는 곳에 뿌려 고기가 마시게 하면 즉시 깨어난다. 사람의 오줌[溺] -『신은지』에는 "똥물이다." 하였다. - 을 못 속에 뿌려 주어도 해독이 된다. -『신은지』·『한정록』-

금붕어를 기르는 데는 경치가 아름다워야 한다. 초당(草堂) 후원 창문 아래에 연못을 만들면 토기(土氣)가 자연 물과 서로 조화되고, 부평(浮萍)이나 행채(荇菜 수초(水草)의 이름) 같은 수초도 자연 무성하므로 물고기가 이 같은 수토(水土)의 자연을 얻어 부평초 사이를 헤엄쳐 다니면서 수면을 오르락내리락하는 모습은 참으로 볼만한 광경이다. 못 가운데 1~2개의 석산(石山)을 만든 뒤에 바위 밑뿌리에는 석창포(石菖蒲)를, 바위 위에는 전포(錢蒲 석창포의 일종)를, 석산 위에는 송(松)·죽(竹)·매(梅)·난(蘭) 등 여러 가지를 심어 놓으면 이는 바로 완연한 하나의 봉래도(蓬萊島 중국에서 신선이 살고 있다는 가상적인 섬)이다. 먹이로는 기름이나 염기(鹽氣)가 없는 증병(蒸餠)을 주는데, 먹이를 줄 때마다 창문을 두들겨 소리를 내면서 준다. 이 소리를 오래도록 들어 익숙해지면 손[客]이 내방하여 문을 두드릴 적에도 물고기가 스스로 물 밖으로 나올 것이니, 이 또한 한때 완상할 만한 광경이다. -『신은지』-

벌 기르기[養蜂]

3월경, 벌이 다른 곳으로 이사할 때는 한 덩어리가 되어 급히 날아간다. 이때 가는 모래나 흙을 벌 떼에 뿌리면 가까운 처마 밑이나 나뭇가지에 앉게 되는데, 이것을 남자의 저고리로 싸서 나무로 만든 벌통 속에 넣고 나서 통 위에 벌 한 마리가 드나들 만한 구멍을 틔워 둔다. 만약 구멍이 너무 커서 왕벌이 도망치면 모든 벌이 모두 따라 나가 버리게 된다. 그리고 통 속에 쌀풀[米粥]을 쑤어 발라 주어 꿀벌의 첫 먹이로 삼으면 꿀벌이 새끼를 많이 쳐서 1년에 13와(窠) - 와는 혈거(穴居)인데, 옛날에는 통(桶)이라 하였다. - 까지 증가된다. 와 앞에는 항상 물 담은 그릇 하나를 놓아두면 벌이 상하지 않는다. - 『사시찬요』 -

비가 잘 오지 않아 꽃이 적은 해에는 꿀벌의 먹이가 부족할 염려가 있으므로 초계(草鷄) 1~2마리를 털을 뽑고 내장을 꺼낸 뒤 벌통 속에 걸어 두면 꿀벌의 주림을 구제할 수 있다. - 『신은지』 -

꿀을 따는 데는, 날씨가 쌀쌀해지고 모든 꽃들이 진 뒤에 벌통 뒷문을 열고 마른 쑥을 태워 약한 연기를 쐬면 꿀벌이 앞쪽으로 피해 간다. 이때 꿀을 따는 사람이 박하(薄荷) 잎을 잘게 씹어 손바닥에 바르면 벌이 쏘지 못한다. 혹은 명주베 같은 천으로 머리와 몸에 덮어 쓰거나 장갑[五爪套]을 끼면 손 놀리기가 매우 간편하다. 그런데 벌의 수에 맞추어 꿀을 남겨 두어서 그해 겨울과 이듬해 봄까지의 먹이로 삼고, 나머지 꿀 덩어리를 예리한 칼로 떼어 낸 뒤에 즉시 벌통을 막는다. 따낸 꿀 덩어리는 새 생포(生布)로 거른다. 불에 녹이지 않은 것을 백사밀(白沙蜜), 불에 녹인 것을 자밀(紫蜜)이라 하는데, 이것을 자기(磁器)에 담는다. 꿀을 걸러낸 찌꺼기는 노구 솥[鍋]에 넣고 약한 불로 녹기를 기다려 찌꺼기를 건져 내고는 다시 달인다.

이보다 미리 석기(錫器)나 와분(瓦盆)에 냉수를 담아 놓았다가 이 납즙(蠟汁)을 쏟아 넣으면 안에서 엉겨 저절로 황랍(黃蠟)이 된다. - 『신은지』 -

6월에 딴 꿀이 가장 좋다. 만약 꽃이 다 진 뒤에 딴 꿀이 아니면 꿀의 질이 나쁘고 오래 보관할 수 없다. - 『사시찬요』 -

꿀에는 수십 등급이 있다. 봄 꿀은 여러 가지 꽃에 의해 형성된 것으로 흐린 빛깔에 신맛[酸味]이 나고 비린내[腥氣]를 풍기며, 겨울 꽃은 벼꽃[稻花]에 의해 형성된 것이므로 엉긴 기름[脂]과 같은 빛깔

에 신맛이 나서 모두 상품(上品)이 못 되니, 모름지기 순수한 여름 꿀이라야 아주 좋다. -『신은지』-

학 기르기[養鶴]

학을 기르는 데는, 오직 울음소리가 맑은 것을 최고로 치며, 긴 목에 다리가 멀쑥한 것이 좋다. -『신은지』-

학이 병들었을 때는, 뱀이나 쥐 또는 보리[大麥]를 삶아 먹인다. -『신은지』-

학이 전복(全鰒)을 먹으면 죽는다. -『문견방』-

사슴 기르기[養鹿]

학을 기르려면 사슴을 길러 벗으로 삼아야 한다. 이것은 지기(志氣)가 서로 화합되고 또 도기(道氣)를 도와준다.

들새 기르기[養野禽]

야생조류(野生鳥類)의 알을 주워다가 닭에게 품게 하는데, 새끼가 알에서 나올 때쯤 되어서는 자주 들여다보다가 완전히 나온 뒤에 털에 물기가 마르기 전에 침[唾]을 발라 말리면 자라서도 날아 도망가지 않는다. 꿩·물오리·계칙(鸂鶒) - 비오리 - ·원앙(鴛鴦) 등의 조류는 모두 기를 수 있다. -『속방』-

치선 治膳

[치선 서]

밭을 가꾸고 실과를 심고 가축을 치고 물고기를 기르고 하는 것은, 실로 시골 살림에서 없어서는 안 될 것이며, 실과를 갈무리하고 남새를 햇볕에 말리고 생선이나 고기를 찌거나 익힌다든지 차를 달이고 술을 빚고 초를 빚으며, 장 담그는 일 같은 것은 저마다 방법이 있고 일용(日用)에 요긴하지 않은 것이 없으므로, 이에 반찬 만드는 법을 적어서 제9편을 삼는다.

치선

봄에는 보리를, 여름에는 녹두(菉豆)를, 가을에는 참깨[麻]를, 겨울에는 기장[黍]을 먹는 것이 좋다. -『신은지』-

『어림(語林)』에, 남새로 가장 맛있는 것은 첫봄의 갓 돋은 부추와 늦여름의 늦갈이 배추라고 하였다. -『한정록』-

진미공(陳眉公 미공은 송(宋)나라 진계유(陳繼儒)의 호)이 이렇게 말했다.

"시골 살림에 갖은 반찬 해먹기란 쉽지 않지만, 그런 대로 개운한 음식은 얼마든지 있다. 나는 연(蓮) 종류에서는 연 송이에 든 연밥과 연뿌리[藕]의 단맛을 취하고, 마름[菱] 종류에서는 그 가시연[芡]의 다사로움과 조(藻 말)의 이삭을 취하고, 나무 종류에는 그 순(筍)의 운치와 고미[菰]의 연함[姸]을 취하고, 남새붙이[菜屬]에서는 준(蹲 고부장하게 갓 돋는 싹)의 향긋함과 아욱의 담담함[恬]과 토란의 매끄러움을 취한다. 또한 계(桂)는 고(膏)를 만들 만하고, 국(菊)은 싹[苗]을 취하고, 매실[梅]은 장 담가서 회(膾)에 곁들일 만하다. 잉어 맛은, 태관(太官)의 이바지인들, 어찌 이 이상을 넘을 것인가." -『미공비급』-

과실(果實)

생과(生果) 수장법(收藏法)은, 땅을 깊이 파고 벽돌로 움을 만들어 저장하되 판자로 덮으면 마르지 않게 저장할 수 있다. -『신은지』-

모든 실과를 마른 모래나, 혹은 참깨[芝麻]와 섞어서 새 항아리에 수장하되, 그 주둥이를 단단히 봉해야 된다. -『신은지』-

모든 실과를 큰 생대[生竹]에 구멍을 뚫어 그 속에 넣고 막아 두면, 빛이며 맛이 해를 지나도 변치 않는다. -『문견방』-

납설수(臘雪水)[25]에 모든 실과를 담가두면 좋다. -『증류본초』-

술지게미에 수장하면 상하지 않으니 외붙이[瓜果]를 담가둘 만하다. -『본초』-

청과 수장법은, 무릇 제 철 실과가 나오거든 구리녹[銅青]을 곱게 갈아서 실과와 같이 납설수에 수장하면 빛이 변하지 않아서 햇것과 같이 신선하다.

무릇 청매(青梅)·복숭아·오얏·능금[林檎]·소조(小棗)·포도(葡萄)·연봉(蓮蓬)·마름[菱角]·참외[甛瓜]·배·감귤(柑橘) 등 실과는 모두 잘 갈무리해두었다가 갑작스레 쓸 일에 대비하면 좋다.

잣[松子] 수장법은 방풍(防風) 두어 냥(兩)을 함께 싸 두면 결지 않으며, 방풍 또한 상하지 않는다. -『신은지』-

잣을 성긴 부대에 담아 바람맞이에 걸어 두면 결지 않는다. -『신

25) 납설수(臘雪水): 동지 후 제3미일(未日) 전후해서 온 눈 녹은 물로 살충약·해독약으로 쓰인다.

은지』 -

잣을 등심(燈心)을 잘게 베어 섞어 갈무리하면 마르지 않는다. -『신은지』 -

잣 같은 것이 묻거나 곁어서[蒸壞] 못 먹게 된 것은 죽지(竹紙) 위에 펴 놓고 불에 쬐면 햇것 같아진다. -『신은지』 -

밤 수장법은, 하소정(夏小正 『예기(禮記)』의 편명)에 이르기를,

"밤은 아람을 주워야지 일부러 두드려 따지 않는다."

하였다. 서리 내린 뒤에 밤을 수장할 때는, 동이에 물을 붓고 그 속에 밤을 넣어, 뜨는 것은 버리고 가라앉는 것만 건져내어 물기를 닦아 물기가 싹 걷힐 때까지 잠깐 넌다. 그보다 앞서 깨끗한 모래를 볶아서 식은 뒤에 새 사기그릇(항아리 같은 것)에 모래와 밤을 항아리에 켜켜로 구분(九分)쯤 넣는다. - 너무 꼭 차면 안 된다. - 그리고는 대껍질이나 잎으로 한 켜를 덮고, 쪼갠 대를 가로질러 꼭꼭 누른 뒤 깨끗이 쓴 땅 위에 항아리를 거꾸로 엎어 놓고, 황토로 대충 봉하였다가 필요에 따라 조금씩 꺼내어 쓰되, 술기운을 가깝게 하지 않으면 이듬해 봄까지도 상하지 않는다. -『거가필용』·『신은지』·『사시찬요』 -

밤톨 한 짐[一擔]을 소금 2근 녹은 물에 한 이틀 담가 두었다가 건져내어 널어 말려, 참깨[芝麻] 2섬[石]과 고루 섞어 가시나무곳집 안에 수장하면 오래되어도 상하지 않고, 먹으면 달고 맛이 있다. -『신은지』 -

묵은 밤을 하룻밤쯤 물에 담갔다가 불에 말리면 그 속껍질이 모두 겉껍질에 붙어서 먹으면 햇것 같다. -『사시찬요』 -

대추[紅棗] 수장법은, 큰 항아리를 깨끗이 가셔서 보송보송하게 행주로 훔쳐내고 지에밥으로 빚은 초로 항아리 속을 깨끗하게 부셔내어 말린 다음, 또 참기름[香油]으로 항아리 주둥이를 고루 문지른다. 그런 다음 항아리 바닥에 밤을 깔고, 볏짚이나 풀잎 한 켜에 대추 한 켜를 한복판에 넣고 둘레에도 풀잎을 사이사이 놓되, 무겁게 덮지 않으면

오래 두어도 벌레가 나지 않는다. -『거가필용』·『신은지』-

배[梨] 수장법은, 무서리 내린 뒤에 곧 수장한다. 배는 성질이 추위를 제일 타므로, 마땅히 따뜻한 데 두어야 한다. 그리고 술내를 가장 꺼리므로 부디 조심해야 한다. 잔치 끝에 남은 것을 같이 수장하면, 마치 술 있는 데 오래 둔 것과 같으므로 또한 수장하기에 적당치 못하다. -『신은지』-

흠집 없는 큰 배를 가려, 속이 비지 않은 큰 무를 골라 배 달린 가지를 꽂고, 종이로 싸서 따뜻한 데 두면 봄이 되어도 상하지 않는다. -『거가필용』·『신은지』·『사시찬요』-

배를 새 항아리에 담고, 그늘지고 한갓진 곳에 두면 마르지 않는다. -『거가필용』·『신은지』·『사시찬요』-

홍시(紅柹) 수장법은, 상수리잎[櫟葉]으로 하나하나 두껍게 싸서 싸리로 엮은 광주리[杻器]나 유기(柳器)같은 것을 나무 사이에 시렁을 걸어 그 위에 놓고, 거적으로 두껍게 덮어, 눈비가 스며들지 않게 하면 오래 두어도 상하지 않는다. -『속방』-

홍시 덜 익은 것을, 끓여서 식힌 소금물에 담가 두면, 해가 바뀌어도 빛이 변하지 않는다. -『신은지』-

복숭아 수장법은, 보릿가루죽[26]을 쑤어 소금을 치고 식기를 기다렸다가 새 항아리에 부은 뒤 복숭아를 보리죽에 잠길 정도로 넣고 독 주둥이를 단단히 봉한다. 겨울에 먹으면 갓 딴 것 같다. 복숭아가 농익은 것은 못쓰니, 다만 그 빛이 고운 것을 가리면 된다. -『신은지』-

사과 수장법은, 사과 100개 중에서 20개를 으깨어 물을 넣고 같이 삶아, 식혀서 깨끗한 항아리에 붓고 나머지 80개를 그 속에 넣어 항아리 주둥이를 단단히 봉하여 두면 오래 둘수록 더욱 좋다. -『신은지』-

납설수(臘雪水)를 병이나 항아리에 담고, 동록가루[銅靑末]를 한데

---

26) 보릿가루죽:『규합총서(閨閤叢書)』에는 "복숭아는 보릿가루죽을 쑤어 식혀 새 오지항아리에 붓고……." 하였다.

넣어 저장하면 빛이 변하지 않는다. -『거가필용』-

석류(石榴) 수장법은, 석류 큰 것을 가려 가지째 따서, 새 질항아리[瓦瓮] 안에 잘 놓고, 종이로 여남은 겹 단단히 봉하면 두어도 상하지 않는다. -『거가필용』·『신은지』-

석류를 새 질항아리[新罐][27]에 담아 그늘지고 한갓진 데 두면 마르지 않는다. -『거가필용』·『신은지』-

포도 수장법은, 포도송이를 밀[蠟]로 싸서 항아리에 두고, 다시 밀을 녹여 봉하면 겨울이 되어도 상하지 않는다. -『신은지』-

포도를 술에 잠가, 새 항아리에 담아 꼭꼭 봉해서 불길 닿는 곳에 매달거나 걸어 두면 상하지 않는다. -『신은지』-

납설수(臘雪水)를 단지나 항아리에 담고, 동록가루[銅靑末]를 한데 넣고 수장하면 빛이 변하지 않는다. -『신은지』-

감귤 수장법은, 꼭지가 단단한 감귤을 가려 무에 꽂아 종이로 싸서 따뜻한 데 두면 봄이 되어도 상하지 않는다. -『거가필용』·『신은지』-

밀감[柑]과 마른 솔잎을 켜켜로 놓고 술내 안 나는 데 두면 물크러지지 않는다. -『신은지』-

금귤(金橘)을 은이나 주석[錫]으로 만든 그릇 속에 두거나, 참깨[油麻]와 섞어 갈무리해 두면 오래 두어도 상하지 않는다. -『신은지』-

금귤을 녹두 속에 넣어 두면 오래도록 변하지 않으니, 귤의 성질은 뜨겁고, 녹두의 성질은 차기 때문에 오래 가는 것이다. -『사문유취』-

귤이나 등(橙) 붙이는 녹두 속에 갈무리해 두는 것이 가장 좋지만, 쌀 가까이에 두면 안 된다. -『신은지』-

---

27) 새 질항아리[新罐] :『규합총서』의 석류(石榴) 조에는 "새 질항아리에 편히 놓고 …… " 하였다.

정과 만드는 법[蜜煎果子法]

대개 정과를 만들 때, 과일 신 것은 끓는 물에 데쳐 신맛을 순하게 하여 잠깐 식혀서 신맛을 우려내고, 연하고 보드라운 것은 꿀 달인 것만을 식혀서 과일 위에 붓고 하루를 재우면, 그 신맛이 절로 없어진다. 건져내어 물기를 빼게 한 뒤, 먼저 달여 익힌 꿀과 한데 섞고 다시 꿀을 더 넣고 잠깐씩 대여섯 번 끓여 내어 식혔다가 다시 먼저 꿀 속에 넣고 졸이면 호박(琥珀) 빛 같아진다. 꿀을 제거하고 그릇에 담아 둔다. 졸일 때는 반드시 은냄비나 돌냄비·사기냄비를 써야 한다. - 『신은지』에는 "꿀과 물을 반반씩 하여 잠깐씩 10여 번 끓여 끓는 김에 물기를 빼게 하여 따로 진 꿀을 사기냄비나 돌냄비에 넣고 뭉근한 불로 그 빛이 말개질 때까지 새 꿀을 넣어 졸인다. 담아 둘 때, 꿀이 신 듯하거든 곧 새 꿀을 녹여 바꿔준다." 하였다. 『거가필용』 -

백매 정과는, 먼저 끓는 물로 백매육(白梅肉)을 데쳐 식을 때까지 담갔다가, 물기를 빠지게 하여 달인 꿀에 담가 앞의 방법과 같이 한다. - 『거가필용』 -

청매·청행 정과는, 청매(青梅)와 풋살구[青杏]를 쪼개어 껍질을 벗기고, 고운 동록가루[銅青末]를 구리그릇 안에 골고루 뿌려 녹색이 된 뒤에야 생꿀[生蜜]에 담는다. 다만 신맛이 돌거든 곧 꿀을 갈되, 3~5번쯤 갈면, 자연히 다시는 시어지지 않아 오래 둘 만하다. 동록은 얼마라도 상관없으나, 다만 골고루 뿌리기만 하면 된다. - 『거가필용』·『신은지』 -

살구정과는, 살구 100개를 소금 반 근에 절였다가 사흘 만에 꺼내어 볕에 반쯤 말려, 냉수에 씻어서 볕에 말려 씨를 빼고, 끓인 꿀 3근에 담갔다가 꿀이 마를 때까지 볕에 말린다. - 『신은지』 -

복숭아정과는, 복숭아 100개를 껍질을 벗기고 씨를 발라서 쪽쪽이 저며, 먼저 꿀에 졸여 신물을 뺀 뒤에, 딴 꿀로 졸여 건져서 말려 차게 둔다. - 『신은지』 -

앵두정과는, 앵두를 4월에 따서 씨를 발라 꿀 반 근을 은이나 돌그릇에 담아 뭉근한 불로 졸여 물기를 빼고 말려서, 다시 꿀 2근을 넣고 뭉근한 불로 호박빛이 될 때까지 졸여 자기그릇에 내어 갈무리해 둔다. -『신은지』-

모과(木瓜)정과는, 모과를 우선 꿀 3근 혹은 4~5근을 사기나 돌 또는 은그릇에 넣고 뭉근한 불로 졸여 걸러둔다. 다음에 모과 껍질을 벗기고 씨를 도려내어, 말쑥한 살만 1근을 사방 1치쯤 되게 얇게 저며 꿀에 넣어 졸이되, 거품이 일어나거든 바로바로 걷어내어, 두어 시간 졸인다. 맛을 보아 신맛이 나거든 꿀을 넣되 알맞게 새콤달콤하도록 한다. 수저로 떠서 찬그릇에 내어, 식거든 다시 떠내어 그 꿀이 실같이 끊어지지 않을 정도로 되게 졸인다. 이때 만약 불이 괄면 눋고 맛 또한 좋지 않으니, 뭉근한 불이라야만 좋다. -『거가필용』-

연근정과는, 초복에 연한 햇연근을 골라 끓는 물로 숨을 죽여 반쯤 익거든 껍질을 벗기고 갸름하게 썰거나 조각을 만들어, 연근 1근마다 백매(白梅) 4냥을 끓는 물 한 대접에 한 시간쯤 담갔다가 건져내어 물기를 뺀 뒤에 꿀 6냥으로 졸여 물기를 없애고, 따로 좋은 꿀 10냥을 뭉근한 불로 호박 빛같이 되게 졸인다. 내어 식혀서 항아리에 부어 저장한다. -『신은지』-

숙관우(熟灌藕)는, 상품의 밀가루에 꿀을 넣고, 사향[麝]을 약간 섞어 연근 큰 머리로부터 부어 넣은 뒤 유지로 구멍을 싸서 폭 삶아 조각으로 썰어 먹는다. -『예운림집』-

생강정과[煎薑]는, 사일(社日) 전에 캔 연한 햇생강 2근을 깨끗이 씻어 물기를 뺀 다음 소금에 절이지 말고 팔팔 끓는 물로 데쳐 숨을 죽여 건져내어 말린다. 백반(白礬) 1냥 반을 빻아서 팔팔 끓여 하룻밤 재운 물에 생강을 2~3일쯤 담갔다가 건져내어 다시 물기를 빼고 꿀 2근을 잠깐 한 번 끓여내어 식혀서 자기(磁器) 그릇에 꿀에 졸인 생강을 넣고 열흘이나 보름에 한 번씩 꿀을 두 차례 갈아 준다. -『거가필용』·『신은지』-

동아정과[煎冬瓜]는, 10월에 딴 서리 맞은 동아를 푸른 껍질을 벗기고 껍질 가까이의 살을 조각으로 썰어, 팔팔 끓는 물에 데쳐 숨죽여 식힌다. 석회(石灰) 끓인 물에 4일쯤 담갔다가 횟물을 버리고 꿀 반잔을 사기 냄비[砂銜]에 넣고 끓이다가 동아 쪽을 넣고 잠깐씩 네댓 번 끓여 꿀물을 뺀다. 그러고 나서 별도로 큰 잔으로 꿀 한 잔을 넣고 동아 빛이 노리끼리할 때까지 삶아서 자기 안에 저장하되, 싸늘하게 식을 때까지 기다려서 뚜껑을 덮어야 한다. -『거가필용』·『신은지』-

죽순정과[煎筍]는, 동짓달에 딴 죽순 10근을 껍질째 7부쯤 익혀, 껍질을 벗겨내고 아무렇게나 썰어, 꿀 반 근에 한참 담갔다가 건져내어 물기가 걷힌 뒤 꿀 3근을 끓여 찌꺼기를 걸러내고 거기에 술을 넣어 반죽하여 자기 그릇에 저장하면 오래 두어도 상하지 않는다. -『거가필용』·『신은지』-

도라지 정과[煎桔梗]는, 2월에 고르고 큰 것을 가려 쌀뜨물에 담갔다가 껍질과 무른 것은 버리고 우물물에 삶아 내어 꿀 4냥을 넣어 뭉근한 불로 꿀이 없어질 때까지 졸인다. 다시 꿀 반 근에 담갔다가 햇볕에 꿀이 마를 때까지 말려서 자기그릇에 저장하되, 다시 달인 꿀을 더 친다. -『신은지』-

잇물 만드는 법[造紅花]은, 물에 뜨는 것을 일어서 버리고, 절구 안에 나른히 찧어 끓는 물에 살짝 데친 뒤 다시 찧어 끓여 즙을 내어 초를 넣고 냄비에 끓인다. 비단에 점점이 찍으면 마치 살코기와 같고, 흰 음식에 넣으면 극히 아름답다. -『거가필용』·『신은지』-

소행인(酥杏仁)은, 양을 관계없이 참기름으로 까맣게 타도록 볶아, 식은 뒤에 먹으면 아주 연하다. -『거가필용』-

차와 탕(湯)

차는 불에 쬐어 말려야지 햇볕에 말리면 못 쓴다. -『신은지』-

차는 입을 가실 만하면 되지, 너무 많이 마시면 못 쓴다. -『신은지』-

차 달이는 법은, 차를 달이려면 반드시 이글거리는 숯불로 끓이다가 냉수를 찔끔 부어, 다시 끓기를 기다려 또 냉수 치기를 이렇게 세 차례 하면 맛과 빛이 훨씬 좋아진다. -『거가필용』-

물이 너무 끓지 않아야 되니 지나치게 끓으면 너무 쓰다. 끓는 소리가 석간수나 솔바람소리 같아야 한다. 갑자기 끓으면 좋지 않으니, 익힐 때 불을 빼내어 잠깐 끓다가 그치도록 해야 알맞게 된다. -『한정록』-

기국차[杞菊茶]는, 들국화 1냥, 구기자(枸杞子) 4냥, 차싹[茶芽] 5냥, 참깨 반 근을 함께 곱게 갈아 체에 쳐서 먹을 때 한 수저에 소금 약간과 적당한 양의 소유(酥油)를 넣어 잠깐 한 번 끓은 물에 타서 마신다. -『신은지』-

구기차[枸杞茶]는 깊은 가을에 딴 빨간 구기자를 마른 밀가루와 반죽하여 떡같이 만들어 볕에 말려서 곱게 가루로 만든다. 차 1냥마다 구기자가루 2냥을 고루 섞고, 달인 화소유[煉花酥油]나 참기름 3냥을 끓는 물에 곧 타서 된 고(膏)를 만들어, 소금을 약간 쳐서 냄비에 끓여 익혀서 마시면 매우 보익하고 눈이 밝아진다. -『거가필용』·『신은지』-

습조탕(濕棗湯)은, 굵은 대추를 씨를 발라 물에 곤 즙에다 생강즙에 꿀을 타서 세 가지 맛을 고루 섞어 자기 항아리에 넣고 저어 묽고 되기[稀稠]를 적당히 하여 사향을 조금 넣는다. 한 잔에 큰 술로 하나씩 떠서 팔팔 끓는 물에 타서 조금씩 먹는다. -『거가필용』·『신은지』-

향소탕(香蘇湯)은, 마른 대추 한 말[一斗]을 씨를 발라 쪼개고, 모과[木瓜] 5개를 껍질 벗겨 짓찧고, 차조기 잎[紫蘇葉] 반 근을 한데 넣어 다시 고루 찧어 5등분한다. 1푼으로 대고리 안에 고루 헤쳐 태워, 끓는 물을 흘려, 아래로 뿌려지는 즙을 맛보아 모과나 대추 맛이 없으면, 다시 좋은 것 1푼을 바꾸어 위와 같이 맛이 날 때까지 즙을 낸다. 흘러내린 즙을 사기그릇이나 돌그릇에 담아 뭉근한 불로 고아 고(膏)를 만들

어 차게 하거나 뜨겁게 하거나 마음대로 쓴다. -『거가필용』·『신은지』-

수문탕(須問湯)은, 동파 거사(東坡居士)가 노래로 부르기를 '생강 반냥 - 말려서 쓴다. - 대추 1되 씨를 발라내고 말려서 쓴다. 흰 소금 3냥 - 누런 빛깔이 나도록 볶는다. - 감초(甘草) 2냥 - 구워서 껍질을 벗긴다. - 정향(丁香)·목향(木香) 각각 반전(半錢)과 진피(陳皮 귤껍질) - 흰 껍질은 없앤다. - 조금을 한데 찧어 달여도 좋고 조각으로 만들어도 좋아, 붉고 흰 얼굴이 늙을 때까지 계속되느니라.' 하였다. -『거가필용』-

빙지탕(氷芝湯)은, 연밥[蓮實] 1근을 껍질째 볶아 바짝 말려 찧어 곱게 가루를 만들고, 감초가루 1냥을 슬쩍 볶아, 이 두 가지 가루 2전(錢)에 약간의 소금을 쳐서 팔팔 끓여 조금씩 먹는다. 연밥은 검은 껍질이 쇠빛깔 같아질 때까지 찧다가 찧을 수 없거든 버린다. 세상 사람들은 연밥을 쓸 때, 검은 껍질과 엷은 껍질, 그리고 심(心)은 커서 불편하다고 생각한다. 검은 껍질은 기운을 튼튼하게 하며 엷은 껍질은 정기를 보존하게 하는 줄을 대부분의 사람들은 모른다. 이 탕(湯)은 밤늦도록 못 자서 너무 허기져 식욕이 없을 때 한 잔을 마시면 허함을 보익하고 기운을 돋우어 준다. -『거가필용』-

회향탕(茴香湯)은, 볶은 고운 회향(茴香) 가루 1냥에 단향(檀香)과 생강가루 조금을 넣되, 맛을 보아 적당히 가감하여 조금씩 먹는다. -『거가필용』·『신은지』-

행락탕(杏酪湯)은 살구씨 석 냥 반을 팔팔 끓는 백비탕에 담가 뚜껑을 덮어 완전히 식을 때를 기다린다. 이렇게 하기를 다섯 번 하고 나서 껍질 끝을 꺼내어 버리고 사기동이에 넣어 곱게 간다. 그리고 좋은 꿀 1근을 두어 번 끓도록 졸여, 반쯤 식기를 기다렸다가 바로 살구씨 간 것[杏泥]에 붓거나 또는 갈아서 고루 섞는다. -『거가필용』-

봉수탕(鳳髓湯)은, 잣·호두 알을 끓는 물에 담가 속껍질을 벗겨 각 1냥씩을 노그라지게 간 다음 좋은 꿀 반냥을 넣어 고루 섞어 매번

팔팔 끓는 물에 타서 조금씩 먹는다. -『거가필용』-

제호탕(醍醐湯)은, 오매(烏梅) 1근을 짓찧어 큰 사발로 물 두 사발을 붓고 졸여 한 사발로 만들어 맑게 가라앉힌다. 이때 쇠그릇을 사용해서는 안 된다. 그리고는 축사(縮砂) 반 근을 매에 타서, 꿀 5근과 함께 사기그릇에 넣고 붉은 빛이 될 때까지 졸인다. 식거든 반드시 백단(白檀) 가루 2전(錢), 사향(麝香) 1자(字)를 넣는다. -『보감(寶鑑)』에는 "오매육은 따로 1근을 가루로 만들고, 초과(草果) 1냥, 축사·백단 각각 5전(錢)을 같이 곱게 갈아, 달인 꿀 5근에 넣어 슬쩍 끓여 고루 저어, 사기그릇에 담아 냉수에 타 먹는다." 하였다. 『거가필용』-

백탕(柏湯) - 측백(側柏) - 은, 연한 측백 잎을 따서 끈으로 엮어 큰 항아리 안에 드리워 매달고, 종이로 항아리 입을 봉하여 한달쯤 지난 뒤에 열어보아 아직 마르지 않았거든 다시 덮었다가 다 마른 뒤에 꺼내어 가루로 만든다. 만약 항아리를 쓰지 않고 꼭 닫은 방안에 두어도 되지만 항아리 속에서 푸른색으로 마른 것만은 못하다. 이 탕은 차를 대신할 수 있으니 밤에 이야기하다가 마시면 한결 졸음이 가신다. 맛이 너무 쓸 때에는 마[山芋]를 조금 넣으면 아주 좋다. -『신은지』-

자소탕(紫蘇湯)은, 여름철에 먼저 백비탕을 끓여, 붉은 차조기를 적당량 따서, 움직이지 않게 종이로 격지 놓아 불에 쬐어 향기가 나거든 백비탕을 병에 붓고 이어 차조기 잎을 속에 넣은 뒤, 병 주둥이를 꼭꼭 봉하면 향기가 갑절 난다. 이때 다만 뜨거워야 하니, 차게 되면 인체에 해롭다. -『거가필용』·『신은지』-

모과장(木瓜漿)은, 모과 한 개를 밑을 도려 씨를 발라내고 그 속에 꿀을 넣고 다시 뚜껑을 덮은 다음 대나무 바늘로 고정시켜 시루에 넣어 연하게 쪄 꿀을 빼되 그 껍질을 깎아버릴 필요가 없다. 따로 익힌 꿀 반 잔과 생강즙 조금을 섞어 노그라지게 갈아, 큰 사발로 끓인 물 세 사발을 고루 저어 밭쳐서, 찌꺼기를 없애고 병 안에 담아 우물 속에 저장한다. -『거가필용』·『신은지』-

오미갈수(五味渴水)는, 오미자를 팔팔 끓는 물에 담가 하룻밤 재워 우러난 뒤에 같이 달이고 진한 콩즙[豆汁]을 넣어 얼굴이 비칠 정도가 되거든 달인 꿀을 넣어 달콤새콤하게 맛을 맞춘다. 그러고 나서 뭉근한 불로 한 동안 졸여 그냥 먹거나 식혀서 먹는다. -『거가필용』-

청천백석다(淸泉白石茶)는, 호도[桃核]·잣을 까서 밀가루로 작은 덩어리를 만들어 차 속에 넣는다. -『예운림집』-

국수[粉麪]·떡[餠]·엿[飴]

우분(藕粉 연근녹말가루)은, 연근 굵은 것을 깨끗이 씻어 절구에 짓찧어, 베로 짜서 즙을 내고, 고운 베로 다시 밭여 가라앉혀서, 맑은 물을 버린다. 만약 즙이 되어서[稠] 가라앉히기 어렵거든, 물을 더 쳐서 저으면 맑아진다. 가루로 만들어 먹으면 몸이 가벼워지고 장수(長壽)하게 된다. -『거가필용』·『신은지』-

연밥 가루[蓮子粉]·가시연 가루[芡仁粉]는, 갓 익은 것을 가려 푹 쪄서 뜨거운 햇볕에 말리면 껍질이 터지니 방아에 찧어 위의 방법대로 가루로 만들어 고기[肉]를 넣고 국을 끓인다. -『거가필용』·『신은지』-

마름뿔 가루[菱角粉]는, 껍질을 벗겨 위의 방법과 같이 가루를 만든다. -『거가필용』·『신은지』-

생강가루[薑粉]는, 생강을 나른하게 짓찧어 위의 방법대로 즙을 걸러 국에 탄다. -『거가필용』·『신은지』-

갈근분(葛根粉)은, 껍질 벗겨 위의 방법과 같이 가루를 만든다. -『거가필용』·『신은지』-

간성갈분(杆城葛粉)은, 가장 좋기는 녹두 녹말과 섞어 국수를 만들면 갈증을 가시게 한다. 모래땅에서 나는 것이 더욱 좋다. -『고사구황(考事救荒)』에도 녹말 만드는 법[作粉法]이 있으니 아래의 구황(救荒) 조를 보라. 『고사구황』 -

천금초(千金麨) - 초는 곧 미숫가루 종류다. - 는, 메밀가루[白麵] 6근, 꿀 2근, 참기름 2근, 백복령(白茯苓) 4냥, 껍질 벗긴 생강 4냥 통째로 구운 건강(乾薑) 2냥, 감초 2냥을 고운 가루로 만들어 고루 섞어 덩어리를 만들어 폭 쪄서 그늘에 말려 가루로 만든다. 한 숟가락씩 냉수에 타 마시면 백날이 지나도 배고프지 않을 것이다. 비단 주머니에 담으면 10년도 둘 수가 있다. -『동의보감』·『신은지』-

마 가루[山藷麪]는, 마를 캐어 껍질을 벗겨 저며 볕에 말려 키에 대고 비벼 체로 쳐서 보통 가루처럼 먹는다. 우유나 꿀을 치면 진국이 되어 더욱 좋다. -『거가필용』·『신은지』-

취루면(翠縷麪)은, 연한 느티나무 잎[槐葉]을 따서 갈아 자연즙을 내어 여기에 보통 하는 대로 국수를 반죽하여 아주 가늘게 썰어 끓는 물에 삶아 익거든 물로 식혀 양념을 하거나 맨 것으로 하거나는 뜻대로 한다. 표고[蔍菇]를 넣으면 더욱 좋으니 맛은 달고 빛은 푸르다. -『거가필용』-

홍사면(紅絲麪)은, 날 새우[鮮蝦] 2근을 깨끗이 씻어 노그라지게 갈고, 천초(川椒) 30알, 소금 1냥, 물 5되를 한데 폭 익혀, 천초는 가려내고, 즙을 걸러 맑게 가라앉혀 메밀가루 3근 2냥, 콩가루[豆粉] 1근을 반죽하여 한동안 베로 덮어 두었다가 열어 다시 반죽하여 굵기를 적당히 썰어 삶으면 그 국수가 자연 붉은 색을 띠게 된다. 즙은 임의로 넣되 돼지고기를 써서는 안 된다. 이것은 풍기를 일으킬까 염려가 되기 때문이다. -『거가필용』-

영롱발어(玲瓏撥魚)는, 메밀가루 1근을 된 풀같이 쑤어, 살진 쇠고기나 양고기 반 근을 팥알크기로 잘게 썰어 풀 속에 넣고 고루 젓는다. 수저로 팔팔 끓는 물에 펴 넣으면, 국수는 끓는 물에서 불어나고[開] 고기는 끓는 물속에서 오그라질 것이다. 익으면 국수는 뜨고, 고기는 가라앉아 아주 영롱하다. 소금·장·후추·초를 쳐서 간맞추어 먹으면

맛이 아주 좋다. -『거가필용』-

산약 수제비[山藥撥魚]는, 메밀가루 1근, 콩가루 4냥을 물에 타고 마[山藥]를 익혀 노그라지게 갈아 한데 고루 섞어 놓은 뒤 수저로 떼어 끓는 물에 넣어 익기를 기다려 조자즙(燥子汁)으로 먹는다. -『거가필용』-

마떡[山芋餺飥] -『세설(世說)』주에 "북인(北人)이 국수를 먹는데 이를 박탁(餺飥)이라고 하고, 또 떡[餠]을 탁(飥)이라고도 한다." 하였다. - 은, 마를 폭 삶아 껍질을 벗기고, 노그라지게 갈아 고운 베로 걸러 찌꺼기를 버리고, 메밀가루와 콩가루로 반죽, 적당한 굵기로 썰어, 처음 익힐 때 살짝 20번쯤 끓이면 쉿빛이 나다가 백 번쯤 끓이면 보드랍고 매끄럽게 된다. 즙으로 먹는다. -『거가필용』·『신은지』-

곶감떡[柹糕]은, 찹쌀 1말, 곶감 반 접[50개]을 한데 빻아 가루를 만들고 거기에 마른 대추가루를 넣고 빻아 가루를 체로 쳐서 시루에 푹 찐다. 잣이나 호두를 넣고 다시 단자를 만들어 꿀을 쳐서 먹는다. -『거가필용』-

밤떡[栗糕]은, 밤을 그늘에 말려 껍질을 벗기고 3분의 2정도 가루가 되도록 빻는다. 여기에 찹쌀가루를 넣고 골고루 섞은 뒤 야들하게 폭 쪄서 먹는다. -『거가필용』-

방검병(防儉餠)은, 밤·붉은 대추·호도·감으로 만든 떡인데, 이 네 가지 과일의 씨를 바르고 껍질을 벗겨 절구에 넣고 한데 노그라지게 빻는다. 이것을 반죽하여 두꺼운 떡을 만들어 볕에 말려 두었다가 흉년용으로 쓴다. -『신은지』-

석이떡[石茸餠]은, 금강산[楓岳] 표훈사(表訓寺) 중이 구맥(瞿麥 석죽(石竹))을 곱게 찧어 체로 여러 번 내린 뒤에 꿀물에 버무려 석이를 섞어 구리시루에 찌니, 그 맛이 매우 좋았다. 비록 경고(瓊糕)·시병(柹餠 곶감떡)이라도 미치지 못한다. -『허성문집』-

엿 고는 법[造飴糖法] -『본초(本草)』에 "모든 곡식으로 다 만들 수 있지만, 찹쌀로 고은 것이라야 약에 든다." 하였다. - 은, 찹쌀로 죽을 쑤어 식거든 엿기름가루를 넣고, 삭은 뒤에 맑은 물만 떠내어 다시 졸여 호박빛 같은 것을 교이(膠飴)라 하여 약으로 쓴다. 이것을 늘여서 희고 단단하게 된 것을 성당(餳糖)이라 하는데 약에는 쓸 수 없고 식용으로만 쓴다. -『동의보감』-

또 한 가지 방법은, 쌀로 밥을 지어 그대로 솥에 두고 뜨거운 김에 엿기름가루와 더운 물 - 쌀 1말에 대해 엿기름 1되 3홉을 물 3병쯤에 탄다. - 을 붓고 도로 솥뚜껑을 덮어 솥 밑의 불기운이 끄느름하여 식지 않을 정도로 반일쯤 두면, 밥이 삭아 물이 되어 밥알찌꺼기[米皮]만 남는다. 이때 베로 짜서 쌀물만 솥 안에 쏟고 다시 졸여 엿을 곤다. 졸일 때 시루를 솥 안에 엎어놓아, 끓어 넘치지 않도록 한다. -『속방』-

전약(煎藥) 만드는 법은, 백강(白薑) 5냥, 계심(桂心) 1냥, 정향(丁香)·호초(胡椒) 각 1냥 반을 각각 따로 고운 가루를 만들고, 굵은 대추를 씨를 발라내고 살을 쪄서 두 바리때[鉢] - 혹 세 바리때로도 한다. - 의 고(膏)를 만든다. 아교(阿膠)·달인 꿀[煉蜜] 각 세 바리때를 준비한다. 먼저 아교를 녹이고 다음에 대추·꿀을 넣어 삭인 뒤에 네 가지 약을 넣어 고루 저어 끄느름한 불로 달여, 체에 밭여 그릇에 저장하였다가 엉긴 뒤에 꺼내 쓴다. -『동의보감』-

죽(粥)·밥[飯]

빈속에 죽을 먹으면 진액(津液)이 생긴다. -『신은지』-

밤죽[栗子粥]은, 밤 껍질을 벗겨내고 쌀알만큼 잘게 썰어, 멥쌀 1되에 밤살 2홉의 비율로 한데 끓인다. -『동의보감』-

백합죽(百合粥 개나리뿌리 죽) - 개나리불휘. 꽃이 흰 것이라야 좋다. - 은, 생 백합을 썰어 꿀 1냥과 같이 끓여 익힌다. -『동의보감』-

방풍죽(防風粥)은, 이슬이 마르기 전 새벽에 갓 돋는 방풍(防風 병풍나물)의 싹을 햇빛 보지 않게 딴다. 먼저 멥쌀을 찧어 죽을 끓이다가 죽이 반쯤 익었을 때 방풍을 넣어 소쿠라지게 끓인 뒤 싸늘한 사기그릇에 옮겨 담아, 반쯤 식혀 먹으면 입안이 온통 달고 향기로우며 사흘이 되어도 기운이 줄지 않는다. -『허성문집』-

마죽[山芋粥] - 산서(山薯). 산에서 난 것이 좋다. - 은, 돌이나 새 기왓장으로 껍질을 벗겨 곤죽이 되게 곱게 간 것 두 홉에 꿀 두 수저, 우유 한 종지를 뭉근한 불로 같이 볶아 뜨겁게 한다. - 아주 뜨겁지 않으면 목이 맵다. - 그것을 흰 죽 한 사발에 고루 타서 먹는다. -『신은지』에는 우유가 빠졌다.『동의보감』·『신은지』-

우유죽(牛乳粥)은, 죽을 쑤다가 반쯤 익거든 죽물을 따라내고 우유를 쌀물 대신 부어 끓인 뒤에 떠서 사발에 담고 사발마다 연유(煉乳) 반 냥을 죽 위에 부어, 마치 기름처럼 죽에 고루 덮였을 때 바로 저으면서 먹으면 비길 데 없이 감미롭다. -『신은지』-

현재 내국(內局 내의원(內醫院)의 약방)에서 우유죽 쑤는 법은, 우유 1되에 물 2홉을 뭉근한 불로 잠간씩 서너 번 끓여 뜨는 거품은 없애고, 다른 그릇에 무리가루[心末] 2홉에 약간의 물을 타서 - 죽의 되기를 보아 무리가루를 가감한다. - 우유가 끓을 때 수저로 휘저으면서 무리가루를 타고 잠깐 한 번 끓인 뒤, 끓는 소금물로 간을 맞추어 불에 말린 자기그릇에 부어 담는다. -『내국방』-

무리가루[心末] 만드는 법은, 깨끗이 찧은 쌀을 물에 담갔다가 가루를 만들어 배롱(焙籠 화로에 씌워 놓고 옷 같을 것을 말리는 기구)에 말려 다시 빻아 깁체[帛篩]로 서너 번 내려서 쓴다. 오래 두면 상하게 되니, 5~6일마다 새로 만드는 것이 좋다. 혹 쌀을 물에 담가 맷돌로 갈아 볕에 말려서 쓰면 더욱 좋다. -『내국방』-

소금물 끓이는 법은, 소금 1되에 물 2되를 붓고 끓여 7~8홉 정도로 졸여 체로 밭쳐 깨끗한 그릇에 담아, 앙금이 가라앉은 뒤에 찌꺼기를 제거하고 쓴다. -『내국방』-

우유를 먹을 때는 반드시 식혀서 마셔야지 뜨겁게 마시면 숨이 막힌다. -『증류본초』-

대개 우유 제품과 신 것[酸物]은 서로 안 받는다. -『증류본초』-

닭죽[鷄粥]은, 살찐 묵은 암탉을 폭 고아 뼈를 발라내고 체에 밭쳐 기름기는 걷어낸다. 간 맞춘 멥쌀 심이 익은 뒤에 닭고기를 넣고, 달걀 몇 알을 타서 한소끔 끓인다. -『속방』-

청정반(靑精飯)은, 버들잎 물로 지어 먹으면 양기(陽氣)를 돋우니 도가(道家)에서 귀히 여기는 것이다. -『한정록』-

생비름[生莧]을 밥 위에 덮으면 밤을 지나도 쉬지 않는다. -『신은지』-

남새[蔬菜]

오이나 야채 절이기에 좋은 날은 1일・2일・7일・9일・11일・13일・15일이다.

꺼리는 날은 5일・14일・23일이다.

진미공(陳眉公)은 이렇게 말했다.

> "산중에 죽순(竹筍)은 정말 남새 가운데 특별한 것이니, 국을 끓이거나 포를 뜨는 것은 모두 본래의 맛을 잃은 것이다. 잿불에 묻어 껍질을 벗기는 것이 가장 좋다. 잿불에 묻어 익혀 먹는 맛이란 말로 이루 다 표현할 수 없다." -『한정록』-

햇죽순 삶는 법은, 팔팔 끓는 물로 삶아 익히면 연하고 맛이 더욱 좋다. 만약 시들었거든 박하(薄荷)를 조금 넣어서 같이 삶으면 싱싱해진다. 육류와 같이 삶으면 박하를 쓰지 않더라도 그 순이 역시 신선하다. -『신은지』-

염순(籢筍)은, 껍질 붙은 죽순은 박하에 약간의 소금을 넣고 한데 삶으면 껍질이 벗겨진다. 또 다른 한 방법은 잿물[灰汁]로 삶아도 벗

겨진다. - 『신은지』 -

죽순 말리는 법[做筍乾]은, 5월에 죽순살[筍肉] 100근을 따서 작은 물통에 소금 5되를 타서 죽순을 절였다가 반향(半餉 1향은 식사하는 시간, 반향은 짧은 시간)쯤 있다가 건져내어 말렸다가 본래의 소금물을 맑게 가라앉혀 죽순을 삶는다. 익거든 건져내어 눌러 물기를 빼고 햇볕에 말린다. 쓸 때마다 물에 담가 부드러워지거든 담갔던 물에 넣어 달이면 맛이 더욱 좋다. - 『신은지』 -

죽순 말리는 법[晒筍乾]은, 12월에 딴 신선한 죽순을 껍질을 벗기고 썰어서 팔팔 끓는 물에 데쳐 볕에 말렸다가 쓸 때쯤 쌀뜨물에 담갔다 건지면 갓 딴 것 같다. 끓는 소금물에 데쳐 낸 것이 바로 함순(鹹筍)이다. - 『신은지』 -

고사리 말리는 법[乾蕨菜]은, 3월에 딴 연한 고사리를 삶아 마른 재를 섞어 볕에 말렸다가 재를 씻어버리고 다시 볕에 말려 저장한다. 먹을 때마다 끓는 물에 담가 부드럽게 해서, 파 · 양념 · 기름장으로 볶아 익히면 맛이 좋다. - 『거가필용』 · 『신은지』 -

평지나물 말리는 법[晒薹菜] - 평지 - 은, 춘분 뒤에 평지나물을 얼마쯤 따서, 팔팔 끓는 물로 데쳐 물을 비운 뒤에 약간의 소금을 고루 쳐서 한참 후에 볕에 말려 종이 봉지에 담아둔다. 쓸 때쯤 해서 끓는 물에 담갔다가 기름 · 소금 · 생강 · 초를 쳐서 무쳐 먹는다. - 『신은지』 -

마늘종 말리는 법[晒蒜薹]은, 5월에 살지고 연한 것을 가려, 끓는 소금물에 데쳐서 볕에 말렸다가 쓸 때쯤 해서 끓는 물에 넣어 부드럽게 되거든 양념해 먹는다. 살진 고기를 넣어서 요리하면 더욱 좋다. - 『거가필용』 · 『신은지』 -

남새 쪄서 말리는 법[蒸乾菜]은, 3~4월경 크고 좋은 나물을 깨끗이 씻어 슬쩍 말려 팔팔 끓는 물에 넣어 5~6푼 익혀 볕에 말린다. 소금 · 장 · 분디[花椒] · 사탕 · 귤피(橘皮)를 한데 넣고 끓여 푹 익힌다.

또는 볕에 말려서 다시 잠깐 쪄서 자기그릇에 담아 두었다가 쓸 때는 참기름을 치고 주물러 약간의 초를 쳐서 밥 위에 쪄서 먹는다.

죽순젓 담그는 법[造熟筍鮓]은, 3월에 죽순 조각을 팔팔 끓는 물에 슬쩍 데쳐 물기를 빼고, 파채[葱絲]·회향(茴香)·분디 및 곱게 간 홍국(紅麴)과 소금을 고루 섞어 잠깐 한데 절였다가 먹는다. -『거가필용』·『신은지』-

부들순젓 담그는 법[造蒲筍鮓]은, 3월에 난 부들순 1근을 1치 길이로 잘라 팔팔 끓는 물에 데쳐내어 베로 싸서 눌러 말린다. 생채[薑絲]·귤피채[橘絲]·홍국(紅麴)·멥쌀밥·분디[花椒]·회향(茴香)·파채[葱絲]와 볶아 짠 기름[熟油]을 고루 섞어 자기그릇에 담아 하룻밤 재우면 먹을 만하다. -『신은지』·『거가필용』-

연근 끝젓[藕梢鮓]은, 4월에 연근을 캐어 1치 길이로 잘라 팔팔 끓는 물에 데쳐서 소금에 절였다가 물을 없애고, 파·기름 조금·생강·귤피채·회향·멥쌀밥과 곱게 간 홍곡을 고루 섞어 연잎으로 싸서 하룻밤 지낸 뒤에 먹는다. -『신은지』·『거가필용』-

담복초(薝蔔酢) - 담복은 치자꽃이다. - 는, 4월에 연한 꽃을 따서 젓을 담그면 극히 향기롭고 맛이 있다. -『신은지』-

마늘가지지[蒜茄]는, 늦가을에 작은 가지를 따서 꼭지를 버리고 깨끗이 씻어 초 한 사발에 물 한 사발을 타서 슬쩍 끓거든 가지를 데친다. 데친 가지의 물기를 빼고 마늘과 소금을 찧어 고루 섞어 자기 항아리 속에 담아둔다. -『신은지』·『거가필용』-

마늘오이지[蒜黃瓜]는, 앞의 방법과 같이 한다. -『신은지』·『거가필용』-

마늘동아지[蒜冬瓜]는, 큰 동아를 가려 두었다가 동지 전후하여 껍질을 벗기고 씨를 발라 손가락 크기로 썰어, 백반(白礬)을 탄 석회(石灰) 물에 데쳐 건져서 물기를 빼고, 1근 당 소금 2냥과 오이씨[瓣] 3냥을 한데 찧어 고루 섞어 자기(磁器)에 넣고, 끓인 좋은 초를 쳐서 담는다. -『신은지』·『거가필용』-

겨자가루 가지지[芥末茄]는, 작고 어린 가지를 조각내어 그대로 볕에 말린다. 이것을 냄비에 기름을 많이 두르고 소금을 쳐서 볶아 자기동이[磁盆]에 헤쳐 놓고 식힌다. 식은 뒤에 마른 겨잣가루를 쳐서 자기 항아리 속에 넣어 둔다. -『거가필용』·『신은지』-

숙주나물[豆芽菜]은, 녹두를 가려 이틀 동안 물에 붇기를 기다려 새물로 일어서 물기를 뺀다. 축인 달삿자리[蘆度]를 땅에 깔고, 녹두를 그 위에 펴고 동이를 덮어 하루에 두 차례씩 물을 뿌려 주면서 젖은 거적으로 덮어놓는다. 싹이 1치쯤 자라거든 녹두 껍질을 벗겨 버리고 끓는 물에 데쳐서, 생강·초·기름·소금으로 양념해 먹는다. -『거가필용』·『한정록』-

생초지[醋薑]는, 8월에 어린 생강을 캐어, 소금을 넣고 볶아 하룻밤 절인다. 이것을 진한 초[釅酢]에 넣고 살짝 두어 번 끓인 뒤 식힌다. 식은 뒤에 병에 넣고 대껍질이나 댓잎으로 주둥이를 막고 진흙으로 봉한다. -『신은지』·『거가필용』-

생지게미지[槽薑]는, 사일(社日) 전에 어린 생강을 캐어, 깨끗이 문질러 껍질을 벗기고 소금과 술을 넣은 지게미에 고루 섞어 자기병 속에 넣고 위에 사탕 한 덩어리를 얹고 대껍질이나 댓잎으로 주둥이를 막고 진흙으로 봉하면 7월에 먹을 만하다. -『신은지』·『거가필용』-

가지지게미지[糟茄]는, 7~8월 사이에 연한 가지를 골라 꼭지를 따버리고 물을 팔팔 끓여 식힌 뒤, 지게미에 소금을 섞어 가지와 버무려 병에 넣고, 대껍질이나 댓잎으로 주둥이를 막고 진흙으로 봉한다. -『신은지』·『거가필용』-

오이지게미지[糟瓜菜]는, 석회와 백반(白礬)을 끓인 물이 식은 뒤에 일주야쯤 담근 다음, 술거품·지게미·소금에 동전 100여 문(文)을 고루 버무린 것에 10일쯤 절인다. 이것을 꺼내어 물기 걷힌 뒤 다른 지게미·소금·술에 다시 버무려 병에 넣어 저장한다. 대껍질이나 댓잎으로 병 주둥이를 막고 진흙으로 봉하여 익은 뒤에 꺼내 먹는다. -『신은지』·『거

가필용』 -

부추지[淹韭菜]는, 서리 내리기 전에 끝이 누렇게 마르지 않은 살진 부추를 가려 깨끗이 씻어 물기를 뺀다. 자기 그릇에 부추와 소금을 켜켜이 놓고 2~3일간 절이면서 몇 번 뒤집는다. 이것을 꺼내어 자기 항아리에 담고, 먼저 절인 간물에 약간의 참기름을 쳐서 고루 버무려 저장한다. -『신은지』·『거가필용』 -

부추꽃지[淹韭花]는, 꽃과 열매가 반반인 것을 따서 억센 줄기는 버리고, 1근당 소금 3냥을 넣고 짓찧어 자기 그릇에 담아둔다. 혹 부추꽃 속에 애오이·애가지를 따로 소금에 절였다가 물기를 빼고 한 이틀 지난 뒤에 부추꽃에 고루 버무려 넣되, 병 바닥에 동전을 넣으면 더욱 좋다. -『신은지』·『거가필용』 -

황화채(黃花菜 업나물) - 넙ᄂᆞ믈. 속명 광채(廣菜).『동의보감』 초부(草部)에는 훤초(萱草). - 는, 6~7월 꽃이 한창 필 무렵, 꽃술을 따 버리고 깨끗한 물에 한소끔 끓여 내어 초를 쳐서 먹는다. 입에 넣으면 맛이 신선 음식 같아 보드랍고 담박함이 송이보다 나아서, 남새 중에서 으뜸이다. 중국 사람으로 통판(通判)을 지낸 군영(君榮)이 이 나물을 만들어 먹었다 한다. -『월사일기』 -

집지 담는 법[沈汁葅]은, 9월에 가지·오이 1푼(分)을 장 1말, 밀기울 3되에 범벅한 다음 뜨거운 말똥을 위에 덮고, 21일 정도 지난 뒤 쓴다. -『사시찬요』 -

산갓김치[山芥沈菜]는, 말끔하고 좋은 것을 깨끗이 씻어, 대그릇에 담아 뜨거운 물 - 손을 넣어 데지 않을 정도. - 을 붓고 뚜껑을 덮어 따뜻한 방에 두고, 옷이나 이불로 덮어 두었다가 한식경쯤 지난 뒤에 꺼내면 그 빛이 약간 누르스름하게 된다. 이것을 초장에 무쳐 먹는다. 무를 얇게 저민 것과 무움과 파의 흰 줄기를 같이 담그면 매운 맛이 줄어들어 맛이 더 있다. -『속방』 -

향포지젓[香蒲葅鮓] - 향포는 부들의 노란 싹이다. - 은, 이른 봄

갓 돋은 연한 부들 싹을 먹어보면 달고 보드랍고 아주 맛이 있어 젓이나 김치를 담글 만하다. 양생서(養生書)에 '부들 순으로 김치를 담그면 매우 맛이 있다.' 하였다. -『지봉유설』-

곰달래[熊蔬] 곰들니는 4월 20일께나 그믐께 누에가 섶에 오를 무렵 잎을 따, 그 상한 것은 없애고 말쑥한 것만 가려 차곡차곡 쌓아 놓고, 물을 조금 쳐서 함지박[木瓢]에 넣고 눌러 즙을 다 뺀다. 이것을 독에 넣고, 잠길 정도의 물을 붓고 돌로 지질러 놓는다. 겨울이 되어 꺼내면 빛이 노랗고 아주 보드라워, 밥을 싸 먹으면 맛이 아주 좋다. -『속방』-

어육(魚肉) 부(附) 자포(煮泡)

고기를 절이거나 젓을 담거나 포를 뜨기에 좋은 날은 1일 · 2일 · 7일 · 9일 · 11일 · 13일 · 15일이다. -『거가필용』·『신은지』-

꺼리는 날은 5일 · 14일 · 23일이다. -『거가필용』·『신은지』-

대개 고기 굽는 데 뽕나무 장작불을 꺼린다. -『신은지』-

고기 구울 때는 대꼬챙이에 꿰어 숯불에 올려놓고 굽는데, 먼저 기름 · 소금 · 장 · 갖은 양념 · 술 · 초에 재었다가 묽은 풀을 슬쩍 발라 손을 재게 놀려 구워낸 뒤 고기에 입힌 밀가루 풀을 벗긴다. -『거가필용』-

고기를 구울 때, 참깨꽃을 가루로 만들어 고기 위에 뿌리면 기름이 흐르지 않는다.

여러 가지 고기를 삶을 때, 냄비 주둥이를 종이로 봉하거나 닥나무 열매와 함께 삶으면 빨리 익고 맛이 향긋하고 좋다. -『신은지』-

살진 고기를 삶을 때, 우선 참깨꽃 · 가지꽃을 양념과 한데 섞고 묽스그레한 풀을 쑤어 위에 바르고 불에 구워서 냄비에 넣고 삶아 익힌다.

질긴 고기를 삶을 때는 망사(硇砂) - 중국에서 나는 것으로 많이 먹으면 사람의 위와 장을 상한다. - ·상백피(桑白皮)·닥나무 열매를 함께 냄비에 넣으면 바로 무른다. -『거가필용』·『신은지』-

묵은 고기를 삶을 때는 끓기를 기다려 발갛게 타는 숯 두어 덩이를 넣으면 부서지지 않는다. -『신은지』-

맛이 간 고기[敗肉]는 구멍 여남은 개를 뚫은 호도 3개와 같이 삶으면, 그 냄새가 모두 호도 속으로 빨려든다. -『거가필용』·『신은지』-

여름철에 고기를 익힐 때, 초(醋)만 넣고 삶으면 10일간이라도 묵힐 수 있다. -『신은지』-

여름철에는 익힌 고기를 자기 그릇에 담아 솥 속에 물을 조금 담고 중탕하여 식힌 뒤 다시 끓여 항상 열기가 끊이지 않게 하면 한 이틀 상하지 않게 둘 수가 있다. -『거가필용』·『신은지』-

『녹육경(鹿肉經)』에 이렇게 되어 있다.

> "짐승의 고기가 많기는 하지만, 사슴고기만이 먹을 수 있을 뿐이다. 사슴은 영초(靈草)를 먹어 뭇짐승들과 다르기 때문이다." -『거가필용』·『신은지』-

사슴꼬리 절임[醃鹿尾]은, 칼로 꼬리뿌리 위의 털을 깎아버리고 뼈를 발라내어 소금 1전(錢)에 유전(鍮錢 놋쇠로 만든 돈) 5푼을 꼬리 속에 채워 넣고, 막대기에 끼워 바람에 말린다. -『거가필용』·『신은지』-

절인 사슴고기포[醃鹿脯]는, 살코기 10근을 힘줄을 없애고, 결 따라 넓적하게 포를 떠서 소금 5냥, 천초(川椒) 3전(錢), 파채[葱絲] 4냥, 좋은 술 2되를 고기와 섞어 재우며, 날마다 양쪽으로 뒤집는다. 겨울에는 사흘, 여름에는 일주야 만에 꺼내어 실로 하나하나 꿰어 기름을 발라 볕에 말린다. -『신은지』-

사슴고기 구이[炙鹿肉]는, 반쯤 익게 삶아서 굽는다. 굽는 법은 위에 있다. -『거가필용』-

사슴 혀·꼬리곰[煮鹿舌尾]은, 냉수에 넣어 뭉근한 불로 고되, 물을 적게 잡고 불이 괄지 않으면 제 맛을 잃지 않는다. -『거가필용』·『신은지』-

사슴고기 곰[煮鹿肉]은, 냉수에 넣어 7~8푼만 익힌다. 너무 오래 고면 살이 퍽퍽하고 맛이 없다. -『거가필용』·『신은지』-

사슴고기 국[鹿羹]은, 고기의 양은 관계없이 깨끗이 씻어 물기를 없앤다. 먼저 좀 많은 양의 소금과 술에 초를 약간 타서 고기를 씻고, 곱게 빻은 화초(花椒)·회향(茴香)·붉은 팥[紅豆]·계피(桂皮) 가루를 고기의 양에 맞춰 넣는다. 다시 술·초·장·기름을 고루 섞고, 파 흰 줄기 몇 뿌리를 더 넣어 자기 그릇에 담아 주둥이를 꼭꼭 봉하고, 뭉근한 불로 중탕(重湯)하여 고되, 흐늘흐늘해질 때까지 고아야 먹을 수 있다. -『신은지』-

쇠고기 국은, 국 끓이는 법이 사슴고기국과 같되, 다만 염통·간·양[肚] - 복피(服皮) 안의 고기. - 은 반드시 중탕할 필요는 없고, 솥에 고아 흐늘흐늘하게 익은 뒤에 먹는다. 다만 콩팥[腎] - 공폿 - 은 따서 안팎의 피막(皮膜)을 긁어 버리고, 소금과 술은 좀 낫게, 초는 조금 부어 잠시 담갔다가 참기름·후추 양념을 넣어 고루 섞어 끓는 물을 넣고 볶아 먹는다. 골[髓]만은 꺼내어 파와 화초가루를 쳐서 술에 넣었다가 먹는다. -『신은지』-

쇠고기 곰[煮牛肉]은, 팔팔 끓는 물에 넣고 뚜껑을 덮지 말고 뭉근한 불로 오래 익힌다. -『거가필용』·『신은지』-

쇠고기 구이[炙牛肉]는 삶아서 굽는다. 굽는 법은 위에 있다. -『거가필용』-

설하멱적(雪下覓炙)은, 쇠고기를 저며 칼등으로 두들겨 연하게 한 뒤, 꼬챙이에 꿰어 기름과 소금을 섞어 꼭꼭 눌러 재워두었다가 양념기가 흡수된 뒤에 뭉근한 불로 구워 물에 담방 잠갔다가 곧 꺼내어 다시 굽는다. 이렇게 세 차례 하고 참기름을 발라 다시 구우면 아주 연하고 맛이 좋다. -『서원방』-

쇠고기는 힘줄과 뼈를 발라내고 꿩고기는 다져 기름과 장을 묻혀 작은 다식판에 박아서 잠시 말렸다가 먹으면 그 맛이 아주 좋다. -『속방』-

돼지 내장 씻는 법[洗猪肚]은, 마른 밀가루로 돼지 내장을 씻거나 사탕으로 씻으면 누린내가 나지 않는다. -『신은지』-

지게미로 돼지 밥통 찌는 법[糟蒸猪肚]은, 돼지 양 한 개를 깨끗이 씻고, 깨끗이 씻은 황지(黃芪)와 지황(地黃)을 짓이겨 돼지 밥통[肚] 안에 넣고, 대꼬챙이로 고정시킨 다음, 물 타지 않은 술지게미로 밥통을 싸서 항아리에 넣고 뭉근한 불로 익을 때까지 중탕을 하는데 불기운의 강약을 조절하여 푹 찐다. -『신은지』-

악부납육법(岳府臘肉法)은, 신선한 돼지고기 토막을 밀을 삶는 물에 담갔다가 물기를 없앤다. 돼지고기 1근에 소금 1냥씩을 섞어 비벼서 독 안에 넣고, 2~3일에 한 차례씩 뒤집는다. 반 달 뒤에 좋은 지게미에 절였다가 2~3일 묵힌 뒤에 독에서 꺼내어, 먼저 절였던 물에 깨끗이 씻어 연기 안 나는 깨끗한 방에 매단다. 20여 일 지나면 반쯤 마르는데 이때 헌 종이로 싸서, 큰 독에 잿물 내린 깨끗한 재와 고기를 한 켜 한 켜 쟁여 넣고 뚜껑을 덮어 서늘한 곳에 두면 1년이 지나도 신선하다. 삶을 때에 30여 분[一炊時] 동안 쌀뜨물에 담갔다가 씻어낸 다음 맑은 물을 부은 솥에 넣고 뭉근한 불로 끓인다. 끓기 시작하면 즉시 불을 빼고 30여 분 멈추었다가 다시 불을 지펴 한참 동안 끓여 꺼내 먹는다. 이 법의 묘함은 오로지 일찍 절이는 데 있으니 반드시 섣달 되기 열흘 전에 한다. 절일 때 섣달 기운[臘氣]에 맞춰야 되지 조금만 늦어도 좋지 않다. 소·양·말고기도 모두 이 방법으로 한다. -『거가필용』·『신은지』-

또 한 가지 방법은, 3근짜리 고기 토막을 만들어 고기 1근 당 1냥의 깨끗한 소금으로 고루 문질러 항아리에 넣고 며칠 동안 절이는데 날마다 두어 번씩 뒤집으며 다시 술과 초를 쳐서 매일 3~5차례 뒤집으며 3~5일간 더 절이다 꺼내어 물기를 말린다. 그보다 앞서 물 한

냄비를 팔팔 끓이다가 고기를 넣는 즉시 꺼내어 식기 전에 참기름을 고루 발라 연기 나는 곳에 걸어 훈기를 쐰다. 며칠 후 다시 술을 탄 지게미를 고기 안팎에 바르고 다시 10일 동안 절였다가 꺼내어 부엌 안 연기 나는 곳에 건다. 만약 집 안에 연기가 적거든, 겻불 연기 위에 10일간 훈기를 쐬어 밤낮없이 연기를 쐬게 한다. 양고기도 이 법대로 해야 한다. -『거가필용』·『신은지』-

사시납육법(四時臘肉法)은 뼈 바른 돼지고기를 손가락 셋 두께에 5촌 너비로 토막을 내어 소금과 양념 가루에 반나절 절였다가 다시 납설수(臘雪水)에 넣되, 고기 1근에 소금 4냥씩 이틀을 담가 두면, 그 고기 빛과 맛이 납육(臘肉)과 다름이 없을 것이다. 삶을 때, 먼저 맑은 쌀뜨물에 소금 2냥을 넣고 살짝 한두 번 끓도록 삶아 다시 물을 갈고 삶는다. -『거가필용』·『신은지』-

돼지가죽 수정회법[猪皮水晶膾法]은, 기름을 긁어내고 깨끗이 씻은 돼지가죽 1근에 물 1말을 붓고 파·후추·귤껍질[陳皮] 약간을 넣어 뭉근한 불로 껍질을 연하게 익혀 건져내어 실처럼 곱게 채를 쳐서 삶은 국물에 다시 넣어 삶는다. 묽지도 되지도 않고 알맞게 하여 무명에 밭쳐 엉기거든 곧 회를 쳐 진한 초[釅醋]를 찍어 먹는다. -『거가필용』-

양갈비구이[炙羊脇骨]는, 껍질 붙은 양갈비 한 대를 두 토막씩 내어 망사(硇砂) 가루 한 움큼[捻]을 팔팔 끓는 물에 담가 따뜻하게 두었다가 구이를 담갔다가 급히 뒤적여 익지 말게 하고, 다시 담갔다가 다시 굽기를 이렇게 세 차례 하고, 좋은 술에 슬쩍 담갔다가 산(鏟) 위에 놓고 한 번 뒤적이면 바로 먹을 만하다. - 대개 돼지나 양의 등뼈나 등골, 노루·토끼의 살코기는 양기름[羊脂]으로 싸서 구우니, 또한 이 법과 같다. 『거가필용』·『신은지』-

양고기·양갈비·양귀·양혀 구이는 날로 굽고, 양 지방(脂肪)은 삶아서 반쯤 익혀 굽고, 양 어깻죽지[膊]는 삶아 익혀서 굽는다. 굽는 법은 위에 있다. -『거가필용』-

양고기 삶는 법은, 팔팔 끓는 물에 넣고 뚜껑을 딱 맞게 덮고 뭉근한 불로 푹 익힌다. -『거가필용』·『신은지』-

양 머리 삶는 법은, 털을 그슬려 깨끗이 하여 솥에 넣고 삶는데 이때 파 5뿌리, 귤피(橘皮) 1쪽, 좋은 생강 1덩어리, 후추 10여 알을 넣어 살짝 두어 번 끓인다. 수저 끝으로 소금을 조금 넣어 뭉근한 불로 익혀 차게 식혀 썰어 조각을 만들고, 먹을 때 목대접[木橡]에 담아 술을 치고 쪄서 뜨거울 때 상에 놓으면 구운 것보다 낫다. 양의 사슴·꼬리로도 이렇게 만들 수 있다. -『거가필용』-

양의 허파·양[肚]·태(胎)·골[髓]을 삶는 법은, 썰어서 씻어 사기 항아리에 넣고 삶는데, 생강 세 쪽, 약간의 후추와 소금, 파 세 줌을 넣고, 종이를 축여 항아리 주둥이를 덮어 맛이 새지 말게 하여, 뭉근한 불로 반쯤 익을 때까지 삶아, 다시 가늘게 썰어 술 조금 치고 다시 연하게 삶아 상에 놓는다. -『거가필용』-

양찜[蒸羊]은, 한 마리를 깨끗이 장만하여 머리·발굽·창자·양[肚 밥통] 등을 제거하고, 지초(地椒)·갖은 양념·술·초를 고루 섞어 안과 속에 뿌리고 한참[一時 1시간쯤] 잠갔다가 장작이나 막대기를 걸쳐 놓은 빈 솥에 넣고 동이를 마주 덮어 진흙으로 봉하고 불을 지피되 괄게 해서는 안 된다. 익은 뒤에 따로 원 국물을 상에 놓는다. -『거가필용』-

양의 간을 회로 만드는 법은, 얇게 저며 종이 위에 펴 놓아 피가 다 빠진 뒤에 실처럼 가늘게 채를 치고, 양의 천엽[百葉]도 실같이 곱게 채를 쳐서 생채[薑絲]를 넣고, 초를 뿌려 상에 놓는다. 파를 볶아 넣고, 기름으로 문지르면 비린내가 나지 않는다. -『거가필용』-

웅장 곰[煮熊掌]은, 곰의 발바닥을 깨끗이 장만하여 팔팔 끓는 석회물에 베로 동여 곤다. 지게미를 넣으면 더욱 좋다. -『거가필용』·『신은지』-

웅백비(熊白批)는, 작은 토막을 불김에 슬쩍 익혀 술하고 같이 먹는데, 많이 먹으면 배탈이 난다. -『거가필용』·『신은지』-

노루곰[煮獐]은, 냉수에 넣어 7~8푼쯤 익혀야지 너무 익히면 맛이

없다. - 『거가필용』·『신은지』 -

노루고기구이[炙獐肉]는 반쯤 익게 삶아서 굽는다. 굽는 법은 위에 있다.

토끼곰[煮兎]은, 살진 토끼 한 마리를 7푼쯤 익혀, 갈라서 실같이 썰어 참기름 4냥을 넣어 일차 볶고 약간의 소금과 파채[葱絲] 한 줌을 넣고 잠깐 볶는다. 다시 원 국물을 맑게 가라앉혀 솥에 붓고 살짝 두어 번 팔팔 끓여 간장을 조금 치고 또 살짝 한두 번 끓여 국수[麪絲]를 넣고, 거기다 날피[活血]를 두 국자 넣고 살짝 한 번 끓여, 소금과 초를 쳐서 간을 맞춘다. - 『거가필용』 -

토끼고기 날로 굽는 법은 위에 있다.

나귀 곰[煮驢馬]은, 창자를 깨끗이 씻어 누린내를 없애고 반쯤 익거든 밭쳐 참기름·파·후추를 동이 안에 섞어 놓고, 호도 3개를 집어넣고 물을 갈아 연하게 곤다. - 『거가필용』·『신은지』 -

말고기 곰[煮馬肉]은, 냉수에 넣고 뚜껑을 덮지 말고 술을 넣고 곤다. - 『거가필용』·『신은지』 -

호견(糊犬)은 누런 것은 크게 보(補)하고, 검은 것은 다음가니,[28] 개 한 마리를 잡아 깨끗이 씻어 뼈를 발라내고, 소금·술·초를 끼얹고, 고기 1근에 전내기[醇酒] 1잔, 초 1잔, 흰 소금 반 냥, 기름장 조금, 고운 양념을 적당히 치고 고루 섞는다. 동아[冬瓜] 1개를 위를 따서 속을 내고, 고기를 속에 담고는 위를 도로 덮는다. 그리고 대꼬챙이로 꽂아 고정시키고 종이로 단단히 봉하여 김이 새지 않게 한다. 또 볏짚이나 새끼로 동아를 꽉 동여 놓고, 염니(鹽泥)로 고정시키고, 반쯤 사그라진 동아를 그 겻불 속에 묻어 하루를 재우고, 그 이튿날 동아를 갈라서 먹

28) 누런 것은…… 다음가니 : 『규합총서』에는 "눈청까지 누런 개는 무기 토색(戊己土色)으로 비위(脾胃)를 보(補)하니 여자 혈분(血分)에 성약(聖藥)이요, 배·네 발·꼬리까지 검은 것은 임계수색(壬癸水色)으로 신경(腎經)의 성약이니 남자에게 이롭다." 하였다.

으면, 그 동아도 먹을 만하다. 이 방법이 가장 좋으나, 동아가 없을 경우에는 오지항아리에 고아도 된다. -『신은지』-

개 한 마리를 껍질은 벗기고 뼈는 발라내어 먼저 뼈를 솥 속에 어긋맞게 앉힌다. 창자만은 씻어도 다른 장기 - 간·허파·염통·콩팥·지라 - 와 살은 물에 씻어서는 안 된다. - 물에 씻으면 개 비린내가 난다. - 쪼개어 조각을 내어 기름장과 후추·천초(川椒) 등 갖은 양념을 고루 뼈 위에 놓고, 도기(陶器)를 솥 부리에 앉혀 놓고 밀가루를 개어 그 틈을 발라서 김이 새지 않게 하여, 사기 그릇 안에 물을 붓고 짚불로 뭉근히 고아 사기그릇의 물이 뜨거워지거든 물을 갈아 준다. 이렇게 세 번을 하면 살은 이미 흐늘흐늘하게 익는다. 빈 섬 2~3개를 태우면 넉넉하다. 그 맛이 아주 좋아서 조금도 개 비린내가 안 난다. -『속방』-

개고기와 마늘을 함께 먹으면 사람에게 해롭다. -『신은지』-

닭볶음[炒鷄]은, 깨끗이 장만한 닭 한 마리에 참기름 3냥을 넣고 볶아, 파채[葱絲]·소금 반 냥을 넣어 7푼쯤 익힌 뒤 곱게 간 후추·천초(川椒)·회향(茴香)을 간장 한 수저에 타서 물을 큰 사발로 하나 붓고 솥에 넣어 익도록 끓인다. 좋은 술을 조금 치면 더욱 좋다. -『신은지』·『거가필용』-

꿩구이[炙野鷄]는 날것으로 구우니, 굽는 법은 위에 있다. -『거가필용』-

칠향계(七香鷄)는, 살진 묵은 암탉을 털을 뽑고 깨끗이 씻어 아래에 구멍을 내어, 그 창자와 밥통[肚]을 꺼내고, 삶아 쓴 맛을 우려낸 도라지 한 사발, 생강 네댓 쪽, 파 한 줌, 천초(川椒) 한 줌, 청장(淸漿) 한 종지, 초·기름 각각 반 종지, 이 일곱 가지 맛을 맞추어 닭 배 안에 넣는다. 만약 허섭스레기[滓] 남은 것이 있거든 함께 사기 항아리나 오지항아리에 넣고, 유지(油紙)로 그 주둥이를 봉하고, 또 사기대접으로 덮어 솥물에 중탕하여, 익은 뒤에 먹는다. 닭 맛 중에 제일 상품(上品)이다. -『속방』-

거위·오리 털 채로 굽는 법[爊鵝鴨]은, 깨끗이 손질하여 참기름 4냥을 치고 볶으면 황색으로 변한다. 이것을 술과 초를 탄 물에 잠그고, 갖은 양념 반 냥, 파 3뿌리, 간장 1수저를 넣고 뭉근한 불로 익힌다. -『거가필용』·『신은지』-

거위 곰[煮鵝]은, 앵두잎 두어 쪽을 넣어서 같이 고면 쉬 무른다. -『신은지』-

오리구이[炙野鴨]는, 삶아 익혀서 굽는다. 굽는 법은 위에 있다. -『거가필용』-

메추리구이[炙鵪鶉]는, 날것으로 굽는다. 굽는 법은 위에 있다.

천안구이[炙川雁]는, 삶아 익혀서 굽는다. 굽는 법은 위에 있다. -『거가필용』-

안자(雁鶿)·청서(靑鷓) 구이는, 팔팔 끓는 물에 넣어 뭉근한 불로 8푼쯤 익힌다. -『거가필용』·『신은지』-

오리알 절이는 법[醃鴨卵]은, 암오리는 수오리가 없어도 콩이나 보리를 많이 먹으면 살이 쪄서 알을 낳는다.[29] 동지 후로부터 청명(淸明) 전까지는 언제라도 절일 수 있다. 알 1백 개에 소금 10냥, 재[灰] 3되를 고루 섞고, 알을 쌀밥에 담가서 소금·재 속에 굴려 둥글게 만들어 독 안에 말려서 갈무리하면 여름까지 넉넉히 둘 수가 있다. -『거가필용』·『신은지』-

생선을 씻을 때, 날기름 두어 방울을 떨어뜨리면 미끄럽지 않다. -『신은지』-

생선을 끓일 때, 찬물이나 혹은 팔팔 끓는 물에 넣되, 말향(末香)을 넣으면 비리지 않다. -『거가필용』·『신은지』-

준치찜[蒸鰣魚] - 초어(草魚) - 은, 창자는 빼어버리되 비늘은 긁지 말고 강차(江茶)를 뿌려 문질러 비린내를 없애고 깨끗이 씻어 크게 토

29) 암오리는 …… 낳는다 : 이 부분은 한독본(韓獨本)과 오씨본(吳氏本)에서 보충하여 번역했다.

막쳐 탕라(盪鑼 노구솥)에 담는다. 먼저 부추[薤] 잎이나 교채(茭菜)나 혹은 죽순쪽[筍片]을 깔고, 술과 초 각각 한 사발씩에 약간의 소금물장[鹽漿]과 화초(花椒)를 타서 팔팔 끓는 물에 넣어 익거든 상에 놓는다. 혹 지져 먹을 때는 기름을 조금 친다. 기름이 절로 나오기 때문이다. -『거가필용』·『신은지』-

잉어 뼈를 흐물흐물하게 만드는 법은, 잉어를 깨끗이 씻되, 자르지 말고 소금을 뿧아서 잡은 잉어를 절인 뒤, 갖은 양념·후추·생강·파채를 그 뱃속에 넣고, 솥에 물을 붓고 술 반 잔을 치고 생선을 넣는다. 이때 닥나무 열매[楮實] 가루 3전(錢)을 뿌리고 뚜껑을 잘 덮어 김이 새지 않게 하고, 뭉근한 불로 끓여 반나절이나 하룻밤 만에 꺼내어 차게 하여 소반에 놓으면 뼈가 마치 분(粉)과 같다. -『거가필용』·『신은지』-

산 잉어를 매달고 꼬리를 잘라 피를 내면 비리지 않다. -『속방』-

완자탕(椀子湯)은, 큰 생선의 껍질을 벗겨 뼈를 발라내고 살만 곱게 다진 뒤, 살진 쇠고기나 돼지고기, 또는 꿩이나 닭고기를 곱게 다져 후추·생강·버섯·파·참기름 등 양념에 재어 밤알만 하게 만들어 그 속에 잣 한 개씩 박아 넣고, 간장과 물로 간을 맞추어 끓여, 계란이나 또는 녹말(菉末)을 씌워 데쳐서 먹는다. -『속방』-

날 생선회[魚生膾]는, 꼬리·밥통[肚]·껍질을 제거하고 얇게 저며, 백지 위에 잠깐 말렸다가 실같이 가늘게 채치고, 무를 매우 다져 베에 짜서 곱게 만들고, 생채 조금을 어회에 섞어 접시[楪]에 넣고 겨자·고추·초를 뿌린다. -『거가필용』-

익힌 생선회[魚熟膾]는, 잉어를 사기 동이[沙盆] 안에 넣고 비벼서 비늘을 없애고 깨끗이 씻어 약간의 물을 붓고 파·후추·진피[陳皮]를 치고 묽고 끈적끈적해질 때까지 고아 면(綿)으로 깨끗이 거른다. 여기에 약간의 부레[鰾]를 넣고 다시 고아 다시 밭쳐, 엉키거든 실같이 가늘게 썰어 회를 만들어 부추뿌리의 노란 부분[韭黃] 생채(生菜)와 물푸레나무[木犀]·압자(鴨子)·죽순채[筍絲]를 쟁반에 모아 놓고 겨

자·고추·초를 뿌린다. -『거가필용』-

회초(膾醋)는 파 4뿌리, 생강 2냥, 유인장(楡仁漿) 반 잔, 후춧가루 2전(錢)을 한데 짓개어 초에 소금과 설탕을 치고 회를 버무린다. 혹 생강을 반 냥 덜고 후추 1전을 더하기도 한다. -『거가필용』-

술에 절인 어포[酒魚脯]는, 섣달에 큰 잉어를 잡아 깨끗이 씻어 베 헝겊으로 물기를 닦아낸다. 매 근에 소금 1냥, 약간의 파채·생채·천초(川椒)를 넣고, 좋은 술에 한데 절여 술이 생선보다 1촌쯤 올라오게 붓고, 날마다 손쳐서[飜] 맛이 배어들거든 꺼내어 볕에 말려 저며서 먹는다. -『거가필용』·『신은지』-

누룩에 절인 생선[酒麯魚]은, 큰 생선을 깨끗이 씻어 손바닥 만하게 썰어 소금 2냥, 좋은 누룩[神麯] 4냥, 후추 100알, 파 1줌, 술 2되에 고루 섞어 꼭꼭 봉한다. 겨울에는 7일 만에, 여름에는 하룻밤만 재우면 먹을 수 있다. -『거가필용』-

게 기르는 법[養蟹]은, 가을에 게를 많이 잡아, 암수 할 것 없이 대바구니에 담아 폭포 떨어지는 데나 혹은 급한 여울에 매달아 두고 벼이삭을 주어 먹인다. 이듬해 봄쯤 되면 살이 많이 찌고 누렇고 흰 장[黃膏白肪]이 비길 데 없이 맛이 좋다. -『열조시선』-

회남(淮南) 사람이 게를 갈무리해 두는 경우 대개 한 그릇에 게 수십 마리를 기르는데, 반쯤 뻗어 난 조협(皁莢)을 그릇 안에 두므로 한 해를 날만하다. -『지봉유설』-

지게미게젓[糟蟹]은, 9월에 게 30마리를 가려 게발 등 돌출 부분을 떼어 버리고, 깨끗이 씻어 말려 지게미 5근에 소금 12근, 초·술은 각각 반 근씩 섞어 담는다. 7일쯤이면 익으니 이듬해까지 묵혀둘 수 있다. -『거가필용』·『신은지』·『사시찬요』-

술게젓[酒蟹]은, 9월에 살지고 싱싱한 것을 가려 10근을 깨끗이 씻어 성긴 대껍질 바구니[稀篾籃]에 담아 한나절[半日]이나 하루만 게가 마를 때까지 바람맞이에 매달아 둔다. 볶은 소금 1근 4냥, 명반(明

礬) 가루 1냥 5전, 좋은 술 5근을 한데 고루 섞어 한참동안 게를 담갔다가 꺼내어, 게딱지를 따서 화초(花椒) 1알씩 그 배꼽에 넣고, 자기병에 갈무리해 두고, 다시 화초를 그 위에 뿌리고 종이로 병 주둥이를 싸고, 종이 위에 팥알만 한 소분(韶粉) 한 알을 놓고, 대껍질이나 댓잎으로 막고 꼭 봉한다. 혹 좋은 술을 밀지게미 5근과 소금에 섞어 담아도 그 맛이 좋다. -『거가필용』·『신은지』-

장초게젓[醬醋蟹]은, 큰 게를 가려 삼껍질로 매어 따뜻한 솥 안에 넣으면 침과 거품을 뱉게 된다. 그 뒤에 꺼내어, 1근 당 소금 7전 반, 초·술 각각 반 근, 참기름 2냥, 파 흰 줄기 5줌을 볶아 파를 익혀, 기름장 반 냥에 회향(茴香)·후춧가루·생채·귤피채[橘絲] 각 1전을 한데 고루 섞어 게를 깨끗한 그릇 안에 펴 놓고, 술과 초를 부어 반달만 담가 두면 먹을 수 있다. 바닥에 조각(皁角)을 1촌쯤 깔아 둔다. -『거가필용』·『신은지』-

장게젓[醬蟹]은 게 100마리를 가려, 깨끗이 씻어 물기를 닦은 뒤, 하나하나 배꼽 안에 소금을 가득 채우고, 실로 묶어 젖혀서 차곡차곡 자기 그릇에 넣고 법장(法醬) 2근, 후춧가루 2냥, 좋은 술 1말을 고루 섞어 뿌려 게 위로 손가락 하나 길이만큼 잠기게 하여 담가 놓고, 술을 조금 더 치고 꼭꼭 봉하고 진흙으로 굳게 바른다. 겨울에는 20일이면 먹을 수 있다. -『거가필용』·『신은지』-

법해(法蟹)는, 큰 게 10마리를 깨끗이 씻어 물기를 거두고, 하룻밤 재운다. 소금 2냥 반, 맥황말(麥黃末) 2냥, 누룩가루 1냥 반을 병 안에 젖혀 놓은 게에다 좋은 술 2되와 양념을 한데 섞어 부으면 반달 만에 익는다. 백지가루(白芷末) 2전(錢)을 넣으면 노란 장이 쉽게 엉긴다. -『거가필용』·『신은지』-

게젓[沈蟹]은, 소금물을 아주 짜게 끓여 식혀서 항아리에 붓고, 산 게를 깨끗이 씻어 물기가 마른 뒤 소금물 속에 넣어 둔다. - 만약에 죽은 게를 담그면 썩고 상해서 먹을 수 없다. - 소금물을 게가 잠기도록 붓고, 천초(川椒)를 넣고, 개오동나무잎(檟葉)으로 그 위를 메우고, 나뭇가지를 어긋매껴 익은 뒤 꺼내 쓴다. 오래 두어도 상하지 않는다. –『속방』–

약해(藥蟹)는, 맑은 장에 소금을 치고 끓여 식힌 뒤에 게에 붓고, 천초 · 후춧가루 등 양념을 넣는다. 나머지는 위의 법과 같다. –『거가필용』·『신은지』–

게젓 담은 데 불빛을 비추면 모래가 되니, 꺼내 먹을 때 불빛을 비추어서는 안 된다. –『거가필용』·『신은지』–

굴김치[石花沈菜]는 굴을 깨끗이 씻어 소금을 치고, 무와 파 흰 줄기를 가늘게 썰어 소금을 넣어 간이 배거든, 간국[鹹汁]을 쏟아내어 끓여서 항아리 안에 갈무리해 둔다. 간국이 미지근해지거든, 굴 · 무 · 파를 한데 담되, 반드시 굴과 간국의 양이 서로 알맞게 하여 따뜻한 곳에 옷이나 이불로 덮어둔다. 하룻밤 지나면 먹는다. –『속방』–

자연포법[煮軟泡法 두부나 무 · 고기 등을 넣고 끓이는 맑은 장국. 연포국 · 연포탕]은, 두부[泡]를 만들 때 꼭 누르지 않으면 연하니, 잘게 썰어 한 꼬치에 서너 개 꽂아, 흰 새우젓국[白蝦醢汁]과 물을 타서 그릇에 끓이되, 베를 그 위에 덮어 소금물이 스며 나오게 한다. 그 속에 두부꼬치를 거꾸로 담가 슬쩍 익거든 꺼내고, 따로 굴을 그 국물에 넣어서 끓인다. 짓다진 생강을 국물에 타서 먹으면 극히 보드랍고, 맛이 월등하게 좋다. –『속방』–

향신료[料物] 만드는 법

큰 양념 만드는 법[造大料物法]은, 같은 분량의 무이인(蕪荑仁) – 느릅나무 열매 – · 좋은 생강 · 필발(蓽撥) · 팥[紅豆] · 사인(砂仁) · 천초 · 통째 구운 건강[乾薑炮] · 관계(官桂) · 시라(蒔蘿 소회향(小茴香)) · 회향 · 귤피(橘皮) · 행인(杏仁) 등을 가루로 만들어 물에 반죽하여 탄알 크기의 환을 만든다. –『거가필용』–

손쉽게 향신료를 만드는 방법은 마근(馬芹)·후추(胡椒)·회향(茴香)·건강(乾薑)·관계·천초 등을 따로따로 가루를 만들어 물에 반죽하여 환을 만든다. 쓸 때마다 부수어서 섞어 냄비에 넣는다. 여행할 때 더욱 편리하다. -『거가필용』·『신은지』-

조무이법(造蕪荑法)은 유전(楡錢 느릅나무 열매의 깍지 돈과 비슷하게 생겼음)을 분량에 관계없이 볕에 말려, 자기 그릇에 유전 한 켜와 소금 한 켜를 격지격지 놓는다. 장수(漿水) - 조밥을 지어 뜨거울 때에 냉수에 쏟아 항아리에 오칠일(五七日)을 담가 놓으면 시어지니 바로 쓰게 된다. 이것이 즉 장수다. - 를 뿌려 부드러워진 다음에 떼어내어 밀가루에 반죽하여 뚜껑 덮은 합황 위에서 볕에 말린다. -『거가필용』-

조맥황법(造麥黃法)은, 6월 중에 밀을 씻어 뜨는 것은 버리고 담갔다가 뙤약볕에 말린다. 아침마다 물을 갈아 7일 만에 건져서 물기를 거두고 쪄서 뚜껑 덮은 합황 위에 놓고 볕에 말려 초 빚는 데 쓴다. -『거가필용』-

조락법(造酪法)은, 내자(嬭子 우유) 반 근을 냄비에 볶은 뒤, 나머지 내자를 쏟아 잠깐씩 수십 번 끓여서 항아리에 담아 따뜻해지거든 묵은 우유[酪] 약간을 내자에 넣고 고루 저어 종이로 항아리 주둥이를 봉한다. 겨울에는 따뜻한 곳, 여름에는 서늘한 곳에 놓아두면 낙[酪]이 된다. -『신은지』-

또 한 가지 방법은, 우유의 다과를 불문하고 냄비나 솥에 붓고 뭉근한 불에 졸여야지 싸게 하면 바닥이 눋게[焦焞] 되니 쇠똥이나 말똥불로 졸이는 것이 제일이다. 항상 주걱으로 저어 넘치지 않게 한다. 저을 때는 밑바닥까지 가로세로로만 바로 당겨야지, 휘휘 저어서는 안 된다. 젓는 것을 중단하지도 말고 입으로 불지도 말아야 한다. 불면 풀어진다. - 만약 낙(酪)이 엉기지 않으면 그 집안에 반드시 뱀이나 두꺼비가 있기 때문이니, 사람 머리카락이나 소·양의 뿔을 태워 물리쳐야 한다. - 살짝

4~5번 끓여 곧장 동이에 넣되 출렁이게 말고, 조금 식거든 위에 뜨는 것을 걷어내고 다른 그릇에 담으면 이것이 곧 진소(眞酥)이다. 나머지를 생명주 주머니로 걸러, 다 거른 뒤 첨락(甛酪)으로 술밑[酵]를 만든다. - 만약 구락(舊酪)이 없으면 장수(漿水) 1홉으로 대신 쓰되 너무 많으면 안 된다. - 대개 우유 한 되를 익히고 첨락 반 수저를 주걱에 붙여 수저로 박박 저어 익힌 우유 속에 푼다. 이어 주걱으로 고루 섞어, 불에 구운 자기 항아리에 담는다. 담을 때, 익힌 우유의 온도는 사람의 체온 정도가 알맞으니, 뜨거우면 시게 되고 차면 제대로 되기 어려우므로 전·풀솜 같은 것으로 항아리를 덮어 오래 따뜻하게 한다. 대개 단생포(單生布)는 이튿날 아침이면 낙(酪)이 된다. 6~7월에 만든 것은 사람 체온과 같이 해서 다만 찬 곳에 두고 덮지 말아야 한다. 겨울에 만든 것은 사람 체온보다 뜨겁게 해야 한다. -『거가필용』-

쇄건락(晒乾酪)은, 7~8월간에 낙(酪)을 만들어 뜨거운 볕에 쬐게 되면 낙(酪) 위에 두꺼운 껍질이 앉게 되니, 걷어 버리고 다시 굽고 또 걷어, 기름지고 껍질이 없게 되거든 그친다. 냄비 안에서 잠시 끓여 즉시 반(盤)에 담아 볕에 쬐어 말린다. 젖은 것을 말릴 때, 배[梨]만한 크기로 둥글게 만들고, 또 볕에 쬐어 바싹 말려 갈무리해 두면 해가 바뀌어도 상하지 않는다. 먼 길 떠날 때 죽을 쑤거나 장(漿)을 만드는 데 이용될 수 있다. 곱게 깎아서 물에 팔팔 끓이면 즉시 낙미(酪味)가 난다. -『거가필용』-

초건락(炒乾酪)은, 볕에 말린 낙(酪)을 뜨거운 소유(酥油) 냄비에 볶아 노랗게 되거든 수장하였다가 먼 길 갈 때의 음식으로 한다. -『신은지』-

우유가 낙이 되고, 낙이 소(酥)가 되고, 소가 제호(醍醐)가 되니, 제호는 소(酥)의 정액(精液)이다. -『증류본초』-

소유 만드는 법[造酥油法]은, 우유(牛乳)를 냄비에 부어, 잠깐씩 두어 번 팔팔 끓여 동이[盆]에 넣고 식혀서 위에 껍질이 생기거든 그

것을 냄비 안에 지질지질 끓여 기름은 꺼낸다. 이때 사발에 남는 것이 바로 소유(酥油)이다. -『신은지』-

또 한 가지 법은, 양지(羊脂 양기름) 1근, 돼지고기 4냥을 뭉근한 불에 볶아 찌꺼기를 밭쳐내고, 껍질 벗긴 배 1개를 속을 파내어 얇게 썰고, 얇게 썬 밤살[栗肉] 10개, 씨 발라 저민 붉은 대추 15개, 등심(燈心) 작게 1줌, 조각(皁角) 1촌치, 고루자(菰蔞子) 부순 것 등을 조금 섞어 배가 마를 때까지 볶아 다시 걸러서 수장한다. -『거가필용』-

수납조(收臘槽)는, 마른 지게미[乾糟]를 소금과 섞어 눌러서 진흙으로 단단히 봉해두면 향긋하면서도 술맛을 띠며 신맛이 나나 냄새는 나지 않는다. -『신은지』-

참기름 수장법[收香油]은, 하지 무렵 자기 병에 참기름을 담아 밀봉하고 자기로 덮어 기와집 위에 두고 입추(立秋) 때에 내리면 아주 맑은 기름이 된다. -『사시찬요』-

섣달에는 참기름을 수장해야 하니, 만약 누에치는 방에 참기름 등불을 켜면 모든 벌레가 꾀지 않고, 고약 골 때 쓰면 크게 신효하고, 아낙네 머리에 바르면 검고 윤이 나며 이도 없어진다.

봉선화씨로 기름을 짜서 음식에 넣으면 맛이 있다[30] -『속방』-

메주 띄우는 법[造豉]은, 콩을 누렇게 삶는다. 즉 말장(末醬)이다. 콩 1말에 소금 4되, 천초(川椒) 4냥을 한데 절이면 봄가을에는 3일, 여름엔 2일, 겨울에는 5일 동안이면 뜨니, 반쯤 익었을 때 생강 5냥을 곱게 썰어 고루 섞어 그릇에 넣고 주둥이를 봉하여 쑥대나 두엄에 묻어 두껍게 덮고, 혹은 말똥 속에 한 이레나 두 이레 묵히면 꺼내 쓴다. -『증류본초』-

---

30) 봉선화씨로 …… 맛이 있다 : 『규합총서(閨閤叢書)』에는 "봉선화씨로 기름을 짜면 맛은 좋으나 이가 빠진다." 하였고, 『증보산림경제(增補山林經濟)』 제9권 치선(治膳) 하(下)에도 "봉선화씨 기름을 음식에 치면 맛은 있으나 사람의 이[齒]를 상하게 한다." 하였다.

장(醬) 담그는 법

장 담그는 길일은 정묘일(丁卯日)이니 신일(辛日)은 꺼린다. - 『거가필용』·『고사촬요』 -

모든 길신일(吉神日)이 마땅하다. - 『고사촬요』 -

정월 우수일(雨水日)과 10월 입동일(立冬日)에 장을 담근다. - 『사시찬요』 -

수일(水日)에 장 담그면 가시가 생긴다. - 『박물지』 -

삼복(三伏) 안 황도일(黃道日)에 콩을 담가 황도일에 쪄서 섞으면 벌레가 없다. 아낙네가 보는 것을 꺼린다. - 『신은지』 -

동파(東坡)가 말했다.

"삼복중에 장을 담그면 벌레가 생기지 않는다." - 『사시찬요보』 -

또 이렇게 말했다.

"해 돋기 전과 해 진 뒤에 장을 담그면 파리가 안 꾄다." - 『사시찬요보』 -

그믐날 담 밑에서 얼굴을 북으로 돌리고 입 다물고 말없이 장을 담그면 벌레가 안 꾄다. - 『사시찬요』 -

초오(草烏 바곳 뿌리) 6~7개를 4푼(分)쯤 잘라서 독에 드리우면 가시[蛆]가 저절로 죽고 다시는 영영 생기지 않는다. - 『사시찬요』에 이르기를 "백부근(百蔀根)을 넣으면 더욱 좋다."[31] 하였다. 『거가필용』·『사시찬요』 -

생황장(生黃醬)은, 삼복중에 흰 콩이건 검은 콩이건 가릴 것 없이 깨끗이 가려 하룻밤 물에 담갔다가 건져서 솥에 흐무러지게 삶아 헤쳐서 차게 식혀, 백면(白麪 메밀가루)을 많이 넣고 고루 섞어 달삿자리[蘆席]

31) 백부근(百蔀根) …… 더욱 좋다 : 『규합총서』에 "벌레가 생기거든 바곳[草烏]이나 백부근 네 조각만 위에 얹으면 다 죽고 청명날 꺾은 버들가지를 꽂으라 했으나 이 나무가 맛이 쓰니 깊이 넣기는 염려스럽다." 하였다.

위에 헤쳐 놓는다. 보릿짚이나 볏짚, 도꼬마리잎[蒼耳葉]으로 덮어 하루 지나면 후끈후끈해지고[發熱], 이틀이 되면 누런 곰팡이가 생긴다. 이것을 사흘 뒤에 손쳐서[翻轉] 강한 볕에 말린다. 볕에 말리면 말릴수록 더욱 좋다. 황자(黃子 보리누룩) 1근, 소금 4냥에 정화수(井華水 새벽에 길은 우물물)를 붓되, 물이 황자 위로 한 주먹쯤 올라오게 한다. 볕에 말릴 때 생수(生水)가 들어가지 않고 메밀가루가 많으면 장이 노랗고 좋으며 볕에 많이 말릴수록 장맛이 좋다. -『거가필용』·『신은지』-

숙황장(熟黃醬)은, 흰 콩이나 검은 콩을 깨끗이 가려 볶아 가루를 만들어, 콩가루 1말[斗]에 밀가루[麪] 12근(斤)[32]을 뜨거운 물에 넣어 고루 반죽하여 덩이를 만들어 찐다. 익은 뒤에 달삿자리 위에 널고, 보릿짚·볏짚·도꼬마리잎으로 덮어 누런 곰팡이가 슬기를 기다려 강한 햇볕에 말린다. 황자(黃子) 1근에 소금 5냥, 정화수를 붓되 물이 한 주먹쯤 올라오게 하여 볕에 쬔다. -『거가필용』·『신은지』-

면장(麪醬)은, 메밀가루[白麪]를 냉수로 되게 반죽하여 손가락 정도 두께의 덩이를 만들어 치룽 안에 띄워 익혀 햇볕에 널어 반일만 말린다. 마르거든 닥나무잎[楮葉]·도꼬마리잎·보릿짚·볏짚으로 덮어 누런 곰팡이가 생길 때까지 덮어 두었다가 덮개를 제거하고 손쳐서 다음날 볕에 말려 누런 곰팡이를 손질해 버리고, 빻아 1근에 소금 4냥의 비율로 소금물을 만들어 붓는다. -『신은지』에는 "관중탕(貫衆湯)에 소금을 넣어 끓여 그 물을 붓는다." 하였다. 『거가필용』·『사시찬요』-

대맥장(大麥醬)은, 검은 콩 5말을 볶아 반일 동안 물에 담갔다가 솥에 노그라지게 삶아 식힌다. 완전히 식은 뒤에 대맥가루 100근을 고루 섞어 체에 쳐서 콩 삶은 물에 반죽하여 큰 덩이를 만들어 시루에 쪄서 식혔다가 닥나무잎으로 덮어 둔다. 누런 곰팡이 위에 진액이 마르기를 기다려 볕을 쬐어 빻는다. 정일(丁日)이나 화일(火日)을 가려

32) 콩가루 …… 12근(斤): 이 부분은 한독본(韓獨本)에서 보충하여 번역했다.

담근다. 황자(黃子 메주가루) 1말에 소금 2근, 정화수(井華水) 8되를 소금에 섞어 항아리에 넣어 볕에 쬔다. -『거가필용』·『사시찬요』-

유인장(楡仁醬)은, 유인(楡仁 느릅나무 열매)을 깨끗이 일고 씻어 1주야(晝夜)쯤 담갔다가 뜨는 껍질을 버리고 느슨하게 포대에 담아 물 속에서 흔들어 점액(粘液)을 빼고 물기를 없애 여뀌즙[蓼汁]을 뿌려서 볕에 말린다. 이렇게 일곱 차례하고 띄운 메주[發過麪麴]와 같이 면장(麪醬) 만드는 방법대로 하고, 소금물을 내린다. 유인 1되에 발과 면국 4근, 소금 1근을 넣어 법대로 만든다. -『거가필용』·『사시찬요』-

느릅나무 열매로 담근 장을 음식에 치면 몹시 향기롭고 맛있다. -『증류본초』-

한국 장 담그는 법[東人造醬法]은, 콩을 깨끗이 장만하여 하룻밤 물에 담갔다가 건져내어 노그라지게 삶는다. 삶은 콩을 손으로 짓이겨 주먹만 한 덩어리로 만들어 사이사이 짚을 넣고 짚둥구미[藁篇]에 담아 더운 데 놓아두면 누런 곰팡이가 생긴다. 이때 강한 햇볕에 말려서는 도로 따뜻한 데 두어 저절로 마르게 한다. 이것이 이른바 말장(末醬 메주)이니, 말장 1말 당 소금 5되를 끓는 물에 섞어 체에 밭쳐 찌꺼기를 없애고 식혀 둔다. 먼저 말장을 독 안에 넣고 소금물을 붓되, 소금물이 말장에 겨우 잠길락말락하게 해서 며칠 동안 볕을 쬐어 그 물이 줄거든, 다시 소금물을 부어서 익은 뒤에 쓴다. -『속방』-

장 담글 때, 산삼·도라지[桔梗] 등을 껍질을 벗겨 햇볕에 바싹 말려 가루로 만들어 포대에 담아 물에 담가 쓴 맛을 우려낸 뒤 물기를 없애고 포대에 넣어 장독에 잠그면 맛이 포장(泡醬)보다 낫다. -『사시찬요』-

산 게[生蟹]를 보드랍게 빻아 장(漿)과 살을 짜내어 눌러 엉기게 하여 쪄서 자루에 넣어 장독에 잠그면 맛이 아주 좋다. -『사시찬요』-

닭이나 오리알 겉껍질을 살짝 깨어 장독 안에 넣으면 장맛이 아주 좋다. -『사시찬요보』-

마른 왕새우[大蝦]를 찧어 장독에 넣으면 그 맛이 비길 데 없이 좋고, 쇠고기를 넣어도 좋다. -『사시찬요보』-

힘줄과 막(膜)을 없앤 노루고기·양고기·토끼고기 등 4근, 장면(醬麪) 1근 반을 곱게 빻고, 소금 1근, -『신은지』에는, 4냥이라 하였다. - 흰 파줄기 썬 것 한 사발, 좋은 생강·천초(川椒)·무이(蕪荑)·진피(陳皮) 각 2냥씩 -『신은지』에는, 각 1냥이라 했다. - 을 술에 고루 섞어 된 죽같이 하여 작은 독에 담고 봉한다. 10여 일 뒤에 엿보아 된 듯하거든 다시 술을 치고, 맛이 싱겁거든 소금을 쳐서 진흙으로 꼭꼭 봉하여 햇볕에 쬔다. -『거가필용』·『신은지』-

장맛이 안 좋거든 누리[雹] 1~2되를 받아 독 안에 넣으면 바로 제 맛이 돌아온다. -『동의보감』-

밤에 독 뚜껑을 벗겨 놓아 서리나 눈이 들어가면 좋다. -『속방』-

초(醋) 빚기

초 빚는 길일(吉日)은, 신미(辛未)·을미(乙未)·경자(庚子) 및 제(除)·만(滿)·개(開)·성(成)일이다. -『고사촬요』-

또 봄에는 저(氐)·기(箕), 여름에는 항(亢), 가을에는 규(奎), 겨울에는 위(危) 일이 마땅하다. -『거가필용』-

미초(米醋 지에밥으로 빚은 초)는, 묵은쌀 또는 찹쌀 1말을 물에 담가 하룻밤 재웠다가 지에밥을 쪄서 헤쳐 식힌 뒤에 굵은 누룩[麤麴] 20냥을 곱게 찧어 볶아 말려서 땅 위에 종이를 깔고 화기(火氣)를 뺀다. 이것을 지에밥에 고루 섞어 깨끗한 그릇에 넣고, 새로 길은 물 3말을 붓고 고루 섞어, 다독거려 판판하게 하고 종이 두어 겹으로 독주둥이를 꼭꼭 막아 바람이 들어가지 않게 하여 볕바른 조용한 데 둔다. 49일 만에 밀 2되를 탈 정도로 볶아 독에 넣고, 조금 있다가 냄비에서 초를 꺼내 덥혀서 병에 넣고 위에 볶은 보리 한 줌[撮]을 넣으면 오래도록 초 맛이 변하지 않는다. 첫 번 초를 다 따라내었으면 다시 물 1말 반으로 두 번째 초를 빚어 열흘이면 먹을 수 있다. 두 번째 초를 다 따라내었으면 다시 물 7되 반으로 세 번째 초를 빚어 며칠이면 먹을 수 있다. 세 번째 초를 다 먹거든 바짝 볶은 보리 반 되 정도를 독 안에 넣고 색깔을 보아 하면 넷째 번 초를 얻을 수 있으니 초 맛이 저자에서 파는 것과 같아 묘하기 이를 데 없다. 미초 익은 것을 대개 초미(炒米)라고 하는데, 이 방법은 지에밥을 쓰기 때문에 초의 성질이 순하다. -『거가필용』-

또 한 가지 방법은, 묵은 쌀 5말을 깨끗이 일어 씻지 말고 그대로 담가 두고 날마다 물을 두 차례 갈아 7일이 되거든 잘 익은 지에밥을 뜨거울 때 바로 독에 넣고 다독거려 김이 새지 않게 봉한다. 둘째 날 손쳤다가 제7일에 열어서 다시 손쳐, 정화수 세 지게[三擔]를 붓고, 또 봉해 둔다. 한이레 만에 한 번 젓고 다시 봉하고, 두이레 만에 다시 젓고 봉하여 세이레가 되면 좋은 초가 되니, 이 법은 아주 손쉽고도 묘하다. -『거가필용』-

삼황초(三黃醋)는, 삼복중에 묵은 쌀 1말을 깨끗이 일씻어 고두밥을 지어 식힌 뒤에 밥 위에 닥나무잎이나 도꼬마리[蒼耳]·다북쑥[靑蒿]을 덮어 띄운다. 위에 누런 곰팡이가 생기거든 덮은 것을 벗겨 버리고 손쳐서 다음날 볕에 말려 누런 곰팡이를 키로 까불러 버리고, 깨끗한 그릇에 담아둔다. 다시 묵은쌀 1말로 고두밥을 지어 볕에 말려 또한 깨끗한 그릇에 담아두었다가 추사일(秋社日)이 되거든 다시 묵은 쌀 1말로 지에밥을 지어 이상의 황자(黃子 곰팡이를 낸 쌀)·말린 밥을 고루 섞어 손가락 넷 정도 밥 위에 물이 올라오게 물을 붓고 사비단으로 위를 싸두면 49일이면 바야흐로 익을 것이다. 부디 익을 때 출렁거리게 하지 말고 저절로 익게 두어야 한다. -『거가필용』-

소맥초(小麥醋 밀지에 밥으로 빚은 초)는, 분량에 상관없이 밀을 깨끗이 일씻어 맑은 물에 담갔다가 사흘 만에 건져내어 물기를 없애고 쪄서 따뜻한 곳에 달삿자리[蘆席]를 펴고 헤쳐 놓는다. 그 위에 닥나무잎으로 사흘이나 닷새쯤 덮어두어 누런 곰팡이가 생기거든 나뭇잎을 치우고 볕에 말린다. 바싹 마르거든 깨끗이 까불러 항아리에 넣고 물을 부으면서 고루 섞되 주먹 하나가 올라올 만큼 물을 붓고 꼭 덮어두면 49일이면 익는다. -『거가필용』-

대맥초(大麥醋 보리지에밥으로 빚은 초)는, 보리 2말 중 1말을 노랗게 볶아 하룻밤 동안 물에 불렸다가 쪄서 메밀가루 6근을 고루 섞어 깨끗한 방안에 자리를 깔고 고루 헤쳐, 닥나무잎으로 덮어둔다. 이레만에 누런 곰팡이가 생기게 되거든 볕에 말린다. 다시 남은 1말을 노랗게 볶아, 하룻밤 물에 불린 뒤 푹 쪄서 따뜻한 데 헤쳐 놓았다가 황자(黃子)와 섞어 항아리에 넣고 물 6말을 부어 고루 저어 뚜껑을 꼭 덮어두면 세이레면 익는다. -『거가필용』-

추모초[秋麰醋 가을보리로 지에밥을 지어 빚은 초]는, 5월 5일이나 7월 7일에 가을 보리쌀 1말을 대충 대껴[麤鑿] 폭 찐다. 여기에 누룩 5되를 부수어 한데 섞어 독에 넣고 동류수(東流水)나 정화수 한 동이를 팔팔 끓여 부은 뒤 유지로 주둥이를 봉하고, 푸른 빛 보자기로 엮은 쑥다발을 싸서 덮었다가 세이레가 지나면 쓴다. 한 잔을 떠 쓰면 맛좋은 술 한 잔을 붓는데, 소주를 부으면 더욱 좋다. 빚을 때, 창포뿌리를 곱게 썰어 깨끗이 말려 섞으면 좋다. -『고사촬요』-

감초[柹醋]는, 감이 막 붉으려 할 때 따서 꼭지를 따버리고 항아리에 담아둔다. 여러 날이 지나 곰팡이가 슬거든 맑은 술을 붓고, 또 누룩 한 덩이를 불에 구워 담그면, 바로 좋은 초가 된다. 초가 다 떨어지거든 다시 술을 붓고, 구운 누룩을 넣으면 여러 해를 따라 먹어도 감을 더 넣을 필요가 없다. -『속방』-

대추초[棗醋]는, 대추가 반쯤 익었을 때, 위의 방법처럼 담근다. -『속방』-

창포 뿌리를 썰어 초 빚는 법도 위와 같이 하면, 맛이 아주 좋다. -『속방』-

조초[糟醋]는, 납조(臘糟) 1섬, 물에 불린[水泡] 굵은 겨, - 봄가을에는 4말, 여름에는 3말, 겨울에는 5말. - 보리기울[麥麩] - 봄·가을에는 2말가웃, 여름에는 2말, 겨울에는 3말 - 을 고루 섞어 따뜻한 데 덮어두고 부지런히 젓고 다독거려 향내가 나고 맛보아 초 맛이 있거든 여느 법대로 빚어 적신다. -『속방』-

천리초[千里醋]는, 씨를 바른 오매(烏梅) 씨 1근쯤을 독한 전내기초[釅醋] 5되에 1주야를 담갔다가 볕에 말려 다시 초에 담가 볕에 말리기를, 초가 없어질 때까지 해서 가루로 만든다. 이 가루를 다시 초에 담갔다가 쪄서 가시연밥[芡實] 크기의 환을 지어 놓았다가 먹으려 할 때 한두 알을 뜨거운 물속에 넣으면 곧 좋은 초가 된다. -『거가필용』·『신은지』-

초 저장법[收醋法]은, 대체로 초를 갈무리해 두려면, 반드시 먼저 난 것 차례로 병에 담아 병마다 빨갛게 타는 숯불 한 덩이씩을 던져 넣고 볶은 밀 한 움큼을 뿌린 뒤 대껍질로 봉하고 진흙으로 바른다. 어쩌다가 볶은 소금이 들어가면 그 맛이 도리어 싱거워진다. -『거가필용』·『신은지』-

초 독 아래에는 반드시 박석(磚石)을 괴어 습기가 오르지 않게 떼어 놓아야 하며, 날물기를 꺼린다. 짠 그릇이라든지 여러 사람의 손이 닿으면 모두 초 맛을 그르치기 쉽다. 또 아기 가진 아낙네가 초를 떠 맛이 간 때에는, 수레바퀴 밑의 흙을 움켜다가 독 속에 넣으면 제 맛으로 돌아온다. -『사시찬요』-

누룩[麴] 디디는 법

누룩 디디는 좋은 날은, 신미(辛未)·을미(乙未)·경자(庚子)일이

다. -『거가필용』·『고사촬요』-

또 좋은 날은 제(除)·만(滿)·개(開)·성(成)일이다. -『고사촬요』-

삼복중에 누룩을 디디면 벌레가 안 꾄다. -『동파집』-

매달 누룩 디디는 길일은 다음 술 빚는 데를 참고할 것.

목일(木日)에 누룩을 디디면 술맛이 시다.

누룩 디디는 시기는 초복 후가 가장 좋고, 중복 후 말복 전은 그다음이다. 밀을 얼마든지 좋으니 갈아서 밀 10말에 밀가루 2말의 비율로 누룩을 만든다. 우선 녹두를 물에 담갔다가 녹두즙을 받고, 꼿꼿한 여뀌[竦蓼] - 달엿괴 - 를 따서 녹두즙과 섞어 해 뜨기 전에 반죽하되, 누룩을 단단하게 디디려면 그날 디딜 만한 인력(人力)을 헤아려야 한다. 반죽한 것은 하루 재워서 디딜 수는 없기 때문이다. 단단하게 디디려면 한 덩이마다 연잎이나 도꼬마리 잎으로 꼭꼭 싸서 바람맞이 서늘한 곳에 매달았다가 10월에야 갈무리해 두면 된다. 누룩을 잘 디디는 비결은 전적으로 되게 반죽하여 꼭꼭 밟는 데에 있으니, 만약 반죽이 되지 않으면 꼭꼭 밟으려고 해도, 물기가 있어 뭉그러져 나오고, 꼭꼭 디디지 않으면 누룩 기운이 이내 없어져서 쌀을 이겨내지 못한다. -『사시찬요』-

달여뀌[蓼]로 누룩 디디는 법은, 찹쌀을 달여뀌즙에 하룻밤 담갔다가 건져내어, 마른 밀가루와 고루 섞어 뜨는 것은 체로 건져버리고, 종이봉지에 담아 바람맞이에 저장하여 한여름에 만든다. 두 달이면 쓸 수 있으니, 술을 빚으면 아주 전국술[醇]이 된다. -『신은지』-

술 빚기[釀酒]

술 빚기 좋은 날은, 정묘(丁卯)·경오(庚午)·계미(癸未)·갑오(甲午)·기미(己未)일이다. -『고사촬요』-

봄에는 기(箕), 여름에는 항(亢), 가을에는 규(奎), 겨울에는 위

(危)일이 좋다. -『거가필용』·『고사촬요』-

또 만(滿)·성(成)·개(開)일이 좋으나, 멸몰일(滅沒日)은 꺼린다. -『고사촬요』-

무자일(戊子日)·갑진일(甲辰日)과 정유일(丁酉日)을 꺼린다. - 두강(杜康)이 죽은 날이기 때문이다.『거가필용』-

매달 술 빚기 좋은 날은, 누룩 디디고 초 빚기 좋은 날과 같다. -『거가필용』·『신은지』-

정월의 정묘·을유·정유·갑진·정미·병진·기미일, 2월의 기사·정사일, 3월의 기사·병자·경자·을사일, 4월의 을축·정묘·정축·신묘·을묘일, 5월의 병인·갑신·경신일, 6월의 임신·무인·기묘·정유·기유일, 7월의 경오·무자·무술·경술일, 8월의 기사·정해·계사·기해일, 9월의 신사·무자·병신·무신·신해·경신일, 10월의 정묘·갑술·기묘·계미·갑오·경자·기미일, 11월의 을축(乙丑)·무인(戊寅)·갑신·을미·임인·무신·갑인일, 12월의 정묘·임신·기묘·갑신·경자·임인·을묘·경신일이다.

술밑 만드는 법[作酒腐本法]은, 멥쌀 1말을 깨끗이 씻어 겨울에는 10일, 봄·가을에는 5일, 여름에는 3일 동안 물에 담가, 쌀알 속속들이 불려, 건져서 폭 찐다. 여기에 약간의 누룩을 넣고 손으로 비벼 골고루 섞어 항아리에 넣고 주둥이를 봉하여, 겨울에는 따뜻한 데 두고, 여름에는 서늘한 데 두어 삭아서 술이 되거든 떠 쓴다. 그 맛이 약간 시금털털하면서도 살살 녹아 좋다. -『동의보감』-

청명수(淸明水 청명날 길은 장강수)나 곡우수(穀雨水 곡우날 길은 장강수)로 술을 빚으면 빛이 연보라색이고 맛이 콕 쏘며 오래 둘 만하다. -『사시찬요』에 "청명날과 곡우날 장강물을 길어 술을 빚으면 술 빛이 연보라색이고 맛이 유별난 것은 대개 그 철의 정기를 얻기 때문이다."고 하였다.『동의보감』-

가을 이슬이 흠씬 내릴 때, 넓은 그릇에 이슬을 받아 빚은 술을 추로백(秋露白)이라 하니, 그 맛이 가장 향긋하고 콕 쏜다. -『선서』-

중국 사람은 좋은 술을 빚어 술병 주둥이를 진흙으로 봉하여 절대로 김이 새지 않게 하고서 여러 해를 갈무리해 두는데 오히려 술맛이 더 좋아진다. 김이 조금이라도 새면 못쓴다. - 『왕양명』 -

백하주(白霞酒) - 속칭 방문주(方文酒)라고 한다. - 는, 백미 한 말을 매 씻어 가루를 만들어 그릇에 담고, 물 3병을 팔팔 끓을 때 붓고 식기를 기다린다. 식은 뒤에 누룩가루 1되가웃, 밀가루 1되가웃, 술밑(腐本) 1되를 골고루 섞어 독에 넣는다. 3일 만에 - 한 방법에는 익기까지 사나흘 기다린다고 하였다. - 또 멥쌀 2말을 매 씻어 쪄서 끓는 물 6병으로 버무려, 식은 뒤에 밑술[本釀]에다 누룩가루 1되를 섞어 놓는다. 7~8일이 지나면 익을 것이니 종이 심지에 불을 댕겨 독 안에 넣어 보아 익고 안 익은 것을 징험한다. 익었으면 불이 꺼지지 않고, 덜 되었으면 꺼진다. 이 뒤에 다른 물을 더 쳐서는 안 된다. 맛 좋은 술[旨酒]을 빚고 싶거든 물을 탈 때 1말에 2병 반까지 치고, 술이 많이 나게 하고 싶거든 술통에 뜰 때에 정화수 2병을 더 치고 섞는다. - 방문은 비록 이러하나 1말 쌀에 누룩 5홉이면 넉넉하다. 2말 이상 빚을 때에도 누룩을 더 넣을 필요가 없다. 빛을 희게 하고 싶거든 한 말에 누룩 3홉이면 또한 괜찮다. 『고사촬요』 -

소국주(小麴酒)는, 깨끗이 쓴 멥쌀 1말을 매 씻어 가루를 만들어 질그릇 동이에 담고 깨끗한 물 2병을 무거리에 붓고 끓인다. 이것을 쌀가루에 골고루 타서 식은 뒤에 빻은 누룩 1되 5홉과 버무린다. 7일째가 되거든 깨끗이 쓴 쌀 2말을 전과 같이 매 씻어 두고, 쌀 1말에 팔팔 끓는 물 2병을 고루 뿌려, 식거든 먼저 빚은 술밑과 뒤섞어 독에 넣는다. 세이레가 되어 맑게 가라앉은 뒤에 쓴다. - 『고사촬요』 -

약산춘(藥山春)은, 정월 첫해일[上亥日]에 흰 쌀 5말을 깨끗이 씻어 물에 담그고, 굵게 찧은 좋은 누룩 5되를 물 5병에 담가 놓는다. 이튿날 쌀가루를 빻아 쪄서 떡을 만들고, 물에 담근 누룩을 체로 밭여 찌꺼기를 버리고, 먼저 담갔던 물과 새로 길어 거른 것과 합쳐 20병쯤 되게 하여 찐 떡이 식기 전에 버무려 독에 넣고, 동쪽으로 향한 버들을 꺾어 젓는다. 유지와 베보자기로 두세 겹 덮어 헛간[虛廳]에 둔다. 여러 날 되면 혹 거품이 뜨는 수가 있으니 번번이 제거한다. 2월 그믐께 5말 쌀을 전처럼 깨끗이 씻어 쪄서 더 넣고, 봄이 가고 여름이 될 무렵, 하얀 개미(白蟻 술에 동동 뜨는 밥알)가 뜨고 노란 빛이 나면 쓴다. 맛이 매우 향긋하고 콕 쏜다. 술을 뜰 때 절대로 날물기가 들어가지 않게 해야 한다. 이 방문은 10말을 빚는 방법이니 빚을 어림에 따라 이것으로 어림잡아 하면 된다.

정월 첫해에 날씨가 따뜻하거든 떡과 밥을 식혀 독에 넣는다. 혹 날씨가 차면 해일(亥日)을 넘겨서 빚더라도 상관없다. 다만 첨가할 때에 이날 물린 것을 헤아려야 한다. 오래 쓰게 하려면, 맑게 가라앉은[倒淸] 것을 사기 항아리에 담아 볕 안 드는 곳에 묻어두면 여름 석 달을 나더라도 맛이 변치 않는다. -『고사촬요』-

또 한 가지 방법은, 1말에 누룩 3홉, 밀가루 30홉에 물 2병 반을 넣는다. 맛 좋은 술을 빚으려면 혹 3병을 섞어도 좋다. 10말을 담그려면 4말로 밑[本]을 만들고 6말로 첨가하는데, 첨가하는 쌀은 물에 담갔다가 이내 건져 물을 더 가하지 말고 그대로 쪄서 시루 안에 둔 채, 뜨거운 김이 조금 나가거든 바로 술밑이 있는 독에 넣어 동으로 향한 복숭아 가지로 술밑과 한데 섞어 힘껏 젓는다. 나머지는 모두 이상의 것과 같다.

호산춘(壺山春)은, 모월(某月) 초하룻날 흰 쌀 1말가웃을 매 씻어 곱게 가루를 만들어 냉수 7되로 고루 버무린다. 다시 끓는 물 1말 8되를 흠뻑 뿌려 젓고 섞으면 쌀이 끈적거릴 것이니, 싸늘하게 식거든 누룩가루 2되, 밀가루 2되를 고루 섞어 독에 넣어 빚는다. 13일째가 되면 또 흰쌀 2말가웃을 매 씻어 고운 가루로 만들어 넓은 그릇에 담고 끓는 물 2말가웃을 고루 섞어 식힌다. 누룩가루를 넣지 말고 앞서 빚은 술밑과 고루 섞어 제이차 술밑으로 삼는다. 13일째가 되거든 흰 쌀 5되를 매 씻어 찌고 여기에 끓는 물 5말을 부어, 물이 골고루 먹게 한다. 이것을 대자리에 펴서 식힌 뒤에 누룩가루 2되, 밀가루 1되를 2차 술밑과 섞어 독에 넣어, 차지도 덥지도 않은 곳에 내놓는다. 덮지 않으면 술맛이 변하지 않아 두어 달 지나도 먹을 만하다. 또 다른 방법은, 둘째 번 5말을 가루로 만들어 쪄서 익혀도 좋다. -『여산방』-

삼해주(三亥酒)는, 정월 첫해에 매 씻은 찹쌀[粘米] 1되를 가루로 만들어 묽은 죽을 쑨다. 식은 뒤에 누룩가루·밀가루를 각각 1되씩 섞어 독에 넣는다. 다음 해일(亥日)에 매 씻은 찹쌀·멥쌀 각각 1말로 구멍떡[孔餠]을 만들어 쪄서 식힌 뒤 먼저 빚은 술밑에 섞어 독에 넣는다. 세 번째 해일에 매 씻은 멥쌀 5말을 쪄서 식힌다. 끓는 물 세 놋동이[鍮盆]를 식혀 한 데 넣고 석 달 지나면 쓴다.

내국 향온법(內局香醞法 대궐 안 약국에서 술 빚는 법)은, 보리로 누룩을 디디는데, 갈기는 해도 체로 치지는 않는다. 한 덩이[一圓]에 1말을 넣고, 간[碎] 녹두 1홉을 섞어서 만든다.

매 씻은 백미 10말, 찹쌀 1말을 쪄서 끓는 물 15병을 붓는데, 물이 지에밥에 다 잦아 든 뒤에 대자리 위에 펴서 한참 식힌다. 누룩가루 1말가웃, 술밑 1병과 섞어 빚는다. -『고사촬요』-

잣술 빚는 법[柏子酒釀法]은, 향온법(香醞法)과 같되, 다만 잣 2말에 원 누룩가루 1말을 칼에 짓빻아서 술밑에 넣어 섞어서 빚는다. -『고사촬요』-

호도주 빚는 법[胡桃酒釀法]은, 잣술과 같으나 다만 호도로 대신할 뿐이다. -『고사촬요』-

도화주(桃花酒)는, 정월에 깨끗이 쓴 멥쌀[粳米] 2말가웃을 매 씻어서 가루로 만들고, 흐르는 물[活水] 2말가웃을 팔팔 끓여 고루 섞어 식힌 뒤에 누룩가루·밀가루 각각 1되씩 독에 넣고, 봉숭아꽃이 흐드러지게 필 때까지 기다린다. 이 시기가 되면 멥쌀·찹쌀 각각 3말씩을 매 씻어 하룻밤 물에 불려 쪄서 흐르는 물 6말을 팔팔 끓여 식힌 뒤에 고루 섞는다. 밥이 완전히 식거든 봉숭아꽃 2되를 따서 먼저 독 바닥에 깔고, 먼저 빚은 술밑과 함께 넣고, 봉숭아꽃 두어 가지를 그 가운데 꽂아 놓았다가 익은 뒤에 술통에 뜬다.

방문이 비록 이와 같으나, 처음 빚는 술밑에 물 5되를 감하고 첨가할 때 또 3~4되를 감하면 맛이 더욱 좋다. 항상 싸늘한 곳에 두어 익기를 기다린다. -『고사촬요』-

연엽주(蓮葉酒 연잎에 담는 술)는, 매 씻은 찹쌀을 하룻밤 물에 담갔다가 폭 찐다. 이튿날 찹쌀 1말에 누룩 가루 7홉 정도를 섞고, 물 2병을 끓여 지에밥과 물을 다른 그릇에서 식혔다가 섞는다. 먼저 독 밑에 연잎을 깔고, 그 위에 지에밥과 누룩을 켜켜이 놓아 깔되, 절대로 날물을 들이지 말 것이다. 날이 더우면 시어지니 반드시 서리 내리기 전, 잎이 채 마르지 않았을 때 담가야 향기와 맛이 기이하며 비록 봄·여름을 지나더라도 변하지 않으니, 독을 기울여 따라 쓴 뒤에는 좋은 술을 대신 넣더라도 그 향기와 맛은 여전하다. -『사시찬요』-

경면녹파주(鏡面綠波酒)는, 깨끗이 쓴 쌀 1말을 하룻밤 물에 불렸다가 가루를 만들어 물 2말로 죽을 쑤어 식은 뒤에 누룩가루 2되를 고루 섞어 술밑을 만든다. 또 찹쌀 2말을 하룻밤 물에 담갔다가 폭 쪄서 끓는 물 3말에 고루 섞어 차게 식힌다. 먼저 만든 술밑에 첨가하여 익은 뒤에 술통에 뜨면 술 5말은 넉넉히 뜰 수 있다.

또 한 가지 방법은, 찹쌀 1말을 가루로 만들어 술밑을 만들고 희게 쓴 쌀 2~3말을 가루로 만들어 죽을 쑨다. 빚는 법은 위와 같으나 빛이 아름답고 맛이 유난히 좋으며 또 술이 많이 난다. -『사시찬요보』-

벽향주(碧香酒)는, 깨끗이 쓴 멥쌀 1말을 매 씻어 가루를 만들어 끓는 물 2말로 죽을 쑤어, 식은 뒤에 참누룩[眞麴] 1되를 섞어 술을 빚는다.

이레 뒤에 깨끗이 쓴 멥쌀 2말은 매 씻어 폭 쪄서 끓는 물 2말과 고루 섞어 식힌 뒤에 참누룩 2홉을 섞어 술밑에 첨가하여 익거든 술통에 뜬다. 방문은 이렇지만, 누룩을 반드시 조금 더해야만 좋다. -『사시찬요보』-

하향주(荷香酒)는, 깨끗이 쓴 쌀 1되를 가루로 만들어 구멍떡[孔餅]을 만들어 폭 쪄서 식은 뒤에 누룩가루 5홉을 섞어 빚는다. 사흘 되는 날, 또 찹쌀 1말을 물을 뿌려가며 폭 쪄서 한참 동안 식혀, 먼저 담근 술밑과 섞어 독에 넣되, 군물[客水]이 들어가지 않아야 한다. 세이레면 바로 익는다. -『고사촬요』-

이화주(梨花酒)는, 정월 첫해인 3일 전에 매 씻어 물에 불린 쌀을 건져내어 빻아 고운체로 쳐서 물을 넣지 말고 주물러 계란 크기의 덩이를 만든다. 이 덩이를 독 안에 넣고 솔잎을 켜켜이 놓아, 방 윗목 따뜻하지 않은 곳에 놓아두었다가, 7일 만에 꺼내어 돗자리나 베보자기 위에 펴서 반일 동안 볕에 말려, 다시 솔잎에 묻는다. 다시 이렇게 한 차례 한 뒤 꺼내어 볕에 바싹 말려 종이 봉지에 담아 갈무리해 둔다. 배꽃이 핀 뒤부터 여름 동안 언제라도 빚을 수 있다. 깨끗이 쓴 쌀을 전과 같이 가루를 빻아 구멍떡을 만들어 쪄서 식은 뒤에, 만들어 둔 누룩가루를 고루 섞어 독에 넣고 며칠에 한 번씩 손쳐 뒤적인다. 봄에는 7일, 여름에는 세이레면 쓸 수 있다. 뜨거울 때는 독을 물속에 담가 놓는다. 술은, 진하고 달게 빚으려면 쌀 1말에 누룩가루 7되를 넣고, 맑고 콕 쏘게 빚으려면 3~4되를 넣고 떡을 삶아낸 물을 식혀 섞어서 빚는다. 혹 멥쌀을 쪄서 보통대로 빚거나 혹은 찹쌀로 빚어도 된다. 어떻든지 날물기를 들이지 말고, 덩어리를 만들 때, 물기가 너무 적으면 굳지가 않고, 너무 질면 속이 썩어 푸른 점이 생긴다. -『사시찬요』-

청서주(淸暑酒)는, 아침에 깨끗이 쓴 찹쌀 1말을 흐르는 물에 담그고, 따로 누룩가루 2되를 2병 물에 나누어 담근다. 저녁에 쌀을 폭 쪄서 물 반 병을 섞어 물이 완전히 스며든 뒤에 시루를 들고 우물가에 나가 찐 지에밥이 완전히 식을 때까지 씻는다. 물기를 없앤 뒤 불린 누룩 물을 체에 걸러 찌꺼기를 제거하고, 고루 버무려 이튿날 저녁 냉수를 큰 그릇에 담고 독을 그 속에 앉히고 술을 빚는다. 하루에 두어 번 물을 갈아주어, 6~7일이면 술통에 뜬다. 늘 술 담은 병을 물에 담가 놓는데, 이 방법은 더운 철에만 적합하다. -『고사촬요』-

부의주(浮蟻酒 동동주. 부의란 술 위에 동동 뜨는 흰 밥풀을 말함)는, 찹쌀 1말을 쪄서 그릇에 담아 식히고, 물 3병을 팔팔 끓여 식힌다. 먼저 누룩가루 1되를 물에 탄 다음 찐 지에밥과 섞어서 독에 넣어 사흘 밤을 재우면 이내 익는다. 맑게 가라앉은 뒤에 약간의 주배(酒醅 거르지 않는 술)를 띄워서 쓰면 마치 하얀 개미알이 동동 뜬 것 같고 맛은 달고도 콕 쏘아 실로 여름철에 쓰기 알맞다. -『고사촬요』-

누룩가루를 하루 먼저 물에 담가 체에 걸러 쓰면 좋다.

청감주(淸甘酒)는, 찹쌀 1말을 쪄서 누룩 가루 반 되를 물에 타지 말고 좋은 술 1병 반에 섞어 빚으면 그 맛이 꿀맛 같다. -『고사촬요』-

포도주(葡萄酒)는, 포도 익은 것을 손으로 비벼 그 즙을 짜서 찹쌀 지에밥·흰 누룩과 섞어 빚으면 저절로 술이 되고 맛 또한 훌륭하다. 머루도 된다. -『증류본초』-

백주(白酒 막걸리)는 봄이나 여름에 찹쌀 2말 - 겨울에는 3말. - 을 항아리에 넣고 불려 하룻밤을 재우고 이튿날 새벽에 새 물로 여러 번 일씻어 될 수 있는 대로 깨끗하게 한다. 건져서 물기를 없애 일부를 시루에 넣고 찌는데 김이 올라오거든 한 켜씩 더 넣으면서 쪄서 쌀이 다 떨어질 때까지 여러 차례 이렇게 한 뒤에 시루 덮는 타래 방석[甑蓬]으로 꽉 덮어 말씬말씬 할 때까지 폭 익거든 큰 동이 위에 막대를 걸치고 시루를 그 위에 앉혀 놓고 식을 때까지 우물물을 붓는다. - 겨울에는 우물물로 두어 차례 축여 주고, 다시 동이 안의 뜨거운 물로 한 차례 축여 주어 죽[糜]이 따뜻하게 한다. - 이것을 항아리에 넣고 쌀 2말에 백주국(白酒麴 막걸리 누룩) 5알[丸] - 3말이면 9알. - 을 곱게 갈아 죽 위에 뿌리고 손으로 고루 버무려 가운데에 우물을 파고 사방을 꼭꼭 토닥거려

키[箕] - 겨울에는 시루뚜껑[甑蓬]. - 로 항아리 주둥이를 덮는다. - 겨울에는 거적으로 사방을 꼭 두르고 위도 거적으로 덮어 항아리가 차지 않게 한다. - 이튿날이면 술이 괴니 잔으로 술을 퍼서 사방으로 적신다. 7일이 지나면 술을 떠서 쓴다. - 겨울철에 항아리가 차서 술이 괴지 않으면, 끓는 물을 병에 담아 항아리 안에 넣으면 술이 괴어오른다. 『신은지』 -

일일주(一日酒)는, 좋은 술 1사발, 누룩가루 2되, 물 3사발에 깨끗이 쓴 쌀 1말을 폭 익게 쪄서 고루 섞어 따뜻한 데 둔다. 아침에 빚으려면 저녁에, 저녁에 빚으려면 아침에 한다. 찹쌀로 지에밥을 쪄서 빚으면 더 낫고, 가루를 만들어 죽을 쑤어 빚어도 된다. - 『사시찬요보』 -

삼일주(三日酒)는, 끓는 물 1말을 식혀, 누룩 가루 4되를 그 물에 담가 하룻밤 재운다. 깨끗이 쓴 쌀 1말을 매 씻어 폭 쪄서 식힌 뒤 물에 담근 누룩을 걸러 건더기는 버리고 그 즙으로 지에밥을 섞어 빚으면 사흘이면 마실 수 있다. 여기에 좋은 술 1사발을 부어 넣으면 더욱 좋다. - 『사시찬요보』 -

잡곡주(雜穀酒)는, 차수수[粱秫]・찰강냉이・차조・찰기장 등 곡식 중 한 가지, 또는 여러 가지를 섞은 것 1말로 가루를 만들고, 물 2병 반을 팔팔 끓여 가루에 붓고 고루 섞어 죽을 쑨다. 식은 뒤에 누룩가루・밀가루 각각 2되를 버무려 동이에 넣되 군물이 들어가지 않도록 한다. 3~4일이 지나 익기를 기다렸다가, 또 이상의 곡식 중 한 가지거나 혹은 섞은 것 혹 흰 쌀을 섞으면 더 좋다. 3되를 가루로 만든다. 물 7병을 팔팔 끓여 우선 무거리를 먼저 넣고 거의 익을 때를 기다려 두 번째로 가루를 넣어 죽을 쑤어 식힌 뒤에 먼저 빚은 술밑에 첨가하여 빚는다. 7일이 지나면 술통에 뜨게 된다. 반 이상이 익은 뒤에는 찹쌀이나 기장쌀 3~4되를 가루로 만들어 죽을 쑤어 덧빚으면 맛이 더욱 맵고 콕 쏜다. 비록 여러 가지 곡식을 섞는 일이 있더라도 반드시 가루로 만들어서 빚어야 한다. - 『사시찬요보』 -

지주(地酒)는, 깨끗이 쓴 쌀 1말, 누룩가루 3되, 썬 솔잎 1되를 항아리에 넣어 뚜껑을 꼭 덮고, 땅을 파서 솔가지로 사방을 둘러치고 항아리를 그 속에 넣고 흙을 덮어, 7개월 만에 꺼낸다. - 『문견방』 -

내국 홍로주(內局紅露酒) 빚는 법은, 향온(香醞)과 같다. 누룩은 2말까지만 넣고, 거기에 향온(香醞) 3병 2복자[鍑 기름·술 같은 것을 뜨는 그릇. 귀때가 달린 접시 모양의 것]를 소주로 고아 내려[燒出] 1병으로 만들되, 소주를 내릴 때 지초(芝草) 1냥을 가늘게 썰어 병 주둥이에 두면 붉은 빛이 으스러지게 곱다. 내국(內局)에서는 맑은 술을 은그릇에 담아 내리기 때문에 여염[外處] 소주와는 같지 않다. - 『문견방』 -

노주 이두방(露酒二斗方)은, 멥쌀과 찹쌀 각각 1되씩을 물에 담가 가루로 만들고, 고운 누룩 9되에 끓는 물 8되를 치면 섞어 빚을 만하다. 사흘이 지나거든 찹쌀 2말을 쪄서 식은 뒤에 술밑에 첨가하면 7일 만에 소주를 고아 내릴 수 있다. 위의 불은 11~12차례 바꾸면 맛이 순하고, 8~9차례 바꿔주면 맛이 극히 독하다. 땔감은 참나무 및 보릿짚·볏짚 등을 써서 쌌다 끄느름했다 하는 일 없이 일정하도록 해야 한다.

노주소독방(露酒消毒方)은, 소주를 내릴 때 소주 받을 병 밑에 벌꿀을 바르면 소독이 되고 맛이 몹시 좋다. 만약 꿀을 많이 바르면 너무 달고, 그렇다고 살짝 바르면 효과가 없다. 술의 양에 따라서 적당히 바르도록 한다. - 『고사촬요』 -

또 계피가루·사탕가루를 병 주둥이에 두어도, 술맛이 유난히 좋게 된다. - 『속방』 -

술 고는 법[煮酒]은, 좋은 청주 1병에 후추·황밀(黃蜜) 각 1전(錢)을 질그릇 항아리에 담아 솥 안에 놓고, 실을 물속에 드리우고[從紘] 고다가 시간이 지나면 꺼낸다. 골 때 병 수는 임의로 정한다. - 『고사촬요』 -

또 한 가지 방법은 술 1병에 황랍(黃臘) 2전(錢), 후추(胡椒)가루

1전(錢)을 넣고 병 주둥이를 꼭 봉하고, 젖은 쌀 한 움큼을 그 위에 놓고 중탕하여 곤다. 쌀이 밥이 되면 다 고아진 것이니, 꺼내어 차게 식혀 쓴다. -『동의보감』-

과하주(過夏酒)는, 매 씻은 찹쌀 1말을 물에 담가 둔다. 곱게 간 누룩 5홉을 명주 부대에 담아, 끓여 식힌 뒤 물 반병에 담가 둔다. 이튿날 깨끗한 물 8~9홉을 팔팔 끓여 식힌 뒤 골고루 찹쌀에 뿌리고 폭 쪄서 누룩 담근 반 병 물과 섞어 - 누룩가루는 쓰지 않는다. - 항아리에 넣고, 주둥이를 봉하여 사흘 만에 열어 노그라지게 익었는지를 보아, 노주(露酒)를 붓는다. 만약 달게 빚고 싶으면 9복자[鐥子]만 붓고, 맛이 콕 쏘게 하려면 두어 복자 더 붓고, 달게 하려면 양을 줄이면 된다. 노주를 부은 지 7일째가 되면 술통에 뜰 수 있다. -『고사촬요』-

또 한 가지 방법은, 찹쌀 1말을 매 씻어 하룻밤 물에 담갔다가 건져내어 물 3~4홉을 뿌려 폭 찐다. 행주로 물기 없이 닦은 그릇에 찐 지에밥을 식혀, 지에밥알이 다 알알이 떨어지도록 백로주(白露酒) 두어 복자를 뿌린 뒤 누룩가루 5홉을 섞어 항아리에 넣어 뜨겁지도 차지도 않은 곳에 둔다. 술이 농익거든 노주(露酒)를 붓되, 달게 하거나 콕 쏘게 하는 것은 식성대로 한다. 밥이 다 풀어질 때를 기다려 술통에 뜬다. -『수각방』-

꿀술[蜜酒]은, 꿀 4근, 술 9되를 같이 끓여 거품을 걷어내고 여름에는 아주 차게, 겨울에는 조금 따뜻하게, 누룩가루 4냥, 백효(白酵) 1냥, 팥알만 한 용뇌(龍腦)를 넣어 종이로 일곱 겹을 덮어, 하루에 한 겹씩 벗겨 내어, 이레면 술이 된다. 흙내[地氣]를 가까이 하지 말아야 한다. 겨울에는 불로 따뜻하게 하여 얼리지 않으면 맛이 달고 연하다. -『신은지』-

또 한 가지 방법은, 꿀 2근에 물 1사발을 같이 끓여 거품은 걷어내고, 흰 누룩[白麴] 1되 반, 좋은 건효(乾酵) 3냥을 넣어 날마다 세 번씩 저으면 사흘이면 익어 아주 좋다. -『동의보감』-

구기(枸杞)·지황(地黃)·오가피(五加皮)·천문동(天門冬)·백출(白朮)·무술(戊戌) 등으로 만드는 술은 그 빚는 법이 섭생 편에 있다.

꽃향기를 술에 들이는 방법은, 감국(甘菊)이 흐드러지게 필 때 따서 볕에 말려, 술 1말을 독에 담고 감국 2냥을 생명주 주머니에 담아, 손가락 하나 너비쯤 떨어지게 술 위에 달아매고, 독 주둥이를 꼭꼭 봉한 뒤 하룻밤 지나 꽃 주머니를 떼어내면, 마치 납매(臘梅 섣달 매화)와 같이 국화 향기가 술에 밴다. 향 있는 꽃이라면 어느 꽃이고 다 이 법으로 하면 또한 좋다. -『거가필용』·『신은지』·『사시찬요』-

또 한 가지 방법은, 술이 막 익으려 할 때, 꽃받침을 따 버린 감국(甘菊) 2냥을 빚은 술에 넣어 고루 젓는다. 이튿날 아침 일찍 술을 짜면 맛이 향기롭고 아름답다. 모든 독이 없는 향기로운 꽃이라면 이 방법대로 할 수 있다. -『신은지』-

술에 약 담는 법[酒中漬藥法]은, 대체로 약을 담는 술은 반드시 잘게 썰어 생명주 부대에 담아서 술에 넣고 꼭꼭 봉한다. 봄이면 닷새, 여름에는 사흘, 가을에는 이레, 겨울에는 열흘이 지나, 콕 쏘듯 무르익거든 이내 걸러서, 맑은 것은 마시고, 찌꺼기는 볕에 바싹 말려 거칠게 가루로 만들어 다시 술에 담가 마신다. -『본초』-

술 1병에 거칠게 간 약 3냥을 넣는 것이 옳다. -『동의보감』-

안 괴는 술 괴게 하는 법은, 너무 차게 하여 술을 담근 지 사나흘이 되어도 괴지 않을 때는, 바로 지에밥 한복판을 헤치고, 좋은 술을 그 속에 부으면 이내 바로 괸다. -『고사촬요』-

신 술 맛 고치는 법은 큰 병에 붉은 팥 1되 -『고사촬요』에는, 2되라 하였다.- 를 탈 정도로 바싹 볶아 부대에 넣어 술 속에 담그면 신맛이 곧 없어진다. -『신은지』·『사시찬요』·『고사촬요』-

국수 먹은 뒤 술을 마시려거든, 먼저 술로 알맹이를 빼어낸 한초(漢椒) 두어 알을 먹으면 탈이 나지 않는다. -『신은지』-

낙양 사람 유궤(劉几)는 나이 일흔에도 오히려 술을 마구 마셨는데, 술 한 번 마실 적마다 양치질을 하여, 아무리 취할 때도 거르는 일이 없었다. 그러므로 이앓이가 없었다. -『한정록』-

『식감본초(食鑑本草)』에 이렇게 되어 있다.

> "술의 독(毒)이 이(齒)에 있으니, 술 한 잔 마실 적마다 물로 입 안을 가셔내면 취하지 않는다. 정승 이양원(李陽元)이 소주 한 잔 마시고는 바로 냉수 한 잔을 마셨기 때문에 술병에 걸리지 않았다."
> -『지봉유설』-

『양생기요(養生紀要)』에 '날 저물어서는 많이 마시지 말라.' 하였고, 또 '거듭 밤에 취하지 말라.' 하였으니, 대개 술의 독이 머물러 사람의 장부(臟腑)를 상할까 두려워서이다. -『지봉유설』-

그믐날 크게 취해서는 안 된다. -『산거사요』-

두강(杜康)이 술을 잘 빚었는데, 정유일(丁酉日)에 죽었기 때문에 이날은 술을 마시거나, 손님과 연회를 않는다. -『사문유취』-

음식의 금기사항[食忌]

죽 먹은 뒤에 끓는 맹물을 먹으면 폐병이 생긴다. -『고사촬요』-

구리 그릇에 담은 뜨거운 음식을 먹다가 그 속에 떨어뜨린 땀방울을 먹게 되면 사람이 죽는다. -『고사촬요』-

『의방(醫方)』에 '일식이나 월식이 미처 끝나기 전에 마시거나 먹는 것을 꺼린다.' 하였고, 또 대체로 '사람들의 치통(齒痛)이 흔히 월식한 밤에 음식 먹은 탓으로 생긴다.' 하였다. -『지봉유설』-

열병(熱病)을 치른 끝에 순채(蓴菜)를 먹으면 죽는다. -『문견방』-

꿀은 파와 와거[萵苣 상추]를 꺼린다. -『증류본초』-

누런 게장[蟹黃]을 파・부추・꿀과 같이 먹으면 사람이 죽게 되고,

또 볶은 파와 꿀을 같이 먹으면 사람의 숨을 재촉하여 반드시 사람을 죽게 한다. -『문견방』-

메밀[木麥]을 돼지고기와 같이 먹으면 열풍(熱風)이 나서 머리털이 빠진다. -『고사촬요』-

과일 먹을 때의 금기[食果忌]는, 복숭아나 살구 씨 둘 있는 것은 독(毒)이 있으니 먹지 말라. -『고사촬요』-

복숭아를 먹은 뒤에 멱을 감으면 임질(淋疾)이 생긴다. -『고사촬요』-

땅에 떨어진 과일이 밤을 지나 벌레나 개미가 꾄 것은 먹지 말라. -『고사촬요』-

9월에 서리 맞은 오이를 먹지 말아야 한다. 이것을 먹으면 사람의 위가 뒤집히는 병이 생기게 된다. -『고사촬요』-

아기 가진 여자가 매실·오얏·미지(糜脂)를 먹으면 어린애 이가 파랗게 된다. -『고사촬요』-

홍시를 술과 같이 먹으면 안 된다. -『지봉유설』-

감이나 배를 게[蟹]와 같이 먹으면 안 된다. -『지봉유설』-

못 먹는 버섯[食菌忌]은, 털이 있는 것, 아래 무늬가 없는 것, 밤에 빛이 나는 것, 삶아도 익지 않는 것, 썩어 문드러지려는 데도 벌레가 안 먹는 것, 다 삶은 뒤 사람을 비춰 보아 그림자가 지지 않는 것, 봄이나 여름에 해롭고 나쁜 벌레나 독사가 지나간 것들은 다 사람을 죽게 한다. -『고사촬요』-

빛이 붉고 바짝 쳐든 채 엎어지지 않는 것, 들이나 밭 가운데 나는 것은 모두 독버섯이다. -『고사촬요』-

독버섯을 잘못 먹은 사람은, 간혹 웃음을 그치지 못하다가 죽으니, 오직 땅에 구덩이를 파고 물을 부었다가 맑은 물을 떠 마시면 된다. -『고사촬요』-

버섯을 먹고 중독이 되었을 때는, 바로 참기름을 마시면 된다. 증세의 경중(輕重)을 보아 생각대로 기름의 양을 가감한다. -『고사촬요』-

버섯 독을 고치려면, 박 속을 살라 그 재를 물에 타서 마시면 아주 잘 낫는다. -『고사촬요』-

생선 먹을 때의 금기[食魚忌]는, 생선이 창자도 쓸개도 없고, 두골[鮑]도 없는 것은 먹지 말라. 3년 동안 남자는 양기 부족으로 방사(房事)를 못하게 되고 여자는 생식이 끊어진다. -『고사촬요』-

눈이 붉은 산 물고기를 회 치면 안 된다. -『고사촬요』-

눈 감은 물고기를 먹으면 안 된다. -『고사촬요』-

자라 눈이 옴폭 들어간 것은 먹으면 안 된다. -『고사촬요』-

머리카락이 든 생선 젓[魚鮓]을 먹으면 사람이 죽는다. -『고사촬요』-

붕어를 맥문동(麥門冬)과 같이 먹으면 사람이 죽는다. -『고사촬요』-

날 생선과 우유나 신 것을 같이 먹으면 안 된다. -『증류본초』-

황상어(黃顙魚 메기 종류)와 형개(荊芥)를 같이 먹으면 사람이 죽는다. -『증류본초』-

조갯살을 초와 같이 먹으면 안 된다. -『증류본초』-

새나 짐승 고기를 먹을 때의 금기[食鳥獸忌]는 소·양·돼지고기는 모두 닥나무·뽕나무로 구워 먹어서는 안 되니, 먹으면 뱃속에 벌레가 생긴다. -『고사촬요』-

육축(六畜 집에서 기르는 소·말·양·돼지·닭·개)이 저절로 죽은 것은 모두 병들어 죽은 것이니 먹어서는 안 된다. -『고사촬요』-

제풀에 죽은 새나 짐승이 입을 벌리고 있는 것은 먹어서는 안 된다. -『고사촬요』-

짐승이 제풀에 죽어 머리를 북으로 둔 것과 땅에 엎어진 것을 먹으면 사람이 죽는다. -『고사촬요』-

고기(肉)와 간(肝)이 땅에 떨어져도 흙이 묻지 않는 것은 먹으면 안 된다. -『고사촬요』-

고기를 말려도 마르지 않는 것은 먹으면 사람이 죽는다. -『고사촬요』-

물에 뜨는 돼지고기는 먹으면 안 된다. -『고사촬요』-

고기에 진주 같은 반점이 있는 것은 먹으면 안 된다. -『고사촬요』-

고질(痼疾)이 있는 이는 곰고기를 먹으면 안 되니, 평생 낫지 않는다. -『고사촬요』-

푸른색이 나는 모든 새고기 간을 먹으면 죽는다. -『고사촬요』-

닭이나 들새가 발을 오그리고 죽은 것을 먹으면 사람이 죽는다. -『고사촬요』-

발이 흰 오계(烏鷄)를 먹으면 안 된다. -『고사촬요』-

쇠고기와 돼지고기를 같이 먹으면 촌백충(寸白蟲)이 생긴다. -『고사촬요』-

쇠고기하고 막걸리[白酒]를 같이 먹으면 촌백충이 생긴다. -『고사촬요』-

살진 고기와 뜨거운 국을 먹고 나서 냉수를 마시면 안 된다. -『고사촬요』-

흰 개의 고기를 날 파와 같이 먹으면 구규(九竅 몸에 있는 9개의 구멍)에서 피를 쏟는다. -『고사촬요』-

우유와 생선·신 것을 같이 먹으면 뱃속에 적병(積病)이 뭉친다. 또 대개 우유 제품은 다 신 것하고 같이 먹으면 못쓴다. -『증류본초』-

신편 국역 **산림경제 1**

• 인 쇄 일 2007년 9월 21일
• 발 행 일 2007년 9월 21일

• 옮 긴 이 재단법인 민족문화추진회
• 펴 낸 이 채종준
• 펴 낸 곳 한국학술정보㈜
경기도 파주시 교하읍 문발리
파주출판문화정보산업단지 526-2
전화 031) 908-3181(대표) · 팩스 031) 908-3189
홈페이지 http://www.kstudy.com
e-mail(출판사업부) publish@kstudy.com

• 등 록 제일산-115호(2000. 6. 19)
• 가 격 29,000원

ISBN 978-89-534-7503-8 94810 (Paper Book)
978-89-534-7504-5 98810 (e-Book)
978-89-534-7501-4 94810 (Paper Book Set)
978-89-534-7502-1 98810 (e-Book Set)